Michael Ende
Die unendliche Geschichte

Thank you very much!

Lars 26th Dec -93

Dieser Band ist auf 100% Recyclingpapier gedruckt.
Bei der Herstellung des Papiers wird keine Chlorbleiche verwendet.

Der Autor:

Michael Ende wurde am 12. November 1929 in Garmisch geboren. Bereits in den 40er Jahren schrieb er erste Gedichte und kleinere Erzählungen. Nach dem Krieg besuchte er die Schauspielschule in München und arbeitete anschließend für den Bayerischen Rundfunk. Nach einem längeren Italienaufenthalt (1971–1985) lebt er heute als freier Schriftsteller in München. Ende erhielt zahlreiche nationale und internationale Literaturpreise. Sein Werk wurde in 26 Sprachen übersetzt. Titel in Auswahl: ›Jim Knopf und Lukas der Lokomotivführer‹, ›Momo‹, ›Das Gauklermärchen‹, ›Der satanarchäologenialkohöllische Wunschpunsch‹.
Titel des Autors bei dtv junior: siehe Seite 4.

Michael Ende

Die unendliche Geschichte

Von A bis Z

Mit Buchstaben und Bildern
von Roswitha Quadflieg

Deutscher
Taschenbuch
Verlag

Von Michael Ende sind außerdem bei dtv junior lieferbar:
Das Traumfresserchen, Band 7989
Die Vollmondlegende, Band 79031

bei dtv:
Die unendliche Geschichte, Band 10795
Das Gauklermärchen, Band 10903
Momo, Band 10958
Der Spiegel im Spiegel, Band 11304
Das Michael Ende Lesebuch, Band 11133

Ungekürzte Ausgabe
April 1993
Deutscher Taschenbuch Verlag GmbH & Co. KG, München

ISBN 3-522-12800-1
Umschlagbild: Roswitha Quadflieg
Druck und Bindung: Kösel, Kempten
Papier: ›Lenza Ton Recycling‹
Fa. Lenzing, Österreich
Printed in Germany · ISBN 3-423-70296-6

ANTIQUARIAT

Inhaber: Karl Konrad Koreander

Diese Inschrift stand auf der Glastür eines kleinen Ladens, aber so sah sie natürlich nur aus, wenn man vom Inneren des dämmerigen Raumes durch die Scheibe auf die Straße hinausblickte.

Draußen war ein grauer kalter Novembermorgen, und es regnete in Strömen. Die Tropfen liefen am Glas herunter und über die geschnörkelten Buchstaben. Alles, was man durch die Scheibe sehen konnte, war eine regenfleckige Mauer auf der anderen Straßenseite.

Plötzlich wurde die Tür so heftig aufgerissen, daß eine kleine Traube von Messingglöckchen, die über ihr hing, aufgeregt zu bimmeln begann und sich eine ganze Weile nicht wieder beruhigen konnte.

Der Urheber dieses Tumults war ein kleiner, dicker Junge von vielleicht zehn oder elf Jahren. Das dunkelbraune Haar hing ihm naß ins Gesicht, sein Mantel war vom Regen durchweicht und tropfte, an einem Riemen über der Schulter trug er eine Schulmappe. Er war ein wenig blaß und außer Atem, aber ganz im Gegensatz zu der Eile, die er eben noch gehabt hatte, stand er nun wie angewurzelt in der offenen Tür.

Vor ihm lag ein langer, schmaler Raum, der sich nach hinten zu im Dämmerlicht verlor. An den Wänden standen Regale, die bis unter die Decke reichten und mit Büchern aller Formen und Größen vollgestopft waren. Auf dem Boden türmten sich Stapel großer Folianten, auf einigen Tischen häuften sich Berge kleinerer Bücher, die in Leder gebunden waren und von der Seite golden glänzten. Hinter einer mannshohen Mauer aus Büchern, die sich am gegenüberliegenden Ende des Raumes erhob, war der Schein einer Lampe zu sehen. In diesem Lichtschein stieg ab und zu ein Rauchkringel auf, wurde größer und zerging weiter oben in der Dunkelheit. Es sah aus wie die Signale, mit denen Indianer sich von Berg zu Berg Nachrichten zuschikken. Offenbar saß dort jemand, und tatsächlich hörte der Junge nun hinter der Bücherwand eine Stimme ziemlich barsch sagen:

»Wundern Sie sich drinnen oder draußen, aber machen Sie die Tür zu. Es zieht.«

Der Junge gehorchte und schloß leise die Tür. Dann näherte er sich der Bücherwand und guckte vorsichtig um die Ecke. Dort saß in einem hohen Ohrenbackensessel aus abgewetztem Leder ein schwerer untersetzter Mann. Er hatte einen zerknitterten schwarzen Anzug an, der abgetragen und irgendwie staubig aussah. Sein Bauch wurde von einer geblümten Weste zusammengehalten. Der Mann hatte eine Glatze, nur über den Ohren stand je ein Büschel weißer Haare in die Höhe. Das Gesicht war rot und erinnerte an das einer bissigen Bulldogge. Auf der knollenförmigen Nase saß eine kleine goldene Brille. Außerdem rauchte der Mann aus einer gebogenen Pfeife, die aus seinem Mundwinkel hing, wodurch der ganze Mund schief gezogen war. Auf den Knien hielt er ein Buch, in welchem er offenbar gerade gelesen hatte, denn er hatte beim Zuklappen den dicken Zeigefinger seiner linken Hand zwischen den Seiten gelassen – als Lesezeichen sozusagen.

Nun nahm er mit der rechten Hand seine Brille ab, musterte den kleinen dicken Jungen, der da vor ihm stand und tropfte, dabei machte er die Augen schmal, was den Eindruck der Bissigkeit noch erhöhte, und murmelte bloß: »Ach du liebes Bißchen!« Dann schlug er sein Buch wieder auf und fuhr fort zu lesen.

Der Junge wußte nicht recht, was er tun sollte, deshalb blieb er einfach stehen und schaute den Mann mit großen Augen an. Schließlich klappte der sein Buch wieder zu – wie vorher, mit dem Finger zwischen den Seiten – und knurrte: »Hör zu, mein Junge, ich kann Kinder nicht leiden. Heutzutage ist es zwar Mode, daß alle Welt ein Mordsgetue mit euch veranstaltet – aber ich nicht! Ich bin ganz und gar kein Kinderfreund. Für mich sind Kinder nichts als blöde Schreihälse, Quälgeister, die alles kaputt machen, die die Bücher mit Marmelade vollschmieren und die Seiten zerreißen, und die sich den Teufel darum scheren, ob die Erwachsenen vielleicht auch ihre Sorgen und Kümmernisse haben. Ich sag dir das nur, damit du gleich weißt, woran du bist. Außerdem gibt es bei mir keine Bücher für Kinder, und andere Bücher verkaufe ich dir nicht. So, ich hoffe, daß wir uns verstanden haben!«

Alles das hatte er gesagt, ohne dabei die Pfeife aus dem Mund zu nehmen. Nun klappte er sein Buch wieder auf und setzte seine Lektüre fort.

Der Junge nickte stumm und wandte sich zum Gehen, aber irgendwie schien ihm, daß er diese Rede nicht so unwidersprochen hinnehmen konnte, deshalb drehte er sich noch einmal um und sagte leise:

»*Alle* sind aber nicht so.«

Der Mann blickte langsam auf und nahm abermals seine Brille ab. »Du bist immer noch da? Was muß man eigentlich tun, um so einen wie dich loszuwerden, kannst du mir das mal verraten? Was hast du da eben so überaus Wichtiges zu sagen gehabt?«

»Nichts Wichtiges«, antwortete der Junge noch leiser. »Ich wollte nur – nicht alle Kinder sind so, wie Sie sagen.«

»Ach so!« Der Mann zog in gespieltem Erstaunen die Augenbrauen hoch. »Dann bist du wohl vermutlich selbst die große Ausnahme, wie?«

Der dicke Junge wußte nichts zu antworten. Er zuckte nur ein wenig die Achseln und wandte sich wieder zum Gehen.

»Und Manieren«, hörte er hinter sich die brummige Stimme, »Manieren hast du nicht für fünf Pfennig, sonst hättest du dich wenigstens erst mal vorgestellt.«

»Ich heiße Bastian«, sagte der Junge, »Bastian Balthasar Bux.«

»Ziemlich kurioser Name«, knurrte der Mann, »mit diesen drei B's. Na ja, dafür kannst du nichts, hast ihn dir ja nicht selbst gegeben. Ich heiße Karl Konrad Koreander.«

»Das sind drei K's«, sagte der Junge ernst.

»Hm«, brummte der Alte, »stimmt!«

Er paffte einige Wölkchen. »Na ja, ist ja auch ganz gleich, wie wir heißen, da wir uns ja doch nicht wiedersehen. Jetzt möchte ich nur noch eins wissen, nämlich wieso du vorhin mit solchem Karacho in meinen Laden eingebrochen bist. Machte ganz den Eindruck, als ob du auf der Flucht gewesen wärst. Stimmt das?«

Bastian nickte. Sein rundes Gesicht wirkte plötzlich noch etwas blasser als vorher und seine Augen noch etwas größer.

»Wahrscheinlich hast du eine Ladenkasse ausgeraubt«, vermutete Herr Koreander, »oder eine alte Frau niedergeschlagen oder was euereins heutzutage so macht. Ist die Polizei hinter dir her, mein Kind?«

Bastian schüttelte den Kopf.

»Heraus mit der Sprache«, sagte Herr Koreander, »vor wem bist du weggelaufen?«

»Vor den andern.«

»Vor welchen andern?«

»Den Kindern aus meiner Klasse.«

»Warum?«

»Sie ... sie lassen mich nie in Ruhe.«

»Was tun sie denn?«

»Sie lauern mir vor der Schule auf.«

»Und weiter?«

»Dann schreien sie lauter so Sachen. Sie schubsen mich herum und lachen über mich.«

»Und das läßt du dir einfach so gefallen?«

Herr Koreander betrachtete den Jungen eine Weile mißbilligend und fragte dann: »Warum gibst du ihnen nicht einfach eins auf die Nase?«

Bastian schaute ihn groß an. »Nein – das mag ich nicht. Und außerdem – ich kann nicht gut boxen.«

»Und wie ist es mit Ringen?« wollte Herr Koreander wissen. »Laufen, Schwimmen, Fußball, Turnen? Kannst du überhaupt nichts davon?«

Der Junge schüttelte den Kopf.

»Mit anderen Worten«, sagte Herr Koreander, »du bist ein Schwächling, wie?«

Bastian zuckte die Achseln.

»Aber reden kannst du doch immerhin«, meinte Herr Koreander. »Warum gibst du ihnen nicht heraus, wenn sie dich verspotten?«

»Das hab' ich einmal gemacht ...«

»Na und?«

»Sie haben mich in eine Mülltonne geschmissen und den Deckel zugebunden. Ich hab' zwei Stunden gerufen, bis mich jemand gehört hat.«

»Hm«, brummte Herr Koreander, »und jetzt traust du dich nicht mehr.«

Bastian nickte.

»Also«, stellte Herr Koreander fest, »ein Angsthase bist du obendrein.«

Bastian senkte den Kopf.

»Wahrscheinlich bist du ein rechter Streber, wie? Der Klassenbeste mit lauter Einsern, der Liebling aller Lehrer, nicht wahr?«

»Nein«, sagte Bastian und hielt immer noch den Blick gesenkt, »ich bin letztes Jahr sitzengeblieben.«

»Gott im Himmel!« rief Herr Koreander, »also ein Versager auf der ganzen Linie.«

Bastian sagte nichts. Er stand einfach nur da. Seine Arme hingen herunter, sein Mantel tropfte.

»Was schreien sie denn so, wenn sie dich verspotten?« wollte Herr Koreander wissen.

»Ach – alles mögliche.«

»Zum Beispiel?«

»Wambo! Wambo! Sitzt auf dem Potschambo! Potschambo bricht, der Wambo spricht: Das war mein Schwergewicht.«

»Nicht sehr witzig«, meinte Herr Koreander, »was noch?«

Bastian zögerte, ehe er aufzählte:

»Spinner, Mondkalb, Aufschneider, Schwindler ...«

»Spinner? Warum?«

»Ich red' manchmal mit mir selber.«

»Was redest du da zum Beispiel?«

»Ich denk' mir Geschichten aus, ich erfinde Namen und Wörter, die's noch nicht gibt, und so.«

»Und das erzählst du dir selbst? Warum?«

»Na ja, sonst ist doch niemand da, den so was interessiert.«

Herr Koreander schwieg eine Weile nachdenklich.

»Was meinen denn deine Eltern dazu?«

Bastian antwortete nicht gleich. Erst nach einer Weile murmelte er: »Vater sagt nichts. Er sagt nie was. Es ist ihm alles ganz gleich.«

»Und deine Mutter?«

»Die – ist nicht mehr da.«

»Sind deine Eltern geschieden?«

»Nein«, sagte Bastian, »sie ist tot.«

In diesem Augenblick klingelte das Telefon. Herr Koreander erhob sich mit einiger Anstrengung aus seinem Lehnstuhl und schlurfte in ein kleines Kabinett, das hinter dem Laden lag. Er hob ab, und Bastian hörte undeutlich, wie Herr Koreander seinen Namen nannte. Dann schloß sich die Tür des Kabinetts, und nun war nichts mehr zu hören als ein dumpfes Gemurmel.

Bastian stand da und wußte nicht recht, wie ihm geschehen war und warum er das alles gesagt und zugegeben hatte. Er haßte es, so ausgefragt zu werden. Siedendheiß fiel ihm plötzlich ein, daß er schon viel zu spät in die Schule kommen würde, ja, gewiß, er mußte sich beeilen, er mußte rennen – aber er blieb stehen, wo er stand und konnte sich nicht entschließen. Irgend etwas hielt ihn fest, er wußte nicht was.

Die dumpfe Stimme klang immer noch aus dem Kabinett herüber. Es war ein langes Telefongespräch.

Bastian wurde sich bewußt, daß er die ganze Zeit schon auf das Buch starrte, das Herr Koreander vorher in Händen gehalten hatte und das nun auf dem Ledersessel lag. Er konnte einfach seine Augen nicht abwenden davon. Es war ihm, als ginge eine Art Magnetkraft davon aus, die ihn unwiderstehlich anzog.

Er näherte sich dem Sessel, er streckte langsam die Hand aus, er berührte das Buch – und im gleichen Augenblick machte etwas in seinem Inneren »klick!«, so als habe sich eine Falle geschlossen. Bastian hatte das dunkle Gefühl, daß mit dieser Berührung etwas Unwiderrufliches begonnen hatte und nun seinen Lauf nehmen würde.

Er hob das Buch hoch und betrachtete es von allen Seiten. Der Einband war aus kupferfarbener Seide und schimmerte, wenn er es hin und her drehte. Bei flüchtigem Durchblättern sah er, daß die Schrift in zwei verschiedenen Farben gedruckt war. Bilder schien es keine zu geben, aber wunderschöne, große Anfangsbuchstaben. Als er den Einband noch einmal genauer betrachtete, entdeckte er darauf zwei Schlangen, eine helle und eine dunkle, die sich gegenseitig in den Schwanz bissen und so ein Oval bildeten. Und in diesem Oval stand in eigentümlich verschlungenen Buchstaben der Titel:

Die unendliche Geschichte

Es ist eine rätselhafte Sache um die menschlichen Leidenschaften, und Kindern geht es damit nicht anders als Erwachsenen. Diejenigen, die davon befallen werden, können sie nicht erklären, und diejenigen, die nichts dergleichen je erlebt haben, können sie nicht begreifen. Es gibt Menschen, die setzen ihr Leben aufs Spiel, um einen Berggipfel zu bezwingen. Niemand, nicht einmal sie selbst, könnten wirklich erklären warum. Andere ruinieren sich, um das Herz einer bestimmten Person zu erobern, die nichts von ihnen wissen will. Wieder andere richten sich zugrunde, weil sie den Genüssen des Gaumens nicht widerstehen können – oder denen der Flasche. Manche geben all ihr Hab und Gut hin, um im Glücksspiel zu gewinnen, oder opfern alles einer fixen Idee, die niemals Wirklichkeit werden kann. Einige glauben, nur dann glücklich sein zu können, wenn sie woanders wären, als sie sind, und reisen ihr Leben lang durch die Welt. Und ein paar finden keine Ruhe, ehe sie nicht mächtig geworden sind. Kurzum, es gibt so viele verschiedene Leidenschaften, wie es verschiedene Menschen gibt.

Für Bastian Balthasar Bux waren es die Bücher.

Wer niemals ganze Nachmittage lang mit glühenden Ohren und verstrubbeltem Haar über einem Buch saß und las und las und die Welt um sich her vergaß, nicht mehr merkte, daß er hungrig wurde oder fror –

Wer niemals heimlich beim Schein einer Taschenlampe unter der Bettdecke gelesen hat, weil Vater oder Mutter oder sonst irgendeine besorgte Person einem das Licht ausknipste mit der gutgemeinten Begründung, man müsse jetzt schlafen, da man doch morgen so früh aus den Federn sollte –

Wer niemals offen oder im geheimen bitterliche Tränen vergossen hat, weil eine wunderbare Geschichte zu Ende ging und man Abschied nehmen mußte von den Gestalten, mit denen man gemeinsam so viele Abenteuer erlebt hatte, die man liebte und bewunderte, um die man gebangt und für die man gehofft hatte, und ohne deren Gesellschaft einem das Leben leer und sinnlos schien –

Wer nichts von alledem aus eigener Erfahrung kennt, nun, der wird wahrscheinlich nicht begreifen können, was Bastian jetzt tat.

Er starrte auf den Titel des Buches, und ihm wurde abwechselnd heiß und kalt. Das, genau das war es, wovon er schon oft geträumt und was er sich, seit er von seiner Leidenschaft befallen war, gewünscht hatte: Eine Geschichte, die niemals zu Ende ging! Das Buch aller Bücher!

Er mußte dieses Buch haben, koste es, was es wolle!

Koste es, was es wolle? Das war leicht gesagt! Selbst wenn er mehr als die drei Mark und fünfzehn Pfennig Taschengeld, die er bei sich trug, hätte anbieten können – dieser unfreundliche Herr Koreander hatte ja nur allzu deutlich zu verstehen gegeben, daß er ihm kein einziges Buch verkaufen würde. Und verschenken würde er es schon gar nicht. Die Sache war hoffnungslos.

Und doch wußte Bastian, daß er ohne das Buch nicht weggehen konnte. Jetzt war ihm klar, daß er überhaupt nur wegen dieses Buches hierhergekommen war, es hatte ihn auf geheimnisvolle Art gerufen, weil es zu ihm wollte, weil es eigentlich schon seit immer ihm gehörte!

Bastian lauschte auf das Gemurmel, das nach wie vor aus dem Kabinett zu hören war.

Ehe er sich's versah, hatte er plötzlich ganz schnell das Buch unter seinen Mantel gesteckt und preßte es dort mit beiden Armen an sich. Ohne ein Geräusch zu machen, ging er rückwärts auf die Ladentür zu, wobei er die andere Tür, die zum Kabinett, ängstlich im Auge behielt. Vorsichtig drückte er auf die Klinke. Er wollte verhindern, daß die Messingglöckchen Lärm machten, deshalb öffnete er die Glastür nur so weit, daß er sich gerade eben durchzwängen konnte. Leise und behutsam schloß er die Tür von draußen.

Erst dann begann er zu rennen.

Die Hefte, die Schulbücher und der Federkasten in seiner Mappe hüpften und klapperten im Takt seiner Schritte. Er bekam Seitenstechen, aber er rannte weiter.

Der Regen lief ihm übers Gesicht und hinten in den Kragen hinein. Kälte und Nässe drangen durch den Mantel, doch Bastian fühlte es nicht. Ihm war heiß, aber nicht nur vom Laufen.

Sein Gewissen, das sich vorher in dem Buchladen nicht gemuckst hatte, war nun plötzlich aufgewacht. All die

Gründe, die so überzeugend gewesen waren, erschienen ihm plötzlich völlig unglaubwürdig, sie schmolzen dahin wie Schneemänner im Atem eines feuerspeienden Drachen.

Er hatte gestohlen. Er war ein Dieb!

Was er getan hatte, war sogar schlimmer als gewöhnlicher Diebstahl. Dieses Buch war bestimmt einmalig und unersetzlich. Sicher war es Herrn Koreanders größter Schatz gewesen. Einem Geigenspieler seine einzigartige Violine stehlen oder einem König seine Krone, war noch etwas anderes, als Geld aus einer Kasse nehmen.

Und während er so rannte, preßte er das Buch unter seinem Mantel an sich. Er wollte es nicht verlieren, wie teuer auch immer es ihn zu stehen kommen würde. Es war alles, was er auf dieser Welt noch hatte.

Denn nach Hause konnte er jetzt natürlich nicht mehr.

Er versuchte, sich seinen Vater vorzustellen, wie er in dem großen Zimmer saß, das als Labor eingerichtet war, und arbeitete. Um ihn her lagen Dutzende von Gipsabgüssen menschlicher Gebisse, denn der Vater war Zahntechniker. Bastian hatte sich noch nie überlegt, ob der Vater diese Arbeit eigentlich gern tat. Es kam ihm jetzt zum ersten Mal in den Sinn, aber nun würde er ihn nie mehr danach fragen können.

Wenn er jetzt nach Hause ging, würde der Vater in seinem weißen Kittel aus dem Labor kommen, vielleicht mit einem Gipsgebiß in der Hand, und würde fragen: »Schon zurück?« – »Ja«, würde Bastian sagen. – »Keine Schule heute?« – Er sah das stille, traurige Gesicht seines Vaters vor sich, und er wußte, daß er ihn unmöglich würde anlügen können. Aber die Wahrheit konnte er ihm erst recht nicht sagen. Nein, das einzige, was er tun konnte, war, fortzugehen, irgendwohin, weit weg. Der Vater sollte nie erfahren, daß sein Sohn ein Dieb geworden war. Und vielleicht würde er ja nicht einmal merken, daß Bastian nicht mehr da war. Dieser Gedanke hatte sogar etwas Tröstliches.

Bastian hatte aufgehört zu rennen. Er ging jetzt langsam und sah am Ende der Straße das Schulhaus liegen. Ohne es zu merken, war er seinen gewohnten Schulweg gelaufen. Die Straße kam ihm geradezu menschenleer vor, obwohl da und dort Leute gingen. Aber für einen, der viel zu spät kommt, erscheint die Welt rings um die Schule herum ja immer wie ausgestorben. Und Bastian fühlte bei jedem Schritt, wie die Angst in ihm zunahm. Er hatte sowieso Angst vor der Schule, dem Ort seiner täglichen Niederlagen, Angst vor den Lehrern, die ihm gütlich ins Gewissen redeten oder ihren Ärger an ihm ausließen, Angst vor den anderen Kindern, die sich über ihn lustig machten und keine Gelegenheit ausließen, ihm zu beweisen, wie ungeschickt und wehrlos er war. Die Schule war ihm schon immer vorgekommen wie eine unabsehbar lange Gefängnisstrafe, die dauern würde, bis er erwachsen war, und die er einfach stumm und ergeben absitzen mußte.

Aber als er jetzt durch die hallenden Korridore ging, in denen es nach Bohnerwachs und nassen Mänteln roch, als die lauernde Stille im Haus plötzlich seine Ohren verstopfte wie Wattepfropfen, und als er schließlich vor der Tür seines Klassenzimmers stand, die in der gleichen Farbe von altem Spinat gestrichen war wie die Wände ringsum, da wurde ihm klar, daß er auch hier von nun an nichts mehr verloren hatte. Er mußte ja doch fort. Dann konnte er auch gleich weggehen.

Aber wohin?

Bastian hatte in seinen Büchern Geschichten gelesen von Jungen, die sich auf einem Schiff anheuern ließen und in die weite Welt hinausfuhren, um ihr Glück zu machen. Manche wurden auch Piraten oder Helden, andere kehrten viele Jahre später als reiche Männer in ihre Heimat zurück, ohne daß jemand erriet, wer sie waren.

Aber so etwas traute Bastian sich nicht zu. Er konnte sich auch nicht vorstellen, daß man ihn als Schiffsjungen überhaupt annehmen würde. Außerdem hatte er nicht die geringste Ahnung, wie er in eine Hafenstadt kommen sollte, wo es geeignete Schiffe für solche kühnen Unternehmungen gab.

Wohin also?

Und plötzlich fiel ihm der richtige Ort ein, der einzige Ort, wo man ihn – vorläufig wenigstens – nicht suchen und nicht finden würde.

Der Speicher war groß und dunkel. Es roch nach Staub und Mottenkugeln. Kein Laut war zu hören, außer dem leisen Trommeln des Regens auf das Kupferblech des riesigen Daches. Altersschwarze mächtige Balken ragten in gleichmäßigen Abständen aus dem Dielenboden, trafen sich weiter oben mit anderen Balken des Dachstuhls und verloren sich irgendwo in der Dunkelheit. Da und dort hingen Spinnweben, groß wie Hängematten, und bewegten sich leise und geisterhaft im Luftzug hin und her. Aus der Höhe, wo eine Dachluke war, drang milchiger Lichtschein herab.

Das einzig Lebendige in dieser Umgebung, in der die Zeit still zu stehen schien, war eine kleine Maus, die über den Dielenboden hoppelte und im Staub winzig kleine Fußspuren hinterließ. Dort, wo sie ihr Schwänzchen nachzog, lief zwischen den Pfotenabdrücken ein dünner Strich. Plötzlich richtete sie sich auf und horchte. Und dann verschwand sie – husch! – in einem Loch zwischen den Dielen.

Das Geräusch eines Schlüssels in einem großen Schloß war zu hören. Langsam und knarrend öffnete sich die Speichertür, für einen Augenblick fiel ein langer Lichtstreifen durch den Raum. Bastian schlüpfte herein, dann schloß sich die Tür wieder knarrend und fiel zu. Er steckte einen großen Schlüssel von innen ins Schloß und drehte ihn herum. Dann schob er sogar noch einen Riegel vor und stieß einen Seufzer der Erleichterung aus. Nun war er tatsächlich unauffindbar. Hier würde ihn niemand suchen. Hierher kam nur äußerst selten jemand – das wußte er ziemlich sicher –, und selbst wenn der Zufall es gewollt hätte, daß ausgerechnet heute oder morgen jemand sich hier zu schaffen machen mußte, so würde der Betreffende die Tür verschlossen finden. Und der Schlüssel war nicht mehr da. Und falls sie die Tür doch irgendwie aufkriegen würden, bliebe für Bastian noch immer genügend Zeit, sich zwischen dem Gerümpel zu verstecken.

Nach und nach gewöhnten sich seine Augen an das Dämmerlicht. Er kannte diesen Ort. Vor einem halben Jahr hatte der Hausmeister der Schule ihn beordert, ihm beim Transport eines großen Wäschekorbes voll alter Formulare und Schriftstücke, die auf den Speicher sollten, zu helfen. Damals hatte er auch gesehen, wo der Schlüssel für die Speichertür aufbewahrt wurde: In einem Wandschränkchen, das neben dem obersten Treppenabsatz hing. Er hatte seither nie mehr daran gedacht. Aber jetzt hatte er sich wieder daran erinnert.

Bastian begann zu frieren, denn sein Mantel war durchnäßt, und es war sehr kalt hier oben. Zunächst mußte er eine Stelle suchen, wo er es sich ein bißchen gemütlicher machen konnte. Schließlich würde er ja lange Zeit hier bleiben müssen. Wie lang – darüber machte er sich vorerst noch keine Gedanken, und auch nicht darüber, daß er schon sehr bald Hunger und Durst bekommen würde.

Er ging ein wenig herum.

Allerlei Gerümpel stand und lag umher, Regale voller Ordner und seit langem nicht mehr benötigter Akten, übereinander gestapelte Schulbänke mit tintenbeschmierten Pulten, ein Gestell, an dem ein Dutzend veraltete Landkarten hing, mehrere Wandtafeln, von denen die schwarze Farbe abplatzte, verrostete eiserne Öfen, unbrauchbar gewordene Turngeräte wie zum Beispiel ein Bock, dessen Lederbezug so brüchig war, daß die Polsterung heraushing, geplatzte Medizinbälle, ein Stapel alter fleckiger Turnmatten, ferner ein paar ausgestopfte Tiere, die halb von Motten aufgefressen waren, darunter eine große Eule, ein Steinadler und ein Fuchs, allerlei chemische Retorten und Glasbehälter mit Sprüngen, eine Elektrisiermaschine, ein menschliches Skelett, das an einer Art Kleiderständer hing, und viele Kisten und Schachteln voll alter Hefte und Schulbücher. Bastian entschied sich schließlich dafür, den Stapel alter Turnmatten zu seiner Wohnstatt zu ernennen. Wenn man sich darauf ausstreckte, fühlte man sich fast wie auf einem Sofa. Er schleppte sie unter die Dachluke, wo es am hellsten war. In der Nähe lagen aufgeschichtet einige graue Militärdecken, sehr staubig freilich und zerrissen, aber durchaus brauchbar. Bastian holte sie sich. Er zog den nassen Mantel aus und hängte ihn neben das Gerippe an den Kleiderständer. Der Knochenmann pendelte ein wenig hin und her, aber Bastian hatte keine Angst vor ihm. Vielleicht weil er so ähnliche Dinge von zu Hause gewohnt war. Auch seine durchweichten Stiefel zog er aus. Strumpfsockig ließ er sich im Türkensitz auf den Turnmatten nieder und zog sich wie ein Indianer die grauen Decken über die Schultern. Neben ihm lag seine Mappe – und das kupferfarbene Buch.

Er dachte daran, daß die anderen unten im Klassenzimmer jetzt gerade Deutschstunde hatten. Vielleicht mußten sie einen Aufsatz schreiben über irgendein todlangweiliges Thema.

Bastian schaute das Buch an.

»Ich möchte wissen«, sagte er vor sich hin, »was eigentlich in einem Buch los ist, solang es zu ist. Natürlich sind nur Buchstaben drin, die auf Papier gedruckt sind, aber trotzdem – irgendwas muß doch los sein, denn wenn ich es aufschlage, dann ist da auf einmal eine ganze Geschichte. Da sind Personen, die ich noch nicht kenne, und es gibt alle möglichen Abenteuer und Taten und Kämpfe – und manchmal ereignen sich Meeresstürme, oder man kommt in fremde Länder und Städte. Das ist doch alles irgendwie drin im Buch. Man muß es lesen, damit man's erlebt, das ist klar. Aber drin ist es schon vorher. Ich möcht' wissen, wie?«

Und plötzlich überkam ihn eine beinahe feierliche Stimmung.

Er setzte sich zurecht, ergriff das Buch, schlug die erste Seite auf und begann

Die unendliche Geschichte

zu lesen.

I. Phantásien in Not

lles Getier im Haulewald duckte sich in seine Höhlen, Nester und Schlupflöcher.

Es war Mitternacht, und in den Wipfeln der uralten riesigen Bäume brauste der Sturmwind. Die turmdicken Stämme knarrten und ächzten.

Plötzlich huschte ein schwacher Lichtschein in Zickzacklinien durchs Gehölz, blieb da und dort zitternd stehen, flog empor, setzte sich auf einen Ast und eilte gleich darauf wieder weiter. Es war eine leuchtende Kugel etwa von der Größe eines Kinderballs, es hüpfte in weiten Sprüngen dahin, berührte ab und zu den Boden und schwebte wieder aufwärts. Aber es war kein Ball.

Es war ein Irrlicht. Und es hatte den Weg verloren. Es war also ein verirrtes Irrlicht, und das gibt es selbst in Phantásien ziemlich selten. Normalerweise sind es gerade die Irrlichter, die andere Leute dazu bringen, sich zu verirren.

Im Inneren des runden Lichtscheins war eine kleine, äußerst bewegliche Gestalt zu sehen, die aus Leibeskräften sprang und rannte. Es war weder ein Männchen noch ein Weibchen, denn derlei Unterschiede gibt es bei Irrlichtern nicht. In der rechten Hand trug es eine winzige weiße Fahne, die hinter ihm herflatterte. Es handelte sich also um einen Boten oder einen Unterhändler.

Gefahr, bei seinen weiten Schwebesprüngen in der Finsternis gegen einen Baumstamm zu prallen, bestand nicht, denn Irrlichter sind ganz unglaublich geschickt und flink und vermögen mitten im Sprung ihre Richtung zu ändern. Daher kam der Zickzackweg, den es nahm, doch im großen und ganzen genommen bewegte es sich immer in einer bestimmten Richtung fort.

Bis zu dem Augenblick, da es um einen Felsvorsprung kam und erschrocken zurückfuhr. Hechelnd wie ein kleiner Hund saß es in einem Baumloch und überlegte eine Weile, ehe es sich wieder hervorwagte und vorsichtig um die Ecke des Felsens lugte.

Vor ihm lag eine Waldlichtung, und dort saßen beim Schein eines Lagerfeuers drei Gestalten sehr unterschiedlicher Art und Größe. Ein Riese, der aussah, als bestünde alles an ihm aus grauem Stein, lag ausgestreckt auf dem Bauch und war fast zehn Fuß lang. Er stützte den Oberkörper auf die Ellbogen und blickte ins Feuer. In seinem verwitterten Steingesicht, das seltsam klein über den gewaltigen Schultern stand, ragte das Gebiß hervor wie eine Reihe von stählernen Meißeln. Das Irrlicht erkannte, daß er zu der Gattung der Felsenbeißer gehörte. Das waren Wesen, die unvorstellbar weit vom Haulewald in einem Gebirge lebten, – aber sie lebten nicht nur *in* diesem Gebirge, sie lebten auch *von* ihm, denn sie aßen es nach und nach auf. Sie ernährten sich von Felsen. Glücklicherweise waren sie sehr genügsam und kamen mit einem einzigen Bissen der für sie äußerst gehaltvollen Kost wochen- und monatelang aus. Es gab auch nicht viele Felsenbeißer, und außerdem war das Gebirge sehr groß. Aber da diese Wesen schon sehr lang dort lebten – sie wurden viel älter als die meisten anderen Geschöpfe in Phantásien –, hatte das Gebirge im Laufe der Zeit doch ein recht sonderbares Aussehen angenommen. Es glich einem riesenhaften Emmentaler Käse voller Löcher und Höhlen. Deshalb hieß es wohl auch der Gänge-Berg.

Aber die Felsenbeißer ernährten sich nicht nur vom Gestein, sie machten alles daraus, was sie benötigten: Möbel, Hüte, Schuhe, Werkzeuge, ja sogar Kuckucksuhren. Und so war es nicht weiter verwunderlich, daß dieser Felsenbeißer hier eine Art Fahrrad hinter sich stehen hatte, das ganz und gar aus besagtem Material bestand und zwei Räder hatte, die wie gewaltige Mühlsteine aussahen. Im ganzen glich es eher einer Dampfwalze mit Pedalen.

Die zweite Gestalt, die rechts vom Feuer saß, war ein kleiner Nachtalb. Er war höchstens doppelt so groß wie das Irrlicht und glich einer pechschwarzen, fellbedeckten Raupe, die sich aufgesetzt hat. Er gestikulierte heftig beim Sprechen mit zwei winzigen rosa Händchen, und dort, wo unter den schwarzen Wuschelhaaren vermutlich das Gesicht war, glühten zwei große kreisrunde Augen wie Monde.

Nachtalben der verschiedensten Form und Größe gab es

überall in Phantásien, und so konnte man zunächst nicht erraten, ob dieser hier von nah oder weit gekommen war. Allerdings schien auch er auf Reisen zu sein, denn das bei Nachtalben gebräuchliche Reittier, eine große Fledermaus, hing kopfunter in ihre Flügel gewickelt wie ein zugeklappter Regenschirm hinter ihm an einem Ast.

Die dritte Gestalt auf der linken Seite des Feuers entdeckte das Irrlicht erst nach einer Weile, denn sie war so klein, daß man sie aus dieser Entfernung nur schwer ausmachen konnte. Sie gehörte der Gattung der Winzlinge an, war ein überaus feingliedriges Kerlchen in einem bunten Anzüglein und mit einem roten Zylinder auf dem Kopf.

Über Winzlinge wußte das Irrlicht so gut wie nichts. Es hatte nur einmal sagen hören, daß dieses Volk ganze Städte auf den Ästen von Bäumen baute, wobei die Häuschen untereinander durch Treppchen, Strickleitern und Rutschbahnen verbunden seien. Doch wohnten diese Leute in einem ganz anderen Teil des grenzenlosen Phantásischen Reiches, noch viel, viel weiter weg von hier als die Felsenbeißer. Um so erstaunlicher war es, daß das Reittier, das der hier anwesende Winzling bei sich hatte, ausgerechnet eine Schnecke war. Sie saß hinter ihm. Auf ihrem rosa Gehäuse glitzerte ein kleiner silberner Sattel, und auch das Zaumzeug und die Zügel, die an ihren Fühlern befestigt waren, glänzten wie Silberfäden.

Das Irrlicht wunderte sich, daß gerade diese drei so verschiedenartigen Wesen hier einträchtig beisammen saßen, denn normalerweise war es in Phantásien durchaus nicht so, daß alle Gattungen in Frieden und Eintracht miteinander lebten. Es gab oft Kämpfe und Kriege, es gab auch jahrhundertelange Fehden unter gewissen Arten, und es gab außerdem nicht nur ehrliche und gute Geschöpfe, sondern auch räuberische, bösartige und grausame. Das Irrlicht selbst gehörte ja durchaus einer Familie an, der man, was Glaubwürdigkeit und Zuverlässigkeit betraf, einiges vorwerfen konnte.

Erst nachdem es eine Weile die Szene im Feuerschein beobachtet hatte, bemerkte das Irrlicht, daß jede der drei Gestalten dort entweder ein weißes Fähnchen bei sich hatte oder eine weiße Schärpe quer über der Brust trug. Also waren auch sie Boten oder Unterhändler, und das erklärte natürlich, daß sie sich so friedlich verhielten.

Sollten sie am Ende sogar in der gleichen Angelegenheit unterwegs sein wie das Irrlicht selbst?

Was sie sprachen, war aus der Entfernung nicht zu verstehen wegen des brausenden Windes, der in den Baumwipfeln wühlte. Aber da sie sich gegenseitig als Boten respektierten, würden sie vielleicht auch das Irrlicht als solchen anerkennen und ihm nichts tun. Und irgend jemanden mußte es schließlich nach dem Weg fragen. Eine günstigere Gelegenheit würde sich mitten im Wald und mitten in der Nacht wohl kaum bieten. Es faßte sich also ein Herz, kam aus seinem Versteck hervor, schwenkte das weiße Fähnchen und blieb zitternd in der Luft stehen.

Der Felsenbeißer, der ja mit dem Gesicht in seiner Richtung lag, bemerkte es als erster.

»Mächtig viel Betrieb hier heute nacht«, sagte er mit knarrender Stimme. »Da kommt noch einer.«

»Huhu, ein Irrlicht!« raunte der Nachtalb, und seine Mondaugen glühten auf. »Freut mich, freut mich!«

Der Winzling stand auf, ging ein paar Schrittchen auf den Ankömmling zu und piepste: »Wenn ich richtig sehe, so sind auch Sie in Ihrer Eigenschaft als Bote hier?«

»Ja«, sagte das Irrlicht.

Der Winzling nahm seinen roten Zylinder ab, machte eine kleine Verbeugung und zwitscherte: »Oh, so treten Sie doch näher, bitte sehr. Auch wir sind Boten. Nehmen Sie Platz in unserem Kreis.«

Und er wies einladend mit dem Hütchen auf die freie Stelle am Feuer.

»Vielen Dank«, sagte das Irrlicht und trat schüchtern näher, »ich bin so frei. Darf ich mich vorstellen: Ich heiße Blubb.«

»Sehr erfreut«, antwortete der Winzling. »Ich heiße Ückück.«

Der Nachtalb verbeugte sich im Sitzen. »Mein Name ist Wúschwusul.«

»Angenehm!« knarrte der Felsenbeißer, »ich bin Pjörnrachzarck.«

Alle drei schauten das Irrlicht an, das sich vor Verlegenheit wand. Irrlichtern ist es äußerst unangenehm, ganz unverhohlen betrachtet zu werden.

»Wollen Sie sich nicht setzen, lieber Blubb?« fragte der Winzling.

»Eigentlich«, antwortete das Irrlicht, »bin ich sehr in Eile und wollte Sie nur fragen, ob Sie mir vielleicht sagen könnten, in welcher Richtung ich von hier aus zum Elfenbeinturm komme.«

»Huhu!« machte der Nachtalb, »will man zur Kindlichen Kaiserin?«

»Ganz recht«, sagte das Irrlicht, »ich habe ihr eine wichtige Botschaft zu überbringen.«

»Was denn für eine?« knarzte der Felsenbeißer.

»Nun –«, das Irrlicht trat von einem Bein aufs andere, »– es ist eine geheime Botschaft.«

»Wir drei haben das gleiche Ziel wie du – huhu!« erwiderte der Nachtalb Wúschwusul. »Man ist unter Kollegen.«

»Möglicherweise haben wir sogar die gleiche Botschaft«, meinte der Winzling Ückück.

»Setz dich und red!« knirschte Pjörnrachzarck.

Das Irrlicht ließ sich auf den freien Platz nieder.

»Mein Heimatland«, begann es nach kurzem Bedenken, »liegt ziemlich weit von hier – ich weiß nicht, ob einer der Anwesenden es kennt. Es heißt das Moder-Moor.«

»Huuu!« seufzte der Nachtalb entzückt, »eine wunderschöne Gegend!«

Das Irrlicht lächelte schwach.

»Ja, nicht wahr?«

»Ist das schon alles?« knarrte Pjörnrachzarck. »Warum bist du unterwegs, Blubb?«

»Bei uns im Moder-Moor«, fuhr das Irrlicht stockend fort, »ist etwas geschehen – etwas Unbegreifliches – das heißt, es geschieht eigentlich immer noch – es ist schwer zu beschreiben – es begann damit, daß – also im Osten unseres Landes gibt es einen See – oder vielmehr, es *gab* ihn – er hieß Brodelbrüh. Und es begann also damit, daß der See Brodelbrüh eines Tages nicht mehr da war – einfach weg, versteht ihr?«

»Wollen Sie sagen«, erkundigte sich Ückück, »er sei ausgetrocknet?«

»Nein«, versetzte das Irrlicht, »dann wäre eben dort jetzt ein ausgetrockneter See. Aber das ist nicht der Fall. Dort, wo der See war, ist jetzt gar nichts mehr – einfach gar nichts, versteht ihr?«

»Ein Loch?« grunzte der Felsenbeißer.

»Nein, auch kein Loch«, – das Irrlicht wirkte zusehends hilfloser – »ein Loch ist ja irgend etwas. Aber dort ist nichts.«

Die drei anderen Boten wechselten Blicke miteinander.

»Wie sieht denn das aus – huhu – dieses Nichts?« fragte der Nachtalb.

»Das ist es ja gerade, was so schwer zu beschreiben ist«, versicherte das Irrlicht unglücklich. »Es sieht eigentlich gar nicht aus. Es ist – es ist wie – ach, es gibt kein Wort dafür!«

»Es ist«, fiel der Winzling ein, »als ob man blind wäre, wenn man auf die Stelle schaut, nicht wahr?«

Das Irrlicht starrte ihn mit offenem Mund an.

»Das ist der richtige Ausdruck!« rief es. »Aber woher – ich meine, wieso – oder kennt ihr auch dieses –?«

»Augenblick!« knarrte der Felsenbeißer dazwischen. »Ist es bei der einen Stelle geblieben, sag?«

»Zunächst ja«, erklärte das Irrlicht, »das heißt, die Stelle wurde nach und nach immer größer. Irgendwie fehlte immer mehr von der Gegend. Die Ur-Unke Umpf, die mit ihrem Volk im Brodelbrüh-See lebte, war dann auch plötzlich einfach weg. Andere Einwohner begannen zu fliehen. Aber nach und nach fing es auch an anderen Stellen im Moder-Moor an. Manchmal war es anfangs nur ganz klein, ein Nichts, so groß wie ein Sumpfhuhn-Ei. Aber diese

Stellen machten sich breit. Wenn jemand aus Versehen mit dem Fuß hineintrat, dann war auch der Fuß weg – oder die Hand – oder was eben sonst hineingeraten war. Es tut übrigens nicht weh – nur daß dem Betreffenden dann eben plötzlich ein Stück fehlt. Manche haben sich sogar absichtlich hineinfallen lassen, wenn sie dem Nichts zu nahe gekommen sind. Es übt eine unwiderstehliche Anziehungskraft aus, die um so stärker wird, je größer die Stelle ist. Niemand von uns konnte sich erklären, was diese schreckliche Sache sein konnte, woher sie kam und was man dagegen tun sollte. Und da es von selbst nicht wieder verschwand, sondern sich immer mehr ausbreitete, wurde schließlich beschlossen, einen Boten zur Kindlichen Kaiserin zu senden, um sie um Rat und Hilfe zu bitten. Und dieser Bote bin ich.«

Die anderen drei blickten schweigend vor sich hin.

»Huhu!« ließ sich nach einer Weile die jammernde Stimme des Nachtalbs vernehmen, »dort, wo ich herkomme, ist es genau dasselbe. Und ich bin mit dem gleichen Ziel unterwegs – huhu!«

Der Winzling wandte sein Gesicht dem Irrlicht zu. »Jeder von uns«, piepste er, »kommt aus einem anderen Land Phantásiens. Wir haben uns ganz zufällig hier getroffen. Aber jeder bringt der Kindlichen Kaiserin die gleiche Botschaft.«

»Und das heißt«, ächzte der Felsenbeißer, »ganz Phantásien ist in Gefahr.«

Das Irrlicht blickte zu Tode erschrocken von einem zum anderen.

»Aber dann«, rief es und sprang auf, »dürfen wir doch keinen Augenblick mehr versäumen!«

»Wir wollten sowieso gerade aufbrechen«, erklärte der Winzling. »Wir hatten nur Rast gemacht wegen der undurchdringlichen Finsternis hier im Haulewald. Aber jetzt, wo Sie bei uns sind, Blubb, können Sie uns ja leuchten.«

»Unmöglich!« rief das Irrlicht, »ich kann nicht auf jemand warten, der auf einer Schnecke reitet, tut mir leid!«

»Aber es ist eine Renn-Schnecke!« sagte der Winzling etwas gekränkt.

»Und außerdem – huhu!–«, raunte der Nachtalb, »sagen wir dir sonst einfach nicht die richtige Richtung!«

»Mit wem redet ihr überhaupt?« knurrte der Felsenbeißer.

Und in der Tat, das Irrlicht hatte die letzten Worte der anderen Boten schon nicht mehr vernommen, sondern hüpfte bereits in langen Sprüngen durch den Wald davon.

»Nun ja«, meinte Ückück, der Winzling, und schob sein rotes Zylinderchen ins Genick, »als Wegbeleuchtung wäre ein Irrlicht vielleicht sowieso nicht ganz das Richtige gewesen.«

Dabei schwang er sich in den Sattel seiner Renn-Schnekke.

»Mir wäre es übrigens auch lieber«, erklärte der Nachtalb und rief durch ein leises Huhu! seine Fledermaus herbei, »wenn jeder von uns auf eigene Faust reist. Man fliegt ja schließlich!«

Und husch! fort war er.

Der Felsenbeißer löschte das Lagerfeuer aus, indem er einfach ein paarmal mit der flachen Hand draufpatschte.

»Ist mir auch lieber«, hörte man ihn in der Dunkelheit knarren, »da brauche ich nicht aufzupassen, ob ich irgendwas Winziges plattwalze.«

Und dann hörte man ihn mit Geprassel und Geknacke auf seinem gewaltigen Felsenfahrrad einfach ins Gehölz hineinfahren. Ab und zu prallte er dumpf gegen einen Baumriesen, man hörte ihn knirschen und knurren. Langsam entfernte sich das Getöse in der Finsternis.

Ückück, der Winzling, blieb allein zurück. Er ergriff die Zügel aus feinen Silberfäden und sagte:

»Nun ja, wir werden ja sehen, wer zuerst ankommt. Hü, meine Alte, hü!«

Und er schnalzte mit der Zunge.

Und dann war nichts mehr zu hören als der Sturmwind, der in den Wipfeln des Haulewaldes brauste.

Die Turmuhr in der Nähe schlug neun.

Bastians Gedanken kehrten nur ungern in die Wirklichkeit zurück. Er war froh, daß die Unendliche Geschichte nichts mit ihr zu tun hatte.

Er mochte keine Bücher, in denen ihm auf eine schlechtgelaunte und miesepetrige Art die ganz alltäglichen Begebenheiten aus dem ganz alltäglichen Leben irgendwelcher ganz alltäglichen Leute erzählt wurden. Davon hatte er ja schon in Wirklichkeit genug, wozu sollte er auch noch davon lesen? Außerdem haßte er es, wenn er merkte, daß man ihn zu was kriegen wollte. Und in dieser Art von Büchern sollte man immer, mehr oder weniger deutlich, zu was gekriegt werden.

Bastians Vorliebe galt Büchern, die spannend waren oder lustig oder bei denen man träumen konnte, Bücher, in denen erfundene Gestalten fabelhafte Abenteuer erlebten und wo man sich alles mögliche ausmalen konnte.

Denn das konnte er – vielleicht war es das einzige, was er wirklich konnte: Sich etwas vorstellen, so deutlich, daß er es fast sah und hörte. Wenn er sich selbst seine Geschichten erzählte, dann vergaß er manchmal alles um sich herum und wachte erst am Schluß auf wie aus einem Traum. Und dieses Buch hier war genau von der Art wie seine eigenen Geschichten! Beim Lesen hatte er nicht nur das Knarren der dicken Stämme und das Brausen des Windes in den Baumwipfeln gehört, sondern auch die verschiedenartigen Stimmen der vier komischen Boten, ja, er bildete sich sogar ein, den Geruch von Moos und Walderde zu riechen.

Unten in der Klasse fing jetzt bald der Naturkundeunterricht an, der hauptsächlich im Aufzählen von Blütenständen und Staubgefäßen bestand. Bastian war froh, daß er hier oben in seinem Versteck saß und lesen konnte. Es war genau das richtige Buch für ihn, fand er, ganz genau das richtige!

Eine Woche später erreichte Wúschwusul, der kleine Nachtalb, als erster das Ziel. Oder vielmehr, er war davon überzeugt, der erste zu sein, da er ja durch die Lüfte dahinritt.

Es war zur Stunde des Sonnenuntergangs, und die Wolken des Abendhimmels sahen aus wie flüssiges Gold, als er gewahr wurde, daß seine Fledermaus bereits über dem Labyrinth schwebte. So lautete der Name einer weiten Ebene, die von Horizont zu Horizont reichte, und die nichts anderes war als ein einziger großer Blumengarten voll verwirrender Düfte und traumhafter Farben. Zwischen Büschen, Hecken, Wiesen und Beeten mit den seltsamsten und seltensten Blüten verliefen breite Wege und schmale Pfade in so kunstvoller und vielverzweigter Anordnung, daß die ganze Anlage einen Irrgarten von unvorstellbarer Weitläufigkeit bildete. Natürlich war dieser Irrgarten nur zum Spiel und zum Vergnügen angelegt, nicht um etwa jemanden ernstlich in Gefahr zu bringen oder gar um Angreifer abzuwehren. Dazu hätte er nicht getaugt, und einen solchen Schutz hätte die Kindliche Kaiserin auch gar nicht nötig gehabt. Im ganzen grenzenlosen phantásischen Reich gab es niemand, gegen den sie sich hätte schützen müssen. Das hatte einen Grund, den wir bald erfahren werden.

Während der kleine Nachtalb auf seiner Fledermaus völlig geräuschlos über diesen Blumen-Irrgarten hinschwebte, konnte er auch allerlei seltenes Getier beobachten. Auf einer kleinen Lichtung zwischen Flieder und Goldregen spielte eine Gruppe junger Einhörner in der Abendsonne, und einmal war ihm sogar, als habe er unter einer blauen Riesenglockenblume den berühmten Vogel Phönix in seinem Nest erblickt, aber ganz sicher war er nicht, und umkehren und nachsehen wollte er auch nicht, um keine Zeit zu verlieren. Denn nun tauchte schon vor ihm in der Mitte des Labyrinths und in feenhaftem Weiß schimmernd der Elfenbeinturm auf, das Herz Phantásiens und der Wohnort der Kindlichen Kaiserin.

Das Wort »Turm« könnte bei einem, der diesen Ort nie gesehen hat, vielleicht eine falsche Vorstellung erwecken, etwa die eines Kirchturms oder eines Burgturms. Der Elfenbeinturm war groß wie eine ganze Stadt. Er sah von fern aus wie ein spitzer, hoher Bergkegel, der in sich wie ein Schneckenhaus gedreht war und dessen höchster Punkt in den Wolken lag. Erst beim Näherkommen konnte man erkennen, daß dieser riesenhafte Zuckerhut sich aus zahllosen Türmen, Türmchen, Kuppeln, Dächern, Erkern, Terrassen, Torbögen, Treppen und Balustraden zusammensetzte, die in- und übereinander geschachtelt waren. Alles das bestand aus dem allerweißesten phantásischen Elfenbein, und jede Einzelheit war so kostbar geschnitzt, daß man es für das Gitterwerk feinster Spitze halten konnte.

In all diesen Gebäuden lebte der Hofstaat, der die Kindliche Kaiserin umgab, die Kämmerer und Dienerinnen, die weisen Frauen und Sterndeuter, die Magier und Narren, die Boten, Köche und Akrobaten, die Seiltänzerinnen und die Geschichtenerzähler, die Herolde, Gärtner, Wächter, Schneider, Schuster und Alchemisten. Und ganz oben, auf der höchsten Spitze des gewaltigen Turmes, wohnte die Kindliche Kaiserin in einem Pavillon, der die Gestalt einer weißen Magnolienknospe hatte. In manchen Nächten, wenn der Vollmond besonders prächtig am gestirnten Himmel stand, öffneten sich die elfenbeinernen Blätter weit und entfalteten sich zu einer herrlichen Blüte, in deren Mitte dann die Kindliche Kaiserin saß.

Der kleine Nachtalb landete mit seiner Fledermaus auf einer der unteren Terrassen, dort, wo die Stallungen für die Reittiere waren. Irgend jemand mußte seine Ankunft offenbar angekündigt haben, denn er wurde bereits von fünf kaiserlichen Tierwärtern erwartet, die ihm aus dem Sattel halfen, sich vor ihm verneigten und ihm dann schweigend den zeremoniellen Begrüßungstrunk reichten. Wúschwusul nippte nur ein wenig an dem Elfenbeinbecher, um der Form Genüge zu tun, dann gab er ihn zurück. Jeder der Wärter trank ebenfalls einen Schluck, dann verneigten sie sich abermals und brachten die Fledermaus in die Stallungen. All das geschah schweigend.

Als die Fledermaus den Platz erreicht hatte, der für sie vorgesehen war, rührte sie weder Trank noch Futter an, sondern rollte sich sogleich zusammen, hängte sich kopfunter an ihren Haken und fiel in einen tiefen Schlaf der Erschöpfung. Es war ein bißchen viel gewesen, was der kleine Nachtalb ihr abverlangt hatte. Die Wärter ließen sie in Ruhe und gingen auf Zehenspitzen fort.

In diesem Stall gab es übrigens noch viele andere Reittiere: Einen rosa und einen blauen Elefanten, einen riesenhaften Vogel Greif, dessen vordere Körperhälfte einem Adler glich und die hintere einem Löwen, ein weißes geflügeltes Pferd, dessen Name früher einmal auch außerhalb Phantásiens bekannt war, aber jetzt vergessen ist, einige fliegende Hunde, auch ein paar andere Fledermäuse, ja sogar Libellen und Schmetterlinge für besonders kleine Reiter. In weiteren Stallgebäuden gab es noch andere Reittiere, die nicht flogen, sondern liefen, krochen, hüpften oder schwammen. Und jedes von ihnen hatte besondere Wächter zu seiner Pflege und Wartung.

Für gewöhnlich hätte man hier eigentlich ein beträchtliches Durcheinander von Stimmen hören müssen: Brüllen, Kreischen, Flöten, Piepsen, Quaken und Schnattern. Aber es herrschte völlige Stille.

Der kleine Nachtalb stand noch immer auf der Stelle, wo die Wärter ihn verlassen hatten. Er fühlte sich plötzlich niedergeschlagen und mutlos, ohne recht zu wissen warum. Auch er war sehr erschöpft von der langen, langen Reise. Und nicht einmal die Tatsache, daß er als erster angekommen war, munterte ihn auf.

»Hallo«, hörte er plötzlich ein piepsendes Stimmchen, »ist das nicht Freund Wúschwusul? Wie schön, daß Sie auch endlich hier sind.«

Der Nachtalb blickte sich um, und seine Mondaugen glühten vor Verwunderung auf, denn auf einer Balustrade, nachlässig gegen einen elfenbeinernen Blumentopf gelehnt, stand dort der Winzling Ückück und schwenkte seinen roten Zylinder.

»Huhu!« machte der Nachtalb fassungslos und nach einer Weile noch einmal »huhu!« Es fiel ihm einfach nichts Gescheiteres ein.

»Die anderen beiden«, erklärte der Winzling, »sind bis jetzt noch nicht eingetroffen. Ich bin seit gestern morgen hier.«

»Wie – huhu! – wie hat man das gemacht?« fragte der Nachtalb.

»Nun ja«, meinte der Winzling und lächelte ein wenig überlegen, »ich sagte Ihnen doch, ich habe eine Renn-Schnecke.«

Der Nachtalb kratzte sich mit seiner kleinen rosa Hand das schwarze Fellgestrüpp auf seinem Kopf.

»Ich muß sofort zur Kindlichen Kaiserin«, sagte er weinerlich.

Der Winzling blickte ihn nachdenklich an.

»Hm«, machte er, »nun ja, ich habe mich schon gestern angemeldet.«

»Angemeldet?« fragte der Nachtalb. »Kann man denn nicht sofort zu ihr?«

»Ich fürchte, nein«, piepste der Winzling, »man muß lange warten. Es ist – wie soll ich sagen – ein enormer Andrang von Boten hier.«

»Huhu –«, wimmerte der Nachtalb, »wieso?«

»Am besten«, zwitscherte der Winzling, »Sie sehen sich die Sache selbst an. Kommen Sie, lieber Wúschwusul, kommen Sie!«

Sie machten sich zu zweit auf den Weg.

Die Hauptstraße, die in einer immer enger werdenden Spirale um den Elfenbeinturm aufwärts lief, war voll von einer dichtgedrängten Menge der seltsamsten Gestalten. Riesenhafte turbangeschmückte Dschinns, winzige Kobolde, dreiköpfige Trolle, bärtige Zwerge, leuchtende Feen, bocksbeinige Faune, Wildweibchen mit goldlockigem Fell, glitzernde Schneegeister und zahllose andere Wesen bewegten sich die Straße hinauf und hinunter, standen in Gruppen beieinander und redeten leise oder hockten auch stumm auf dem Boden und blickten trübselig vor sich hin.

Als Wúschwusul ihrer ansichtig wurde, blieb er stehen.

»Huhu!« sagte er, »was ist denn hier los? Was tun die alle hier?«

»Das sind alles Boten«, erklärte Ückück leise, »Boten aus allen Gegenden Phantásiens. Und alle haben die gleiche Botschaft wie wir. Ich habe schon mit vielen von ihnen gesprochen. Es scheint überall die gleiche Gefahr ausgebrochen zu sein.«

Der Nachtalb ließ ein langes wimmerndes Seufzen hören.

»Und weiß man denn«, fragte er, »was es ist und woher es kommt?«

»Ich fürchte, nein. Niemand kann es erklären.«

»Und die Kindliche Kaiserin selbst?«

»Die Kindliche Kaiserin –«, sagte der Winzling leise, »ist krank, sehr, sehr krank. Vielleicht ist das der Grund des unbegreiflichen Unglücks, das über Phantásien gekommen ist. Aber bis jetzt hat keiner der vielen Ärzte, die im Palastbezirk dort oben beim Magnolienpavillon versammelt sind, herausbekommen, woran sie erkrankt ist und was man dagegen tun kann. Niemand weiß ein Heilmittel.«

»Das«, sagte der Nachtalb dumpf, »– huhu! – ist eine Katastrophe.«

»Ja«, antwortete der Winzling, »das ist es.«

Unter diesen Umständen verzichtete Wúschwusul vorerst darauf, sich bei der Kindlichen Kaiserin anmelden zu lassen.

Zwei Tage später kam übrigens auch das Irrlicht Blubb an, das natürlich in die falsche Richtung gelaufen war und dadurch einen Riesenumweg gemacht hatte.

Und schließlich – weitere drei Tage später – traf auch der Felsenbeißer Pjörnrachzarck ein. Er kam zu Fuß dahergestampft, denn er hatte in einem plötzlichen Anfall von Heißhunger sein steinernes Fahrrad aufgegessen – als Reiseproviant sozusagen.

Während der langen Wartezeit befreundeten sich die vier ungleichen Boten innig und blieben auch späterhin zusammen.

Aber das ist eine andere Geschichte und soll ein andermal erzählt werden.

II. Atréjus Berufung

eratungen, die das Wohl und Wehe ganz Phantásiens betrafen, wurden für gewöhnlich im großen Thronsaal des Elfenbeinturms abgehalten, der innerhalb des eigentlichen Palastbezirks nur wenige Stockwerke unter dem Magnolienpavillon lag.

Jetzt war dieser weite, kreisrunde Raum von gedämpftem Stimmengewirr erfüllt. Die vierhundertneunundneunzig besten Ärzte des ganzen phantásischen Reiches waren hier versammelt und sprachen flüsternd oder raunend miteinander in kleineren oder größeren Gruppen. Jeder von ihnen hatte der Kindlichen Kaiserin seine Visite gemacht – die einen schon vor einiger Zeit, die anderen erst vor kurzem –, und jeder hatte versucht, ihr mit seiner Kunst zu helfen. Aber keinem war es gelungen, keiner kannte ihre Krankheit und deren Ursache, keiner wußte, wie man sie heilen konnte. Und der fünfhundertste, der berühmteste aller Ärzte Phantásiens, von dem die Sage ging, daß es kein Heilkraut, kein Zaubermittel und kein Geheimnis der Natur gäbe, das ihm nicht bekannt wäre, er war nun schon seit Stunden bei der Patientin, und alle erwarteten mit Spannung das Ergebnis seiner Untersuchung.

Nun darf man sich eine solche Versammlung natürlich nicht so vorstellen wie einen menschlichen Ärztekongreß. Zwar gab es in Phantásien sehr viele Wesen, die in ihrer äußeren Gestalt mehr oder weniger menschenähnlich waren, aber es gab mindestens ebenso viele, die Tieren oder überhaupt völlig anders gearteten Geschöpfen glichen. So vielgestaltig die Menge der Boten war, die sich draußen tummelte, so mannigfaltig war auch die Gesellschaft hier im Saal. Es gab Zwergenärzte mit weißen Bärten und Buckeln, es gab Feenärztinnen in blausilbern schimmernden Gewändern und mit funkelnden Sternen im Haar, es gab Wassermänner mit dicken Bäuchen und Schwimmhäuten an Händen und Füßen (für sie waren eigens Sitzbadewannen aufgestellt worden), aber es gab auch weiße Schlangen, die sich auf dem langen Tisch in der Mitte des Saales zusammengeringelt hatten, es gab Bienenelfen, ja sogar Hexer, Vampire und Gespenster, die im allgemeinen nicht als besonders wohltätig und gesundheitsfördernd gelten.

Um die Anwesenheit dieser letzteren zu begreifen, muß man unbedingt etwas wissen:

Die Kindliche Kaiserin galt zwar – wie ihr Titel ja schon sagt – als die Herrscherin über all die unzähligen Länder des grenzenlosen phantásischen Reiches, aber sie war in Wirklichkeit viel mehr als eine Herrscherin, oder besser gesagt, sie war etwas ganz anderes.

Sie herrschte nicht, sie hatte niemals Gewalt angewendet oder von ihrer Macht Gebrauch gemacht, sie befahl nichts und richtete niemanden, sie griff niemals ein und mußte sich niemals gegen einen Angreifer zur Wehr setzen, denn niemandem wäre es eingefallen, sich gegen sie zu erheben oder ihr etwas anzutun. Vor ihr galten alle gleich.

Sie war nur da, aber sie war auf eine besondere Art da: Sie war der Mittelpunkt allen Lebens in Phantásien.

Und jedes Geschöpf, ob gut oder böse, ob schön oder häßlich, lustig oder ernst, töricht oder weise, alle, alle waren nur da durch ihr Dasein. Ohne sie konnte nichts bestehen, so wenig ein menschlicher Körper bestehen könnte, der kein Herz mehr hat.

Niemand konnte ihr Geheimnis ganz begreifen, aber alle wußten, daß es so war. Und so wurde sie von allen Geschöpfen dieses Reiches gleichermaßen respektiert, und alle machten sich gleichermaßen Sorgen um ihr Leben. Denn ihr Tod wäre zugleich das Ende für sie alle gewesen, der Untergang des unermeßlichen Reiches Phantásien.

Bastians Gedanken schweiften ab.

Er sah in der Erinnerung plötzlich wieder den langen Korridor der Klinik vor sich, wo die Mama operiert worden war. Er hatte mit dem Vater viele Stunden vor dem Operationssaal gesessen und gewartet. Ärzte und Krankenschwestern waren hin und her gelaufen. Wenn der Vater danach fragte, wie es der Mama ging, hatte er nur immer ausweichende Antworten bekommen. Niemand schien so richtig zu wissen, wie es mit ihr stand. Dann war zuletzt ein glatzköpfiger Mann im weißen Kittel gekommen, der müde und traurig aussah. Er hatte ihnen gesagt, daß alle Anstrengungen umsonst gewesen wären und daß es ihm leid täte. Er hatte ihnen beiden die Hand gedrückt und »herzliches Beileid« gemurmelt.

Danach war alles anders geworden zwischen dem Vater und Bastian.

Nicht äußerlich. Bastian hatte alles, was er sich nur wünschen konnte. Er besaß ein Dreigangfahrrad, eine elektrische Eisenbahn, viele Vitamintabletten, dreiundfünfzig Bücher, einen Goldhamster, ein Aquarium mit Warmwasserfischen, einen kleinen Fotoapparat, sechs Patenttaschenmesser und alles mögliche andere. Aber er machte sich im Grunde nichts aus alledem.

Bastian erinnerte sich, daß der Vater früher gern Späße mit ihm getrieben hatte. Manchmal hatte er sogar Geschichten erzählt oder vorgelesen. Aber das war seit damals vorbei. Er konnte mit dem Vater nicht sprechen. Es war wie eine unsichtbare Mauer um ihn, durch die niemand dringen konnte. Er schimpfte nie und lobte nie. Auch als Bastian sitzengeblieben war, hatte der Vater nichts gesagt. Er hatte ihn nur auf diese abwesende und bekümmerte Art angesehen, und Bastian hatte das Gefühl gehabt, überhaupt nicht da zu sein. Dieses Gefühl hatte er meistens dem Vater gegenüber. Wenn sie zusammen abends vor dem Fernsehapparat saßen, dann merkte Bastian, daß der Vater gar nicht zuschaute, sondern mit seinen Gedanken weit, weit fort war, wo er ihn nicht erreichen konnte. Oder manchmal, wenn sie beide ein Buch hatten, sah Bastian, daß der Vater überhaupt nicht las, weil er stundenlang auf ein und dieselbe Seite blickte, ohne umzublättern.

Bastian verstand ja, daß der Vater traurig war. Er selbst hatte damals viele Nächte lang geweint, so sehr, daß er sich manchmal vor Schluchzen übergeben mußte – aber das war nach und nach vorübergegangen. Und er war doch noch da. Warum redete der Vater nie mit ihm, nicht über die Mama, nicht über wichtige Dinge, nur gerade eben so über das Nötigste?

»Wenn man nur wüßte«, sagte ein langer, magerer Feuergeist mit einem Bart aus roten Flammen, »worin ihre Krankheit überhaupt besteht. Sie hat kein Fieber, nichts ist geschwollen, keinen Ausschlag, keine Entzündung. Es ist einfach, als ob sie am Erlöschen wäre – man weiß nicht warum.«

Wenn er sprach, stiegen nach jedem Satz kleine Rauchwölkchen aus seinem Mund, die Figuren bildeten. Diesmal war es ein Fragezeichen.

Ein alter zerrupfter Rabe, der aussah wie eine große Kartoffel, in die jemand kreuz und quer ein paar schwarze Federn gesteckt hat, antwortete mit krächzender Stimme (er war Fachmann für Erkältungskrankheiten):

»Sie hustet nicht, sie hat keinen Schnupfen, es ist überhaupt keine Krankheit im medizinischen Sinne.«

Er rückte an der großen Brille auf seinem Schnabel und blickte die Umstehenden herausfordernd an.

»Eines scheint mir jedenfalls offensichtlich«, summte ein Skarabäus (ein Käfer, der auch manchmal »Pillendreher« genannt wird), »zwischen ihrer Krankheit und den furchtbaren Dingen, die uns die Boten aus ganz Phantásien melden, besteht ein geheimnisvoller Zusammenhang.«

»Ach Sie«, warf ein Tintenmännchen spöttisch ein, »Sie sehen ja immer und überall geheimnisvolle Zusammenhänge!«

»Und Sie sehen niemals über den Rand Ihres Tintenfasses!« surrte der Skarabäus erbost.

»Aber meine Herrn Kollegen!« wimmerte ein hohlwangiges Gespenst dazwischen, das in einem langen weißen Kittel steckte, »wir wollen doch nicht in unsachliche, persönliche Auseinandersetzungen geraten. Und vor allem – dämpfen Sie Ihre Stimmen!«

Solche und ähnliche Unterhaltungen fanden überall in dem großen Thronsaal statt. Vielleicht mag es verwunderlich scheinen, daß so verschiedenartige Wesen sich überhaupt miteinander verständigen konnten. Aber in Phantásien waren fast alle Wesen, auch die Tiere, mindestens zweier Sprachen mächtig: Erstens der eigenen, die sie nur mit ihresgleichen redeten und die kein Außenstehender verstand, und zweitens einer allgemeinen, die man Hochphantásisch oder auch die Große Sprache nannte. Sie beherrschte jeder, wenngleich manche sie in etwas eigentümlicher Weise benützten.

Plötzlich trat Stille im Saal ein, und aller Augen wandten sich nach der großen Flügeltür, die geöffnet wurde. Herein trat Caíron, der berühmte und sagenumwobene Meister der Heilkunst.

Er war, was man in älteren Zeiten einen Zentauren genannt hat. Er hatte menschliche Gestalt bis zur Hüfte, der übrige Teil war der Körper eines Pferdes. Doch Caíron war ein sogenannter Schwarz-Zentaur. Er war aus einer sehr fernen Gegend gekommen, die weit, weit im Süden lag. So war sein menschlicher Teil ebenholzfarben, nur sein Haupthaar und sein Bart waren weiß und kraus, sein Pferdekörper jedoch war gestreift wie bei einem Zebra. Er trug einen seltsamen Hut aus Binsengeflecht. Um seinen Hals hing an einer Kette ein großes goldenes Amulett, auf dem zwei Schlangen zu sehen waren, eine helle und eine dunkle, die einander in den Schwanz bissen und ein Oval bildeten.

Bastian hielt überrascht inne. Er klappte das Buch zu – nicht ohne vorsorglich den Finger zwischen den Seiten zu lassen – und schaute noch einmal ganz genau auf den Einband. Da waren doch die beiden Schlangen, die sich in den Schwanz bissen und ein Oval bildeten! Was mochte dieses seltsame Zeichen wohl bedeuten?

Jeder in ganz Phantásien wußte, was dieses Medaillon bedeutete: Es war das Zeichen dessen, der im Auftrag der Kindlichen Kaiserin stand und in ihrem Namen handeln konnte, so als sei sie selbst anwesend.

Es hieß, daß es dem Träger geheimnisvolle Kräfte verlieh, obgleich niemand genau wußte welche. Seinen Namen kannte jeder: AURYN.

Aber viele, die sich scheuten, diesen Namen auszusprechen, nannten es »das Kleinod« oder auch »das Pantakel« oder nur einfach »der Glanz«.

Also trug auch das Buch das Zeichen der Kindlichen Kaiserin!

Ein Wispern lief durch den Saal, und einige Ausrufe des Staunens waren zu hören. Es war schon lange nicht mehr vorgekommen, daß jemandem das Kleinod anvertraut worden war.

Caíron stampfte einige Male mit den Hufen, bis sich die Unruhe gelegt hatte, dann sagte er mit tiefer Stimme:

»Freunde, verwundert euch nicht allzusehr, ich trage AURYN nur für kurze Zeit. Ich bin nur der Überbringer. Bald werde ich ›den Glanz‹ einem Würdigeren übergeben.«

Atemlose Stille hatte sich im Saal ausgebreitet.

»Ich will unsere Niederlage nicht mit schönen Worten zu mildern versuchen«, fuhr Caíron fort. »Wir alle stehen der Krankheit der Kindlichen Kaiserin ratlos gegenüber. Wir wissen nur, daß die Vernichtung Phantásiens mit dieser Krankheit zugleich gekommen ist. Mehr wissen wir nicht. Nicht einmal, ob es überhaupt ärztliche Kunst ist, die sie retten könnte. Aber es ist möglich – und ich hoffe, daß es keinen von euch beleidigt, wenn ich es offen ausspreche –, es ist möglich, daß wir, die wir hier versammelt sind, nicht *alle* Kenntnisse, nicht *alle* Weisheit besitzen. Es ist sogar meine letzte und einzige Hoffnung, daß es irgendwo in diesem grenzenlosen Reich ein Wesen gibt, das weiser ist als wir, das uns Rat und Hilfe geben könnte. Aber das ist mehr als ungewiß. Worin auch immer die Möglichkeit einer Rettung bestehen mag – eins steht fest: Die Suche danach erfordert einen Fährtenfinder, der Wege im Unwegsamen zu entdekken vermag und vor keiner Gefahr und keiner Anstrengung zurückweicht, mit einem Wort: einen Helden. Und die Kindliche Kaiserin hat mir den Namen dieses Helden genannt, dem sie ihr und unser aller Los anvertraut: Er heißt Atréju und wohnt im Gräsernen Meer hinter den Silberbergen. Ihm werde ich AURYN übergeben und ihn auf die Große Suche schicken. Nun wißt ihr alles.«

Damit polterte der alte Zentaur aus dem Saal.

Die Zurückbleibenden blickten einander verwirrt an.

»*Wie* war der Name dieses Helden?« fragte einer.

»Atréju oder so ähnlich«, sagte ein anderer.

»Nie gehört!« meinte ein dritter. Und alle vierhundertneunundneunzig Ärzte schüttelten sorgenvoll die Köpfe.

Die Turmuhr schlug zehn. Bastian wunderte sich, wie schnell die Zeit vergangen war. Während des Unterrichts kam ihm jede Stunde für gewöhnlich wie eine kleine Ewigkeit vor. Unten in der Klasse hatten sie jetzt Geschichte bei Herrn Dröhn, einem mageren, meist schlechtgelaunten Mann, der Bastian besonders gern vor allen lächerlich machte, weil er die Jahreszahlen von Schlachten, die Geburtsdaten und Regierungszeiten irgendwelcher Leute einfach nicht behalten konnte.

Das Gräserne Meer, das hinter den Silberbergen lag, war viele, viele Tagereisen vom Elfenbeinturm entfernt. Es handelte sich um eine Prärie, die tatsächlich so weit und groß und flach war wie ein Meer. Saftiges Gras wuchs mannshoch, und wenn der Wind darüber hinstrich, zogen Wellen über die Ebene wie auf dem Ozean, und es rauschte wie Wasser.

Das Volk, das hier lebte, hieß »Die Grasleute« oder auch »Die Grünhäute«. Sie hatten blauschwarze Haare, die auch von den Männern lang und manchmal in Zöpfen getragen wurden, und ihre Haut war von dunkelgrüner, ein wenig ins Bräunliche gehender Farbe – wie die der Oliven. Sie führten ein äußerst genügsames, strenges und hartes Leben, und ihre Kinder, Knaben wie Mädchen, wurden zur Tapferkeit, zur Großmut und zum Stolz erzogen. Sie mußten Hitze, Kälte und große Entbehrungen ertragen lernen und ihren Mut unter Beweis stellen. Das war nötig, denn die Grünhäute waren ein Volk von Jägern. Alles, was sie zum Leben brauchten, stellten sie entweder aus dem harten, faserigen Präriegras her, oder sie nahmen es von den Purpurbüffeln, die in riesigen Herden über das Gräserne Meer zogen.

Diese Purpurbüffel waren ungefähr doppelt so groß wie gewöhnliche Stiere oder Kühe, hatten ein langes, seidig glänzendes und purpurrotes Fell und gewaltige Hörner, deren Spitzen scharf und hart wie Dolche waren. Im allgemeinen waren sie friedlich, aber wenn sie Gefahr witterten oder sich angegriffen fühlten, dann konnten sie furchtbar werden wie eine Naturgewalt. Niemand, außer den Grünhäuten, hätte es wagen können, auf diese Tiere Jagd zu machen – und sie taten es obendrein nur mit Pfeil und Bogen. Sie bevorzugten den ritterlichen Kampf, und so geschah es oft, daß nicht das Tier, sondern der Jäger sein Leben lassen mußte. Die Grünhäute liebten und verehrten die Purpurbüffel und meinten, das Recht, sie zu töten, nur durch die Bereitschaft zu erwerben, von ihnen getötet zu werden.

Bis in dieses Land war die Nachricht von der Krankheit der Kindlichen Kaiserin und dem Verhängnis, das ganz Phantásien bedrohte, noch nicht gedrungen. Lange schon waren keine Reisenden mehr in die Zeltlager der Grünhäute gekommen. Das Gras wuchs saftiger denn je, die Tage waren hell und die Nächte voller Sterne. Alles schien gut.

Aber eines Tages erschien ein weißhaariger, alter Schwarz-Zentaur im Zeltlager. Sein Fell troff von Schweiß, er wirkte zu Tode erschöpft, und sein bärtiges Gesicht war mager und ausgezehrt. Auf dem Kopf trug er einen seltsamen Hut aus Binsengeflecht und um den Hals eine Kette, an der ein großes goldenes Amulett hing. Es war Caíron.

Er stand mitten auf dem freien Platz, den die Zelte des Lagers in immer weiteren Kreisen umgaben, dort, wo sich die Ältesten zur Beratung zusammensetzten oder wo an Festtagen Tänze getanzt und alte Lieder gesungen wurden. Er wartete und schaute sich um, aber rings um ihn drängten sich nur sehr alte Frauen und Männer und ganz kleine Kinder, die ihn neugierig anstarrten. Er stampfte ungeduldig mit den Hufen.

»Wo sind die Jäger und Jägerinnen?« schnaubte er, nahm den Hut ab und trocknete sich die Stirn.

Eine weißhaarige Frau mit einem Baby auf dem Arm antwortete: »Sie sind alle auf der Jagd. Sie werden erst in drei oder vier Tagen zurückkommen.«

»Ist Atréju auch mit ihnen?« fragte der Zentaur.

»Ja, Fremdling, aber woher kennst du ihn?«

»Ich kenne ihn nicht. Holt ihn her!«

»Fremdling«, antwortete ein alter Mann mit Krücken, »er wird ungern kommen, denn heute ist *seine* Jagd. Sie beginnt mit Sonnenuntergang. Weißt du, was das bedeutet?«

Caíron schüttelte seine Mähne und stampfte mit den Hufen.

»Ich weiß es nicht, und es spielt auch keine Rolle, denn er hat jetzt Wichtigeres zu tun. Ihr kennt dieses Zeichen, das ich trage. Also holt ihn her!«

»Wir sehen das Kleinod«, sagte ein junges Mädchen, »und wir wissen, daß du von der Kindlichen Kaiserin kommst. Aber wer bist du?«

»Ich heiße Caíron«, brummte der Zentaur, »der Arzt Caíron, falls euch das was sagt.«

Eine gebückte alte Frau drängte sich vor und rief:

»Ja, es ist wahr. Ich erkenne ihn wieder. Ich habe ihn schon einmal gesehen, als ich noch jung war. Er ist der berühmteste und größte Arzt in ganz Phantásien!«

Der Zentaur nickte ihr zu. »Danke, Frau«, sagte er, »und jetzt ist vielleicht jemand von euch so freundlich, endlich diesen Atréju zu holen. Es ist dringend. Das Leben der Kindlichen Kaiserin steht auf dem Spiel.«

»Ich werde es tun!« rief ein kleines Mädchen, das vielleicht fünf, sechs Jahre alt war.

Es lief fort, und wenige Sekunden später sah man es zwischen den Zelten auf einem ungesattelten Pferd davongaloppieren.

»Na endlich!« brummte Caíron. Und dann brach er bewußtlos zusammen.

Als er wieder zu sich kam, wußte er zunächst nicht, wo er war, denn es war dunkel um ihn. Erst nach und nach erkannte er, daß er sich in einem geräumigen Zelt befand und auf weichen Felldecken lag. Es schien Nacht zu sein, durch einen Spalt am Türvorhang drang der flackernde Schein von Feuer.

»Heiliger Hufnagel!« murmelte er, während er versuchte sich aufzurichten, »wie lang liege ich denn hier schon so?«

Ein Kopf guckte durch den Türvorhang herein, wurde wieder zurückgezogen, und jemand sagte: »Ja, er scheint aufgewacht zu sein.«

Dann wurde der Türvorhang beiseite gezogen, und ein Junge von etwa zehn Jahren trat herein. Er trug lange Hosen und Schuhe aus weichem Büffelleder. Sein Oberkörper war nackt, nur um die Schultern hing ein purpurroter Mantel, offenbar aus Büffelhaar gewebt, bis zum Boden herab. Sein langes, blauschwarzes Haar war am Hinterkopf mit Lederschnüren zu einem Schopf zusammengebunden. Auf die olivgrüne Haut seiner Stirn und Wangen waren mit weißer Farbe einige einfache Ornamente gemalt. Seine dunklen Augen funkelten den Eindringling zornig an, sonst aber war seinen Zügen keine Gemütsbewegung anzumerken.

»Was willst du von mir, Fremdling?« fragte er, »warum bist du in mein Zelt gekommen? Und warum hast du mir meine Jagd genommen? Wenn ich heute den großen Büffel getötet hätte – und mein Pfeil lag schon auf der Sehne, als man mich rief –, dann wäre ich morgen ein Jäger gewesen. Nun muß ich ein ganzes Jahr warten. Warum?«

Der alte Zentaur starrte ihn fassungslos an.

»Soll das etwa heißen«, fragte er schließlich, »daß du dieser Atréju bist?«

»Ja, Fremdling.«

»Gibt es da nicht vielleicht noch einen anderen, einen erwachsenen Mann, einen erfahrenen Jäger dieses Namens?«

»Nein, Atréju bin ich und kein anderer.«

Der alte Caíron ließ sich auf das Lager zurücksinken und keuchte:

»Ein Kind! Ein kleiner Junge! Wahrhaftig, die Entscheidungen der Kindlichen Kaiserin sind schwer zu begreifen.«

Atréju schwieg und wartete unbewegt ab.

»Verzeih mir, Atréju«, sagte Caíron, der seine Erregung nur mit Mühe beherrschen konnte, »ich hatte nicht die Absicht, dich zu kränken, aber es kam einfach zu überraschend für mich. Ehrlich gesagt, ich bin außer mir! Ich weiß nicht mehr, was ich denken soll! Ich frage mich ernstlich, ob die Kindliche Kaiserin wirklich wußte, was sie tat, als sie ein Kind wie dich erwählte. Das ist hellichter Wahnsinn! Und wenn sie's mit voller Absicht tat, dann ... dann ...«

Er schüttelte heftig den Kopf und stieß hervor:

»Nein! Nein! Wenn ich gewußt hätte, zu wem sie mich schickt, dann hätte ich mich einfach geweigert, dir ihren Auftrag zu überbringen. Ich hätte mich geweigert!«

»Welchen Auftrag?« fragte Atréju.

»Es ist eine Ungeheuerlichkeit!« rief Caíron, den sein Unwille nun doch hinriß. »Ihren Auftrag zu erfüllen wäre selbst für den größten und erfahrensten Helden wahrscheinlich ein Ding der Unmöglichkeit, aber für dich ... Sie schickt dich auf eine Suche ins Ungewisse nach etwas, das niemand kennt. Niemand kann dir helfen, niemand kann dir raten, niemand kann absehen, was dir begegnen wird. Und doch mußt du dich sofort entscheiden, jetzt gleich, auf der Stelle, ob du den Auftrag annimmst oder nicht. Es ist kein Augenblick mehr zu verlieren. Ich bin zehn Tage und Nächte fast ohne Pause galoppiert, um dich zu erreichen. Aber jetzt – jetzt wünschte ich fast, ich wäre hier nie angekommen. Ich bin sehr alt, ich bin am Ende meiner Kräfte. Gib mir einen Schluck Wasser, bitte!«

Atréju holte einen Krug frisches Quellwasser. Der Zentaur trank in langen Zügen, dann wischte er sich den Bart und sagte etwas ruhiger:

»Ah, danke, das tut gut! Jetzt geht mir's schon besser. Hör zu, Atréju, du brauchst diesen Auftrag nicht anzunehmen. Die Kindliche Kaiserin überläßt es dir. Sie befiehlt dir nichts. Ich werde es ihr erklären, und sie wird einen anderen finden. Sie kann nicht gewußt haben, daß du ein kleiner Junge bist. Sie hat dich verwechselt, das ist die einzige Erklärung.«

»Worin besteht der Auftrag?« wollte Atréju wissen.

»Das Heilmittel für die Kindliche Kaiserin zu finden«, antwortete der alte Zentaur, »und Phantásien zu retten.«

»Ist sie denn krank?« fragte Atréju verwundert.

Caíron begann zu erzählen, wie es um die Kindliche Kaiserin stand und was die Boten aus allen Teilen Phantásiens berichtet hatten. Atréju stellte immer weitere Fragen, und der Zentaur gab Auskunft, so gut er es vermochte. Es wurde ein langes nächtliches Gespräch. Und je mehr Atréju das ganze Ausmaß des Verhängnisses begriff, das da über Phantásien hereingebrochen war, desto deutlicher malte sich in seinem anfangs so verschlossenen Gesicht offene Bestürzung.

»Und von all dem«, murmelte er schließlich mit blassen Lippen, »habe ich nichts gewußt.«

Caíron blickte den Jungen unter seinen buschigen weißen Augenbrauen ernst und kummervoll an.

»Nun weißt du, wie die Dinge stehen und vielleicht verstehst du jetzt, warum ich die Fassung verloren habe, als ich dich sah. Und doch hat die Kindliche Kaiserin deinen Namen genannt. ›Geh und suche Atréju auf!‹ sagte sie zu mir. ›Ich setze all mein Vertrauen auf ihn‹, sagte sie. ›Frage ihn, ob er für mich und Phantásien die Große Suche auf sich nehmen will‹, sagte sie. Ich weiß nicht, warum ihre Wahl auf dich gefallen ist. Vielleicht kann nur ein kleiner Junge wie du diese unmögliche Aufgabe lösen. Ich weiß es nicht, und ich kann dir nicht raten.«

Atréju saß mit gesenktem Kopf und schwieg. Er verstand, daß ihm hier ein Prüfung auferlegt war, die weit, weit größer war als seine Jagd. Selbst für den größten Jäger und den besten Fährtenfinder war sie kaum zu bestehen, für ihn war sie zu schwer.

»Nun?« erkundigte sich der alte Zentaur leise, »willst du?«

Atréju hob den Kopf und schaute ihn an.

»Ich will«, sagte er fest.

Caíron nickte langsam, dann nahm er die Kette mit dem goldenen Amulett von seinem Hals und legte sie Atréju um.

»AURYN gibt dir große Macht«, sagte er feierlich, »aber du darfst sie nicht benützen. Denn auch die Kindliche Kaiserin macht niemals Gebrauch von ihrer Macht. AURYN wird dich schützen und führen, aber du darfst niemals eingreifen, was auch immer du sehen wirst, denn deine eigene Meinung zählt von diesem Augenblick an nicht mehr. Darum mußt du ohne Waffen ausziehen. Du mußt geschehen lassen, was geschieht. Alles muß dir gleich gelten, das Böse und das Gute, das Schöne und das Häßliche, das Törichte und das Weise, so wie es vor der Kindlichen Kaiserin gleich gilt. Du darfst nur suchen und fragen, aber nicht urteilen nach deinem eigenen Urteil. Vergiß das niemals, Atréju!«

»AURYN!« wiederholte Atréju ehrfürchtig, »ich will mich des Kleinods würdig erweisen. Wann soll ich aufbrechen?«

»Jetzt sofort«, antwortete Caíron. »Niemand weiß, wie lang deine Große Suche dauern wird. Es ist möglich, daß es schon jetzt um jede Stunde geht. Verabschiede dich von deinen Eltern und Geschwistern!«

»Ich habe keine«, erwiderte Atréju. »Meine Eltern wurden beide vom Büffel getötet, kurz nachdem ich zur Welt kam.«

»Wer hat dich aufgezogen?«

»Alle Frauen und alle Männer gemeinsam. Darum nannten sie mich Atréju, das heißt in den Worten der Großen Sprache: ›Der Sohn aller‹.«

Niemand konnte besser verstehen, was das bedeutete, als Bastian. Obwohl sein Vater ja immerhin noch am Leben war. Und Atréju hatte weder Vater noch Mutter. Dafür war Atréju aber von allen Männern und Frauen gemeinsam aufgezogen worden und war »der Sohn aller«, während er, Bastian, im Grunde gar niemand hatte – ja, er war »der Sohn niemands«. Trotzdem freute Bastian sich darüber, daß er auf diese Weise etwas mit Atréju gemeinsam hatte, denn sonst hatte er ja leider keine große Ähnlichkeit mit ihm, weder was dessen Mut und Entschlossenheit noch was seine Gestalt betraf. Und doch war auch er, Bastian, auf einer Großen Suche, von der er nicht wußte, wohin sie ihn führen und wie sie enden würde.

»Dann«, meinte der alte Zentaur, »ist es besser, du gehst ohne Abschied fort. Ich werde bleiben und ihnen alles erklären.«

Atréjus Gesicht wurde noch schmaler und härter.

»Wo soll ich beginnen?« fragte er.

»Überall und nirgends«, antwortete Caíron. »Von nun an bist du allein, und niemand kann dir raten. Und so wird es sein bis zum Ende der Großen Suche – wie auch immer sie enden wird.«

Atréju nickte.

»Leb wohl, Caíron!«

»Leb wohl, Atréju. Und – viel Glück!«

Der Junge wandte sich um und wollte schon aus dem Zelt treten, als der Zentaur ihn noch einmal zurückrief. Als sie voreinander standen, legte der Alte ihm beide Hände auf die Schultern, schaute ihm mit einem respektvollen Lächeln in die Augen und sagte langsam:

»Ich glaube, ich fange an zu verstehen, warum die Wahl der Kindlichen Kaiserin auf dich gefallen ist, Atréju.«

Der Junge senkte ein wenig die Stirn, dann ging er rasch hinaus.

Draußen vor dem Zelt stand Artax, sein Pferd. Es war gefleckt und klein wie ein Wildpferd, seine Beine waren stämmig und kurz, und doch war es der schnellste und ausdauerndste Renner weit und breit. Es war noch gesattelt und gezäumt, so wie es mit Atréju von der Jagd gekommen war.

»Artax«, flüsterte Atréju und klopfte ihm auf den Hals, »wir müssen aufbrechen. Wir müssen fort, sehr weit fort. Niemand weiß, ob und wann wir zurückkehren.«

Das Pferdchen nickte mit dem Kopf und schnaubte leise.

»Ja, Herr«, antwortete es, »und was wird aus deiner Jagd?«

»Wir gehen auf eine viel größere Jagd«, erwiderte Atréju und schwang sich in den Sattel.

»Halt, Herr!« schnaubte das Pferdchen, »du hast deine Waffen vergessen. Willst du ohne Pfeil und Bogen ausziehen?«

»Ja, Artax«, antwortete Atréju, »denn ich trage den ›Glanz‹ und muß unbewaffnet sein.«

»Ho!« rief das Pferdchen, »und wohin soll's gehen?«

»Wohin du willst, Artax«, erwiderte Atréju, »von diesem Augenblick an sind wir auf der Großen Suche.«

Damit sprengten sie davon, und die Dunkelheit der Nacht verschlang sie.

Zur gleichen Zeit geschah an einer anderen Stelle Phantásiens etwas, das niemand beobachtete und wovon weder Atréju noch Artax und auch nicht Caíron das geringste ahnte.

Auf einer weit entfernten nächtlichen Heide zog sich die Finsternis zu einer sehr großen, schattenhaften Gestalt zusammen. Das Dunkel verdichtete sich, bis es selbst in der lichtlosen Nacht jener Heide als ein gewaltiger Körper aus Schwärze erschien. Noch waren seine Umrisse nicht deutlich, aber es stand auf vier Pranken und in den Augen seines mächtigen zottigen Kopfes glühte grünes Feuer. Jetzt hob es die Schnauze hoch in die Luft und nahm Witterung auf. So stand es lange Zeit. Dann plötzlich schien es den Geruch gefunden zu haben, den es suchte, denn ein tiefes, triumphierendes Grollen drang aus seiner Kehle.

Es begann zu laufen. In langen lautlosen Sprüngen raste das Schattengeschöpf durch die sternenlose Nacht dahin.

Die Turmuhr schlug elf. Jetzt begann die große Pause. Aus den Korridoren scholl das Geschrei der Kinder herauf, die in den Schulhof hinunter liefen.

Bastian, der noch immer im Türkensitz auf den Turnmatten saß, waren die Beine eingeschlafen. Er war eben kein Indianer. Er stand auf, holte das Pausenbrot und einen Apfel aus seiner Mappe und begann auf dem Speicher ein wenig auf und ab zu laufen. Die Füße kribbelten und wachten langsam wieder auf.

Dann kletterte er auf den Turnbock und setzte sich rittlings darauf. Er stellte sich vor, er wäre Atréju, der auf Artax durch die Nacht galoppierte. Er legte sich über den Hals seines Pferdchens.

»Hoi!« schrie er, »lauf, Artax, hoi! hoi!«

Dann erschrak er. Es war höchst unvorsichtig, so laut zu schreien. Wenn ihn nun jemand gehört hatte? Er wartete eine Weile und horchte. Aber nur das vielstimmige Geschrei aus dem Schulhof drang zu ihm herauf.

Ein wenig beschämt kletterte er wieder von dem Turnbock herunter. Wahrhaftig, er benahm sich wie ein kleines Kind!

Er wickelte das Pausenbrot aus und rieb den Apfel an seiner Hose blank. Doch ehe er hineinbiß, hielt er inne.

»Nein«, sagte er laut zu sich selbst, »ich muß meinen Proviant sorgfältig einteilen. Wer weiß, wie lang ich damit auskommen muß.«

Schweren Herzens packte er das Brot wieder ein und steckte es zusammen mit dem Apfel in die Mappe zurück. Dann ließ er sich seufzend auf den Turnmatten nieder und griff wieder nach dem Buch.

III. Die Uralte Morla

aíron, der alte Schwarz-Zentaur, sank, als er den Hufschlag von Atréjus Pferd verhallen hörte, auf sein Lager aus weichen Fellen zurück. Die Anstrengung hatte seine Kräfte erschöpft. Die Frauen, die ihn am nächsten Tag in Atréjus Zelt fanden, bangten um sein Leben. Auch als einige Tage später die Jäger heimkehrten, stand es noch kaum besser um ihn, aber er war immerhin in der Lage, ihnen zu erklären, warum Atréju fortgeritten war und nicht so bald zurückkehren würde. Und da alle den Jungen gern hatten, waren sie von da an ernst und dachten voll Sorge an ihn. Zugleich waren sie aber auch stolz darauf, daß die Kindliche Kaiserin gerade ihn mit der Großen Suche beauftragt hatte – obgleich niemand es ganz verstehen konnte.

Der alte Caíron kehrte übrigens nie wieder in den Elfenbeinturm zurück. Aber er starb auch nicht und blieb auch nicht bei den Grünhäuten im Gräsernen Meer. Sein Schicksal sollte ihn einen ganz anderen, höchst unvermuteten Weg führen. Doch das ist eine andere Geschichte und soll ein andermal erzählt werden.

Atréju ritt noch in derselben Nacht bis zum Fuß der Silberberge. Es war schon gegen Morgen, als er Rast machte. Artax weidete ein wenig und soff Wasser aus einem klaren Gebirgsbach. Atréju wickelte sich in seinen roten Mantel und schlief ein paar Stunden. Doch als die Sonne aufging, waren sie schon wieder unterwegs.

Am ersten Tag durchquerten sie die Silberberge. Hier war ihnen beiden jeder Weg und jeder Steg bekannt, und sie kamen rasch vorwärts. Als er Hunger bekam, aß der Junge ein Stück getrocknetes Büffelfleisch und zwei kleine Fladen aus Grassamen, die er in einem Sack am Sattel aufbewahrt hatte – eigentlich für seine Jagd.

»Na also!« sagte Bastian, »ab und zu muß der Mensch einfach was essen.«

Er holte das Pausenbrot aus der Mappe, packte es aus, brach es sorgfältig in zwei Stücke, wickelte das eine wieder ein und steckte es weg. Das andere aß er auf.

Die Pause war vorbei, Bastian überlegte, was jetzt in der Klasse drankommen würde. Ah, richtig, Erdkunde bei Frau Karge. Man mußte Flüsse und Nebenflüsse aufzählen, Städte und Einwohnerzahlen, Bodenschätze und Industrien. Bastian zuckte die Achseln und las weiter.

Bei Sonnenuntergang lagen die Silberberge hinter ihnen, und sie machten wieder Rast. In dieser Nacht träumte Atréju von den Purpurbüffeln. Er sah sie fern durch das Gräserne Meer ziehen und versuchte, ihnen auf seinem Pferd nahe zu kommen. Aber es war vergebens. Sie blieben immer gleich weit von ihm entfernt, sosehr er sein Pferdchen auch antrieb.

Am zweiten Tag kamen sie durch das Land der Singenden Bäume. Jeder von ihnen hatte eine andere Gestalt, andere Blätter, eine andere Rinde, aber der Grund, warum man dieses Land so nannte, war, daß man ihr Wachstum hören konnte wie eine sanfte Musik, die von nah und fern erklang und sich zu einem mächtigen Ganzen vereinte, das an Schönheit mit nichts sonst in Phantásien zu vergleichen war. Es galt als nicht ganz ungefährlich, durch diese Gegend zu ziehen, denn manch einer war schon wie verzaubert sitzen geblieben und hatte alles vergessen. Auch Atréju empfand die Macht dieser wunderbaren Klänge, aber er ließ sich nicht verführen, innezuhalten.

In der darauffolgenden Nacht träumte er wieder von den Purpurbüffeln. Diesmal war er zu Fuß, und sie zogen in einer großen Herde an ihm vorüber. Aber sie waren außerhalb der Reichweite seines Bogens, und als er näher heranpirschen wollte, merkte er, daß seine Füße wie mit dem Erdboden verwachsen waren und sich nicht bewegen ließen. Über der Anstrengung, sie loszureißen, erwachte er. Es war noch vor Sonnenaufgang, aber er brach sogleich auf.

Am dritten Tag sah er die Gläsernen Türme von Eribo, in denen die Bewohner dieser Gegend das Sternenlicht auffingen und sammelten. Sie machten daraus wunderbar verzierte Gegenstände, von denen aber außer ihnen selbst niemand in Phantásien wußte, wozu sie eigentlich dienten.

Er traf sogar einige dieser Leute, kleine Gestalten, die selber wie aus Glas geblasen aussahen. Sie versorgten ihn außerordentlich freundlich mit Speise und Trank, aber auf seine Frage, wer über die Krankheit der Kindlichen Kaiserin etwas wissen könnte, versanken sie in trauriges und ratloses Schweigen.

In der Nacht, die darauf folgte, träumte Atréju abermals, daß die Herde der Purpurbüffel an ihm vorüberzog. Er sah, wie eines der Tiere, ein besonders großer, stattlicher Bulle, sich von der Gruppe der anderen löste und auf ihn zukam, langsam und ohne Anzeichen von Angst oder Wut. Und wie alle wahren Jäger, so hatte auch Atréju die Gabe, an jedem Geschöpf sofort die Stelle zu sehen, die er treffen mußte, um es zu erlegen. Der Purpurbüffel stellte sich sogar so, daß er sie ihm regelrecht zum Ziel bot. Atréju legte den Pfeil auf und spannte den starken Bogen mit aller Kraft – aber er konnte nicht schießen. Seine Finger waren wie mit der Bogensehne verwachsen und ließen sie nicht los.

Und so oder ähnlich erging es ihm in den Träumen aller folgenden Nächte. Er kam dem Purpurbüffel immer näher – es war übrigens genau der, den er in Wirklichkeit hatte erlegen wollen, er erkannte ihn an einem weißen Fleck auf der Stirn –, aber aus irgendeinem Grund konnte er den tödlichen Pfeil nicht abschicken.

An den Tagen ritt er weiter und immer weiter, ohne zu wissen wohin und ohne jemanden zu finden, der ihm hätte raten können. Das goldene Amulett, das er trug, wurde von allen Wesen respektiert, die ihm begegneten, aber Antwort auf seine Frage wußte keines.

Einmal erblickte er von fern die Flammenstraßen der Stadt Brousch, wo die Geschöpfe wohnten, deren Leiber aus Feuer bestehen, aber dort kehrte er lieber nicht ein. Er durchritt das weite Hochland der Sassafranier, die alt geboren werden und sterben, wenn sie Säuglinge geworden sind. Er kam in den Urwaldtempel von Muamath, in welchem eine große Säule aus Mondstein frei in der Luft schwebt, und er sprach mit den Mönchen, die dort lebten. Aber auch hier mußte er ohne Auskunft weiterziehen.

Fast eine Woche war er nun schon so kreuz und quer umhergeirrt, als er am siebenten Tag und der darauffolgenden Nacht zwei ganz verschiedene Dinge erlebte, die seine innere und äußere Situation gründlich änderten.

Die Erzählung des alten Caíron von den schrecklichen Vorkommnissen, die sich in allen Teilen Phantásiens ereigneten, hatte ihn zwar beeindruckt, aber bisher war das alles für ihn eben doch nur ein Bericht gewesen. Am siebenten Tag aber sollte er sie mit eigenen Augen sehen.

Es war um die Mittagszeit, als er durch einen dichten, dunklen Wald ritt, der aus besonders riesenhaften, knorrigen Bäumen bestand. Es war jener Haulewald, in dem sich einige Zeit vorher die vier Boten getroffen hatten. In dieser Gegend, das wußte Atréju, gab es Borkentrolle. Das waren, wie man ihm gesagt hatte, riesenhafte Kerle und Kerlinnen, die selber wie knorrige Baumstämme aussahen. Falls sie sich, wie es ihre Gewohnheit war, reglos hielten, konnte man sie sogar wirklich für Bäume halten und ahnungslos an ihnen vorüberreiten. Nur wenn sie sich bewegten, sah man, daß sie astartige Arme und krumme, wurzelartige Beine hatten. Sie waren zwar ungeheuer stark, aber nicht gefährlich – höchstens daß sie hin und wieder gern Schabernack mit verirrten Wanderern trieben.

Atréju hatte eben eine Waldwiese entdeckt, durch die sich ein Bächlein schlängelte, und war abgestiegen, um Artax trinken und grasen zu lassen, als er plötzlich ein gewaltiges Prasseln und Knacken hinter sich im Gehölz hörte und sich umwandte.

Aus dem Wald kamen drei Borkentrolle auf ihn zu, bei deren Anblick ihm ein kalter Schauder über den Rücken lief. Dem ersten fehlten die Beine und der Unterleib, so daß er auf seinen Händen gehen mußte. Der zweite hatte ein riesiges Loch in der Brust, durch das man hindurchschauen konnte. Der dritte hüpfte auf seinem einzigen rechten Bein, denn seine gesamte linke Hälfte fehlte, so als sei er mitten entzweigeschnitten worden.

Als sie das Amulett auf Atréjus Brust sahen, nickten sie einander zu und kamen langsam nahe heran.

»Erschrick nicht!« sagte der, der auf den Händen ging, und seine Stimme klang wie das Knarren eines Baumes, »unser Anblick ist gewiß nicht gerade schön, aber es gibt in diesem Teil des Haulewaldes niemanden mehr außer uns, der dich warnen könnte. Darum sind wir gekommen.«

»Warnen?« fragte Atréju, »wovor?«

»Wir haben von dir gehört«, ächzte der mit der durchlöcherten Brust, »und man hat uns erzählt, weshalb du unterwegs bist. Du darfst hier nicht weiterreiten, sonst bist du verloren.«

»Sonst passiert dir das gleiche, was uns passiert ist«, seufzte der Halbierte, »schau uns an! Möchtest du das?«

»Was ist euch denn passiert?« erkundigte sich Atréju.

»Die Vernichtung breitet sich aus«, stöhnte der erste, »wächst und wächst und wird jeden Tag mehr – falls man überhaupt von *nichts* sagen kann, daß es mehr wird. Alle anderen sind rechtzeitig geflohen aus dem Haulewald, aber wir wollten unsere Heimat nicht verlassen. Und da hat es uns im Schlaf überrascht und hat das aus uns gemacht, was du jetzt vor dir siehst.«

»Tut es sehr weh?« fragte Atréju.

»Nein«, antwortete der zweite Borkentroll, der mit dem Loch in der Brust, »man spürt nichts. Es fehlt einem eben nur etwas. Und jeden Tag fehlt einem mehr, wenn man davon einmal befallen ist. Bald werden wir gar nicht mehr vorhanden sein.«

»Wo ist denn die Stelle im Wald«, wollte Atréju wissen, »wo es angefangen hat?«

»Willst du es sehen?« Der dritte Troll, der nur noch halb war, blickte seine Leidensgenossen fragend an. Als die nickten, fuhr er fort:

»Wir werden dich so weit heranführen, daß du es sehen

kannst, aber du mußt versprechen, nicht näher zu gehen. Sonst zieht es dich unwiderstehlich an.«

»Gut«, sagte Atréju, »ich verspreche es euch.«

Die drei wandten sich um und bewegten sich auf den Waldrand zu. Atréju nahm Artax am Zügel und folgte ihnen. Eine kleine Weile gingen sie kreuz und quer zwischen den Riesenbäumen umher, dann machten sie vor einem besonders dicken Stamm halt. Sein Umfang wäre wohl von fünf erwachsenen Männern nicht zu umspannen gewesen.

»Klettere so hoch du kannst«, sagte der beinlose Troll, »und blicke dann nach Sonnenaufgang. Dort wirst du es sehen – oder vielmehr *nicht* sehen.«

Atréju zog sich an den Knorren und Buckeln des Stammes empor. Dann erreichte er die untersten Äste. Er zog sich zu den nächsten hinauf, schwang sich höher und höher, bis er die Sicht nach unten verlor. Er kletterte weiter, der Stamm wurde dünner und die Queräste zahlreicher, so daß er immer leichter vorankam. Als er schließlich in der höchsten Krone saß, wandte er den Blick nach Sonnenaufgang, und nun sah er es:

Die Kronen der anderen Bäume, die noch ganz in der Nähe standen, waren grün, doch das Laub der Bäume, die dahinter lagen, schien jede Farbe verloren zu haben, es war grau. Und noch ein wenig weiter entfernt schien es auf eine seltsame Art durchsichtig, nebelhaft, oder besser gesagt, einfach immer unwirklicher zu werden. Und dahinter lag nichts mehr, absolut nichts. Es war keine kahle Stelle, keine Dunkelheit, es war auch keine Helle, es war etwas, das den Augen unerträglich war und einem das Gefühl gab, blind geworden zu sein. Denn kein Auge kann es aushalten, ins völlige Nichts zu blicken. Atréju hielt sich die Hand vors Gesicht und wäre beinahe von seinem Ast gestürzt. Er klammerte sich fest und stieg so schnell er konnte wieder abwärts. Er hatte genug gesehen. Nun erst begriff er ganz das Entsetzen, das sich in Phantásien ausgebreitet hatte.

Als er wieder am Fuße des Riesenbaumes angelangt war, waren die drei Borkentrolle verschwunden. Atréju schwang sich auf sein Pferdchen und jagte in gestrecktem Galopp in die Richtung, die fortführte von diesem langsam, aber unaufhaltsam sich ausbreitenden Nichts. Erst als es schon dunkel wurde und er den Haulewald längst hinter sich gelassen hatte, machte er Rast.

Und in dieser Nacht wartete das zweite Erlebnis auf ihn, das seiner Großen Suche eine neue Richtung geben sollte.

Er träumte nämlich – noch viel deutlicher als bisher – von dem großen Purpurbüffel, den er hatte erlegen wollen. Diesmal stand er ihm ohne Pfeil und Bogen gegenüber. Er fühlte sich winzig klein, und das Gesicht des Tieres füllte den ganzen Himmel aus. Und er hörte, daß es zu ihm sprach. Er konnte nicht alles verstehen, aber es sagte ungefähr folgendes:

»Wenn du mich getötet hättest, so wärest du jetzt ein Jäger. Doch du hast darauf verzichtet, so kann ich dir nun helfen, Atréju. Höre! Es gibt ein Wesen in Phantásien, das älter ist als alle anderen Wesen. Weit, weit von hier im Norden liegen die Sümpfe der Traurigkeit. Mitten in diesen Sümpfen ragt der Hornberg auf. Dort wohnt die Uralte Morla. Suche die Uralte Morla!«

Danach erwachte Atréju.

Die Turmuhr schlug zwölfmal. Bastians Klassenkameraden gingen jetzt bald zur letzten Stunde in den Turnsaal hinunter. Vielleicht würden sie heute Völkerball spielen mit dem großen schweren Medizinball, mit dem Bastian sich immer besonders ungeschickt anstellte – weshalb keine der beiden Mannschaften ihn haben wollte. Manchmal mußten sie es auch mit einem kleinen, steinharten Schlagball spielen, der scheußlich weh tat, wenn man von ihm getroffen wurde. Und Bastian wurde immer und mit voller Wucht getroffen, weil er ein leichtes Ziel bot. Vielleicht kamen heute aber auch die Kletterseile dran – eine Übung, die Bastian ganz besonders verabscheute. Während die meisten anderen schon ganz oben waren, baumelte er für gewöhnlich zum glucksenden Vergnügen der ganzen Klasse mit puterrotem

Kopf wie ein Mehlsack am unteren Ende des Seils und konnte keinen halben Meter in die Höhe kommen. Und der Turnlehrer, Herr Menge, sparte nicht mit Späßen auf Bastians Kosten.

Bastian hätte viel darum gegeben, so zu sein wie Atréju. Dann hätte er es ihnen allen gezeigt.

Er seufzte tief.

Atréju ritt nach Norden, immer nach Norden. Er gönnte sich und seinem Pferd nur noch die allernötigsten Pausen für Schlaf und Nahrung. Er ritt bei Tag und bei Nacht, durch Sonnenglut und Regen, durch Stürme und Gewitter. Er beachtete nichts mehr und fragte niemand mehr.

Je weiter er nach Norden kam, desto dunkler wurde es. Eine bleigraue Dämmerung, die immer gleich blieb, erfüllte die Tage. In den Nächten spielten Nordlichter am Himmel.

Eines Morgens, in dessen trübem Zwielicht alle Zeit stehengeblieben zu sein schien, erblickte er schließlich von einem Hügel aus die Sümpfe der Traurigkeit. Nebelschwaden zogen darüber hin, da und dort ragten kleine Wälder auf aus Bäumen, deren Stämme sich nach unten hin in vier, fünf oder mehr verkrümmte Stelzen aufteilten, so daß sie wie große Krebse aussahen, die auf vielen Beinen im schwarzen Wasser standen. Aus dem braunen Laubwerk hingen allenthalben Luftwurzeln nieder, die reglosen Fangarmen glichen. Es war fast unmöglich zu erkennen, an welchen Stellen der Boden zwischen den Tümpeln fest war und an welchen er nur aus einer Decke von Schwimmpflanzen bestand.

Artax schnaubte leise vor Entsetzen.

»Sollen wir dort hinein, Herr?«

»Ja«, antwortete Atréju, »wir müssen den Hornberg finden, der mitten in diesen Sümpfen liegt.«

Er trieb Artax an, und das Pferdchen gehorchte. Schritt für Schritt prüfte es mit seinen Hufen die Festigkeit des Bodens, doch kamen sie so nur sehr langsam vorwärts. Schließlich stieg Atréju ab und führte Artax am Zügel hinter sich her. Ein paarmal sank das Pferd ein, doch gelang es ihm immer wieder, sich herauszuarbeiten. Aber je tiefer sie in die Sümpfe der Traurigkeit eindrangen, desto schwerfälliger wurden seine Bewegungen. Es ließ den Kopf hängen und schleppte sich nur noch vorwärts.

»Artax«, sagte Atréju, »was ist mit dir?«

»Ich weiß nicht, Herr«, antwortete das Tier, »ich meine, wir sollten umkehren. Es hat ja doch alles keinen Zweck. Wir laufen etwas nach, wovon du nur geträumt hast. Aber wir werden nichts finden. Vielleicht ist es auch sowieso schon zu spät. Vielleicht ist die Kindliche Kaiserin schon gestorben, und alles, was wir tun, ist sinnlos. Laß uns umkehren, Herr.«

»So hast du noch nie geredet, Artax«, meinte Atréju erstaunt, »was fehlt dir? Bist du krank?«

»Vielleicht«, erwiderte Artax, »bei jedem Schritt, den wir weitergehen, wird die Traurigkeit in meinem Herzen größer. Ich habe keine Hoffnung mehr, Herr. Und ich fühle mich so schwer, so schwer. Ich glaube, ich kann nicht mehr weiter.«

»Aber wir müssen weiter!« rief Atréju, »komm, Artax!«

Er zog am Zügel, aber Artax blieb stehen. Er war schon bis zum Bauch eingesunken. Und er machte keine Anstalten mehr, sich herauszuarbeiten.

»Artax!« schrie Atréju, »du darfst dich jetzt nicht gehenlassen! Komm! Komm heraus, sonst wirst du versinken!«

»Laß mich, Herr!« antwortete das Pferdchen, »ich schaffe es nicht. Geh allein weiter! Kümmere dich nicht um mich! Ich kann diese Traurigkeit nicht mehr aushalten. Ich will sterben.«

Atréju zerrte verzweifelt am Zügel, aber das Pferdchen versank immer tiefer. Er konnte nichts dagegen tun. Als schließlich nur noch der Kopf des Tieres aus dem schwarzen Wasser ragte, nahm er ihn in die Arme.

»Ich halte dich fest, Artax«, flüsterte er, »ich laß dich nicht untergehen.«

Das Pferdchen wieherte noch einmal leise.

»Du kannst mir nicht mehr helfen, Herr. Mit mir ist es

aus. Wir wußten beide nicht, was uns hier erwartet. Jetzt wissen wir es, warum die Sümpfe der Traurigkeit diesen Namen haben. Die Traurigkeit ist es, die mich so schwer gemacht hat, daß ich versinken muß. Es gibt kein Entrinnen.«

»Aber ich bin doch auch hier«, sagte Atréju, »und ich fühle nichts.«

»Du trägst den ›Glanz‹, Herr«, antwortete Artax, »du bist geschützt.«

»Dann will ich dir das Zeichen umhängen«, stieß Atréju hervor, »vielleicht schützt es dich auch.«

Er machte Anstalten, die Kette von seinem Hals zu nehmen.

»Nein«, schnaubte das Pferdchen, »das darfst du nicht, Herr. Das Pantakel ist dir gegeben worden, und du hast nicht die Erlaubnis, es nach deinem Gutdünken weiterzugeben. Du mußt ohne mich weiter suchen.«

Atréju drückte sein Gesicht an die Wange des Pferdes.

»Artax ...«, flüsterte er erstickt, »oh, mein Artax!«

»Willst du mir noch eine letzte Bitte erfüllen, Herr?« fragte das Tier.

Atréju nickte stumm.

»Dann bitte ich dich fortzugehen. Ich möchte nicht, daß du zusiehst, wenn es jetzt mit mir zum Letzten kommt. Willst du mir diesen Gefallen tun?«

Atréju stand langsam auf. Der Kopf des Pferdchens lag jetzt schon halb im schwarzen Wasser.

»Leb wohl, Atréju, mein Herr!« sagte es, »– und danke!«

Atréju preßte die Lippen aufeinander. Er vermochte nichts zu sagen. Er nickte Artax noch einmal zu, dann wandte er sich ab und ging fort.

Bastian schluchzte. Er konnte es nicht unterdrücken. Seine Augen waren voll Tränen, und er konnte nicht weiterlesen. Er mußte erst sein Taschentuch hervorziehen und sich die Nase putzen, ehe er fortfahren konnte.

Wie lange er weiter, einfach immer weiter gewatet war, wußte Atréju nicht. Er war wie blind und taub. Der Nebel wurde immer dichter, und Atréju hatte das Gefühl, schon seit Stunden im Kreis herumzuirren. Er achtete nicht mehr darauf, wohin sein Fuß trat, und doch sank er niemals tiefer ein als bis zum Knie. Auf eine ihm unbegreifliche Art führte ihn das Zeichen der Kindlichen Kaiserin den richtigen Weg.

Dann stand er ganz plötzlich vor einem hohen, ziemlich steilen Berghang. Er zog sich an den rissigen Felsen empor und kletterte auf die runde Kuppe. Anfangs bemerkte er nicht, aus was diese Felsen bestanden. Erst als er ganz oben ankam und den Berg überblickte, sah er, daß es gewaltige Hornplatten waren, in deren Rissen und Schrunden Moos wucherte.

Er hatte also den Hornberg gefunden!

Doch er empfand keine Genugtuung bei dieser Entdekkung. Das Ende seines treuen Pferdchens ließ ihn diese Tatsache fast gleichgültig hinnehmen. Nun mußte er noch herausfinden, wer und wo die Uralte Morla war, die hier hauste.

Während er noch überlegte, spürte er plötzlich eine leise Erschütterung durch den Berg gehen, dann vernahm er ein ungeheures Blasen und Schmatzen und eine Stimme, die aus den tiefsten Eingeweiden der Erde zu kommen schien:

»Schau mal, Alte, da krabbelt was rum auf uns.«

Atréju eilte auf das Ende des Bergrückens zu, von woher die Laute gekommen waren. Dabei glitt er auf einem Moospolster aus und geriet ins Rutschen. Es gelang ihm nicht, sich festzuhalten, er rutschte immer schneller und stürzte schließlich ab. Glücklicherweise fiel er in einen der Bäume, die unten standen. Dessen Äste fingen ihn auf.

Vor sich sah Atréju eine riesenhafte Höhle im Berg, in der das schwarze Wasser schlappte und platschte, denn dort drin regte sich etwas und kam langsam heraus. Es sah aus wie ein Felsbrocken von der Größe eines Hauses. Erst als es ganz zum Vorschein gekommen war, erkannte Atréju, daß es ein Kopf war, der an einem langen, faltigen Hals saß, der Kopf einer Schildkröte. Ihre Augen waren groß wie schwarze Teiche. Ihr Maul triefte von Schlick und Algen. Dieser ganze Hornberg – das begriff Atréju nun plötzlich – war ein einziges ungeheuerliches Tier, eine gewaltige Sumpfschildkröte: die Uralte Morla!

Dann war wieder diese blasende, gurgelnde Stimme zu hören:

»Kleiner, was machst du da?«

Atréju griff nach dem Amulett auf seiner Brust und hielt es so, daß ihr teichgroßes Auge es sehen mußte.

»Kennst du das, Morla?«

Es dauerte eine Weile, ehe sie antwortete:

»Schau mal, Alte – AURYN – wir haben's lang nicht mehr gesehen, das Zeichen der Kindlichen Kaiserin – lang nicht mehr.«

»Die Kindliche Kaiserin ist krank«, versetzte Atréju, »wußtest du das?«

»Ist uns gleich, nicht wahr, Alte?« erwiderte die Morla. Sie schien auf diese eigentümliche Art mit sich selbst zu reden, vielleicht, weil sie keinen anderen Gesprächspartner hatte, wer weiß, seit wie langer Zeit schon.

»Wenn wir sie nicht retten, wird sie sterben«, setzte Atréju dringlicher hinzu.

»Auch recht«, antwortete die Morla.

»Aber mit ihr wird Phantásien untergehen«, rief Atréju, »die Vernichtung breitet sich schon überall aus. Ich habe es selbst gesehen.«

Die Morla starrte ihn aus ihrem riesigen, leeren Auge an.

»Wir haben nichts dagegen, nicht wahr, Alte?« gurgelte sie.

»Dann werden wir alle zugrunde gehen!« schrie Atréju, »wir alle!«

»Schau mal, Kleiner«, antwortete die Morla, »was kümmert uns das noch? Ist alles nicht mehr wichtig für uns. Ist doch alles gleich, ist alles ganz gleich.«

»Auch du wirst vernichtet werden, Morla!« schrie Atréju zornig, »auch du! Oder meinst du, weil du so alt bist, wirst du Phantásien überleben?«

»Schau mal«, gurgelte die Morla, »wir sind alt, Kleiner, viel zu alt. Haben lang genug gelebt. Haben zu viel gesehen. Wer so viel weiß wie wir, dem ist nichts mehr wichtig. Alles wiederholt sich ewig, Tag und Nacht, Sommer und Winter, die Welt ist leer und ohne Sinn. Alles dreht sich im Kreis. Was entsteht, muß wieder vergehen, was geboren wird, muß sterben. Hebt sich alles auf, das Gute und das Böse, das Dumme und das Weise, das Schöne und das Häßliche. Ist alles leer. Nichts ist wirklich. Nichts ist wichtig.«

Atréju wußte nicht, was er antworten sollte. Der riesenhafte, dunkle und leere Blick der Uralten Morla lähmte alle seine Gedanken. Nach einer Weile hörte er, daß sie wieder sprach:

»Du bist jung, Kleiner. Wir sind alt. Wenn du alt wärst wie wir, dann wüßtest du, daß es nichts gibt als die Traurigkeit. Schau mal. Warum sollen wir nicht sterben, du, ich, die Kindliche Kaiserin, alle, alle? Ist doch alles nur Schein, nur ein Spiel im Nichts. Ist alles ganz gleich. Laß uns in Ruh', Kleiner, geh fort.«

Atréju spannte all seinen Willen an, um sich der Lähmung, die von ihrem Blick ausging, zu widersetzen.

»Wenn du so viel weißt«, sagte er, »weißt du dann auch, worin die Krankheit der Kindlichen Kaiserin besteht und ob es ein Heilmittel für sie gibt?«

»Wissen wir, nicht wahr, Alte, wissen wir«, schnaufte die Morla, »ist aber gleich, ob sie gerettet wird oder nicht. Wozu sollen wir's also sagen?«

»Wenn es dir wirklich ganz gleich ist«, drang Atréju in sie, »dann könntest du es mir ebensogut sagen.«

»Könnten wir auch, Alte, nicht wahr?« grunzte die Morla, »haben aber keine Lust dazu.«

»Dann«, rief Atréju, »ist es dir eben *nicht* wirklich gleich! Dann glaubst du selber nicht, was du sagst!«

Es blieb lange still, dann hörte er ein tiefes Gurgeln und Rülpsen. Es muß wohl eine Art Lachen gewesen sein, falls die Uralte Morla überhaupt noch Gelächter kannte. Jedenfalls sagte sie:

»Bist schlau, Kleiner. Schau mal. Bist schlau. Haben schon lang nicht mehr so viel Spaß gehabt, nicht wahr, Alte? Schau mal. Wir können dir's wirklich ebensogut sagen. Macht keinen Unterschied. Sollen wir's ihm sagen, Alte?«

Eine lange Stille trat ein. Atréju wartete gespannt auf Morlas Antwort, ohne ihre langsamen und trostlosen Gedankengänge durch Fragen zu unterbrechen. Endlich fuhr sie fort zu reden:

»Du lebst kurz, Kleiner. Wir leben lang. Schon viel zu lang. Aber wir leben in der Zeit. Du kurz. Wir lang. Die Kindliche Kaiserin war schon vor mir da. Aber sie ist nicht alt. Sie ist immer jung. Schau mal. Ihr Dasein bemißt sich nicht nach Dauer, sondern nach Namen. Sie braucht einen neuen Namen, immer wieder einen neuen. Kennst du ihren Namen, Kleiner?«

»Nein«, gab Atréju zu, »ich habe ihn noch nie gehört.«

»Kannst du auch nicht«, antwortete die Morla, »nicht mal wir können uns daran erinnern. Und doch hat sie schon viele gehabt. Aber sie sind alle vergessen. Ist alles vorbei. Schau mal. Aber ohne Namen kann sie nicht leben. Braucht nur einen neuen Namen, die Kindliche Kaiserin, dann wird sie wieder gesund. Liegt aber nichts dran, ob sie's wird.«

Sie schloß ihre teichgroßen Augen und begann langsam den Kopf zurückzuziehen.

»Warte!« rief Atréju, »woher bekommt sie den Namen? Wer kann ihr den Namen geben? Wo finde ich den Namen?«

»Keiner von uns«, hörte er die Morla gurgeln, »kein Wesen in Phantásien kann ihr einen neuen Namen geben. Darum ist alles umsonst. Mach dir nichts draus, Kleiner. Ist alles nicht wichtig.«

»Wer denn?« schrie Atréju außer sich, »wer kann ihr den Namen geben, der sie und uns alle rettet?«

»Mach nicht solchen Lärm!« sagte die Morla. »Laß uns in Ruh' und geh weg. Wir wissen's auch nicht, wer es kann.«

»Wenn du es nicht weißt«, schrie Atréju immer lauter, »wer kann es denn wissen?«

Sie öffnete noch einmal ihre Augen.

»Wenn du nicht den ›Glanz‹ tragen würdest«, schnaufte sie, »dann würden wir dich auffressen, nur damit wieder Ruhe ist. Schau mal.«

»Wer?« beharrte Atréju, »sag mir, wer es weiß, und ich lasse dich für immer und ewig in Ruhe!«

»Ist doch ganz gleich«, antwortete sie, »vielleicht die Uyulála im Südlichen Orakel. Die weiß es vielleicht. Was kümmert's uns.«

»Und wie kann ich dort hinkommen?«

»Dort kannst du überhaupt nicht hinkommen, Kleiner. Schau mal. Nicht in zehntausend Tagereisen. Du lebst zu kurz. Du würdest vorher sterben. Ist zu weit. Im Süden. Viel zu weit. Darum ist alles umsonst. Haben wir doch von Anfang an gesagt, nicht wahr, Alte? Laß es sein und gib es auf, Kleiner. Und vor allem, laß uns in Ruhe!«

Damit schloß sie endgültig ihre leerblickenden Augen und zog ihren Kopf in die Höhle zurück. Atréju wußte, daß er nichts mehr von ihr erfahren würde.

Zur gleichen Stunde fand das Schattenwesen, das sich aus der Finsternis der nächtlichen Heide zusammengezogen hatte, Atréjus Spur, und es war auf dem Weg zu den Sümpfen der Traurigkeit. Nichts und niemand in Phantásien würde es von dieser Spur wieder abbringen.

Bastian hatte den Kopf in die Hand gestützt und blickte nachdenklich vor sich hin.

»Seltsam«, sagte er laut, »daß kein Wesen in Phantásien der Kindlichen Kaiserin einen neuen Namen geben kann.«

Wenn es nur darauf ankam, einen Namen zu erfinden, dann hätte Bastian ihr leicht helfen können. Darin war er groß. Aber leider war er eben nicht in Phantásien, wo seine

Fähigkeiten gebraucht wurden und ihm vielleicht sogar Sympathie oder Ehre eingetragen hätten. Andererseits war er auch wieder ganz froh, nicht dort zu sein, denn in eine Gegend wie die Sümpfe der Traurigkeit würde er sich um alles in der Welt nicht hineingewagt haben. Und erst dieses unheimliche Schattenwesen, von dem Atréju verfolgt wurde, ohne es zu wissen! Bastian hätte ihn gern gewarnt, aber das ging ja nicht. Es blieb nichts anderes übrig als zu hoffen und weiterzulesen.

IV. Ygramul, die Viele

urst und Hunger begannen Atréju zu peinigen. Seit zwei Tagen hatte er die Sümpfe der Traurigkeit hinter sich gelassen, seither irrte er durch eine Felsenwüste, in der es nichts Lebendes gab. Das Wenige, was er noch an Proviant gehabt hatte, war mit Artax in den schwarzen Wassern versunken. Vergebens grub Atréju mit den Händen zwischen den Steinen, um wenigstens eine Wurzel zu finden, aber nichts wuchs hier, nicht einmal Moos oder Flechten.

Anfangs war er froh gewesen, wenigstens wieder festen Boden unter den Füßen zu spüren, aber nach und nach mußte er sich eingestehen, daß seine Lage eher noch schlechter geworden war. Er hatte sich verirrt. Nicht einmal die Himmelsrichtung konnte er mehr bestimmen, in der er sich bewegte, denn das Zwielicht war nach allen Seiten hin gleich und bot ihm keinen Anhaltspunkt. Unablässig wehte ein kalter Wind um die Felsnadeln, die sich zu allen Seiten um ihn auftürmten.

Er erklomm Bergrücken und Felsengrate, stieg hinauf und kletterte wieder hinunter, aber niemals bot sich ihm ein anderer Blick als der auf immer fernere Gebirge, hinter denen abermals Bergketten lagen und so bis an den Horizont nach allen Seiten. Und nichts Lebendes, kein Käferchen und keine Ameise, nicht einmal Geier, die sonst einen Verlorenen geduldig verfolgen, bis er zusammenbricht.

Es gab keinen Zweifel mehr: Das Land, in dem er sich verirrt hatte, waren die Toten Berge. Nur wenige hatten sie je erblickt, und kaum einer war aus ihnen zurückgekehrt. Aber in den Sagen, die man sich in Atréjus Volk erzählte, war von ihnen die Rede. Er erinnerte sich an die Strophe eines alten Liedes:

Besser ist es jedem Jäger
in den Sümpfen umzukommen,
denn im Land der Toten Berge
gibt es jenen Tiefen Abgrund,
dort haust Ygramul, die Viele,
der entsetzlichste der Schrecken . . .

Selbst wenn Atréju gewußt hätte, in welcher Richtung er gehen mußte, um zurückzukehren, es wäre nicht mehr möglich gewesen. Er war schon zu weit vorgedrungen. Er konnte nur noch weitergehen. Wäre es nur um seine eigene Person gegangen, so hätte er sich vielleicht einfach in eine Felsenhöhle gesetzt und dort gelassen den Tod erwartet, wie die Jäger seines Volkes es in solchen Fällen zu tun pflegten. Doch er war auf der Großen Suche, es ging um das Leben der Kindlichen Kaiserin und um ganz Phantásien. Es war ihm nicht erlaubt, aufzugeben.

So stieg er immer weiter bergauf und bergab, und bisweilen wurde ihm bewußt, daß er lange Zeit wie ein Schlafender gelaufen war, während sein Geist in anderen Gefilden weilte und nur ungern zurückkehrte.

Bastian schreckte zusammen. Die Turmuhr schlug eins. Für heute war der Unterricht zu Ende.

Bastian horchte auf das Lärmen und Schreien der Kinder, die unten aus den Klassenzimmern und durch die Korridore stürmten. Das Poltern vieler Füße auf den Treppen war zu hören. Dann klangen noch für eine kleine Weile verschiedene Rufe von der Straße herauf. Und schließlich breitete sich Stille im Schulhaus aus.

Diese Stille legte sich auf Bastians Gemüt wie eine dumpfe, schwere Decke, die ihn zu ersticken drohte. Von jetzt an würde er ganz mutterseelenallein in dem großen Schulhaus sein – den ganzen Tag, die kommende Nacht, wer weiß wie lang. Von jetzt an wurde die Sache ernst.

Die anderen gingen jetzt nach Hause zum Mittagessen. Auch Bastian hatte Hunger, und er fror, trotz der umgehängten Militärdecken. Plötzlich verlor er jeden Mut, sein ganzer Plan kam ihm völlig verrückt und sinnlos vor. Er wollte heimgehen, jetzt gleich, auf der Stelle! Jetzt war gerade noch Zeit. Bis jetzt konnte der Vater noch nichts gemerkt haben. Bastian brauchte ihm noch nicht einmal zu sagen, daß er heute Schule geschwänzt hatte. Natürlich würde es irgendwann herauskommen, aber bis dahin würde

Zeit vergehen. Und die Sache mit dem gestohlenen Buch? Ja, auch das würde er irgendwann gestehen müssen. Der Vater würde es schließlich hinnehmen, wie er alle Enttäuschungen hinnahm, die Bastian ihm bereitet hatte. Es gab keinen Grund, sich vor ihm zu fürchten. Wahrscheinlich würde er stillschweigend zu Herrn Koreander gehen und alles in Ordnung bringen.

Bastian griff schon nach dem kupferfarbenen Buch, um es in die Mappe zu packen, aber dann hielt er inne.

»Nein«, sagte er plötzlich laut in die Stille des Speichers hinein, »Atréju würde nicht so schnell aufgeben, bloß weil es ein bißchen schwierig wird. Was ich angefangen habe, muß ich zu Ende führen. Jetzt bin ich schon zu weit gegangen, um noch umzukehren. Ich kann nur noch weitergehen, was auch daraus werden mag.«

Er fühlte sich sehr einsam, und doch war in diesem Gefühl zugleich so etwas wie Stolz, Stolz darauf, daß er stark geblieben war und der Versuchung nicht nachgegeben hatte.

Ein ganz klein wenig Ähnlichkeit hatte er doch wohl mit Atréju!

Der Augenblick war gekommen, wo Atréju wirklich nicht mehr weiterkonnte. Vor ihm gähnte der Tiefe Abgrund.

Die großartige Schauerlichkeit des Anblicks läßt sich mit Worten nicht beschreiben. Quer durch das Land der Toten Berge klaffte die Erde in einem Riß, der etwa eine halbe Meile breit sein mochte. Seine Tiefe war nicht zu erkennen.

Atréju lag am Rande auf einem Felsenvorsprung und starrte in die Finsternis hinunter, die bis ins Innerste der Erde zu reichen schien. Er nahm einen kopfgroßen Stein, der in seiner Reichweite lag, und schleuderte ihn so weit hinaus, wie er konnte. Der Stein fiel und fiel und fiel, bis ihn die Dunkelheit verschlang. Atréju lauschte, aber kein Geräusch des Aufpralls drang an sein Ohr, obgleich er lange wartete.

Und dann tat er das einzige, was ihm zu tun übrigblieb: Er begann am Rande des Tiefen Abgrunds entlang zu wandern. Dabei war er jeden Augenblick gewärtig, jenem »entsetzlichsten der Schrecken« zu begegnen, von dem das alte Lied erzählte. Er wußte nicht, um was für eine Art von Geschöpf es sich handeln mochte, er wußte nur, daß sein Name Ygramul lautete.

Der Tiefe Abgrund verlief in einer gezackten Linie durch die Bergwüste, und natürlich gab es an seinem Rand keinen Weg, sondern auch hier erhoben sich Felsentürme, die er erklimmen mußte und die manchmal bedenklich unter ihm schwankten, oder ihm lagen riesige Gesteinsbrocken im Weg, die er mühsam umgehen mußte, oder es senkten sich Geröllhalden gegen den Erdspalt zu, die in Bewegung gerieten, sobald er sie überquerte. Mehr als einmal trennte ihn nur noch ein Fußbreit vom Absturz.

Hätte er gewußt, daß ein Verfolger auf seiner Spur war, der ihm Stunde für Stunde näher kam, so hätte er sich vielleicht doch zu irgendeiner Unbedachtheit hinreißen lassen, die ihn bei seinem schwierigen Weg teuer hätte zu stehen kommen können. Es war jenes Wesen aus Finsternis, das ihn verfolgte, seit er aufgebrochen war. Inzwischen hatte sich seine Gestalt so weit verdichtet, daß man ihre Umrisse klar erkennen konnte. Es war ein Wolf, pechschwarz und groß wie ein Ochse. Die Nase immer am Boden, trabte er auf Atréjus Spur durch die Felsenwüste der Toten Berge. Die Zunge hing ihm weit aus dem Maul, er hatte die Lefzen hochgezogen, so daß sein fürchterliches Gebiß zu sehen war. Die Frische der Witterung sagte ihm, daß ihn nur noch wenige Meilen von seinem Opfer trennten. Und der Abstand verringerte sich unerbittlich.

Aber Atréju ahnte nichts von seinem Verfolger und suchte sich seinen Weg vorsichtig und langsam.

Als er gerade in einer engen Höhle steckte, die wie eine gewundene Röhre durch ein Felsenmassiv führte, hörte er plötzlich ein Getöse, das er sich nicht erklären konnte, denn es hatte keine Ähnlichkeit mit irgendeinem anderen Lärm, den er je vernommen hatte. Es war ein Brausen und Brüllen und Klirren, und zugleich fühlte Atréju, wie der ganze Felsen, in dem er steckte, bebte, und er vernahm das Krachen von Steinblöcken, die draußen polternd von den Bergwänden stürzten. Eine Weile wartete er, ob das Erdbeben – oder was immer es sein mochte – nachlassen würde, als es jedoch anhielt, kroch er weiter, erreichte schließlich den Ausgang und streckte vorsichtig den Kopf hinaus.

Und nun sah er: Über der Finsternis des Tiefen Abgrundes, von einem Rand zum anderen gespannt, hing ein ungeheures Spinnennetz. Und in den klebrigen Fäden dieses Netzes, die dick wie Seile waren, wand sich ein großer weißer Glücksdrache, schlug mit Schwanz und Klauen um sich und verstrickte sich doch nur immer rettungsloser.

Glücksdrachen gehören zu den seltensten Tieren in Phantásien. Sie haben keine Ähnlichkeit mit gewöhnlichen Drachen oder Lindwürmern, die wie riesige, ekelhafte Schlangen in tiefen Erdhöhlen hausen, Gestank verbreiten und irgendwelche wirklichen oder vermeintlichen Schätze hüten. Solche Ausgeburten des Chaos sind meist von boshaftem oder grämlichem Charakter, haben fledermausartige Hautflügel, mit welchen sie sich lärmend und plump in die Luft erheben können, und speien Feuer und Qualm. Glücksdrachen dagegen sind Geschöpfe der Luft und der Wärme, Geschöpfe unbändiger Freude, und trotz ihrer gewaltigen Körpergröße so leicht wie eine Sommerwolke. Darum brauchen sie keine Flügel zum Fliegen. Sie schwimmen in den Lüften des Himmels wie Fische im Wasser. Von der Erde aus gesehen gleichen sie langsamen Blitzen. Das Wunderbarste an ihnen ist ihr Gesang. Ihre Stimme klingt wie das goldene Dröhnen einer großen Glocke, und wenn sie leise sprechen, so ist es, als ob man diesen Glockenklang von fern hört. Wer je solchen Gesang vernehmen durfte, vergißt es sein Lebtag nicht mehr und erzählt noch seinen Enkelkindern davon.

Aber dieser Glücksdrache, den Atréju jetzt sah, befand

sich wahrhaftig nicht in einer Lage, in der ihm nach Singen zumut sein konnte. Der lange, geschmeidige Leib, dessen perlmutterfarbene Schuppen rosig und weiß glitzerten, hing verkrümmt und gefesselt in dem riesigen Spinnennetz. Die langen Barten am Maul des Tieres, die üppige Mähne und die Fransen am Schweif und an den Gliedmaßen waren in die klebrigen Seile verstrickt, so daß es sich kaum noch regen konnte. Nur die Augenbälle in seinem löwenartigen Haupt funkelten rubinrot und zeigten, daß er noch lebendig war.

Das herrliche Tier blutete aus vielen Wunden, denn da war noch etwas anderes, etwas Riesiges, das sich immer von neuem blitzschnell über den weißen Drachenleib stürzte wie eine dunkle Wolke, die ununterbrochen ihre Gestalt änderte. Bald glich sie einer Riesenspinne mit langen Beinen, vielen glühenden Augen und einem dicken Körper, der mit einem schwarzen, verfilzten Haargestrüpp bedeckt war, dann wurde sie zu einer einzigen großen Hand mit langen Klauen, die den Glücksdrachen zu zerquetschen suchte, und im nächsten Augenblick verwandelte sie sich in einen schwarzen Riesenskorpion, der mit seinem Giftstachel nach seinem unglücklichen Opfer schlug.

Der Kampf zwischen den beiden gewaltigen Wesen war fürchterlich. Der Glücksdrache verteidigte sich noch, indem er blaues Feuer spie, das die Borsten des wolkenartigen Geschöpfes versengte. Rauch quoll auf und wirbelte in Schwaden durch die Felsenspalte. Der Gestank machte Atréju das Atmen fast unmöglich. Einmal gelang es dem Glücksdrachen sogar, seinem Gegner eines seiner langen Beine abzubeißen. Doch das abgetrennte Glied fiel nicht etwa in die Tiefe des Abgrunds, sondern bewegte sich einen Augenblick allein in der Luft und kehrte dann an seinen vorigen Platz zurück und vereinigte sich wieder mit dem dunklen Wolkenkörper. Und so geschah es immer wieder, der Drache schien ins Leere zu beißen, sobald er eines der Glieder mit seinen Zähnen fassen konnte.

Nun erst bemerkte Atréju, was ihm bisher entgangen

war: Dieses ganze grausige Geschöpf bestand gar nicht aus einem einzigen, festen Körper, sondern aus unzähligen kleinen stahlblauen Insekten, die wie zornige Hornissen summten und im dichten Schwarm immer neue Gestalten bildeten.

Es war Ygramul, und nun wußte Atréju auch, warum sie »die Viele« genannt wurde.

Er sprang aus seinem Versteck hervor, griff nach dem Kleinod auf seiner Brust und schrie, so laut er konnte:

»Halt! Im Namen der Kindlichen Kaiserin! Halt!«

Doch im Brüllen und Fauchen der kämpfenden Geschöpfe ging seine Stimme unter. Er selbst hörte sie kaum.

Ohne zu überlegen, lief er über die klebrigen Seile des Netzes auf die Kämpfenden zu. Das Netz schwirrte unter seinen Füßen. Er verlor das Gleichgewicht, fiel durch die Maschen, hing nur noch an den Händen über der finsteren Tiefe, zog sich wieder hinauf, klebte fest, kämpfte sich wieder frei und eilte weiter.

Ygramul fühlte plötzlich, daß sich ihr etwas näherte. Sie fuhr blitzschnell herum, und ihr Anblick war entsetzlich: Sie war jetzt nur noch ein riesenhaftes stahlblaues Gesicht mit einem einzigen Auge über der Nasenwurzel, das mit einer senkrechten Pupille voll unvorstellbarer Bosheit auf Atréju starrte.

Bastian stieß einen leisen Schreckenslaut aus.

Ein Schreckensschrei hallte durch die Schlucht und wurde als Echo hin- und hergeworfen. Ygramul drehte ihr Auge nach links und rechts, um zu sehen, ob da noch ein anderer Ankömmling war, denn der Junge, der wie gelähmt vor Grausen vor ihr stand, konnte es nicht gewesen sein. Aber da war niemand.

»Sollte es am Ende mein Schrei gewesen sein, den sie gehört hat?« dachte Bastian zutiefst beunruhigt. »Aber das ist doch überhaupt nicht möglich.«

Und nun hörte Atréju Ygramuls Stimme. Es war eine sehr hohe und etwas heisere Stimme, die ganz und gar nicht zu ihrem Riesengesicht passen wollte. Auch bewegte sie den Mund nicht beim Sprechen. Es war das Surren eines riesigen Hornissenschwarms, das sich zu Worten formte:

»Ein Zweibein!« hörte Atréju, »nach so langer, langer Zeit des Hungers gleich zwei Leckerbissen! Was für ein Glückstag für Ygramul!«

Atréju mußte alle Kraft zusammennehmen. Er hielt den »Glanz« vor das einzige Auge des Ungeheuers und fragte:

»Kennt ihr dieses Zeichen?«

»Komm näher, Zweibein!« surrte der vielstimmige Chor. »Ygramul sieht nicht gut.«

Atréju trat einen Schritt weiter auf das Gesicht zu. Es öffnete jetzt den Mund. Anstelle der Zunge hatte es zahllose flimmernde Fühler, Zangen und Greifer.

»Noch näher!« summte der Schwarm.

Noch einmal tat er einen Schritt und stand nun so nahe vor dem Gesicht, daß er deutlich die zahllosen stahlblauen Einzelwesen sehen konnte, die wie wild durcheinander wirbelten. Und doch blieb das schreckliche Gesicht im ganzen reglos.

»Ich bin Atréju«, sagte er, »und stehe im Auftrag der Kindlichen Kaiserin.«

»Du kommst ungelegen«, antwortete das zornige Surren nach einer Weile. »Was willst du von Ygramul? Sie ist sehr beschäftigt, wie du siehst.«

»Ich will diesen Glücksdrachen«, antwortete Atréju, »gebt ihn mir!«

»Wozu brauchst du ihn, Atréju Zweibein?«

»Ich habe in den Sümpfen der Traurigkeit mein Pferd verloren. Ich muß zum Südlichen Orakel, denn nur die Uyulála kann mir sagen, wer der Kindlichen Kaiserin einen neuen Namen geben kann. Bekommt sie den nicht, muß sie sterben und ganz Phantásien mit ihr – auch ihr, Ygramul, die man die Viele nennt.«

»Ah!« klang es gedehnt von dem Gesicht her, »ist das der Grund für diese Stellen, wo nichts mehr ist?«

»Ja«, entgegnete Atréju, »ihr wißt es also auch, Ygramul. Doch das Südliche Orakel liegt zu weit entfernt, als daß ich es innerhalb der Zeit, die mein Leben dauern mag, erreichen könnte. Darum fordere ich diesen Glücksdrachen von euch. Wenn er mich durch die Luft trägt, kann ich das Ziel vielleicht noch erreichen.«

Aus dem wirbelnden Schwarm, der das Gesicht bildete, war etwas zu hören, was ein vielstimmiges Kichern sein konnte.

»Du irrst dich, Atréju Zweibein. Wir wissen nichts vom Südlichen Orakel und nichts von Uyulála, aber wir wissen, daß der Drache dich nicht mehr tragen kann. Und selbst wenn er unverletzt wäre, würde eure Reise so lang dauern, daß die Kindliche Kaiserin inzwischen ihrer Krankheit erlegen wäre. Nicht nach deinem Leben, Atréju Zweibein, mußt du deine Suche bemessen, sondern nach ihrem.«

Der Blick aus dem Auge mit der senkrechten Pupille war kaum zu ertragen, und Atréju senkte den Kopf.

»Das ist wahr«, sagte er leise.

»Außerdem«, fuhr das Gesicht fort, ohne sich zu regen, »ist Ygramuls Gift im Körper des Drachen. Ihm bleibt höchstens noch ein Stündchen zu leben.«

»Dann«, murmelte Atréju, »gibt es keine Hoffnung mehr, nicht für ihn, nicht für mich und auch nicht für euch, Ygramul.«

»Nun«, summte die Stimme, »Ygramul würde zumindest noch einmal gut gespeist haben. Aber noch ist nicht gesagt, daß es wirklich Ygramuls letzte Mahlzeit ist. Sie wüßte wohl noch ein Mittel, dich im Handumdrehen zum Südlichen Orakel zu befördern. Nur, ob es dir gefällt, Atréju Zweibein, das ist die Frage.«

»Wovon sprecht ihr?«

»Es ist Ygramuls Geheimnis. Auch die Geschöpfe des Abgrunds haben ihre Geheimnisse, Atréju Zweibein. Ygramul hat es niemals bisher preisgegeben. Und auch du mußt schwören, daß du es niemals verraten wirst. Denn es wäre zu Ygramuls Schaden, oh, sehr zu Ygramuls Schaden, wenn es bekannt würde.«

»Ich schwöre es. Redet!«

Das stahlblaue Riesengesicht neigte sich ein wenig vor und summte kaum hörbar:

»Du mußt dich von Ygramul beißen lassen.«

Atréju fuhr entsetzt zurück.

»Ygramuls Gift«, fuhr die Stimme fort, »tötet innerhalb einer Stunde, aber es verleiht dem, der es in sich trägt, zugleich die Macht, sich an jeden Ort Phantásiens zu versetzen, den er wünscht. Denk dir nur, wenn das bekannt würde! Alle Opfer würden Ygramul entwischen!«

»Eine Stunde?« rief Atréju, »aber was kann ich denn in einer einzigen Stunde ausrichten?«

»Nun–«, summte der Schwarm, »es ist immerhin mehr als alle Stunden, die dir hier noch verbleiben. Entscheide du!«

Atréju kämpfte mit sich.

»Werdet ihr den Glücksdrachen freilassen, wenn ich euch im Namen der Kindlichen Kaiserin darum bitte?« fragte er schließlich.

»Nein«, antwortete das Gesicht, »du hast kein Recht, Ygramul darum zu bitten, auch wenn du AURYN, den Glanz, trägst. Die Kindliche Kaiserin läßt uns alle gelten als das, was wir sind. Darum beugt sich auch Ygramul ihrem Zeichen. Und du weißt das alles gut.«

Atréju stand noch immer mit gesenktem Kopf. Was Ygramul da sagte, war die Wahrheit. Also konnte er den weißen Glücksdrachen nicht retten. Seine eigenen Wünsche zählten nicht.

Er richtete sich auf und sagte: »Tu, was du vorgeschlagen hast!«

Blitzschnell fiel die stahlblaue Wolke über ihn her und umhüllte ihn von allen Seiten. Er fühlte einen rasenden Schmerz in der linken Schulter und dachte nur noch: Zum Südlichen Orakel!

Dann wurde ihm schwarz vor den Augen.

Als kurze Zeit später der Wolf die Stelle erreicht hatte, sah er das riesige Spinnennetz – aber sonst niemand mehr. Die Spur, die er bis hierher verfolgt hatte, riß plötzlich ab, und er konnte sie trotz aller Anstrengung nicht wiederfinden.

Bastian hielt inne. Er fühlte sich elend, als ob er selbst Ygramuls Gift in seinem Körper hätte.

»Gott sei Dank«, sagte er leise vor sich hin, »daß ich nicht in Phantásien bin. Solche Monster gibt es zum Glück in Wirklichkeit nicht. Das alles ist eben nur eine Geschichte.«

Aber war es wirklich nur eine Geschichte? Wie war es dann möglich, daß Ygramul und wahrscheinlich auch Atréju Bastians Schreckensschrei gehört hatten?

Dieses Buch fing langsam an, ihm unheimlich zu werden.

V. Die Zweisiedler

inen schrecklichen Augenblick lang befiel Atréju Zweifel, ob Ygramul ihn nicht doch betrogen hatte, denn als er zu sich kam, befand er sich noch immer in der Felsenwüste.

Er richtete sich mühsam auf. Und nun sah er, daß er zwar in einer Bergwildnis war, aber in einer ganz anderen. Das Land sah aus, als bestünde es ganz und gar aus großen rostroten Felstafeln, die aufeinander gestapelt und übereinander geschoben waren und so allerhand eigentümliche Türme und Pyramiden bildeten. Dazwischen bedeckten niedrige Sträucher und Kräuter den Boden. Es herrschte sengende Hitze. Die Landschaft war in strahlendes, ja grelles Sonnenlicht getaucht, das die Augen blendete.

Atréju beschattete sein Gesicht mit der Hand und erblickte etwa eine Meile entfernt ein unregelmäßig geformtes Felsentor, dessen Bogen aus waagrecht liegenden Steinplatten gebildet war und das vielleicht hundert Fuß hoch sein mochte.

Sollte das der Eingang zum Südlichen Orakel sein? Soweit er sehen konnte, lag hinter dem Tor nichts als eine endlose leere Ebene, kein Gebäude, kein Tempel, kein Hain – nichts, was einer Orakelstätte ähnlich sah.

Während er noch überlegte, was er tun sollte, hörte er plötzlich eine tiefe, bronzene Stimme:

»Atréju!« und dann noch einmal: »Atréju!«

Er wandte sich um und sah hinter einem der rostroten Felsentürme den weißen Glücksdrachen hervorkommen. Blut rann aus seinen Wunden, und er war so geschwächt, daß er sich nur mit Mühe zu ihm hinschleppen konnte. Dennoch zwinkerte er lustig mit einem seiner rubinroten Augen und sagte:

»Wundere dich nicht allzusehr, daß ich auch hier bin, Atréju. Ich war zwar wie gelähmt, als ich im Spinnennetz hing, aber ich habe doch alles mitgehört, was Ygramul dir sagte. Und da dachte ich, gebissen bin ich schließlich auch von ihr, warum soll ich nicht ebenfalls von dem Geheimnis Gebrauch machen, das sie dir anvertraut hat? So bin ich ihr entkommen.«

Atréju freute sich.

»Es war mir schwer, dich Ygramul zu überlassen«, sagte er, »aber was hätte ich tun können?«

»Nichts«, antwortete der Glücksdrache. »Du hast mir trotzdem das Leben gerettet – wenn auch nicht ohne meine Mithilfe.«

Und abermals zwinkerte er, diesmal mit dem anderen Auge.

»Das Leben gerettet –«, wiederholte Atréju, »für eine Stunde, denn mehr bleibt uns beiden nicht. Ich fühle das Gift Ygramuls mit jedem Augenblick stärker.«

»Für jedes Gift gibt es ein Gegengift«, antwortete der weiße Drache, »du wirst sehen, daß alles gutgehen wird.«

»Ich wüßte nicht wie«, meinte Atréju.

»Ich auch nicht«, erwiderte der Drache, »aber das ist gerade das Schöne. Von jetzt an wird dir alles gelingen. Schließlich bin ich ein Glücksdrache. Auch als ich im Netz hing, habe ich die Hoffnung nicht aufgegeben – und wie du siehst, mit Recht.«

Atréju lächelte.

»Sag mir, warum hast du dich hierher versetzt – und nicht an einen anderen, besseren Ort, wo du vielleicht Heilung finden könntest?«

»Mein Leben gehört dir«, sagte der Drache, »wenn du es annehmen willst. Ich dachte mir, du wirst ein Reittier brauchen für die Große Suche. Und du wirst sehen, es ist ein ganz anderes Ding, ob man auf zwei Beinen durch die Gegend krabbelt, sogar ob man auf einem guten Pferd dahingaloppiert, oder ob man auf dem Rücken eines Glücksdrachen durch die Himmelslüfte braust. Abgemacht?«

»Abgemacht!« antwortete Atréju.

»Übrigens«, fügte der Drache hinzu, »mein Name ist Fuchur.«

»Gut, Fuchur«, sagte Atréju, »aber während wir reden, verrinnt die wenige Zeit, die uns noch bleibt. Ich muß etwas tun. Aber was?«

»Glück haben«, antwortete Fuchur, »was sonst?«

Doch Atréju hörte ihn nicht mehr. Er war niedergefallen und lag reglos, eingerollt in die weichen Krümmungen des Drachenleibes.

Ygramuls Gift tat seine Wirkung.

Als Atréju – wer weiß wie lange Zeit später – seine Augen wieder aufschlug, sah er zunächst nichts als ein höchst sonderbares Gesicht über das seine geneigt. Es war das schrumpeligste und faltigste Gesicht, das er je gesehen hatte, aber es war nur ungefähr so groß wie seine Faust. Es war dunkelbraun wie ein Bratapfel, und die Äuglein darin glitzerten wie Sterne. Auf dem Kopf saß so etwas wie eine Haube aus welken Blättern.

Dann fühlte Atréju, daß ihm ein kleines Trinkgefäß an die Lippen gehalten wurde.

»Schöne Medizin, gute Medizin!« murmelten die faltigen kleinen Lippen in dem runzeligen Gesichtchen, »trink nur, mein Kind, trink. Tut gut!«

Atréju nippte. Es schmeckte eigenartig, ein wenig süß und doch herb.

»Was ist mit dem weißen Drachen?« brachte er mühsam heraus.

»Schon in Ordnung«, antwortete das raunende Stimmchen, »mach dir keine Sorgen, mein Jungchen. Wird wieder gesund. Werdet beide wieder gesund. Habt das Schlimmste schon hinter euch. Trink nur, trink!«

Atréju nahm noch einen Schluck und fiel sofort wieder in Schlaf, aber diesmal war es der tiefe, erquickende Schlaf der Genesung.

Die Turmuhr schug zwei.

Bastian konnte es nicht mehr länger unterdrücken: Er mußte dringend aufs Klo. Er mußte schon seit einer ganzen Weile, aber er hatte einfach nicht aufhören können zu lesen. Und außerdem fürchtete er sich ein bißchen davor, ins Schulhaus hinunterzugehen. Er sagte sich selbst, daß es dafür keinen Grund gab, es war ja leer, niemand würde ihn sehen. Und trotzdem hatte er Angst, so als ob das Schulhaus selbst ein Wesen wäre, das ihn beobachten würde.

Aber da half nun alles nichts, er mußte einfach!

Er legte das Buch mit den offenen Seiten auf die Turnmatte, stand auf und ging zur Speichertür. Mit klopfendem Herzen lauschte er eine Weile. Alles war still. Er schob den Riegel zurück und drehte langsam den großen Schlüssel im Schloß. Als er auf die Klinke drückte, öffnete sich die Tür mit lautem Knarren.

Er huschte strumpfsockig hinaus und ließ die Tür hinter sich offen, um nicht noch einmal unnötigen Lärm zu machen. Dann schlich er die Treppe hinunter in den ersten Stock. Vor ihm lag der lange Gang mit den spinatgrün gestrichenen Türen zu den Klassenzimmern. Die Schülertoilette war am anderen Ende. Es war höchste Eisenbahn, und Bastian lief, so schnell er konnte. Er erreichte das rettende Örtchen buchstäblich im letzten Augenblick.

Während er auf dem Klo saß, überlegte er sich, warum die Helden in solchen Geschichten eigentlich nie mit derartigen Problemen zu tun hatten. Einmal – als er noch viel kleiner gewesen war – hatte er sogar im Religionsunterricht gefragt, ob der Herr Jesus eigentlich auch wie ein gewöhnlicher Mensch gemußt hätte, weil er doch auch wie ein gewöhnlicher Mensch gegessen und getrunken hat. Die Klasse hatte gebrüllt vor Lachen, und der Religionslehrer hatte ihm einen Verweis wegen »ungebührlichen Betragens« ins Klassenbuch geschrieben. Eine Antwort hatte Bastian nicht bekommen. Dabei hatte er sich wirklich nicht ungebührlich betragen wollen.

»Wahrscheinlich«, sagte sich Bastian jetzt, »sind diese Sachen einfach zu nebensächlich und unwichtig, als daß sie in solchen Geschichten erwähnt zu werden brauchen.«

Obwohl sie für ihn manchmal von verzweifelter und beschämender Wichtigkeit sein konnten.

Er war fertig, zog an der Kette und wollte eben hinausgehen, als er draußen auf dem Korridor plötzlich Schritte hörte. Eine Klassenzimmertür nach der anderen wurde geöffnet und wieder geschlossen, und die Schritte kamen immer näher.

Bastians Herz klopfte bis zum Hals. Wo sollte er sich verstecken? Er blieb wie gelähmt stehen, wo er stand.

Die Klotür ging auf, glücklicherweise gerade so, daß sie Bastian verdeckte. Der Hausmeister der Schule kam herein. Nach der Reihe warf er einen Blick in die einzelnen Zellen. Als er an die kam, wo das Wasser noch lief und die Kette schaukelte, stutzte er einen Augenblick. Er brummte etwas vor sich hin, doch als er merkte, daß das Wasser zu laufen aufhörte, zuckte er die Achseln und ging hinaus. Seine Schritte verhallten auf der Treppe.

Bastian hatte die ganze Zeit über nicht zu atmen gewagt, jetzt holte er tief Luft. Als er hinausgehen wollte, merkte er, daß ihm die Knie zitterten.

Vorsichtig und so schnell er konnte, huschte er den Gang mit den spinatgrün gestrichenen Türen entlang, die Treppe hinauf und in den Speicher zurück. Erst als er die Tür wieder verschlossen und verriegelt hatte, wich die Spannung von ihm.

Mit einem tiefen Seufzer ließ er sich wieder auf seinem Lager aus Turnmatten nieder, hüllte sich in die Militärdecken und griff nach dem Buch.

Als Atréju abermals erwachte, fühlte er sich vollkommen frisch und kräftig. Er richtete sich auf.

Es war Nacht, der Mond schien hell, und Atréju sah, daß er sich an der nämlichen Stelle befand, an der er neben dem weißen Drachen zusammengebrochen war. Auch Fuchur lag noch immer so da, aber er atmete ruhig und tief und schien fest zu schlafen. Alle seine Wunden waren verbunden.

Atréju bemerkte, daß auch seine eigene Schulter auf die gleiche Art versorgt war, nicht mit Stoff, sondern mit Kräutern und Pflanzenfasern.

Nur wenige Schritte entfernt befand sich im Felsen eine kleine Höhle, aus deren Eingang gedämpfter Lichtschein fiel.

Ohne den linken Arm zu bewegen, stand Atréju vorsichtig

auf und ging zu dem niedrigen Höhleneingang. Er beugte sich nieder und erblickte im Inneren einen Raum, der wie eine Alchemistenküche im Miniaturmaßstab aussah. Im Hintergrund prasselte in einem offenen Kamin ein lustiges Feuerchen. Überall standen und lagen Tiegel, Töpfe und wunderlich geformte Flaschen herum. In einem Regal waren Bündel von getrockneten Pflanzen verschiedener Art aufgestapelt. Das Tischchen in der Mitte und die übrigen Möbel schienen aus Wurzelstrünken zusammengebastelt. Im ganzen machte die Wohnstätte einen höchst behaglichen Eindruck.

Erst als er ein Hüsteln hörte, bemerkte Atréju, daß in einem Lehnsessel vor dem Kamin ein kleines Kerlchen saß. Auf dem Kopf trug es eine Art Hut aus Wurzelholz, der wie ein umgekehrter Pfeifenkopf aussah. Das Gesicht war ebenso dunkelbraun und verschrumpelt wie jenes, das er bei seinem ersten Erwachen über sich gesehen hatte. Doch saß auf der Nase eine große Brille, und seine Züge wirkten schärfer und sorgenvoller. Das Kerlchen las in einem großen Buch, das auf seinem Schoß lag.

Dann wackelte aus einem anderen, weiter hinten liegenden Raum eine zweite kleine Gestalt herein, in der Atréju sofort das Wesen wiedererkannte, das sich seiner zuvor angenommen hatte. Jetzt erst sah er, daß es sich um ein Weiblein handelte. Außer der Blätterkappe trug es – ebenso wie das Männchen auf dem Kaminsessel – eine Art Mönchskutte, die gleichfalls aus welkem Laub zu bestehen schien. Es summte vergnügt vor sich hin, rieb sich die Hände und machte sich dann an einem Kessel zu schaffen, der über dem Feuer hing. Beide Gestalten waren kaum höher als Atréjus Bein von der Sohle bis zum Knie. Es war offensichtlich, daß es sich bei diesen beiden um Mitglieder der weitverzweigten Gnomenfamilie handelte, wenn auch um ziemlich ungewöhnliche.

»Weib«, sagte das Männchen griesgrämig, »geh mir aus dem Licht! Du störst mich beim Studium.«

»Du mit deinem Studium!« antwortete das Weibchen,

»wen interessiert das schon. Wichtig ist jetzt, daß mein Heil-Elixier fertig wird. Die beiden da draußen haben es nötig.«

»Die beiden da draußen«, versetzte das Männchen gereizt, »werden meinen Rat und meine Hilfe noch viel nötiger haben.«

»Meinetwegen«, gab das Weibchen zurück, »aber erst, wenn sie gesund sind. Mach Platz, Alter!«

Das Männchen rutschte brummend mit seinem Sessel etwas vom Feuer weg.

Atréju räusperte sich, um sich bemerkbar zu machen. Das Gnomenpaar blickte sich nach ihm um.

»Er ist schon gesund«, sagte das Männchen, »jetzt bin ich dran!«

»Nichts da!« keifte ihn das Weibchen an, »ob er gesund ist, entscheide ich. Du bist dran, wenn ich sage, daß du dran bist!«

Dann wandte es sich Atréju zu.

»Würden dich gerne hereinbitten. Ist aber wohl etwas zu eng für dich. Augenblick noch! Komme gleich zu dir raus.«

Es zerrieb noch irgend etwas in einem kleinen Mörser, das es dann in den Kessel warf. Danach wusch es sich die Hände und trocknete sie an seiner Kutte ab, wobei es zu dem Männchen sagte:

»Und du bleibst hier sitzen, Engywuck, bis ich dich rufe, verstanden?«

»Schon gut, Urgl«, brummte das Männchen.

Das Gnomenweibchen kam aus der Höhle ins Freie. Es guckte Atréju aus zusammengekniffenen Augen von unten prüfend an.

»Na? Scheint uns ja schon ganz gut zu gehen, was?«

Atréju nickte.

Das Weibchen kletterte auf einen Felsenvorsprung, der in gleicher Höhe mit Atréjus Gesicht lag, und nahm Platz.

»Keine Schmerzen mehr?« wollte es wissen.

»Nicht der Rede wert«, antwortete Atréju.

»Was denn?« fuhr ihn das Weibchen mit funkelnden Äuglein an, »tut's weh oder nicht?«

»Es tut noch weh«, erklärte Atréju, »aber es macht mir nichts aus ...«

»Aber mir!« schnaubte die Urgl. »Das hat man gern, wenn die Patienten dem Arzt sagen, was was ausmacht! Was verstehst du denn davon, Grünschnabel! Es *muß* noch weh tun, wenn es heilen soll. Wenn's nämlich nicht mehr weh täte, dann wäre dein Arm schon tot.«

»Verzeihung!« sagte Atréju, der sich wie ein gescholtenes Kind vorkam, »ich wollte nur sagen ... das heißt, ich wollte mich bedanken.«

»Ach was!« fuhr ihm die Urgl unwirsch über den Mund, »bin schließlich Heilerin. Hab' nur meine Berufspflicht getan. Und Engywuck, mein Alter, hat das Pantakel gesehen, das um deinen Hals hängt. Da gab's gar keine Frage für uns.«

»Und Fuchur?« fragte Atréju, »wie geht es ihm?«

»Wer ist das?«

»Der weiße Glücksdrache.«

»Ach so. Weiß noch nicht. Hat ein bißchen mehr abbekommen als du. Hält allerdings auch ein bißchen mehr aus. Müßte es eigentlich schaffen. Bin ziemlich sicher, daß er sich wieder erholt. Braucht noch einige Zeit Ruhe. Wo habt ihr bloß dieses Gift abgekriegt, he? Und wo kommt ihr so plötzlich her? Und wo wollt ihr hin? Und wer seid ihr?«

Engywuck war nun auch in den Höhleneingang getreten und hörte zu, wie Atréju auf die Fragen der alten Urgl Antwort gab. Dann trat er vor und rief:

»Halt den Mund, Weib, jetzt bin ich dran!«

Dann wandte er sich an Atréju, nahm den pfeifenkopfartigen Hut ab, kratzte sich sein kahles Köpfchen und sagte:

»Nimm ihr ihren Ton nicht übel, Atréju. Die alte Urgl ist oft ein bißchen ruppig, meint's aber nicht so. Mein Name ist Engywuck. Man nennt uns auch die Zweisiedler. Schon von uns gehört?«

»Nein«, gab Atréju zu.

Engywuck schien ein wenig beleidigt.

»Na gut«, meinte er, »du verkehrst wohl nicht in wissenschaftlichen Kreisen, sonst hätte man dir bestimmt gesagt, daß du keinen besseren Ratgeber als mich finden kannst, wenn du zur Uyulála ins Südliche Orakel willst. Bist an die richtige Adresse gekommen, mein Junge.«

»Tu nur nicht so!« rief die alte Urgl dazwischen. Dann kletterte sie von ihrem Sitzplatz herunter und verschwand vor sich hinbrummend in der Höhle.

Engywuck überhörte geflissentlich ihren Einwurf.

»Kann dir alles erklären«, fuhr er fort, »habe die Sache in- und auswendig studiert mein Leben lang. Habe dafür eigens mein Observatorium eingerichtet. Werde demnächst ein großes wissenschaftliches Werk über das Orakel herausgeben. Titel: Das Uyulála-Rätsel, gelöst durch Professor Engywuck. Hört sich nicht schlecht an, wie? Leider fehlen mir aber noch ein paar Kleinigkeiten. Könntest mir dabei helfen, mein Junge.«

»Ein Observatorium?« fragte Atréju, dem das Wort unbekannt war.

Engywuck nickte mit vor Stolz funkelnden Äuglein. Mit einer Handbewegung forderte er Atréju auf, ihm zu folgen.

Zwischen den mächtigen Steinplatten lief ein kleiner, vielfach gewundener Pfad immer aufwärts. An manchen Stellen, wo es besonders steil hinaufging, waren winzige Stufen ausgeschlagen, die für Atréjus Füße natürlich zu klein waren. Er überstieg sie einfach mit einem großen Schritt. Dennoch hatte er alle Mühe, dem Gnom, der hurtig vor ihm her trippelte, nachzukommen.

»Eine helle Mondnacht heute«, hörte er Engywuck sagen, »wirst sie sehen können.«

»Wen?« wollte Atréju wissen, »die Uyulála?«

Aber Engywuck winkte unwillig ab und wackelte weiter.

Endlich waren sie auf dem Gipfel des Felsenturms angekommen. Der Boden war flach, nur nach einer Seite hin erhob sich eine Art natürlicher Brustwehr, ein Geländer aus einer Steintafel. In der Mitte dieser Tafel war ein Loch, offensichtlich mit Werkzeugen herausgeschnitten. Vor dem Loch stand ein kleines Fernrohr auf einem Stativ aus Wurzelholz.

Engywuck guckte hindurch, regulierte es leicht durch Drehen an einigen Schrauben, dann nickte er zufrieden und forderte Atréju auf, seinerseits einen Blick zu tun. Dieser folgte der Anweisung, mußte sich aber auf den Boden niederlassen und auf die Ellbogen gestützt durch das Rohr schauen.

Es war auf das große Felsentor gerichtet, und zwar so, daß man den unteren Teil des rechten Pfeilers im Bild hatte. Und nun sah Atréju, daß neben diesem Pfeiler hochaufgerichtet und völlig reglos im Mondlicht eine mächtige Sphinx saß. Die Vorderpranken, auf die sie sich stützte, waren die eines Löwen, der hintere Teil ihres Leibes war der eines Stiers, auf dem Rücken trug sie gewaltige Adlerschwingen, und ihr Gesicht war das eines Menschen – jedenfalls der Form nach, denn der Ausdruck war nicht menschlich. Es war schwer zu entscheiden, ob dieses Gesicht lächelte oder unermeßliche Trauer widerspiegelte oder auch völlige Gleichgültigkeit. Nachdem Atréju es eine Weile betrachtet hatte, schien es ihm allerdings von abgrundtiefer Bosheit und Grausamkeit erfüllt, doch gleich mußte er seinen Eindruck wieder berichtigen und fand nichts mehr als reine Heiterkeit darin.

»Laß gut sein!« hörte er die Stimme des Gnomen an seinem Ohr, »du wirst es nicht herausbekommen. Geht jedem so. Mir auch. Hab's mein Leben lang beobachtet und bin nicht dahintergekommen. Jetzt die andere!«

Und er drehte an einer der Schrauben, das Bild wanderte an der Öffnung des Torbogens vorbei, hinter der sich nur die weite leere Ebene erstreckte, dann rückte der linke Torpfeiler in Atréjus Sicht, und hier saß in derselben Haltung eine zweite Sphinx. Ihr mächtiger Körper schimmerte seltsam bleich und wie aus flüssigem Silber im Mondenschein. Sie schien die erste Sphinx unverwandt anzustarren, so wie die erste reglos in ihre Richtung geblickt hatte.

»Sind es Statuen?« fragte Atréju leise, ohne sein Auge abwenden zu können.

»O nein«, antwortete Engywuck und kicherte, »es sind wirkliche, lebende Sphinxen – und wie lebendig! Fürs erste hast du genug gesehen. Komm, gehen wir wieder runter. Werde dir alles erklären.«

Und er hielt die Hand vor das Fernrohr, so daß Atréju nichts mehr sah. Schweigend gingen sie den Weg zurück.

VI. Die Drei Magischen Tore

uchur schlief noch immer tief, als Engywuck mit Atréju zur Gnomenhöhle zurückkehrte. Die alte Urgl hatte inzwischen das Tischchen ins Freie hinausgeschafft und es mit allerhand Süßigkeiten und eingedickten Säften aus Beeren und Pflanzen gedeckt.

Außerdem standen kleine Trinknäpfchen da und ein Kännchen voll duftendem heißen Kräutertee. Zwei winzige Windlichter, die mit Öl gespeist wurden, vervollständigten die Szene.

»Hinsetzen!« befahl das Gnomenweibchen. »Atréju muß erst mal was essen und trinken, damit er zu Kräften kommt. Die Arznei allein genügt nicht.«

»Danke«, sagte Atréju, »ich fühle mich schon sehr gut.«

»Keine Widerrede!« schnaubte die Urgl, »solang du hier bist, tust du, was man dir sagt, verstanden! Das Gift in deinem Leib ist neutralisiert. Brauchst dich also nicht mehr zu beeilen, mein Junge. Hast so viel Zeit, wie du willst, also nimm dir auch Zeit.«

»Es geht nicht nur um mich«, wandte Atréju ein, »die Kindliche Kaiserin liegt im Sterben. Vielleicht geht es schon jetzt um jede Stunde.«

»Schnickschnack!« brummte die kleine Alte, »mit Hast erreicht man gar nichts. Setz dich! Iß! Trink! Hopp, wird's bald?«

»Besser, man gibt ihr nach«, flüsterte Engywuck, »hab' so meine Erfahrung mit dem Weib. Wenn sie was will, hilft alles nichts. Müssen außerdem viel besprechen, wir beide.«

Atréju setzte sich also mit untergeschlagenen Beinen vor das winzige Tischchen und langte zu. Bei jedem Schluck und bei jedem Bissen war ihm tatsächlich, als ob goldenes, warmes Leben in seine Adern und Muskeln strömte. Erst jetzt merkte er, wie entkräftet er gewesen war.

Bastian lief das Wasser im Mund zusammen. Ihm war plötzlich, als ob er den Duft der Gnomenmahlzeit roch. Er schnupperte in der Luft herum, aber es war natürlich nur Einbildung gewesen.

Sein Magen knurrte vernehmlich. Er konnte es nicht mehr aushalten. Er holte den Rest seines Pausenbrotes und den Apfel aus seiner Mappe und aß beides auf. Danach war ihm etwas besser, obwohl er noch längst nicht satt war.

Dann wurde ihm klar, daß dies seine letzte Mahlzeit gewesen war. Das Wort erschreckte ihn. Er versuchte, nicht mehr daran zu denken.

»Wo hast du nur all die guten Sachen her«, sagte Atréju zur Urgl.

»Ja, Söhnchen«, sagte sie, »man muß weit herumlaufen, weit herum, um die richtigen Kräuter und Pflanzen zu finden. Aber er, dieser Dickschädel von Engywuck, will ja ausgerechnet hier wohnen – wegen seiner wichtigen Studien! Wie man das Essen auf den Tisch bringt, kümmert ihn nicht.«

»Weib«, antwortete Engywuck würdevoll, »was verstehst du davon, was wichtig ist und was nicht. Hebe dich hinweg und laß uns reden!«

Die Urgl verzog sich maulend in die kleine Höhle, wo sie mit allerhand Geschirr herumlärmte.

»Laß sie nur!« raunte Engywuck, »sie ist eine gute alte Haut, muß nur manchmal was zu mümmeln haben. Hör zu, Atréju! Werde dir jetzt einiges über das Südliche Orakel erklären, was du wissen mußt. Ist nicht ganz einfach, bis zur Uyulála vorzudringen. Ziemlich schwierig sogar. Möchte dir aber keinen wissenschaftlichen Vortrag halten. Ist vielleicht besser, wenn du Fragen stellst. Verliere mich leicht ein bißchen in Einzelheiten. Also frag!«

»Gut«, meinte Atréju, »wer oder was also ist die Uyulála?«

»Verflixt!« knurrte Engywuck und funkelte ihn verärgert an, »du fragst so direkt wie meine Alte. Kannst du nicht mit was anderem anfangen?«

Atréju überlegte und fragte dann:

»Dieses große Felsentor mit den Sphinxen, das du mir gezeigt hast – ist das der Eingang?«

»Schon besser!« antwortete Engywuck, »so kommen wir weiter. Das Felsentor ist der Eingang, aber danach kommen noch zwei andere Tore, und erst hinter dem dritten wohnt die Uyulála – wenn man von ihr überhaupt sagen kann, daß sie wohnt.«

»Bist du selbst schon einmal bei ihr gewesen?«

»Wo denkst du hin!« erwiderte Engywuck, schon wieder etwas verstimmt, »arbeite schließlich wissenschaftlich. Habe alle Berichte gesammelt von denen, die drin waren. Sofern sie zurückgekommen sind, versteht sich. Sehr wichtige Arbeit! Kann mir kein persönliches Risiko erlauben. Könnte meine Arbeit beeinflussen.«

»Ich verstehe«, sagte Atréju. »Und was hat es nun mit diesen drei Toren auf sich?«

Engywuck stand auf, verschränkte die Arme auf dem Rücken und begann auf und ab zu gehen, während er folgendes erklärte:

»Das erste heißt das Große Rätsel Tor. Das zweite heißt das Zauber Spiegel Tor. Und das dritte heißt das Ohne Schlüssel Tor ...«

»Seltsam«, unterbrach ihn Atréju, »soweit ich sehen konnte, war hinter dem Felsentor nichts weiter als eine leere Ebene. Wo sind denn diese anderen Tore?«

»Ruhe!« herrschte ihn Engywuck an, »wenn du dauernd unterbrichst, kann man nichts erklären. Alles sehr schwierig! Die Sache ist so: Das zweite Tor ist erst da, wenn man durch das erste durch ist. Und das dritte erst, wenn man das zweite hinter sich hat. Und die Uyulála erst, wenn man durch das dritte gekommen ist. Vorher ist nichts von allem da. Es ist einfach nicht da, verstehst du?«

Atréju nickte, zog es aber vor zu schweigen, um den Gnom nicht von neuem ärgerlich zu machen.

»Das erste, das Große Rätsel Tor, hast du durch mein Fernrohr gesehen. Auch die zwei Sphinxen. Dieses Tor ist immer offen – versteht sich von selbst. Hat ja gar keine Torflügel. Kann aber trotzdem niemand durch, außer –«, hier streckte Engywuck ein winziges Zeigefingerchen in die

Höhe, »– außer die Sphinxen schließen die Augen. Und weißt du, warum? Der Blick einer Sphinx ist was ganz und gar anderes, als der Blick irgendeines anderen Wesens. Wir beide und alle anderen, wir nehmen durch unseren Blick etwas auf. Wir sehen die Welt. Aber eine Sphinx sieht nichts, sie ist in gewissem Sinne blind. Dafür senden ihre Augen etwas aus. Und was ist das, was ihr Blick aussendet? Alle Rätsel der Welt. Deshalb schauen die beiden Sphinxen sich immerfort gegenseitig an. Denn den Blick einer Sphinx kann nur eine andere Sphinx ertragen. Und nun stell dir vor, was aus einem wird, der es einfach wagt, in den Blickwechsel dieser beiden hineinzulaufen! Er erstarrt auf der Stelle und kann sich nicht wieder rühren, ehe er nicht alle Rätsel der Welt gelöst hat. Na, du wirst die Spuren solcher armen Teufel vorfinden, wenn du hinkommst.«

»Aber sagtest du nicht«, warf Atréju ein, »daß sie manchmal ihre Augen schließen? Müssen sie nicht bisweilen schlafen?«

»Schlafen?« Engywuck schüttelte sich vor Kichern. »Du meine Güte, eine Sphinx und schlafen. Nein, wahrhaftig nicht. Bist wirklich ein ahnungsloser Bursche. Ist aber trotzdem nicht ganz verkehrt, deine Frage. Ist sogar genau der Punkt, dem meine Forschung gewidmet ist. Bei manchen Besuchern schließen die Sphinxen ihre Augen und lassen ihn durch. Die Frage, die bis heute aber noch niemand geklärt hat, ist die: Warum gerade den einen und warum nicht den anderen? Ist nämlich keineswegs so, daß sie etwa die Weisen, die Tapferen, die Guten vorbeilassen, und die Dummen, die Feigen oder die Bösewichte ausschließen. Ja, Pustekuchen! Hab's mit eigenen Augen beobachtet, und mehr als einmal, daß sie gerade irgendeinem albernen Schwachkopf oder einem niederträchtigen Halunken den Zutritt erlaubt haben, während die anständigsten und vernünftigsten Leute oft monatelang vergebens warteten und zuletzt unverrichteter Dinge abzogen. Auch ob einer aus Not und Bedrängnis zum Orakel will oder es nur mal so aus Jux versucht, scheint gar keine Rolle zu spielen.«

»Und deine Forschungen«, fragte Atréju, »haben sie keinerlei Anhaltspunkt ergeben?«

Sofort bekam Engywuck wieder seinen zornig funkelnden Blick.

»Hörst du zu oder nicht? Hab' doch eben gesagt, daß niemand die Frage bis heute geklärt hat. Habe natürlich einige Theorien ausgearbeitet im Lauf der Jahre. Dachte zunächst, der entscheidende Punkt, nach dem die Sphinxen urteilen, wären vielleicht bestimmte körperliche Merkmale – Größe, Schönheit, Stärke oder so was. Mußte ich aber bald wieder fallen lassen. Hab' dann versucht, bestimmte Zahlenverhältnisse festzustellen, zum Beispiel, daß von fünfen immer drei ausgeschlossen bleiben, oder daß nur die mit Primzahlen Zutritt bekommen. Ging auch ganz gut, was die Vergangenheit betrifft, nur bei der Vorhersage hat es absolut nicht geklappt. Bin inzwischen der Ansicht, die Entscheidung der Sphinxen ist ganz und gar zufällig und hat überhaupt keinen Sinn. Aber mein Weib behauptet, das wäre eine lästerliche und obendrein unphantásische Meinung und hätte mit Wissenschaft nichts mehr zu tun.«

»Kommst du schon wieder mit deinem Unsinn?« hörte man das Gnomenweibchen aus der Höhle keifen. »Schäm dich! Nur weil dein bißchen Hirn dir im Kopf eingetrocknet ist, meinst du, solche großen Geheimnisse einfach ableugnen zu können, alter Schwachkopf!«

»Da hörst du's!« sagte Engywuck seufzend. »Und das Schlimme ist, daß sie recht hat.«

»Und das Amulett der Kindlichen Kaiserin?« fragte Atréju. »Glaubst du, sie werden es nicht respektieren? Schließlich sind auch sie Geschöpfe Phantásiens.«

»Schon«, meinte Engywuck und wiegte sein apfelgroßes Köpfchen, »aber dazu müßten sie es *sehen*. Und sie sehen doch nichts. Aber ihr Blick würde dich treffen. Bin auch nicht sicher, daß die Sphinxen der Kindlichen Kaiserin gehorchen. Vielleicht sind sie größer als sie. Weiß nicht, weiß nicht. Ist jedenfalls sehr bedenklich.«

»Was rätst du mir also?« wollte Atréju wissen.

»Du wirst tun müssen, was alle tun müssen«, antwortete der Gnom. »Warten, wie sie entscheiden – ohne zu wissen warum.«

Atréju nickte nachdenklich.

Die kleine Urgl kam aus der Höhle. Sie schleppte ein Eimerchen mit einer dampfenden Flüssigkeit, unter dem anderen Arm hatte sie einige Bündel getrockneter Pflanzen. Vor sich hinmurmelnd ging sie zu dem Glücksdrachen hinüber, der noch immer reglos schlief. Sie begann auf ihm herumzuklettern und die Umschläge auf seinen Wunden zu erneuern. Ihr riesenhafter Patient seufzte nur einmal zufrieden und streckte sich aus, sonst schien er von der Behandlung kaum etwas zu bemerken.

»Könntest dich lieber auch ein bißchen nützlich machen«, sagte sie zu Engywuck, als sie noch einmal in die Küche zurücklief, »anstatt hier herumzuhocken und Unsinn zu schwätzen.«

»Mache mich *sehr* nützlich«, rief ihr Mann ihr nach, »vielleicht nützlicher als du, aber das wirst du nie begreifen, einfältiges Weib!«

Und zu Atréju gewandt fuhr er fort: »Sie kann nur ans Praktische denken. Für die großen Überblicke hat sie einfach keinen Sinn.«

Die Turmuhr schlug drei.

Wenn überhaupt, dann hatte der Vater spätestens jetzt gemerkt, daß Bastian nicht nach Hause gekommen war. Ob er sich wohl Sorgen machte? Vielleicht würde er losgehen und ihn suchen. Vielleicht hatte er schon die Polizei benachrichtigt. Am Ende wurden schon Fahndungsmeldungen im Rundfunk durchgegeben. Bastian fühlte einen Stich in der Magengrube.

Und wenn es so war, wo würden sie ihn suchen? In der Schule? Vielleicht sogar hier auf dem Dachboden?

Hatte er überhaupt die Tür abgeschlossen, als er vom Klo zurückkam? Er konnte sich nicht mehr erinnern. Er stand auf, um nachzusehen. Ja, die Tür war verschlossen und verriegelt.

Draußen begann es schon langsam dämmerig zu werden. Das Licht, das durch die Dachluke hereinkam, wurde unmerklich schwächer.

Um seine Unruhe loszuwerden, lief Bastian ein bißchen im Speicher hin und her. Dabei entdeckte er eine Menge Sachen, die eigentlich gar nichts mit den Schulgegenständen zu tun hatten, die sonst hier waren. So zum Beispiel ein altes, verbeultes Trichtergrammophon – wer weiß, wann und von wem es hierhergebracht worden war? In einer Ecke standen mehrere Gemälde in verschnörkelten Goldrahmen, auf denen fast nichts mehr zu sehen war, außer da und dort ein blasses, streng blickendes Gesicht, das aus dem dunklen Hintergrund hervorschimmerte. Es gab auch einen von Rost zerfressenen siebenarmigen Kerzenleuchter, in dem noch die Stümpfe dicker Wachslichter steckten, die lange Tropfenbärte gebildet hatten.

Dann erschrak Bastian, denn in einem dunklen Winkel bewegte sich eine Gestalt. Erst auf den zweiten Blick erkannte er, daß dort ein großer, halbblinder Spiegel stand, in dem er undeutlich sich selbst gesehen hatte. Er ging näher heran und betrachtete sich eine Weile. Schön war er wahrhaftig nicht mit seiner dicken Figur und den X-Beinen und diesem käsigen Gesicht. Er schüttelte langsam den Kopf und sagte laut:

»Nein!«

Dann ging er zu seinem Mattenlager zurück. Er mußte das Buch jetzt schon nahe an seine Augen halten, um weiterlesen zu können.

»Wo waren wir stehengeblieben?« fragte Engywuck.

»Beim Großen Rätsel Tor«, erinnerte ihn Atréju.

»Richtig! Nehmen wir an, es ist dir gelungen, durchzukommen. Dann – und erst dann – wird für dich das zweite Tor da sein. Das Zauber Spiegel Tor. Kann dir darüber, wie gesagt, nichts aus eigener Beobachtung sagen, sondern nur das, was ich an Berichten gesammelt habe. Dieses zweite Tor ist sowohl offen als auch geschlossen. Hört sich verrückt an, wie? Vielleicht sagt man besser, es ist weder geschlossen noch offen. Obwohl es dadurch nicht weniger verrückt wird. Kurzum: Es handelt sich dabei um einen großen Spiegel oder so was, obwohl die Sache weder aus Glas noch aus Metall besteht. Woraus, hat mir nie jemand sagen können. Jedenfalls, wenn man davorsteht, dann sieht man sich selbst – aber eben nicht wie in einem gewöhnlichen Spiegel, versteht sich. Man sieht nicht sein Äußeres, sondern man sieht sein wahres inneres Wesen, so wie es in Wirklichkeit beschaffen ist. Wer da durch will, der muß – um es mal so auszudrücken – in sich selbst hineingehen.«

»Jedenfalls«, meinte Atréju, »scheint mir dieses Zauber Spiegel Tor leichter zu durchschreiten als das erste.«

»Irrtum!« rief Engywuck und begann wieder aufgeregt hin und her zu laufen, »ganz gewaltiger Irrtum, mein Freund! Habe erlebt, daß gerade solche Besucher, die sich für besonders untadelig hielten, schreiend vor dem Ungeheuer geflohen sind, das ihnen in dem Spiegel entgegengrinste. Manche mußten wir sogar wochenlang kurieren, ehe sie überhaupt wieder in der Lage waren, die Heimreise anzutreten.«

»Wir!« brummte die Urgl, die eben mit einem neuen Eimerchen vorbeikam, »ich höre immer wir. Wen hast du denn kuriert?«

Engywuck winkte nur mit der Hand ab.

»Andere«, fuhr er in seinem Vortrag fort, »haben offenbar noch viel Schrecklicheres gesehen, hatten aber den Mut, trotzdem durchzugehen. Für manche war es auch weniger erschreckend, aber Überwindung kostete es jeden. Man kann darüber nichts sagen, was für alle Geltung hätte. Ist für jeden anders.«

»Gut«, sagte Atréju, »aber man *kann* jedenfalls hindurchgehen durch diesen Zauberspiegel?«

»Kann man«, bestätigte der Gnom, »natürlich kann man, sonst wär's ja kein Tor. Logisch, nicht wahr?«

»Man kann ja auch außen herumgehen«, meinte Atréju, »oder nicht?«

»Kann man«, wiederholte Engywuck, »kann man durchaus! Nur ist dann dahinter nichts mehr. Das dritte Tor ist erst da, wenn man durch das zweite gegangen ist, wie oft muß man dir das noch sagen!«

»Und was hat es mit diesem dritten Tor auf sich?«

»Hier wird die Sache überhaupt erst richtig schwierig! Das Ohne Schlüssel Tor ist nämlich zu. Einfach zu. Punktum! Da gibt's keine Klinke und keinen Knauf und kein Schlüsselloch, nichts! Nach meiner Theorie besteht der einzige Türflügel, der fugenlos schließt, aus phantásischem Selén. Du weißt vielleicht, daß es nichts gibt, womit man phantásisches Selén zerstören, verbiegen oder auflösen kann. Ist absolut unzerstörbar.«

»Also kann man überhaupt nicht durch dieses Tor?«

»Langsam, langsam, mein Junge! Es sind ja Leute hineingekommen und haben mit der Uyulála gesprochen, nicht wahr? Also kann man die Tür öffnen.«

»Aber wie?«

»Hör zu: Phantásisches Selén reagiert nämlich auf unseren Willen. Gerade unser Wille ist es, der es so unnachgiebig macht. Je mehr einer hinein will, desto fester schließt die Tür. Aber wenn es einer fertigbringt, jede Absicht zu vergessen und gar nichts zu wollen – vor dem öffnet sich die Tür ganz von selbst.«

Atréju senkte den Blick und sagte leise: »Wenn das wahr ist – wie soll es mir dann möglich sein, hindurchzukommen? Wie könnte ich es nicht wollen?«

Engywuck nickte seufzend.

»Sagte ja schon: Das Ohne Schlüssel Tor ist am schwersten.«

»Und wenn es mir dennoch gelingen sollte«, fuhr Atréju fort, »bin ich dann im Südlichen Orakel?«

»Ja«, sagte der Gnom.

»Und werde ich mit der Uyulála sprechen können?«

»Ja«, sagte der Gnom.

»Und wer oder was ist die Uyulála?«

»Keine Ahnung«, sagte der Gnom, und seine Augen funkelten wütend, »niemand von allen, die bei ihr waren, hat es mir verraten wollen. Wie soll da einer sein wissenschaftliches Werk zu Ende bringen, wenn alle sich in geheimnisvolles Schweigen hüllen, he? Es ist zum Haareausraufen – wenn man noch welche hat. Wenn du bis zu ihr vordringst, Atréju, wirst du mir's dann endlich sagen? Wirst du? Ich komm noch um vor Wißbegier, und niemand, niemand will mir helfen. Bitte, versprich mir, daß du mir's sagen wirst!«

Atréju stand auf und blickte zu dem Großen Rätsel Tor hinüber, das im hellen Mondschein lag.

»Ich kann es dir nicht versprechen, Engywuck«, sagte er leise, »obgleich ich dir gern meine Dankbarkeit beweisen würde. Aber wenn niemand je darüber gesprochen hat, wer oder was die Uyulála ist, so muß es einen Grund dafür geben. Und ehe ich den nicht kenne, kann ich nicht darüber entscheiden, ob einer es wissen darf, der nicht selbst vor ihr gestanden hat.«

»Dann mach, daß du wegkommst!« schrie der Gnom ihn an, und seine Äuglein sprühten förmlich Funken. »Nichts als Undank erntet man! Da bemüht man sich ein Leben lang, ein Geheimnis von allgemeinem Interesse zu erforschen. Aber Hilfe bekommt man nicht. Ich hätte mich überhaupt nicht um dich kümmern sollen!«

Damit rannte er in die kleine Höhle hinein, in deren Innerem das heftige Zuschlagen eines Türchens zu hören war.

Die Urgl kam an Atréju vorbei, kicherte und sagte: »Er meint's nicht so, der alte Schrumpfkopf. Ist nur wieder mal schrecklich enttäuscht wegen seiner lächerlichen Forschungen. Möchte eben zu gern der sein, der das große Rätsel gelöst hat. Der berühmte Gnom Engywuck. Nimm's ihm nicht übel!«

»Nein«, sagte Atréju, »sage ihm bitte, daß ich ihm von ganzem Herzen danke für alles, was er für mich getan hat. Und auch dir danke ich. Wenn es mir erlaubt ist, werde ich ihm das Geheimnis sagen – falls ich zurückkomme.«

»Willst du uns denn verlassen?« fragte die alte Urgl.

»Ich muß«, antwortete Atréju, »ich darf keine Zeit verlieren. Ich werde jetzt ins Orakel gehen. Leb wohl! Und hüte mir inzwischen Fuchur, den Glücksdrachen!«

Damit wandte er sich ab und ging fort, auf das Große Rätsel Tor zu.

Die Urgl sah seine aufrechte Gestalt mit dem wehenden Mantel zwischen den Felsen verschwinden. Sie lief ihm nach und rief:

»Viel Glück, Atréju!«

Aber sie wußte nicht, ob er es noch gehört hatte. Während sie in ihre kleine Höhle zurückwatschelte, brummte sie vor sich hin: »Er wird es nötig haben – wahrhaftig, wird viel Glück nötig haben.«

Atréju hatte sich dem Felsentor bis auf etwa fünfzig Schritte genähert. Es war viel riesenhafter, als er es sich aus der Entfernung vorgestellt hatte. Dahinter lag die vollkommen öde Ebene, die dem Auge keinen einzigen Anhaltspunkt bot, so daß der Blick wie ins Leere stürzte. Vor dem Tor und zwischen den beiden Pfeilern sah Atréju nun unzählige Totenschädel und Gerippe liegen – die Knochenreste der verschiedenartigsten Bewohner Phantásiens, die versucht hatten, das Tor zu durchschreiten und durch den Blick der Sphinxen für immer erstarrt waren.

Aber nicht das war es, was Atréju dazu veranlaßte, stehenzubleiben. Was ihn innehalten ließ, das war der Anblick der Sphinxen.

Atréju hatte manches erfahren auf seiner Große Suche, er hatte Herrliches und Entsetzliches gesehen, aber was er bis zu dieser Stunde noch nicht gewußt hatte, war, daß es beides in einem gibt, daß Schönheit schrecklich sein kann.

Das Mondlicht überflutete die beiden gewaltigen Wesen, und während er langsam auf sie zuging, schienen sie ins Unendliche zu wachsen. Ihm war, als ob sie mit den Häuptern bis zum Mond emporreichten, und der Ausdruck, mit welchem sie einander anblickten, schien sich mit jedem Schritt, den er näher kam, zu wandeln. Durch die hochaufgerichteten Leiber, vor allem aber durch die menschenähnlichen Gesichter liefen und zuckten Ströme einer furchtbaren, unbekannten Kraft – so als wären sie nicht einfach da, wie Marmorstein eben vorhanden ist, sondern so als wären sie jeden Augenblick im Begriff zu verschwinden und würden gleichzeitig aus sich selbst heraus neu erschaffen. Und es war, als seien sie gerade deshalb viel wirklicher als jeder Fels.

Atréju empfand Furcht.

Es war nicht so sehr die Furcht vor der Gefahr, die ihm drohte, es war eine Furcht, die über ihn selbst hinausging. Er dachte kaum daran, daß er – falls der Blick der Sphinxen ihn treffen würde – für immer festgebannt und erstarrt stehenbleiben müßte. Nein, es war die Furcht vor dem Unbegreiflichen, vor dem über alle Maßen Großartigen, vor der Wirklichkeit des Übermächtigen, die seine Schritte immer schwerer machte, bis er sich fühlte, als sei er aus kaltem, grauem Blei.

Dennoch ging er weiter. Er blickte nicht mehr empor. Er hielt den Kopf gesenkt und ging sehr langsam, Fuß vor Fuß, auf das Felsentor zu. Und immer gewaltiger wurde die Last der Furcht, die ihn zu Boden drücken wollte. Doch er ging weiter. Er wußte nicht, ob die Sphinxen ihre Augen geschlossen hatten oder nicht. Er hatte keine Zeit zu verlieren. Er mußte es darauf ankommen lassen, ob er Zutritt erhalten würde oder ob dies das Ende seiner Großen Suche war.

Und gerade in dem Augenblick, als er glaubte, alle Kraft seines Willens reiche nicht mehr aus, um ihn auch nur noch einen einzigen Schritt vorwärts zu tragen, hörte er den Widerhall dieses Schrittes im Inneren des Felsenbogens. Und zugleich fiel alle Furcht von ihm ab, so völlig und ohne Rest, daß er fühlte, er würde von nun an nie wieder Furcht empfinden, was auch geschehen mochte.

Er hob den Kopf und sah, daß das Große Rätsel Tor hinter ihm lag. Die Sphinxen hatten ihn durchgelassen.

Vor ihm, nur etwa zwanzig Schritte entfernt, stand nun dort, wo zuvor nur die endlose leere Ebene zu sehen gewesen war, das Zauber Spiegel Tor. Es war groß und rund wie eine zweite Mondscheibe (denn die richtige schwebte noch immer hoch droben am Himmel) und glänzte wie blankes Silber. Es war schwer zu glauben, daß man gerade durch diese metallene Fläche sollte hindurchgehen können, doch Atréju zögerte keinen Augenblick. Er rechnete damit, daß ihm, wie Engywuck es beschrieben hatte, irgendein Entsetzen erregendes Bild seiner selbst in diesem Spiegel entgegentreten würde, doch das erschien ihm nun – da er alle Furcht zurückgelassen hatte – kaum noch der Beachtung wert.

Indessen, statt eines Schreckbildes sah er etwas, worauf er ganz und gar nicht gefaßt gewesen war und das er auch nicht begreifen konnte. Er sah einen dicken Jungen mit blassem Gesicht – etwa ebenso alt wie er selbst –, der mit untergeschlagenen Beinen auf einem Mattenlager saß und in einem Buch las. Er war in graue, zerrissene Decken gewikkelt. Die Augen dieses Jungen waren groß und sahen sehr traurig aus. Hinter ihm waren einige reglose Tiere im Dämmerlicht auszumachen, ein Adler, eine Eule und ein Fuchs, und noch weiter entfernt schimmerte etwas, das wie ein weißes Gerippe aussah. Genau war es nicht zu erkennen.

Bastian fuhr zusammen, als er begriff, was er da eben gelesen hatte. Das war ja er! Die Beschreibung stimmte in allen Einzelheiten. Das Buch begann in seinen Händen zu zittern. Jetzt ging die Sache entschieden zu weit! Es war doch überhaupt nicht möglich, daß in einem gedruckten Buch etwas stehen konnte, was nur in diesem Augenblick und nur für ihn zutraf. Jeder andere würde an dieser Stelle dasselbe lesen. Es konnte gar nichts anderes sein als ein verrückter Zufall. Obgleich es ohne Zweifel ein höchst merkwürdiger Zufall war.

»Bastian«, sagte er laut vor sich hin, »du bist wirklich ein Spinner. Nimm dich gefälligst zusammen!«

Er hatte es in möglichst strengem Ton zu sagen versucht, aber seine Stimme zitterte ein wenig, denn so ganz überzeugt war er nicht davon, daß es nur ein Zufall war.

»Stell dir vor«, dachte er, »wenn sie in Phantásien wirklich etwas von dir wüßten. Das wäre fabelhaft.«

Aber er traute sich nicht, es laut zu sagen.

Nur ein kleines erstauntes Lächeln lag auf Atréjus Lippen, als er in das Spiegelbild hineinging – er war ein wenig verwundert, daß ihm so leicht gelingen sollte, was anderen unüberwindlich schwer geschienen hatte. Doch während er hindurchging, fühlte er ein seltsames, prickelndes Erschauern. Und er ahnte nicht, was in Wahrheit mit ihm geschehen war:

Als er nämlich auf der anderen Seite des Zauber Spiegel Tors stand, da hatte er jede Erinnerung an sich selbst, an sein bisheriges Leben, an seine Ziele und Absichten vergessen. Er wußte nichts mehr von der Großen Suche, die ihn hierhergeführt hatte, und kannte nicht einmal mehr seinen eigenen Namen. Er war wie ein neugeborenes Kind.

Vor sich, nur wenige Schritte entfernt, sah er das Ohne Schlüssel Tor, aber Atréju erinnerte sich weder an diese Bezeichnung noch daran, daß er vorgehabt hatte hindurchzugehen, um ins Südliche Orakel zu kommen. Er wußte überhaupt nicht, was er da wollte oder sollte und warum er hier war. Er fühlte sich leicht und sehr heiter, und er lachte ohne Grund, nur einfach aus Vergnügen.

Das Tor, das er vor sich sah, war klein und niedrig wie eine gewöhnliche Pforte, die ganz für sich – ohne umgebende Mauern – auf der öden Fläche stand. Und der Türflügel dieser Pforte war geschlossen.

Atréju betrachtete ihn eine Weile. Er schien aus einem Material zu bestehen, das kupferfarben schimmerte. Das war hübsch, doch verlor Atréju nach einiger Zeit das Interesse daran. Er ging um die Pforte herum und betrachtete sie von der Rückseite, aber der Anblick unterschied sich nicht von dem der Vorderseite. Auch gab es weder eine Klinke noch einen Türknauf, noch ein Schlüsselloch darin. Offensichtlich war die Tür nicht zu öffnen, und wozu auch, da sie ja nirgendwohin führte und nur einfach so dastand. Denn hinter der Pforte war nur die weite, glatte und vollkommen leere Ebene.

Atréju hatte Lust, wegzugehen. Er wandte sich zurück, ging auf das runde Zauber Spiegel Tor zu und betrachtete dessen Rückseite einige Zeit, ohne zu begreifen, was es bedeuten solle. Er beschloß, fortzugehen,

»Nein, nein, nicht fortgehen!« sagte Bastian laut, »kehr um, Atréju. Du mußt durch das Ohne Schlüssel Tor!«

wandte sich dann aber doch wieder dem Ohne Schlüssel Tor zu. Er wollte noch einmal den kupfernen Schimmer betrachten. So stand er wieder vor der Pforte, neigte sich nach links und nach rechts und freute sich. Er strich zärtlich über das seltsame Material. Es fühlte sich warm und sogar lebendig an. Und die Tür öffnete sich einen Spalt.

Atréju steckte den Kopf hindurch, und nun sah er etwas, das er vorher, als er um die Pforte herumgegangen war, nicht auf der anderen Seite gesehen hatte. Er zog den Kopf wieder zurück und blickte an der Pforte vorbei: Da war nur die leere Ebene. Er blickte wieder durch den Türspalt und sah einen langen Gang, den unzählige mächtige Säulen bildeten. Und dahinter waren Stufen und andere Säulen und Terrassen und wieder Treppen und ein ganzer Wald von Säulen. Doch keine von diesen Säulen trug ein Dach. Denn darüber war der Nachthimmel zu sehen.

Atréju trat durch die Pforte und blickte voll Staunen umher. Hinter ihm fiel die Tür ins Schloß.

Die Turmuhr schlug vier.

Das trübe Tageslicht, das durch die Dachluke fiel, war mehr und mehr geschwunden. Es war einfach zu dunkel, um weiterzulesen. Schon die letzte Seite hatte Bastian nur noch mit Mühe entziffern können. Er legte das Buch beiseite.

Was sollte er jetzt tun?

Sicherlich gab es doch auf diesem Speicher elektrisches

Licht. Bastian tappte im Halbdunkel zur Tür und tastete die Wand ab. Er konnte keinen Schalter finden. Auch auf der anderen Seite war keiner.

Bastian holte eine Schachtel Streichhölzer aus der Hosentasche (er hatte immer welche bei sich, weil er gern Feuerchen machte), aber sie waren feucht, und erst das vierte brannte. Beim schwachen Schein der kleinen Flamme suchte er nach einem Lichtschalter, aber da war keiner.

Damit hatte er nicht gerechnet. Bei der Vorstellung, daß er hier den ganzen Abend und die ganze Nacht in völliger Finsternis sitzen sollte, wurde ihm kalt vor Schreck. Er war zwar kein kleines Kind mehr, und zu Hause oder an irgendeinem anderen bekannten Ort fürchtete er sich durchaus nicht vor der Dunkelheit, aber hier oben auf diesem riesigen Speicher mit all den sonderbaren Sachen war das etwas ganz anderes.

Das Streichholz verbrannte ihm die Finger, und er warf es fort.

Eine Weile stand er bloß da und horchte. Der Regen hatte nachgelassen und trommelte nur noch ganz leise auf das große Blechdach.

Dann fiel ihm der siebenarmige, verrostete Kerzenleuchter ein, den er unter dem Gerümpel entdeckt hatte. Er tastete sich zu der Stelle hin, fand ihn und schleppte ihn zu seinen Turnmatten hinüber.

Er zündete die Dochte der dicken Wachsstümpfe an – alle sieben – und alsbald verbreitete sich goldenes Licht. Die Flammen knisterten leise und schwankten manchmal im Luftzug hin und her.

Bastian atmete auf und griff wieder nach dem Buch.

VII. Die Stimme der Stille

lücklich lächelnd wanderte Atréju in den Säulenwald hinein, der im hellen Mondlicht schwarze Schatten warf. Tiefe Stille umgab ihn, er hörte kaum das Tappen seiner bloßen Füße. Er wußte nicht mehr, wer er war und wie er hieß, nicht wie er hierhergekommen war und was er hier suchte. Er war voller Staunen, aber ganz sorglos.

Der Boden war allenthalben mit Mosaik bedeckt, das rätselhaft verschlungene Ornamente oder geheimnisvolle Szenen und Bilder darstellte. Atréju ging darüber hin, stieg breite Treppen hinauf, gelangte auf weite Terrassen, stieg wieder Treppen hinunter und ging durch eine lange Allee aus steinernen Säulen. Er betrachtete sie, eine nach der anderen, und freute sich daran, daß jede auf eine andere Art verziert und mit anderen Zeichen bedeckt war. So bewegte er sich immer weiter fort vom Ohne Schlüssel Tor.

Nachdem er, wer weiß wie lang, immer so gegangen war, vernahm er schließlich aus der Ferne einen schwebenden Klang und blieb lauschend stehen. Der Klang kam näher, es war eine singende Stimme, sehr schön und glockenrein und hoch wie die eines Kindes, aber sie klang unendlich traurig, ja, manchmal schien sie sogar zu schluchzen. Dieses Klagelied lief zwischen den Säulen hin, rasch wie ein Windhauch, dann wieder blieb es an einem Ort stehen, schwebte auf und nieder, näherte sich und entfernte sich wieder und schien Atréju in einem weiten Bogen zu umkreisen.

Er regte sich nicht und wartete.

Nach und nach wurden die Kreise enger, welche die Stimme um Atréju beschrieb, und nun konnte er die Worte verstehen, die sie sang:

»Ach, alles ereignet sich einmal nur,
aber einmal muß alles geschehen.
Über Berg und Tal, über Feld und Flur
werd' ich vergehen, verwehen ...«

Atréju drehte sich der Stimme nach, die ruhelos zwischen den Säulen hin und her flog, aber er konnte dort niemand sehen.

»Wer bist du?« rief er.

Und wie ein Echo kam die Stimme zurück: »Wer bist du?«

Atréju dachte nach.

»Wer ich bin?« murmelte er, »ich kann es nicht sagen. Es kommt mir vor, als ob ich es einmal gewußt hätte. Aber ist das denn wichtig?«

Die singende Stimme antwortete:

»Willst du mich fragen insgeheim,
sprich im Gedicht mit mir, im Reim,
denn was man nicht in Versen spricht,
versteh' ich nicht – versteh' ich nicht ...«

Atréju war nicht sehr geübt darin, Reime und Verse zu machen, und es schien ihm, daß die Unterhaltung sich wohl einigermaßen schwierig gestalten würde, wenn die Stimme nur verstand, was sich reimte. Er mußte erst eine Weile grübeln, ehe er hervorbrachte:

»Wenn mir die Frage gestattet ist,
dann wüßt' ich gerne, wer du bist.«

Und sogleich antwortete die Stimme:

»Nun nehm' ich dich wahr!
So versteh' ich dich klar!«

Und dann sang sie aus einer anderen Richtung:

»Ich danke dir, Freund, denn gut ist dein Wille.
Du bist mir willkommen als Gast.
Ich bin Uyulála, die Stimme der Stille,
im Tiefen Geheimnis Palast.«

Atréju fiel auf, daß die Stimme manchmal lauter und manchmal leiser erklang, aber niemals ganz verstummte. Auch wenn sie keine Worte sang, oder wenn er zu ihr sprach, immerfort schwebte ein Ton um ihn her, der andauerte.

Da der Klang sich langsam von ihm entfernt hatte, lief er ihm nach und fragte:

»Sag, Uyulála, hörst du mich noch?
Ich kann dich nicht sehen und möchte es doch.«

Die Stimme hauchte an seinem Ohr vorüber:

»Noch nie ist geschehen,
daß jemand mich sah.
Du kannst mich nicht sehen
und doch bin ich da.«

»Also bist du unsichtbar?« fragte er. Aber als keine Antwort kam, erinnerte er sich, daß er es in Gedichtform fragen mußte, und sagte:

»Bist du einfach unsichtbar,
oder körperlos sogar?«

Ein leises Klingen war zu hören, das ein Lachen sein konnte oder ein Schluchzen, und dann sang die Stimme:

»Ja und nein und beides nicht,
so wie du es meinst.
Ich erscheine nicht im Licht,
so wie du erscheinst.
Denn mein Leib ist Klang und Ton,
hörbar nur allein,
diese Stimme selber schon
ist mein ganzes Sein.«

Atréju staunte und ging immer weiter hinter dem Klingen her, kreuz und quer durch den Säulenwald. Nach einer Weile hatte er eine neue Frage fertig:

»Habe ich dich recht verstanden?
Deine Gestalt ist nur dieses Klingen?
Doch wenn du einmal aufhörst zu singen?
Bist du dann nicht mehr vorhanden?«

Und dann hörte er, wieder ganz nahe, die Antwort:

»Wenn es zu Ende geht, das Lied,
dann wird mit mir geschehen,
was mit allen anderen Wesen geschieht,
wenn ihre Körper vergehen.
So ist der Lauf der Dinge:
Ich lebe, solange ich klinge,
doch nicht lange mehr werd' ich bestehen.«

Nun war wieder dieses Schluchzen zu hören, und Atréju, der nicht verstand, warum die Uyulála weinte, beeilte sich, zu fragen:

»Warum bist du traurig, sag mir's geschwind!
Du bist doch noch jung. Du klingst wie ein Kind.«

Und wieder klang es wie ein Echo zurück:

»Bald verweht mich der Wind.
Ich bin nur ein Lied der Klage.
Doch höre, die Zeit verrinnt,
darum frage! Frage!
Was willst du, daß ich dir sage?«

Die Stimme war irgendwo zwischen den Säulen verhallt, und Atréju, der sie nicht mehr hören konnte, drehte horchend den Kopf nach allen Seiten. Kurze Zeit blieb es still, dann kam das Singen aus der Ferne rasch wieder näher, und es klang fast ungeduldig:

»Uyulála ist Antwort. Du mußt sie befragen!
Wenn du nicht fragst, so kann sie nichts sagen!«

Atréju rief ihr entgegen:

»Uyulála, hilf mir, ich möchte verstehen:
Warum mußt du bald verwehn und vergehen?«

Und die Stimme sang:

»Die Kindliche Kaiserin siecht dahin
und mit ihr das phantásische Reich.
Das Nichts wird verschlingen den Ort, wo ich bin,
und bald schon ergeht es mir gleich.
Wir werden verschwinden ins Nirgends und Nie,
als wären wir niemals gewesen.
Es bedarf eines neuen Namens für sie,
nur durch ihn kann sie wieder genesen.«

Atréju antwortete:

»Sag, Uyulála, wer rettet ihr Leben?
Wer kann einen neuen Namen ihr geben?«

Die Stimme fuhr fort:

»Höre, höre die Worte mein,
auch wenn du sie jetzt nicht verstehst,
präge sie tief ins Gedächtnis dir ein,
eh du von dannen gehst,
damit du später, zur besseren Stunde,
von der Erinnerung Meeresgrunde
sie wieder emporhebst ans Tageslicht,
unversehrt, so wie es nun klingt.

Alles hängt ab davon, ob dir's gelingt
oder nicht.«

Eine Weile war nur ein klagender Laut ohne Worte zu hören, dann plötzlich klang es ganz nahe bei Atréju, so als spräche jemand ihm ins Ohr:

»Wer kann der Kindlichen Kaiserin
einen neuen Namen geben?
Nicht du, noch ich, nicht Elfe, noch Dschinn,
von uns rettet keiner ihr Leben,
und keiner erlöst uns alle vom Fluch,
durch keinen wird sie gesunden.
Wir sind nur Figuren in einem Buch,
und vollziehen, wozu wir erfunden.
Nur Träume und Bilder in einer Geschicht',
so müssen wir sein, wie wir sind,
und Neues erschaffen – wir können es nicht,
kein Weiser, kein König, kein Kind.
Doch jenseits Phantásiens gibt es ein Reich,
das heißt die Äußere Welt,
und die dort wohnen – ja, sie sind reich,
um sie ist es anders bestellt!
Die Adamssöhne, so nennt man mit Recht
die Bewohner des irdischen Ortes,
die Evastöchter, das Menschengeschlecht,
Blutsbrüder des Wirklichen Wortes.
Sie alle haben seit Anbeginn
die Gabe, Namen zu geben.
Sie brachten der Kindlichen Kaiserin
zu allen Zeiten das Leben.
Sie schenkten ihr neue und herrliche Namen,
doch ist es schon lange her,
daß Menschen zu uns nach Phantásien kamen.
Sie wissen den Weg nicht mehr.
Sie haben vergessen, wie wirklich wir sind,
und sie glauben nicht mehr daran.

Ach, käme ein einziges Menschenkind,
dann wäre schon alles getan!
Ach, wäre nur eines zu glauben bereit
und hätte den Ruf nur vernommen!
Für sie ist es nah, doch für uns ist es weit,
zu weit, um zu ihnen zu kommen.
Denn jenseits Phantásiens ist ihre Welt,
und dorthin können wir nicht –
doch wirst du behalten, mein junger Held,
was Uyulála da spricht?«

»Ja, ja«, sagte Atréju verwirrt. Er gab sich alle Mühe, seinem Gedächtnis einzuprägen, was er hörte, aber er wußte ja nicht wozu, und deshalb begriff er nicht, wovon die Stimme redete. Er fühlte nur, daß es sehr, sehr wichtig war, doch der Singsang und die Anstrengung, alles in Reimen zu hören und zu sagen, machte ihn schläfrig. Er murmelte:

»Ich will es! Ich will mich erinnern daran,
aber sag mir, was fange ich dann damit an?«

Und die Stimme antwortete:

»Das mußt du selbst entscheiden.
Du hast nun Kunde.
Und darum schlägt uns beiden
die Abschiedsstunde.«

Halb schon schlafend fragte Atréju:

»Gehst du fort?
An welchen Ort?«

Jetzt war wieder dieses Schluchzen in der Stimme, die sich immer weiter entfernte, während sie sang:

»Das Nichts ist nah gekommen,
und das Orakel schweigt.
Nun wird kein Klang mehr vernommen,
der auf- und niedersteigt.
Von allen, die zu mir kamen
in den Säulenwald aus Stein
und meine Stimme vernahmen,
wirst du der Letzte sein.
Vielleicht wird es dir gelingen,
was keinem noch je gelang,
doch um es nun zu vollbringen,
bewahre, was ich dir sang!«

Und dann, aus immer weiterer Ferne, hörte Atréju noch die Worte:

»Über Berg und Tal, über Feld und Flur
werd' ich vergehen, verwehen –.
Ach, alles ereignet sich einmal nur,
aber einmal muß alles geschehen ...«

Das war das letzte, was Atréju vernahm.

Er setzte sich an einer Säule nieder, lehnte den Rücken dagegen, blickte zum Nachthimmel empor und versuchte zu verstehen, was er gehört hatte. Die Stille legte sich um ihn wie ein weicher, schwerer Mantel, und er schlief ein.

Als er erwachte, umgab ihn kalte Morgendämmerung. Er lag auf dem Rücken und blickte in den Himmel. Die letzten Sterne verblaßten. Die Stimme der Uyulála klang noch in seiner Erinnerung nach. Und zugleich erinnerte er sich wieder an alles, was er bisher erlebt hatte, und an den Zweck seiner Großen Suche.

Nun wußte er also endlich, was zu tun war. Nur ein Menschenkind aus der Welt jenseits der Grenzen Phantásiens konnte der Kindlichen Kaiserin einen neuen Namen geben. Er mußte ein Menschenkind finden und zu ihr bringen!

Mit einem Ruck richtete er sich auf.

»Ach«, dachte Bastian, »wie gern würde ich ihr helfen – ihr und auch Atréju. Ich würde mir einen besonders schönen Namen ausdenken. Wenn ich nur wüßte, wie ich zu Atréju hinkommen kann! Ich würde sofort gehen. Was er für Augen machen würde, wenn ich plötzlich da wäre! Aber es geht ja eben leider nicht, oder?«

Und dann sagte er leise:

»Wenn es irgendeinen Weg gibt, zu euch zu kommen, dann sagt's mir. Ich komme, ganz bestimmt, Atréju! Du wirst schon sehen.«

Als Atréju sich umschaute, sah er, daß der Säulenwald mit seinen Treppen und Terrassen verschwunden war. Ringsum lag nur jene völlig leere Ebene, die er hinter jedem der drei magischen Tore erblickt hatte, ehe er hindurchgegangen war. Aber nun war weder das Ohne Schlüssel Tor noch das Zauber Spiegel Tor mehr da.

Er stand auf und spähte nach allen Richtungen. Und nun entdeckte er, daß mitten auf der Ebene, gar nicht sehr weit von ihm entfernt, sich eine solche Stelle gebildet hatte, wie sie ihm im Haulewald schon einmal vor Augen gekommen war. Diesmal allerdings war sie ihm viel näher. Er wandte sich ab und begann in entgegengesetzter Richtung zu laufen, so schnell er konnte.

Erst nach langer Flucht entdeckte Atréju fern am Horizont eine winzige Erhebung, die möglicherweise jene aus rostroten Felstafeln gebildete Berglandschaft sein konnte, in der sich das Große Rätsel Tor befand.

Er lief darauf zu, aber er mußte lange laufen, ehe er nahe genug herangekommen war, um Einzelheiten zu unterscheiden. Und dann kamen ihm erst recht Zweifel. Gewiß, dort war zwar so etwas, das jener Landschaft aus Felstafeln ähnlich sah, aber ein Tor konnte er nicht entdecken. Und die Steintafeln waren nicht mehr rot, sondern grau und farblos.

Erst als er abermals lange Zeit darauf zugelaufen war, erkannte er, daß es dort zwischen den Felsen tatsächlich einen Einschnitt gab, der dem unteren Teil des Tores glich, aber darüber wölbte sich kein Bogen mehr. Was war geschehen?

Die Antwort fand er erst viele Stunden später, als er endlich die Stelle erreicht hatte. Der riesige steinerne Bogen war eingestürzt – und die Sphinxen waren fort!

Atréju suchte sich einen Weg durch die Trümmer, dann kletterte er auf eine Felspyramide und hielt Ausschau nach der Stelle, wo die Zweisiedler und der Glücksdrache sein mußten. Oder sollten auch sie inzwischen vor dem Nichts geflohen sein?

Dann sah er, wie hinter der Felsenbrüstung von Engywucks Observatorium eine winzige Fahne geschwenkt wurde. Atréju winkte mit beiden Armen und schrie, indem er seine Hände an den Mund legte:

»Hejo! Seid ihr noch da?«

Kaum war seine Stimme verhallt, da erhob sich aus jener Schlucht, wo die Höhle der Zweisiedler war, ein perlmutterschimmernder weißer Glücksdrache: Fuchur.

In herrlichen, langsamen Schlangenbewegungen fuhr er durch die Luft daher, wobei er sich einige Male übermütig auf den Rücken legte und blitzschnelle Schleifen beschrieb, so daß er wie eine züngelnde weiße Flamme aussah, dann landete er vor der Felspyramide, auf der Atréju stand. Er stützte die Vordertatzen auf und war nun so groß, daß sein Kopf auf dem hochgebogenen Hals zu Atréju herunterblickte. Er rollte seine rubinroten Augenbälle, streckte vor Vergnügen seine Zunge aus dem weitgeöffneten Rachen und dröhnte mit bronzener Stimme:

»Atréju, mein Freund und mein Herr! Wie gut, daß du endlich zurückgekehrt bist. Wir hatten schon fast die Hoffnung aufgegeben – das heißt die Zweisiedler, ich nicht!«

»Ich bin auch froh, dich wiederzusehen«, antwortete Atréju. »Aber was ist denn geschehen in dieser einen Nacht?«

»Eine Nacht?« rief Fuchur, »denkst du, es war nur eine

Nacht? Du wirst dich wundern! Steig auf, ich will dich tragen!«

Atréju schwang sich auf den Rücken des mächtigen Tieres. Es war zum ersten Mal, daß er auf einem Glücksdrachen saß. Und obwohl er schon wilde Pferde zugeritten hatte und wahrhaftig nicht ängstlich war, verging ihm doch im ersten Augenblick fast Hören und Sehen bei diesem kurzen Ritt durch die Luft. Er klammerte sich an Fuchurs flatternder Mähne fest, bis dieser dröhnend lachte und rief:

»Daran wirst du dich von nun an gewöhnen müssen, Atréju!«

»Jedenfalls scheint mir«, schrie Atréju zurück und schnappte nach Luft, »daß du wieder ganz gesund bist!«

»Fast«, antwortete der Drache, »noch nicht ganz!«

Und dann landeten sie vor der Höhlenwohnung der Zweisiedler. Engywuck und Urgl standen nebeneinander vor dem Eingang und erwarteten sie.

»Was hast du erlebt?« schnatterte Engywuck sofort los, »du mußt mir alles erzählen! Wie verhält es sich mit den Toren? Sind meine Theorien richtig? Wer oder was ist die Uyulála?«

»Nichts da!« fuhr ihm die alte Urgl über den Mund, »jetzt soll er erst mal essen und trinken. Hab' schließlich nicht umsonst gekocht und gebacken. Für deine nutzlose Neugier bleibt noch genug Zeit!«

Atréju war vom Rücken des Drachen geklettert und begrüßte das Gnomenpaar. Dann ließen sich alle drei an dem Tischchen nieder, das wieder mit allerlei köstlichen Dingen und einer kleinen Kanne dampfenden Kräutertees gedeckt war.

Die Turmuhr schlug fünf. Bastian dachte wehmütig an zwei Tafeln Nußschokolade, die er zu Hause in seinem Nachtkästchen aufbewahrte – falls er mal nachts Hunger bekommen würde. Wenn er geahnt hätte, daß er nie wieder dorthin zurückkehren würde, hätte er sie sich als eiserne Ration mitnehmen können. Aber daran war nun nichts mehr zu ändern. Besser, nicht mehr daran denken!

Fuchur streckte sich so in dem kleinen Felsental aus, daß sein mächtiger Kopf neben Atréju lag und er alles hören konnte.

»Stellt euch vor«, rief er, »mein Freund und Herr glaubt, er wäre nur eine einzige Nacht weggewesen!«

»Ist das denn nicht so?« fragte Atréju.

»Sieben Tage und sieben Nächte waren es!« sagte Fuchur, »schau her, all meine Wunden sind fast verheilt!«

Erst jetzt bemerkte Atréju, daß auch seine eigene Wunde verheilt war. Der Kräuterverband war abgefallen. Er wunderte sich. »Wie ist das möglich? Ich bin durch die drei magischen Tore gegangen, ich habe mit der Uyulála geredet, dann bin ich in Schlaf gefallen – aber so lange kann ich unmöglich geschlafen haben.«

»Raum und Zeit«, sagte Engywuck, »müssen dort drin etwas anderes sein als hier. Trotzdem, solang wie du ist noch keiner vor dir im Orakel geblieben. Was ist geschehen? Red schon endlich!«

»Erst wüßte ich gern, was hier geschehen ist«, antwortete Atréju.

»Siehst du doch selbst«, sagte Engywuck, »alle Farben verschwinden, alles wird immer unwirklicher, das Große Rätsel Tor ist nicht mehr da. Scheint, als ob auch hier die Vernichtung angefangen hat.«

»Und die Sphinxen?« erkundigte sich Atréju. »Wo sind sie hin? Sind sie fortgeflogen? Habt ihr es gesehen?«

»Nichts haben wir gesehen«, brummte Engywuck, »hatte gehofft, du könntest uns darüber was sagen. Der Felsenbogen war plötzlich eingestürzt, aber keiner von uns hat etwas gehört oder gesehen. Bin sogar hingegangen und habe die Trümmer untersucht. Und weißt du, was sich rausgestellt hat? Die Bruchstellen sind uralt und mit grauem Moos bewachsen, so als ob sie schon seit hundert Jahren so dalägen wie jetzt, als ob es überhaupt nie dieses Große Rätsel Tor gegeben hätte.«

»Und doch war es da«, sagte Atréju leise, »denn ich bin durchgegangen und auch durch das Zauber Spiegel Tor und zuletzt durch das Ohne Schlüssel Tor.«

Und nun berichtete Atréju alles, was ihm widerfahren war. Er erinnerte sich ohne Mühe an jede Einzelheit.

Engywuck, der anfangs durch eifrige Zwischenfragen immer noch genauere Beschreibungen verlangte, wurde während der Erzählung nach und nach einsilbiger. Und als Atréju schließlich beinahe Wort für Wort wiederholte, was die Uyulála ihm offenbart hatte, schwieg er ganz. Sein winziges schrumpeliges Gesicht hatte den Ausdruck tiefsten Grames angenommen.

»Nun weißt du also das Geheimnis«, schloß Atréju seinen Bericht, »du wolltest es doch unbedingt wissen, nicht wahr? Die Uyulála ist ein Wesen, das nur aus einer Stimme besteht. Ihre Gestalt ist nur hörbar. Sie ist dort, wo sie klingt.«

Engywuck schwieg eine Weile, dann brachte er mit heiserer Stimme heraus: »Sie *war* dort, willst du wohl sagen.«

»Ja«, antwortete Atréju, »nach ihren eigenen Worten bin ich der Letzte gewesen, zu dem sie gesprochen hat.«

Über Engywucks runzelige Wangen liefen zwei kleine Tränen.

»Umsonst!« krächzte er, »meine ganze Lebensarbeit, meine Forschungen, meine jahrelangen Beobachtungen – alles umsonst! Endlich bringt man mir den letzten Baustein für mein wissenschaftliches Gebäude, könnte es endlich abschließen, könnte endlich das letzte Kapitel schreiben – und ausgerechnet jetzt nützt es nichts mehr, ist völlig überflüssig, hilft keinem mehr was, ist keinen Pfifferling mehr wert, interessiert keinen Schweineschwanz mehr, weil's die Sache, um die es geht, nicht mehr gibt! Aus und vorbei und gute Nacht!«

Ein Schluchzen schüttelte ihn, das sich anhörte wie ein Hustenanfall. Die alte Urgl blickte ihn mitfühlend an, streichelte ihm über das kahle Köpfchen und brummte:

»Armer alter Engywuck! Armer alter Engywuck! Nicht so enttäuscht sein! Wirst schon was anderes finden.«

»Weib!« fauchte Engywuck sie mit funkelnden Äuglein an, »was du vor dir siehst, ist kein armer, alter Engywuck, sondern eine tragische Person!«

Und wie schon einmal rannte er in die Höhle, und man hörte ein kleines Türchen zuschlagen. Die Urgl schüttelte seufzend den Kopf und murmelte: »Er meint's nicht so, ist ein guter alter Kerl, nur leider völlig verrückt.«

Als die Mahlzeit zu Ende war, stand die Urgl auf und sagte: »Werde jetzt unsere sieben Sachen packen. Viel ist es nicht, was wir mitnehmen können, aber dies und das kommt zusammen. Ja, das muß jetzt gemacht werden.«

»Wollt ihr denn fortgehen von hier?« fragte Atréju.

Die Urgl nickte betrübt. »Bleibt uns schon nichts anderes übrig. Wo die Vernichtung um sich greift, wächst doch nichts mehr. Und für meinen Alten gibt's ja nun auch keinen Grund mehr, zu bleiben. Müssen eben sehen, wie's weitergeht. Irgendwie wird's schon gehen. Und ihr? Was habt ihr vor?«

»Ich muß tun, was die Uyulála gesagt hat«, antwortete Atréju, »ich muß versuchen, ein Menschenkind zu finden und es zur Kindlichen Kaiserin zu bringen, damit sie einen neuen Namen bekommt.«

»Und wo willst du's suchen, dieses Menschenkind?« fragte Urgl.

»Ich weiß es selbst nicht«, sagte Atréju, »jenseits der Grenzen von Phantásien eben.«

»Wir werden es schon schaffen«, ließ sich nun Fuchurs Glockenstimme vernehmen, »ich werde dich tragen. Du wirst sehen, wir haben Glück!«

»Na«, brummte die Urgl, »dann macht, daß ihr wegkommt!«

»Vielleicht könnten wir euch ein Stück mitnehmen?« schlug Atréju vor.

»Das fehlte mir grade noch!« antwortete Urgl, »nie im Leben würde ich in der Luft herumgondeln. Anständige Gnome bleiben auf der festen Erde. Außerdem sollt ihr euch mit uns nicht aufhalten, ihr habt jetzt Wichtigeres zu tun, ihr zwei – für uns alle.«

»Aber ich möchte euch gern meine Dankbarkeit zeigen«, sagte Atréju.

»Das tust du am besten«, knurrte Urgl, »indem du keine Zeit mehr mit deinem unnützen Papperlapapp verlierst, sondern sofort startest!«

»Sie hat recht«, meinte Fuchur. »Komm, Atréju!«

Atréju schwang sich auf den Rücken des Glücksdrachen. Er drehte sich noch einmal nach der kleinen alten Urgl um und rief: »Auf Wiedersehen!«

Aber sie war schon in der Höhle beim Packen.

Als sie einige Stunden später mit Engywuck ins Freie trat, trug jeder von ihnen eine hochbepackte Kiepe auf dem Rükken, und beide waren schon wieder eifrig dabei, sich zu zanken. So wackelten sie auf winzigen krummen Beinchen davon, ohne sich noch einmal umzudrehen.

Übrigens wurde Engywuck später noch sehr berühmt, der berühmteste Gnom seiner Familie sogar, aber nicht wegen seiner wissenschaftlichen Forschungen. Doch das ist eine andere Geschichte und soll ein andermal erzählt werden.

Zum gleichen Zeitpunkt, als die Zweisiedler sich auf den Weg machten, brauste Atréju auf Fuchurs Rücken schon fern, sehr fern durch die Himmelslüfte Phantásiens.

Bastian blickte unwillkürlich zur Dachluke hinauf und stellte sich vor, wie es wäre, wenn er dort oben am Himmel, der schon fast ganz dunkel war, plötzlich den Glücksdrachen wie eine weiße, züngelnde Flamme näher kommen sähe – wenn die beiden kämen, um ihn abzuholen!

»Ach«, seufzte er, »das wäre was!«

Er könnte ihnen helfen – und sie ihm. Es wäre für alle die Rettung.

VIII. Im Gelichterland

och durch die Lüfte ritt Atréju dahin. Sein roter Mantel wehte in mächtigen Schwüngen hinter ihm drein. Der Schopf aus blauschwarzen Haaren, der mit Lederschnüren aufgebunden war, flatterte im Wind. Fuchur, der weiße Glücksdrache, glitt in langsamen, gleichmäßigen Wellenbewegungen durch die Nebel und Wolkenfetzen des Himmels.

Auf und ab und auf und ab und auf und ab ...

Wie lang waren sie nun schon so unterwegs? Tage und Nächte und wieder Tage – Atréju wußte nicht mehr wie lange. Der Drache konnte auch im Schlaf fliegen, weiter, immer weiter, und Atréju nickte bisweilen ein, festgeklammert in die weiße Mähne des Drachen. Aber es war nur ein leichter und unruhiger Schlaf. Und deshalb wurde auch sein Wachen nach und nach zu einem Traum, in dem nichts mehr deutlich war.

Unten in der Tiefe zogen schattenhaft Gebirge vorüber, Länder und Meere, Inseln und Flüsse ... Atréju gab nicht mehr acht darauf und trieb auch sein Reittier nicht an, wie er es in der ersten Zeit getan hatte, als sie vom Südlichen Orakel aufgebrochen waren. Anfangs war er noch ungeduldig gewesen, denn er hatte geglaubt, auf dem Rücken eines Glücksdrachen könne es nicht allzu schwierig sein, Phantásiens Grenze zu erreichen – und hinter der Grenze das Äußere Reich, wo die Menschenkinder wohnen.

Er hatte nicht gewußt, wie groß Phantásien war.

Nun kämpfte er gegen die steinerne Müdigkeit an, die ihn bezwingen wollte. Seine dunklen Augen, sonst scharf wie die eines jungen Adlers, nahmen keine Ferne mehr wahr. Ab und zu raffte er seinen ganzen Willen zusammen, richtete sich im Sitzen hoch auf und spähte umher, aber schon bald sank er wieder in sich zusammen und starrte nur noch vor sich hin auf den langen, geschmeidigen Drachenleib, dessen perlmutterfarbene Schuppen rosig und weiß glitzerten. Auch Fuchur war erschöpft. Selbst seine Kräfte, die unermeßlich geschienen hatten, gingen nun nach und nach zu Ende.

Mehr als einmal hatten sie bei diesem langen Flug jene Stellen unter sich in der Landschaft gesehen, wo das Nichts sich ausbreitete, und auf die man nicht hinsehen konnte, ohne das Gefühl zu haben, erblindet zu sein. Viele dieser Stellen schienen aus solcher Höhe gesehen noch verhältnismäßig klein, aber es gab auch schon andere, die groß waren wie ganze Länder und sich über den weiten Horizont erstreckten. Schrecken hatte den Glücksdrachen und seinen Reiter erfaßt, und sie waren ausgewichen und in anderer Richtung weitergeflogen, um das Entsetzliche nicht anschauen zu müssen. Aber es ist eine seltsame Tatsache, daß das Entsetzliche seine Schrecken verliert, wenn es sich immer wiederholt. Und da die Stellen der Vernichtung nicht weniger wurden, sondern mehr und mehr, hatten sich Fuchur und Atréju nach und nach daran gewöhnt – oder vielmehr, es war eine Art Gleichgültigkeit über sie gekommen. Sie achteten kaum noch darauf.

Sie hatten schon seit langer Zeit nicht mehr miteinander gesprochen, als Fuchur plötzlich seine bronzene Stimme vernehmen ließ:

»Atréju, mein kleiner Herr, schläfst du?«

»Nein«, sagte Atréju, obwohl er tatsächlich in einem bangen Traum befangen gewesen war, »was gibt es, Fuchur?«

»Ich frage mich, ob es nicht klüger wäre, umzukehren.«

»Umzukehren? Wohin?«

»Zum Elfenbeinturm. Zur Kindlichen Kaiserin.«

»Du meinst, wir sollen unverrichteter Dinge zu ihr kommen?«

»Nun, so würde ich es nicht nennen, Atréju. Wie lautete denn dein Auftrag?«

»Ich sollte erforschen, was die Ursache der Krankheit ist, an der die Kindliche Kaiserin dahinsiecht, und welches Heilmittel es dagegen gibt.«

»Aber es war nicht dein Auftrag«, versetzte Fuchur, »dieses Heilmittel selbst zu bringen.«

»Wie meinst du das?«

»Vielleicht begehen wir einen großen Fehler, indem wir

versuchen, Phantásiens Grenze zu überschreiten, um ein Menschenkind zu suchen.«

»Ich verstehe nicht, worauf du hinauswillst, Fuchur. Erkläre mir das genauer.«

»Die Kindliche Kaiserin ist todkrank«, sagte der Drache, »weil sie einen neuen Namen braucht. Das hat dir die Uralte Morla verraten. Aber diesen Namen geben, das können nur die Menschenkinder aus der Äußeren Welt. Das hat dir die Uyulála offenbart. Damit hast du deinen Auftrag erfüllt, und mir scheint, du solltest dies alles bald der Kindlichen Kaiserin berichten.«

»Aber was hilft es ihr«, rief Atréju, »wenn ich ihr all das nur mitteile und nicht gleichzeitig ein Menschenkind mitbringe, das sie retten kann?«

»Das kannst du nicht wissen«, antwortete Fuchur. »Sie vermag sehr viel mehr als du und ich. Vielleicht wäre es ihr ein leichtes, ein Menschenkind zu sich zu rufen. Vielleicht hat sie Mittel und Wege, die dir und mir und allen Wesen Phantásiens unbekannt sind. Aber dazu müßte sie eben wissen, was du nun weißt. Nimm einmal an, es wäre so. Dann wäre es nicht nur ganz unsinnig, daß wir auf eigene Faust versuchen, ein Menschenkind zu finden und zu ihr zu bringen, es wäre sogar möglich, daß sie inzwischen stirbt, während wir noch immer suchen, und wir hätten sie retten können, wenn wir nur rechtzeitig umgekehrt wären.«

Atréju schwieg. Was der Drache da gesagt hatte, war ohne Zweifel richtig. Es konnte so sein. Es konnte auch ganz anders sein. Es war durchaus möglich, daß sie ihm, wenn er jetzt mit seiner Botschaft heimkehrte, sagen würde: Was hilft mir das alles? Hättest du mir den Retter mitgebracht, so wäre ich gesund geworden. Aber nun ist es für mich zu spät, dich noch einmal auszuschicken.

Er wußte nicht, was er tun sollte. Und er war müde, viel zu müde, um irgendeinen Entschluß zu fassen.

»Weißt du, Fuchur«, sagte er leise, aber der Drache hörte ihn gut, »du hast vielleicht recht, aber vielleicht auch nicht. Laß uns noch ein kleines Stück weiterfliegen. Wenn wir dann noch immer an keiner Grenze sind, dann kehren wir um.«

»Was nennst du ein kleines Stück?« fragte der Drache.

»Ein paar Stunden –«, murmelte Atréju, »ach was, *eine* Stunde noch.«

»Gut«, antwortete Fuchur, »noch *eine* Stunde also.«

Aber diese eine Stunde war eine Stunde zuviel.

Die beiden hatten nicht darauf geachtet, daß der Himmel im Norden schwarz geworden war von Wolken. Im Westen, wo die Sonne stand, war er glühend, und unheilverkündende Streifen hingen wie blutiger Seetang auf den Horizont nieder. Im Osten schob sich, wie eine Decke aus grauem Blei, ein Gewitter herauf, vor der zerfaserte Wolkenfetzen standen wie blau ausgelaufene Tinte. Und aus dem Süden zog schwefelgelber Dunst daher, in dem es von Blitzen zuckte und funkelte.

»Es scheint«, meinte Fuchur, »wir werden in schlechtes Wetter kommen.«

Atréju schaute sich nach allen Seiten um.

»Ja«, sagte er, »es sieht bedenklich aus. Aber wir müssen trotzdem weiterfliegen.«

»Vernünftiger wäre es«, gab Fuchur zurück, »wir suchen uns einen Unterschlupf. Wenn es das ist, was ich vermute, dann ist die Sache kein Spaß.«

»Und was vermutest du?« fragte Atréju.

»Daß es die vier Windriesen sind, die wieder einmal einen ihrer Kämpfe austragen wollen«, erklärte Fuchur. »Sie liegen fast immer im Streit miteinander, wer von ihnen der stärkste ist und über die anderen herrschen soll. Für sie ist es eine Art Spiel, denn ihnen selbst geschieht dabei nichts. Aber wehe dem, der in ihre Auseinandersetzung hineingerät. Von dem bleibt meistens nicht viel übrig.«

»Kannst du nicht höher hinauffliegen?« fragte Atréju.

»Außerhalb ihrer Reichweite, meinst du? Nein, so hoch kann ich nicht kommen. Und unter uns ist, so weit ich sehen kann, nur Wasser, irgendein riesiges Meer. Ich sehe nichts, wo wir uns verstecken könnten.«

»Dann bleibt uns nichts übrig«, entschied Atréju, »als sie zu erwarten. Ich möchte sie sowieso etwas fragen.«

»*Was* willst du?« rief der Drache und machte vor Schreck einen Sprung in der Luft.

»Wenn sie die vier Windriesen sind«, erklärte Atréju, »dann kennen sie alle Himmelsrichtungen Phantásiens. Niemand wird uns besser sagen können als sie, wo die Grenzen sind.«

»Heiliger Himmel!« schrie der Drache, »du glaubst, man kann ganz gemütlich mit ihnen plaudern?«

»Wie lauten ihre Namen?« wollte Atréju wissen.

»Der aus dem Norden heißt Lirr, der aus dem Osten Baureo, der aus dem Süden Schirk und der aus dem Westen Mayestril«, antwortete Fuchur. »Aber du, Atréju, was bist du eigentlich? Bist du ein kleiner Junge oder bist du ein Stück Eisen, daß du keine Furcht kennst?«

»Als ich durch das Tor der Sphinxe ging«, antwortete Atréju, »habe ich alle Angst verloren. Außerdem trage ich das Zeichen der Kindlichen Kaiserin. Alle Geschöpfe Phantásiens respektieren es. Warum sollten die Windriesen es nicht tun?«

»Oh, sie werden es tun!« rief Fuchur, »aber sie sind dumm, und du kannst sie nicht abhalten, miteinander zu kämpfen. Du wirst sehen, was das heißt!«

Inzwischen hatten sich die Gewitterwolken von allen Seiten so weit zusammengezogen, daß Atréju rings um sich her etwas erblickte, das einem Trichter von ungeheuerlichen Ausmaßen, einem Vulkankrater glich, dessen Wände sich immer schneller zu drehen begannen, so daß sich das schwefelige Gelb, das bleierne Grau, das blutige Rot und das tiefe Schwarz durcheinander mengten. Und er selbst wurde auf seinem weißen Drachen ebenfalls im Kreis herumgewirbelt, wie ein Streichhölzchen in einem gewaltigen Strudel. Und nun erblickte er die Sturmriesen.

Sie bestanden eigentlich nur aus Gesichtern, denn ihre

Gliedmaßen waren so veränderlich und so viele – bald lang, bald kurz, bald Hunderte, bald gar keine, bald deutlich und bald nebelhaft – und sie waren außerdem so in einem ungeheuerlichen Reigentanz oder Ringkampf ineinander verknäult, daß es ganz unmöglich war, ihre eigentliche Gestalt zu erkennen. Auch die Gesichter veränderten sich ständig, wurden dick und aufgeblasen, dann wieder auseinandergezogen, in die Höhe oder in die Breite, aber es blieben doch immer Gesichter, die man von einander unterscheiden konnte. Sie rissen die Münder auf und schrien und brüllten und heulten und lachten einander zu. Den Drachen und seinen Reiter schienen sie nicht einmal wahrzunehmen, denn im Vergleich zu ihnen war er winzig wie eine Mücke.

Atréju richtete sich hoch auf. Er faßte mit der rechten Hand nach dem goldenen Amulett auf seiner Brust und rief, so laut er konnte:

»Im Namen der Kindlichen Kaiserin, schweigt und hört mich an!«

Und das Unglaubliche geschah!

Als seien sie mit plötzlicher Stummheit geschlagen, schwiegen sie. Ihre Münder klappten zu, und acht glotzende Riesenaugen waren auf AURYN gerichtet. Auch der Wirbel blieb stehen. Es war plötzlich totenstill.

»Gebt mir Antwort!« rief Atréju. »Wo sind die Grenzen Phantásiens? Weißt du es, Lirr?«

»Im Norden nicht«, antwortete das schwarze Wolkengesicht.

»Und du, Baureo?«

»Auch im Osten nicht«, erwiderte das bleigraue Wolkengesicht.

»Rede du, Schirk!«

»Im Süden gibt es keine Grenze«, sagte das schwefelgelbe Wolkengesicht.

»Mayestril, weißt du es?«

»Keine Grenze im Westen«, entgegnete das feuerrote Wolkengesicht.

Und dann sagten alle vier wie aus einem Mund:

»Wer bist denn du, der du das Zeichen der Kindlichen Kaiserin trägst, und nicht weißt, daß Phantásien grenzenlos ist?«

Atréju schwieg. Er fühlte sich wie vor den Kopf geschlagen. Daran hatte er wahrhaftig nicht gedacht, daß es überhaupt keine Grenzen gab. Dann war alles vergebens gewesen.

Er fühlte kaum, daß die Windriesen ihr Kampfspiel wieder begannen. Es war ihm auch gleichgültig, was nun weiter geschehen würde. Er klammerte sich in der Mähne des Drachen fest, als dieser plötzlich von einem Wirbel in die Höhe geschleudert wurde. Von Blitzen umlodert rasten sie im Kreise herum, dann ertranken sie fast in waagrecht sausenden Regengüssen. Plötzlich wurden sie in einen Gluthauch hineingerissen, in welchem sie fast verbrannten, doch schon gerieten sie in einen Hagel, der nicht aus Körnern, sondern aus Eiszapfen, so lang wie Speere, bestand, und sie in die Tiefe schlug. Und wieder wurden sie aufwärts gesaugt und herumgeworfen und dahin und dorthin geschleudert – die Windriesen kämpften miteinander um die Vorherrschaft.

»Halt dich fest!« schrie Fuchur, als ein Windstoß ihn auf den Rücken warf.

Aber es war schon zu spät. Atréju hatte den Halt verloren und stürzte in die Tiefe. Er stürzte und stürzte, und dann wußte er nichts mehr.

Als er wieder zu Bewußtsein kam, lag er im weichen Sand. Er hörte Wellenrauschen, und als er den Kopf hob, sah er, daß er an einen Meeresstrand gespült worden war. Es war ein grauer, nebliger Tag, aber windstill. Das Meer war ruhig, und nichts deutete darauf hin, daß hier noch vor kurzem ein Kampf der Windriesen getobt hatte. Oder war er vielleicht an einen ganz anderen, fernen Ort geraten? Der Strand war flach, nirgends waren Felsen oder Hügel zu sehen, nur ein paar verkrümmte und schiefe Bäume standen im Dunst wie große Krallenhände.

Atréju setzte sich auf. Ein paar Schritte entfernt sah er seinen roten Mantel aus Büffelhaar liegen. Er kroch hin und legte ihn sich um die Schultern. Zu seiner Verwunderung stellte er fest, daß der Mantel kaum noch feucht war. Also lag er wohl schon lange hier.

Wie kam er hierher? Und warum war er nicht ertrunken?

Irgendeine dunkle Erinnerung tauchte in ihm auf an Arme, die ihn getragen hatten, und seltsame singende Stimmen: Armer Bub, schöner Bub! Haltet ihn! Laßt ihn nicht untergehn!

Vielleicht war es auch nur das Rauschen der Wellen gewesen.

Oder waren es Meerjungfrauen und Wassermänner? Wahrscheinlich hatten sie das Pantakel gesehen und ihn deshalb gerettet.

Unwillkürlich griff seine Hand nach dem Amulett – es war nicht mehr da! Die Kette um seinen Hals war fort. Er hatte das Medaillon verloren.

»Fuchur!« schrie Atréju, so laut er konnte. Er sprang auf, lief hin und her und rief nach allen Seiten: »Fuchur! Fuchur! Wo bist du?«

Keine Antwort. Nur das gleichmäßige, langsame Rauschen der Wellen, die an den Strand spülten.

Wer weiß, wohin die Windriesen den weißen Drachen geblasen hatten! Vielleicht suchte Fuchur seinen kleinen Herrn irgendwo ganz anders, weit entfernt von hier. Vielleicht war er auch nicht mehr am Leben.

Nun war Atréju kein Drachenreiter mehr und kein Bote der Kindlichen Kaiserin – nur noch ein kleiner Junge. Und ganz allein.

Die Turmuhr schlug sechs.

Draußen war es jetzt schon dunkel. Der Regen hatte aufgehört. Es war ganz still. Bastian starrte in die Kerzenflammen.

Dann zuckte er zusammen, weil der Dielenboden knackte.

Es kam ihm so vor, als ob er jemand atmen hörte. Er hielt die Luft an und lauschte. Außer dem kleinen Lichtkreis, den die Kerzen verbreiteten, war der riesige Speicher jetzt von Finsternis erfüllt.

Tappten da nicht leise Schritte auf der Treppe? Hatte sich nicht eben die Klinke der Speichertür ganz langsam bewegt?

Wieder knackte der Dielenboden.

Wenn es auf diesem Speicher spukte ...?

»Ach was«, sagte Bastian halblaut, »es gibt keine Gespenster. Das sagen alle.«

Aber warum gab es dann so viele Geschichten darüber?

Vielleicht hatten alle, die sagten, es gäbe keine Gespenster, bloß Angst davor, es zuzugeben.

Atréju wickelte sich fest in seinen roten Mantel, denn ihm war kalt, und machte sich auf den Weg landeinwärts. Die Landschaft, soweit er sie wegen des Nebels überhaupt sehen konnte, veränderte sich kaum. Sie war flach und gleichförmig, nur daß nach und nach zwischen den verkrümmten Bäumen immer mehr Buschwerk kam, Sträucher, die aussahen wie aus rostigem Blech und auch fast ebenso hart waren. Man konnte sich leicht an ihnen verletzen, wenn man nicht achtgab.

Etwa nach einer Stunde erreichte Atréju eine Straße, die mit buckeligen, unregelmäßig geformten Steinbrocken gepflastert war. Atréju beschloß der Straße zu folgen, die ja wohl irgendwo hinführen mußte, aber er fand es bequemer, neben der Straße her im Staub zu gehen, als über das holperige Pflaster. Sie verlief in Schlangenwindungen, krümmte sich nach links und nach rechts, ohne daß man einen Grund dafür erkennen konnte, denn auch hier gab es weder Hügel noch Fluß. In dieser Gegend schien alles krumm zu sein.

Atréju war noch nicht sehr lange so dahingewandert, als er aus der Ferne ein seltsames, stampfendes Geräusch vernahm, das näher kam. Es war wie das dumpfe Dröhnen einer großen Trommel, dazwischen hörte er schrilles Pfeifen wie von kleinen Flöten und Schellengeklingel. Er versteckte sich hinter einem Busch am Straßenrand und wartete ab.

Die eigenartige Musik kam langsam näher, und schließlich tauchten aus dem Nebel die ersten Gestalten auf. Offenbar tanzten sie, aber es war kein fröhlicher oder anmutiger Tanz, vielmehr sprangen sie mit höchst absonderlichen Bewegungen herum, wälzten sich auf dem Boden, krochen auf allen vieren, bäumten sich hoch und benahmen sich wie verrückt. Aber das einzige, was man dabei hörte, war der dumpfe, langsame Trommelschlag, die schrillen Pfeifchen und ein Winseln und Keuchen aus vielen Kehlen.

Es wurden mehr und immer mehr, es war ein Zug, der kein Ende zu nehmen schien. Atréju erblickte die Gesichter der Tänzer, sie waren grau wie Asche und schweißüberströmt, aber ihrer aller Augen glühten in einem wilden, fieberhaften Glanz. Manche peitschten sich selbst mit Geißeln.

Sie sind wahnsinnig, dachte Atréju, und ein kalter Schauder lief ihm über den Rücken.

Übrigens konnte er feststellen, daß der größte Teil dieser Prozession aus Nachtalben, Kobolden und Gespenstern bestand. Auch Vampire und eine Menge Hexen waren darunter, alte mit großen Buckeln und Ziegenbärten am Kinn, aber auch junge, die schön und böse aussahen. Offensichtlich war Atréju hier in eines der Länder Phantásiens geraten, das von Geschöpfen der Finsternis bevölkert war. Hätte er AURYN noch gehabt, so wäre er ihnen ohne Zögern entgegengetreten, um sie zu fragen, was hier vorging. So aber zog er es vor, in seinem Versteck abzuwarten, bis die tolle Prozession vorübergezogen war und der letzte Nachzügler hinkend und hopsend im Nebel verschwand.

Erst dann wagte er sich wieder auf die Straße hinaus und blickte dem geisterhaften Zug nach. Sollte er ihm folgen oder nicht? Er konnte sich nicht entschließen. Eigentlich wußte er überhaupt nicht mehr, ob er jetzt noch irgend etwas tun sollte oder konnte.

Zum ersten Mal fühlte er deutlich, wie sehr ihm das

Amulett der Kindlichen Kaiserin fehlte und wie hilflos er ohne es war. Nicht der Schutz, den es ihm gewährt hatte, war das Eigentliche – alle Mühen und Entbehrungen, alle Ängste und Einsamkeiten hatte er ja dennoch aus eigenen Kräften bestehen müssen – aber solange er das Zeichen getragen hatte, war er sich nie unsicher gewesen, was er tun mußte. Wie ein geheimnisvoller Kompaß hatte es seinen Willen, seine Entschlüsse in die rechte Richtung gelenkt. Aber jetzt war das anders, jetzt war keine geheime Kraft mehr da, die ihn führte.

Nur um nicht wie gelähmt stehen zu bleiben, befahl er sich selbst, dem Gespensterzug zu folgen, dessen dumpfer Trommelrhythmus noch immer aus der Ferne zu hören war.

Während er durch den Nebel huschte – immer darauf bedacht, gebührenden Abstand von den letzten Nachzüglern zu halten –, versuchte er, sich über seine Lage klar zu werden.

Warum nur, ach, warum hatte er nicht auf Fuchur gehört, als der ihm geraten hatte, sofort zur Kindlichen Kaiserin zu fliegen? Er hätte ihr die Botschaft der Uyulála überbracht und den »Glanz« zurückgegeben. Ohne AURYN und ohne Fuchur konnte er nicht mehr zur Kindlichen Kaiserin gelangen. Sie würde bis zum letzten Augenblick ihres Lebens auf ihn warten, hoffen, daß er käme, glauben, daß er ihr und Phantásien die Rettung brächte – aber vergebens!

Das war schon schlimm genug, schlimmer aber war, was er durch die Windriesen erfahren hatte: daß es keine Grenzen gab. Wenn es unmöglich war, aus Phantásien herauszukommen, dann war es auch unmöglich, ein Menschenkind von jenseits der Grenzen zu Hilfe zu rufen. Gerade weil Phantásien unendlich war, war sein Ende unabwendbar!

Während er weiter über das unebene Pflaster durch die Nebelschwaden stolperte, hörte er in seiner Erinnerung noch einmal die sanfte Stimme der Uyulála. Ein winziges Hoffnungsfünkchen glomm in seinem Herzen auf.

Früher waren oft Menschen nach Phantásien gekommen,

um der Kindlichen Kaiserin immer neue, herrliche Namen zu geben – so hatte sie doch gesungen. Also gab es doch einen Weg von der einen Welt in die andere!

»Für sie ist es nah, doch für uns ist es weit,
zu weit, um zu ihnen zu kommen.«

Ja, so hatten Uyulálas Worte gelautet. Nur, daß die Menschenkinder diesen Weg vergessen hatten. Aber konnte es nicht sein, daß eines, ein einziges sich wieder daran erinnerte?

Daß es für ihn selbst keine Hoffnung mehr gab, kümmerte Atréju wenig. Wichtig war allein, daß ein Menschenkind den Ruf Phantásiens hörte und kam – so wie es zu allen Zeiten geschehen war. Und vielleicht, vielleicht hatte sich schon eines aufgemacht und war unterwegs!

»Ja! Ja!« rief Bastian. Er erschrak vor seiner eigenen Stimme und fügte leiser hinzu:

»Ich würde euch ja zu Hilfe kommen, wenn ich nur wüßte wie! Ich weiß den Weg nicht, Atréju. Ich weiß ihn wirklich nicht.«

Der dumpfe Trommelklang und die schrillen Pfeifchen waren verstummt, und ohne es zu merken, war Atréju der Prozession so nahe gekommen, daß er fast auf die letzten Gestalten auflief. Da er barfuß war, machten seine Schritte kein Geräusch – aber nicht das war es, was diese Leute dazu brachte, ihn überhaupt nicht zu beachten. Er hätte auch mit eisenbeschlagenen Stiefeln dahertrampeln und laut schreien können, niemand hätte sich darum gekümmert.

Sie standen nun nicht mehr in einem Zug, sondern weit verteilt auf einem Feld aus grauem Gras und Schlamm. Manche schwankten leicht hin und her, andere standen oder hockten reglos herum, aber ihrer aller Augen, in denen ein blinder fiebriger Glanz lag, blickten in dieselbe Richtung.

Und nun sah auch Atréju, worauf sie hinstarrten wie in

einer grausigen Verzückung: Auf der anderen Seite des Feldes lag das Nichts.

Es war, wie Atréju es schon vorher bei den Borkentrollen aus dem Baumwipfel gesehen hatte oder auf der Ebene, wo die Magischen Tore des Südlichen Orakels gestanden hatten, oder von Fuchurs Rücken aus, aus großer Höhe – aber bisher hatte er es immer nur aus der Ferne gesehen. Jetzt aber stand er ihm unvorbereitet ganz nah gegenüber, es ging quer durch die ganze Landschaft, es war riesig, und es kam langsam, langsam, aber unaufhaltsam näher.

Atréju sah, daß die Spukgestalten auf dem Feld vor ihm zu zucken begannen, daß ihre Glieder sich wie in Krämpfen verdrehten und ihre Münder aufgerissen waren, als wollten sie schreien oder lachen, doch es herrschte Totenstille. Und dann – als seien sie welke Laubblätter, die ein Windstoß erfaßt – rasten sie alle gleichzeitig auf das Nichts zu und stürzten, rollten und sprangen hinein.

Kaum war der letzte dieser gespenstischen Schar lautlos und ohne Spur verschwunden, als Atréju mit Schrecken bemerkte, wie auch sein eigener Körper anfing, sich mit kleinen ruckartigen Schritten auf das Nichts zuzubewegen. Ein übermächtiges Verlangen, sich ebenfalls hineinzustürzen, wollte von ihm Besitz ergreifen. Atréju spannte all seinen Willen an und wehrte sich dagegen. Er zwang sich, stehenzubleiben. Langsam, ganz langsam gelang es ihm, sich umzudrehen und sich Schritt für Schritt wie gegen eine unsichtbare mächtige Wasserströmung voranzukämpfen. Der Sog wurde schwächer, und Atréju rannte, rannte so schnell er konnte auf dem buckligen Straßenpflaster zurück. Er rutschte aus, stürzte hin, raffte sich auf und rannte weiter, ohne zu überlegen, wohin diese Straße im Nebel ihn führen würde.

Laufend folgte er ihren sinnlosen Krümmungen und hielt erst inne, als aus dem Nebel vor ihm eine hohe, pechschwarze Stadtmauer auftauchte. Dahinter ragten einige schiefe Türme in den grauen Himmel. Die dicken, hölzernen Flügel des Stadttores waren morsch und verfault und hingen schräg in den verrosteten Angeln.

Atréju ging hinein.

Es wurde immer kälter auf dem Speicher. Bastian begann so zu frieren, daß er zitterte.

Und wenn er nun krank würde – was würde dann aus ihm werden? Er konnte zum Beispiel Lungenentzündung bekommen wie Willi, der Junge aus seiner Klasse. Dann würde er hier ganz allein auf dem Speicher sterben müssen. Niemand wäre da, um ihm beizustehen.

Er wäre jetzt sehr froh gewesen, wenn der Vater ihn finden und retten würde.

Aber heimgehen – nein, er konnte es nicht. Lieber sterben!

Er holte sich noch die restlichen Militärdecken und mummelte sich von allen Seiten darin ein.

Langsam wurde ihm wärmer.

IX. Spukstadt

rgendwo über den brausenden Wogen des Meeres hallte Fuchurs Stimme, mächtig wie der Klang einer Bronzeglokke.

»Atréju! Wo bist du? Atréju!«

Längst hatten die Windriesen ihr Kampfspiel beendet und waren auseinandergestürmt. Sie würden sich von neuem treffen, an dieser oder einer anderen Stelle, um ihren Streit abermals auszutragen, wie sie es seit undenklichen Zeiten getan hatten. Was eben erst geschehen war, hatten sie schon vergessen, denn sie behielten nichts und wußten nichts außer ihrer eigenen unbändigen Kraft. Und so war auch längst schon der weiße Drache und sein kleiner Reiter aus ihrer Erinnerung geschwunden.

Als Atréju in die Tiefe gestürzt war, hatte Fuchur zunächst mit allen Kräften versucht, sich ihm nachzuschnellen, um ihn im Fallen noch aufzufangen. Doch ein Wirbelsturm hatte den Drachen in die Höhe gerissen und weit, weit fortgetragen. Als er zurückkehrte, tobten die Windriesen schon über einer anderen Stelle des Meeres dahin. Fuchur bemühte sich verzweifelt, den Ort wiederzufinden, wo Atréju ins Wasser gefallen sein mußte, aber selbst für einen weißen Glücksdrachen ist es ein Ding der Unmöglichkeit, im kochenden Schaum eines aufgewühlten Meeres das winzige Pünktchen eines dahintreibenden Körpers zu entdekken – oder gar einen Ertrunkenen auf dem Grund.

Dennoch wollte Fuchur nicht aufgeben. Er stieg hoch in die Lüfte, um einen besseren Überblick zu haben, dann wieder flog er dicht über den Wogen hin, oder er zog Kreise, immer weitere und weitere Kreise. Dabei hörte er nicht auf, nach Atréju zu rufen, in der Hoffnung, ihn doch noch irgendwo im Gischt zu erspähen.

Er war ein Glücksdrache, und nichts konnte seine Überzeugung erschüttern, daß doch noch alles gut enden werde. Was auch immer geschah, Fuchur würde niemals aufgeben.

»Atréju!« dröhnte seine mächtige Stimme durch das Tosen der Wellen, »Atréju, wo bist du?«

Atréju wanderte durch die totenstillen Straßen einer verlassenen Stadt. Der Anblick war bedrückend und unheimlich. Kein Gebäude schien es hier zu geben, das nicht schon von seinem Äußeren her einen drohenden und fluchbeladenen Eindruck machte, so als bestünde die ganze Stadt nur aus Geisterschlössern und Spukhäusern. Über den Straßen und Gassen, die ebenso krumm und schief waren wie alles in diesem Land, hingen ungeheure Spinnweben, und ein übler Geruch stieg aus Kellerlöchern und leeren Brunnen.

Nachdem Atréju anfangs von Mauerecke zu Mauerecke gehuscht war, um nicht entdeckt zu werden, gab er sich bald keine Mühe mehr, sich zu verbergen. Leer lagen die Plätze und Straßen vor ihm, und auch in den Gebäuden regte sich nichts. Er ging in einige hinein, doch fand er nur umgeworfene Möbel, zerfetzte Vorhänge, zerbrochenes Geschirr und Glas – alle Zeichen der Verwüstung, aber keinen Bewohner. Auf einem Tisch stand noch ein halbaufgegessenes Mahl, einige Teller mit einer schwarzen Suppe darin und ein paar klebrige Brocken, die vielleicht Brot waren. Er aß von beidem. Es schmeckte widerwärtig, aber er hatte großen Hunger. In gewissem Sinne schien es ihm ganz richtig, daß er gerade hierher geraten war. Das alles paßte zu einem, dem keine Hoffnung mehr blieb.

Bastian fühlte sich ganz schwach vor Hunger.

Weiß der Himmel, warum ihm gerade jetzt ganz unpassenderweise der Apfelstrudel von Fräulein Anna einfiel. Es war der beste Apfelstrudel der Welt.

Fräulein Anna kam dreimal in der Woche, erledigte Schreibarbeiten für den Vater und brachte den Haushalt in Ordnung. Meistens kochte oder backte sie auch etwas. Sie war eine stämmige Person, die unbekümmert laut redete und lachte. Der Vater war höflich zu ihr, aber im übrigen schien er sie kaum wahrzunehmen. Sehr selten brachte sie es fertig, daß über sein bekümmertes Gesicht ein Lächeln huschte. Wenn sie da war, wurde es ein bißchen heller in der Wohnung.

Fräulein Anna hatte eine kleine Tochter, obwohl sie nicht verheiratet war. Das Mädchen hieß Christa, war drei Jahre jünger als Bastian und hatte wunderschöne blonde Haare. Früher hatte Fräulein Anna ihr Töchterchen fast immer mitgebracht. Christa war sehr schüchtern. Wenn Bastian ihr stundenlang seine Geschichten erzählt hatte, war sie ganz still dagesessen und hatte ihm mit großen Augen zugehört. Sie bewunderte Bastian, und er mochte sie sehr gern.

Aber vor einem Jahr hatte Fräulein Anna ihr Töchterchen in ein Landschulheim gegeben. Und nun sahen sie sich fast nie mehr.

Bastian hatte es Fräulein Anna ziemlich übelgenommen und alle ihre Erklärungen, warum es so besser für Christa wäre, hatten ihn nicht überzeugt.

Aber ihrem Apfelstrudel konnte er trotzdem niemals widerstehen.

Er fragte sich sorgenvoll, wie lang ein Mensch es überhaupt aushalten konnte, ohne zu essen. Drei Tage? Zwei? Vielleicht bekam man schon nach vierundzwanzig Stunden Wahnvorstellungen? Bastian rechnete an den Fingern nach, wie lang er nun schon hier war. Es waren schon zehn Stunden oder sogar etwas mehr. Wenn er nur sein Pausenbrot oder wenigstens den Apfel noch aufgehoben hätte!

Im flackernden Kerzenschein sahen die gläsernen Augen des Fuchses, der Eule und des riesigen Steinadlers fast lebendig aus. Ihre Schatten regten sich groß an der Speicherwand.

Die Turmuhr schlug sieben Mal.

Atréju ging wieder auf die Straße hinaus und wanderte ziellos in der Stadt umher. Sie schien sehr groß. Er kam durch Viertel, in denen alle Häuser klein und niedrig waren, so daß er im Stehen die Dachtraufe berühren konnte, und durch andere, in denen vielstöckige Paläste standen mit figurengeschmückten Fassaden. Doch alle diese Figuren stellten Totengerippe oder Dämonengestalten dar, die mit fratzenhaften Gesichtern auf den einsamen Wanderer hinunterstarrten.

Und dann blieb er plötzlich wie angewurzelt stehen.

Irgendwo ganz in der Nähe erklang ein rauhes, heiseres Heulen, das so verzweifelt, so trostlos klang, daß es Atréju das Herz zerschnitt. Alle Verlassenheit, alle Verdammnis der Geschöpfe der Finsternis lag in diesem Klagelaut, der nicht enden wollte und von den Wänden immer fernerer Gebäude als Echo zurückgeworfen wurde, bis er schließlich klang wie das Geheul eines weit verstreuten Rudels riesiger Wölfe.

Atréju ging dem Ton nach, der immer leiser und leiser wurde und zuletzt in einem rauhen Schluchzen erstarb. Aber er mußte einige Zeit suchen. Er ging durch eine Einfahrt, kam in einen engen, lichtlosen Hof, ging durch einen Torbogen und gelangte zuletzt in einen Hinterhof, der feucht und schmutzig war. Und dort lag vor einem Mauerloch angekettet ein riesiger, halb verhungerter Werwolf. Die Rippen unter seinem räudigen Fell waren einzeln zu zählen, die Wirbel seines Rückgrats standen hervor wie die Zähne einer Säge, und die Zunge hing ihm lang aus dem halbgeöffneten Rachen.

Atréju näherte sich ihm leise. Als der Werwolf ihn bemerkte, hob er mit einem Ruck den mächtigen Kopf. In seinen Augen glomm ein grünes Licht auf.

Eine Weile musterten sich die beiden gegenseitig, ohne ein Wort, ohne einen Laut. Endlich ließ der Werwolf ein leises, überaus gefährliches Grollen hören:

»Geh fort! Laß mich in Ruhe sterben!«

Atréju rührte sich nicht. Ebenso leise antwortete er:

»Ich habe deinen Ruf gehört, darum bin ich gekommen.«

Der Kopf des Werwolfs sank zurück.

»Ich habe niemand gerufen«, knurrte er, »es war meine eigene Totenklage.«

»Wer bist du?« fragte Atréju und trat noch einen Schritt näher.

»Ich bin Gmork, der Werwolf.«

»Warum liegst du hier angekettet?«

»Sie haben mich vergessen, als sie fortgingen.«

»Wer – sie?«

»Die, die mich an diese Kette gelegt haben.«

»Und wo sind sie hingegangen?«

Gmork antwortete nicht. Er sah Atréju aus halbgeschlossenen Augen lauernd an. Nach einer längeren Stille fragte er:

»Du gehörst nicht hierher, kleiner Fremdling, nicht in diese Stadt, nicht in dieses Land. Was suchst du hier?«

Atréju senkte den Kopf.

»Ich weiß nicht, wie ich hergekommen bin. Wie heißt diese Stadt?«

»Es ist die Hauptstadt des berühmtesten Landes in ganz Phantásien«, sagte Gmork. »Von keinem anderen Land und keiner anderen Stadt gibt es so viele Geschichten. Auch du hast gewiß schon von Spukstadt im Gelichterland gehört, nicht wahr?«

Atréju nickte langsam.

Gmork hatte den Jungen nicht aus dem Auge gelassen. Es wunderte ihn, daß dieser grünhäutige Knabe ihn so ruhig aus seinen großen schwarzen Augen ansah und keinerlei Furcht zeigte.

»Und du – wer bist du?« fragte er.

Atréju überlegte eine Weile, ehe er antwortete:

»Ich bin niemand.«

»Was soll das heißen?«

»Es soll heißen, daß ich einmal einen Namen hatte. Er soll nicht mehr genannt werden. Darum bin ich niemand.«

Der Werwolf zog ein wenig die Lefzen hoch und ließ sein schauerliches Gebiß sehen, was wohl ein Lächeln andeuten sollte. Er verstand sich auf Seelenfinsternisse aller Art und fühlte, daß er hier auf irgendeine Weise einen ebenbürtigen Partner vor sich hatte.

»Wenn das so ist«, sagte er mit heiserer Stimme, »dann hat Niemand mich gehört, und Niemand ist zu mir gekommen, und Niemand redet mit mir in meiner letzten Stunde.«

Wieder nickte Atréju. Dann fragte er:

»Kann Niemand dich von der Kette losmachen?«

Das grüne Licht in den Augen des Werwolfs flackerte. Er begann zu hecheln und sich die Lefzen zu lecken.

»Du würdest das wirklich tun?« stieß er hervor, »du würdest einen hungrigen Werwolf freilassen? Weißt du nicht, was das heißt? Niemand wäre vor mir sicher!«

»Ja«, sagte Atréju, »und ich bin Niemand. Warum sollte ich mich vor dir fürchten?«

Er wollte sich Gmork nähern, doch der ließ abermals jenes tiefe, schreckliche Grollen hören. Der Junge wich zurück.

»*Willst* du nicht, daß ich dich befreie?« fragte er.

Der Werwolf schien auf einmal sehr müde.

»Das kannst du nicht. Aber wenn du in meine Reichweite kommst, muß ich dich in Stücke reißen, Söhnchen. Das würde mein Ende nur ein wenig hinausschieben, um ein oder zwei Stunden. Also bleib mir vom Leib und laß mich in Ruhe krepieren.«

Atréju überlegte.

»Vielleicht«, meinte er schließlich, »finde ich etwas zu fressen für dich. Ich könnte suchen gehen in der Stadt.«

Gmork schlug langsam wieder die Augen auf und sah den Jungen an. Das grüne Feuer in seinem Blick war erloschen.

»Geh zur Hölle, du kleiner Narr! Willst du mich am Leben halten, bis das Nichts hier ist?«

»Ich dachte«, stammelte Atréju, »wenn ich dir Futter gebracht hätte und du satt wärst, dann könnte ich mich dir vielleicht nähern, um dir die Kette abzunehmen . . .«

Gmork knirschte mit den Zähnen.

»Wenn es eine gewöhnliche Kette wäre, die mich hier festhält, glaubst du, ich hätte sie nicht schon längst selbst zerbissen?«

Wie zum Beweis schnappte er nach der Kette, und sein fürchterliches Gebiß schlug krachend zusammen. Er zerrte an ihr, dann ließ er sie los.

»Es ist eine magische Kette. Nur die gleiche Person kann sie lösen, die sie mir angelegt hat. Aber die kehrt nie mehr zurück.«

»Und wer hat sie dir angelegt?«

Gmork begann zu winseln wie ein geprügelter Hund. Erst nach einer Weile hatte er sich so weit beruhigt, daß er antworten konnte:

»Gaya war's, die Finstere Fürstin.«

»Und wo ist sie hingegangen?«

»Sie hat sich ins Nichts gestürzt – wie alle anderen hier.«

Atréju dachte an die wahnsinnigen Tänzer, die er draußen vor der Stadt im Nebel beobachtet hatte.

»Warum?« murmelte er, »warum sind sie nicht geflohen?«

»Sie hatten keine Hoffnung mehr. Das macht euereins schwach. Das Nichts zieht euch mächtig an, und keiner von euch wird ihm mehr lang widerstehen.«

Während er das sagte, ließ Gmork ein tiefes, böses Lachen hören.

»Und du?« fragte Atréju weiter, »du redest, als gehörtest du nicht zu uns.«

Gmork sah ihn wieder mit diesem lauernden Blick an.

»Ich gehöre nicht zu euch.«

»Woher kommst du dann?«

»Weißt du denn nicht, was ein Werwolf ist?«

Atréju schüttelte stumm den Kopf.

»Du kennst nur Phantásien«, sagte Gmork. »Es gibt noch andere Welten. Zum Beispiel die der Menschenkinder. Aber es gibt Wesen, die haben keine eigene Welt. Dafür können sie in vielen Welten ein- und ausgehen. Zu denen gehöre ich. In der Menschenwelt erscheine ich als Mensch, aber ich bin keiner. Und in Phantásien nehme ich phantásische Gestalt an – aber ich bin keiner von euch.«

Atréju hockte sich langsam auf den Boden nieder und schaute den sterbenden Werwolf mit großen, dunklen Augen an.

»Du warst in der Welt der Menschenkinder?«

»Ich bin oft hin und her gegangen zwischen ihrer Welt und der euren.«

»Gmork«, stammelte Atréju, und er konnte nicht verhindern, daß seine Lippen zitterten, »kannst du mir den Weg in die Welt der Menschenkinder verraten?«

In Gmorks Augen blitzte ein grünes Fünkchen auf. Es war, als ob er innerlich lachte.

»Für dich und deinesgleichen ist der Weg hinüber sehr einfach. Die Sache hat nur einen Haken für euereins: Ihr könnt nie wieder zurück. Ihr müßt für immer dort bleiben. Willst du das?«

»Was muß ich tun?« fragte Atréju entschlossen.

»Das, was alle anderen hier schon vor dir getan haben, Söhnchen. Du mußt nur in das Nichts springen. Aber das hat keine Eile, denn du wirst es früher oder später sowieso tun, wenn die letzten Teile Phantásiens verschwinden.«

Atréju stand auf.

Gmork bemerkte, daß der Junge am ganzen Leib zitterte. Da er den wahren Grund dafür nicht kannte, sagte er beschwichtigend: »Du mußt keine Angst haben, es tut nicht weh.«

»Ich habe keine Angst«, antwortete Atréju. »Ich hätte nie gedacht, daß ich gerade hier und durch dich alle Hoffnung wiederbekommen würde.«

Gmorks Augen glühten wie zwei schmale grüne Monde.

»Zur Hoffnung hast du keinen Anlaß, Söhnchen – was auch immer du vorhaben magst. Wenn du in der Menschenwelt erscheinst, dann bist du nicht mehr, was du hier bist. Das ist gerade das Geheimnis, das niemand in Phantásien wissen kann.«

Atréju stand da mit hängenden Armen.

»Was bin ich dort?« fragte er. »Sag mir das Geheimnis!«

Gmork schwieg lange und regte sich nicht. Atréju fürchtete schon, keine Antwort mehr zu bekommen, doch schließlich hob ein schwerer Atemzug die Brust des Werwolfs, und er begann mit heiserer Stimme zu reden:

»Wofür hältst du mich, Söhnchen? Für deinen Freund? Sieh dich vor! Ich vertreibe mir nur die Zeit mit dir. Und du kannst jetzt noch nicht einmal weggehen. Ich halte dich mit deiner Hoffnung fest. Aber während ich rede, schließt sich das Nichts von allen Seiten um die Spukstadt, und bald wird es keinen Ausgang mehr geben. Dann bist du verloren. Wenn du mir zuhörst, hast du dich schon entschieden. Aber noch kannst du fliehen.«

Der grausame Zug um Gmorks Maul verstärkte sich. Atréju zögerte einen winzigen Augenblick, dann flüsterte er:

»Sag mir das Geheimnis! Was bin ich dort?«

Wieder antwortete Gmork lange nicht. Sein Atem ging jetzt röchelnd und stoßweise. Doch ganz plötzlich richtete er sich auf, so daß er nun auf seine Vorderpranken gestützt dasaß und Atréju zu ihm aufblicken mußte. Jetzt erst sah man seine ganze gewaltige Größe und Schrecklichkeit. Als er nun weitersprach, klang seine Stimme rasselnd.

»Hast du das Nichts gesehen, Söhnchen?«

»Ja, viele Male.«

»Wie sieht es aus?«

»Als ob man blind ist.«

»Nun gut –, und wenn ihr da hineingeraten seid, dann haftet es euch an, das Nichts. Ihr seid wie eine ansteckende Krankheit, durch die die Menschen blind werden, so daß sie Schein und Wirklichkeit nicht mehr unterscheiden können. Weißt du, wie man euch dort nennt?«

»Nein«, flüsterte Atréju.

»Lügen!« bellte Gmork.

Atréju schüttelte den Kopf. Alles Blut war aus seinen Lippen gewichen.

»Wie kann das sein?«

Gmork weidete sich an Atréjus Schrecken. Die Unterhaltung belebte ihn sichtlich. Nach einer kleinen Weile fuhr er fort:

»Was du dort bist, fragst du mich? Aber was bist du denn hier? Was seid ihr denn, ihr Wesen Phantásiens? Traumbilder seid ihr, Erfindungen im Reich der Poesie, Figuren in einer unendlichen Geschichte! Hältst du dich selbst für Wirklichkeit, Söhnchen? Nun gut, hier in deiner Welt bist du's. Aber wenn du durch das Nichts gehst, dann bist du's nicht mehr. Dann bist du unkenntlich geworden. Dann bist du in einer anderen Welt. Dort habt ihr keine Ähnlichkeit mehr mit euch selbst. Illusion und Verblendung tragt ihr in die Menschenwelt. Rate mal, Söhnchen, was aus all den Bewohnern von Spukstadt wird, die ins Nichts gesprungen sind?«

»Ich weiß es nicht«, stammelte Atréju.

»Sie werden zu Wahnideen in den Köpfen der Menschen, zu Vorstellungen der Angst, wo es in Wahrheit nichts zu fürchten gibt, zu Begierden nach Dingen, die sie krank machen, zu Vorstellungen der Verzweiflung, wo kein Grund zum Verzweifeln da ist.«

»Werden wir alle so?« fragte Atréju entsetzt.

»Nein«, versetzte Gmork, »es gibt viele Arten von Wahn und Verblendung, je nachdem, was ihr hier seid, schön oder häßlich, dumm oder klug, werdet ihr dort zu schönen oder häßlichen, dummen oder klugen Lügen.«

»Und ich«, wollte Atréju wissen, »was werde ich sein?«

Gmork grinste.

»Das sag' ich dir nicht, Söhnchen. Du wirst es sehen. Oder vielmehr, du wirst es nicht sehen, weil du nicht mehr du sein wirst.«

Atréju schwieg und sah den Werwolf mit aufgerissenen Augen an.

Gmork fuhr fort:

»Deshalb hassen und fürchten die Menschen Phantásien und alles, was von hier kommt. Sie wollen es vernichten. Und sie wissen nicht, daß sie gerade damit die Flut von Lügen vermehren, die sich ununterbrochen in die Menschenwelt ergießt – diesen Strom aus unkenntlich gewordenen Wesen Phantásiens, die dort das Scheindasein lebender Leichname führen müssen und die Seelen der Menschen mit ihrem Modergeruch vergiften. Sie wissen es nicht. Ist das nicht lustig?«

»Und gibt es keinen mehr«, fragte Atréju leise, »der uns nicht haßt und fürchtet?«

»Ich kenne jedenfalls keinen«, sagte Gmork, »und das ist

auch nicht weiter verwunderlich, denn ihr selbst müßt dort dazu herhalten, die Menschen glauben zu machen, daß es Phantásien nicht gibt.«

»Daß es Phantásien nicht gibt?« wiederholte Atréju fassungslos.

»Sicher, Söhnchen«, antwortete Gmork, »das ist sogar das Wichtigste. Kannst du dir das nicht denken? Nur wenn sie glauben, daß es Phantásien nicht gibt, kommen sie nicht auf die Idee, euch zu besuchen. Und davon hängt alles ab, denn nur wenn sie euch in eurer wahren Gestalt nicht kennen, kann man alles mit ihnen machen.«

»Was – mit ihnen machen?«

»Alles, was man will. Man hat Macht über sie. Und nichts gibt größere Macht über die Menschen als die Lüge. Denn die Menschen, Söhnchen, leben von Vorstellungen. Und die kann man lenken. Diese Macht ist das einzige, was zählt. Darum stand auch ich auf seiten der Macht und habe ihr gedient, um an ihr teilzuhaben – wenn auch auf andere Art als du und deinesgleichen.«

»Ich will nicht daran teilhaben!« stieß Atréju hervor.

»Nur ruhig, kleiner Narr«, knurrte der Werwolf, »sobald die Reihe an dich kommt, ins Nichts zu springen, wirst auch du ein willenloser und unkenntlicher Diener der Macht. Wer weiß, wozu du ihr nützen wirst. Vielleicht wird man mit deiner Hilfe Menschen dazu bringen, zu kaufen, was sie nicht brauchen, oder zu hassen, was sie nicht kennen, zu glauben, was sie gefügig macht, oder zu bezweifeln, was sie erretten könnte. Mit euch, kleiner Phantásier, werden in der Menschenwelt große Geschäfte gemacht, werden Kriege entfesselt, werden Weltreiche begründet ...«

Gmork betrachtete den Jungen eine Weile aus halbgeschlossenen Augen, dann fügte er hinzu:

»Es gibt da auch eine Menge arme Schwachköpfe – die sich natürlich selbst für sehr gescheit halten und der Wahrheit zu dienen glauben –, die nichts eifriger tun, als sogar den Kindern Phantásien auszureden. Vielleicht wirst gerade du ihnen von Nutzen sein.«

Atréju stand mit gesenktem Kopf da.

Er wußte nun, warum keine Menschen mehr nach Phantásien kamen und warum nie wieder welche kommen würden, um der Kindlichen Kaiserin neue Namen zu geben. Je mehr in Phantásien der Vernichtung anheimfiel, desto größer wurde die Flut der Lügen in der Menschenwelt, und eben dadurch schwand die Möglichkeit, daß doch noch ein Menschenkind kam, mit jedem Augenblick mehr. Es war ein Teufelskreis, aus dem es kein Entrinnen gab. Atréju wußte es nun.

Und noch einer wußte es jetzt: Bastian Balthasar Bux.

Er verstand nun, daß nicht nur Phantásien krank war, sondern auch die Menschenwelt. Das eine hing mit dem anderen zusammen. Eigentlich hatte er es schon immer gefühlt, ohne sich erklären zu können, warum es so war. Er hatte sich nie damit zufriedengeben wollen, daß das Leben so grau und gleichgültig sein sollte, so ohne Geheimnisse und Wunder, wie all die Leute behaupteten, die immer sagten: So ist das Leben!

Aber nun wußte er auch, daß man nach Phantásien gehen mußte, um beide Welten wieder gesund zu machen.

Und daß kein Mensch mehr den Weg dorthin kannte, das lag eben gerade an den Lügen und falschen Vorstellungen, die durch die Zerstörung Phantásiens in die Welt kamen und einen blind machten.

Mit Schrecken und Scham dachte Bastian an seine eigenen Lügen. Die erfundenen Geschichten, die er erzählt hatte, rechnete er nicht dazu. Das war etwas anderes. Aber einige Male hatte er ganz bewußt und absichtlich gelogen – manchmal aus Angst, manchmal um etwas zu bekommen, das er unbedingt haben wollte, manchmal auch nur, um sich aufzuspielen. Welche Geschöpfe Phantásiens hatte er wohl damit vernichtet, unkenntlich gemacht und mißbraucht? Er versuchte sich vorzustellen, was sie vorher in ihrer wahren Gestalt gewesen sein mochten – aber er konnte es nicht. Vielleicht gerade deshalb, weil er gelogen hatte.

Eines stand jedenfalls fest: Auch er hatte dazu beigetragen, daß es so schlimm um Phantásien stand. Und er wollte etwas tun, um es wieder gutzumachen. Das war er Atréju schuldig, der zu allem bereit war, nur um ihn zu holen. Er konnte und wollte Atréju nicht enttäuschen. Er mußte den Weg finden!

Die Turmuhr schlug acht.

Der Werwolf hatte Atréju genau beobachtet.

»Nun weißt du also, wie du in die Menschenwelt kommen kannst«, sagte er. »Willst du es immer noch, Söhnchen?«

Atréju schüttelte den Kopf.

»Ich will nicht zu einer Lüge werden«, murmelte er.

»Das wirst du aber, ob du's willst oder nicht«, antwortete Gmork fast heiter.

»Und du?« fragte Atréju, »warum bist du hier?«

»Ich hatte einen Auftrag«, sagte Gmork widerwillig.

»Du auch?«

Atréju sah den Werwolf aufmerksam und beinahe teilnahmsvoll an.

»Und hast du ihn erfüllt?«

»Nein«, knurrte Gmork, »sonst läge ich gewiß nicht an dieser Kette. Dabei gingen die Dinge gar nicht schlecht am Anfang, bis ich in diese Stadt kam. Die Finstere Fürstin, die hier regierte, ließ mich mit allen Ehren empfangen. Sie lud mich in ihren Palast ein und bewirtete mich überreichlich und redete mit mir und tat in allem so, als ob sie mit von meiner Partie wäre. Nun, die Wesen in Gelichterland waren mir natürlich ziemlich sympathisch, und ich fühlte mich sozusagen zu Hause. Und die Finstere Fürstin war auf ihre Art eine sehr schöne Frau – jedenfalls für meinen Geschmack. Sie streichelte mich und kraulte mich, und ich ließ es mir gefallen, denn es war überaus angenehm. Niemand hat mich je so gestreichelt und gekrault. Kurzum, ich verlor den Kopf und geriet ins Schwätzen, und sie tat so, als ob sie mich wer weiß wie bewunderte, und da erzählte ich ihr schließlich meinen Auftrag. Sie muß mich eingeschläfert haben, denn gewöhnlich hatte ich einen leichten Schlaf. Und als ich aufwachte, lag ich an dieser Kette. Und die Finstere Fürstin stand vor mir und sagte: ›Du hast vergessen, Gmork, daß auch ich zu den Geschöpfen Phantásiens gehöre. Und wenn du gegen Phantásien kämpfst, so kämpfst du auch gegen mich. Du bist also mein Feind, und ich habe dich überlistet. Diese Kette ist nur durch mich wieder zu lösen. Aber ich gehe nun mit meinen Dienern und Dienerinnen ins Nichts und werde nie mehr wiederkommen.‹ Und sie drehte sich um und ging fort. Aber nicht alle folgten ihrem Beispiel. Erst als das Nichts immer näher kam, wurden mehr und mehr Bewohner der Stadt so mächtig angezogen, daß sie nicht mehr widerstehen konnten. Und gerade heute, wenn ich nicht irre, haben auch die letzten nachgegeben. Ja, ich bin in die Falle gegangen, Söhnchen, ich habe dieser Frau zu lange zugehört. Aber du, Söhnchen, bist nun in die gleiche Falle gegangen, du hast mir zu lange zugehört. In diesem Augenblick nämlich hat sich das Nichts wie ein Ring um die Stadt gelegt, du bist gefangen und kannst nicht mehr entwischen.«

»So werden wir zusammen umkommen«, sagte Atréju.

»Das wohl«, antwortete Gmork, »aber auf sehr verschiedene Weise, mein kleiner Narr. Denn ich werde sterben, ehe das Nichts hier ist, aber du wirst von ihm verschlungen werden. Das ist ein großer Unterschied. Denn wer vorher stirbt, dessen Geschichte ist zu Ende, aber die deine geht weiter ohne Ende, als Lüge.«

»Warum bist du so böse?« fragte Atréju.

»Ihr hattet eine Welt«, antwortete Gmork dunkel, »und ich nicht.«

»Was war dein Auftrag?«

Gmork, der bisher noch immer aufrecht gesessen hatte, glitt zu Boden. Seine Kräfte gingen sichtlich zu Ende. Seine rauhe Stimme klang nur noch wie ein Keuchen.

»Diejenigen, denen ich diene, und die die Vernichtung Phantásiens beschlossen haben, sahen Gefahr für ihren

Plan. – Sie hatten erfahren, daß die Kindliche Kaiserin einen Boten ausgesandt hatte, einen großen Helden –, und es sah so aus, als ob er es doch noch schaffen würde, ein Menschenkind nach Phantásien zu rufen. – Es war unbedingt nötig, ihn rechtzeitig umzubringen. – Dazu schickten sie mich aus, da ich viel in Phantásien herumgekommen war. – Ich fand auch gleich seine Spur – folgte ihm Tag und Nacht – holte ihn langsam ein – durch das Land der Sassafranier – den Urwaldtempel von Muamat – den Haulewald – die Sümpfe der Traurigkeit – die Toten Berge – aber dann, am Tiefen Abgrund bei Ygramuls Netz – habe ich seine Spur verloren – als hätte er sich in Luft aufgelöst. – Also suchte ich weiter, irgendwo mußte er ja sein – hab' aber seine Spur nicht mehr gefunden. – So bin ich zuletzt hierhergeraten. – Ich hab's nicht geschafft. – Aber er auch nicht, denn Phantásien geht unter! Sein Name war übrigens Atréju.«

Gmork hob den Kopf. Der Junge war einen Schritt zurückgetreten und hatte sich hoch aufgerichtet.

»Ich bin es«, sagte er, »ich bin Atréju.«

Ein Zucken lief durch den abgemagerten Leib des Werwolfs. Es wiederholte sich und wurde stärker und stärker. Dann kam ein Geräusch aus seiner Kehle, das wie keuchendes Husten klang, es wurde immer lauter und rasselnder und steigerte sich zu einem Brüllen, das von allen Hauswänden zurückschallte. Der Werwolf lachte!

Es war das entsetzlichste Geräusch, das Atréju jemals gehört hatte, und nie wieder hörte er etwas Ähnliches.

Dann war es plötzlich zu Ende.

Gmork war tot.

Atréju stand lange reglos. Schließlich näherte er sich dem toten Werwolf – er wußte selbst nicht, warum – beugte sich über dessen Kopf und berührte mit der Hand das struppige, schwarze Fell. Und im gleichen Augenblick, schneller als jeder Gedanke, hatten Gmorks Zähne zugeschnappt und sich in Atréjus Bein festgebissen. Noch über den Tod hinaus war das Böse in ihm mächtig.

Verzweifelt versuchte Atréju das Gebiß aufzubrechen. Es

war vergebens. Wie mit stählernen Schrauben festgehalten, saßen die riesigen Zähne in seinem Fleisch. Atréju sank neben dem Leichnam des Werwolfs auf den schmutzigen Boden nieder.

Und Schritt für Schritt, unaufhaltsam und lautlos, drang das Nichts von allen Seiten durch die schwarze hohe Mauer, die die Stadt umgab.

X. Der Flug zum Elfenbeinturm

ener Augenblick, in dem Atréju durch das düstere Stadttor von Spukstadt getreten war und seine Wanderung durch die krummen Gassen begonnen hatte, die dann so verhängnisvoll in jenem schmutzigen Hinterhof enden sollte, hatte dem weißen Glücksdrachen Fuchur eine höchst erstaunliche Entdeckung beschert.

Immer noch auf der unermüdlichen Suche nach seinem kleinen Herren und Freund war er sehr hoch in die Wolken und Nebelfetzen des Himmels hinaufgestiegen und hielt Umschau. Nach allen Seiten hin dehnte sich das Meer, das sich nur langsam beruhigte nach dem gewaltigen Sturm, der es aufgewühlt hatte bis zum Grund. Und plötzlich sah Fuchur in weiter Ferne etwas, das er sich nicht erklären konnte. Es war wie ein goldener Lichtstrahl, der in gleichmäßigen Abständen aufblinkte und wieder erlosch, aufblinkte und wieder erlosch. Und dieser Lichtstrahl schien genau auf ihn, Fuchur, gerichtet zu sein.

So schnell er konnte, näherte er sich der Stelle, und als er schließlich über ihr schwebte, mußte er feststellen, daß dieses Blinkzeichen aus den Tiefen des Wassers, vielleicht gar vom Meeresgrund ausging.

Glücksdrachen – das wurde ja schon früher gesagt – sind Geschöpfe aus Luft und Feuer. Das nasse Element ist ihnen nicht nur fremd, sondern auch durchaus gefährlich. Sie können im Wasser regelrecht erlöschen wie eine Flamme – falls sie nicht vorher schon ersticken, denn sie atmen ununterbrochen Luft mit ihrem ganzen Körper durch ihre hunderttausend perlmutterfarbenen Schuppen. Sie ernähren sich auch gleichzeitig von Luft und Wärme, und andere Nahrung ist ihnen nicht vonnöten, aber ohne Luft und Wärme können sie nur sehr kurze Zeit leben.

Fuchur wußte nicht, was er tun sollte. Er wußte ja nicht einmal, was dieses seltsame Blinken dort unten in den Meerestiefen war und ob es überhaupt etwas mit Atréju zu tun hatte.

Doch er überlegte nicht lang. Er schoß hoch in die Luft hinauf, dann drehte er sich mit dem Kopf nach unten, legte die Pranken dicht an den Leib, den er steif und gerade hielt wie eine Stange und ließ sich in die Tiefe stürzen. Mit einem gewaltigen Platsch, der das Wasser zu einer riesigen Fontäne aufspritzen ließ, tauchte er ins Meer. Zunächst verlor er fast das Bewußtsein von dem Aufprall, aber dann zwang er sich, seine rubinroten Augen zu öffnen. Jetzt sah er das Blinken ganz nahe vor sich, nur ein paar seiner eigenen Körperlängen in der Tiefe. Das Wasser spülte um seinen Leib und begann Luftperlen zu bilden wie in einem Tiegel, ehe es zu kochen beginnt. Gleichzeitig fühlte er, wie er abkühlte und immer schwächer wurde. Mit den letzten Kräften, die ihm verblieben, zwang er sich, noch tiefer zu tauchen – und nun sah er die Lichtquelle zum Greifen nahe. Es war AURYN, der Glanz! Das Amulett war glücklicherweise mit der Kette an einem Korallenast hängen geblieben, der aus der Wand einer Felsenschlucht herausragte – sonst wäre das Kleinod in eine bodenlose Tiefe hinabgesunken.

Fuchur griff danach, machte es los und legte sich die Kette um den Hals, um es nicht zu verlieren – denn er fühlte, daß er gleich bewußtlos werden würde.

Als er wieder zu sich kam, konnte er sich zunächst kaum zurechtfinden, denn zu seiner höchsten Verwunderung flog er jetzt wieder über dem Meer durch die Lüfte dahin. Er flog mit großer Geschwindigkeit in eine ganz bestimmte Richtung, viel schneller, als seine erschöpften Kräfte es zuließen. Er versuchte, etwas langsamer zu fliegen, mußte aber feststellen, daß sein Körper ihm nicht mehr gehorchte. Ein anderer, sehr viel mächtigerer Wille hatte von seinem Leib Besitz ergriffen und lenkte ihn nun. Und dieser Wille ging von AURYN aus, das er an der Kette um den Hals trug.

Der Tag neigte sich schon, und es wurde Abend, als Fuchur endlich in der Ferne einen Meeresstrand erblickte. Vom Land dahinter war nicht viel zu sehen, es schien im Nebel zu liegen. Als er noch näher kam, entdeckte er, daß der größte Teil des Landes schon von jenem Nichts verschlungen war, das den Augen so wehtat, weil es einem das Gefühl gab, blind zu sein.

Hier wäre Fuchur, hätte er aus eigenem Willen entscheiden können, wahrscheinlich umgekehrt. Aber die geheimnisvolle Kraft des Kleinods zwang ihn, geradeaus weiterzufliegen. Und bald wußte er auch warum, denn er entdeckte mitten in diesem endlosen Nichts plötzlich eine kleine Insel, die sich noch hielt, eine Insel aus spitzgiebeligen Häusern und schiefen Türmen. Fuchur ahnte, wen er dort finden würde, und nun war es nicht mehr nur der mächtige Wille, der aus dem Amulett auf ihn wirkte, sondern auch sein eigener, der ihn auf dieses Ziel zufliegen ließ. In dem lichtlosen Hinterhof, in welchem Atréju neben dem toten Werwolf lag, war es schon fast dunkel. Das graue Dämmerlicht, das in den engen Häuserschacht hinuntertropfte, reichte kaum noch aus, um den hellen Leib des Jungen von dem schwarzen Fell des Ungeheuers zu unterscheiden. Und je finsterer es wurde, desto mehr sahen sie beide wie eins aus.

Atréju hatte längst schon alle Versuche aufgegeben, sich aus dem stählernen Schraubstock des Wolfsgebisses zu befreien. Er war in einem halb bewußtlosen Zustand, in dem er wieder den Purpurbüffel im Gräsernen Meer vor sich sah, den er nicht erlegt hatte. Manchmal rief er nach den anderen Kindern, seinen Jagdgefährten, die nun wohl alle schon richtige Jäger waren. Aber niemand antwortete ihm. Nur der reglose riesige Büffel stand da und sah ihn an. Atréju rief nach Artax, seinem Pferdchen. Aber es kam nicht, und auch sein helles Wiehern war nirgends zu hören. Er rief nach der Kindlichen Kaiserin, aber vergebens. Er konnte ihr nichts mehr erklären. Er war kein Jäger geworden, er war kein Bote mehr, er war niemand.

Atréju hatte sich ergeben.

Aber dann fühlte er noch etwas anderes: Das Nichts! Es mußte nun schon sehr nahe sein. Atréju fühlte wieder diesen schrecklichen Sog, der wie ein Schwindelgefühl war. Er richtete sich auf und zerrte stöhnend an seinem Bein. Aber die Zähne ließen ihn nicht los.

Und in diesem Fall war es sein Glück. Denn hätten Gmorks Zähne ihn nicht festgehalten, wäre Fuchur trotz allem zu spät gekommen.

So aber hörte Atréju plötzlich des Glücksdrachen bronzene Stimme über sich am Himmel:

»Atréju! Bist du hier? Atréju!«

»Fuchur!« rief Atréju. Und dann legte er beide Hände als Trichter vor den Mund und schrie nach oben:

»Hier bin ich. Fuchur! Fuchur! Hilf mir! Ich bin hier!«

Und er schrie es immer wieder.

Dann sah er Fuchurs weißen züngelnden Leib wie einen lebenden Blitz durch das kleine verlöschende Stückchen Himmel fahren, zuerst sehr fern, sehr hoch droben, dann ein zweites Mal schon viel näher. Atréju schrie und schrie, und der Glücksdrache antwortete mit seiner Glockenstimme. Und schließlich hatte der da oben den dort unten erspäht, klein wie ein armseliges Käferchen in einem dunklen Loch.

Fuchur setzte zur Landung an, aber der Hinterhof war eng, es war schon fast Nacht, und der Drache riß beim Herunterfahren einen der spitzigen Hausgiebel ein. Mit Donnergetöse krachte das Balkenwerk des Dachstuhls zusammen. Fuchur fühlte einen schneidenden Schmerz, er hatte sich an dem scharfen Dachfirst eine schwere Wunde in den Leib gerissen. Es wurde keine seiner üblichen eleganten Landungen, er fiel in den Hof hinunter und schlug hart neben Atréju und dem toten Gmork auf dem nassen, schmutzigen Boden auf.

Er schüttelte sich, nieste wie ein Hund, der aus dem Wasser kommt, und sagte: »Endlich! Hier steckst du also! Da bin ich wohl gerade noch rechtzeitig gekommen.«

Atréju sagte nichts. Er hatte seine Arme um Fuchurs Hals geschlungen und vergrub sein Gesicht in dessen silberweißer Mähne.

»Komm!« forderte ihn Fuchur auf, »setz dich auf meinen Rücken! Wir haben keine Zeit zu verlieren.«

Atréju schüttelte nur den Kopf. Nun erst sah Fuchur, daß Atréjus Bein im Rachen des Werwolfs steckte.

»Das werden wir gleich haben«, meinte er und rollte seine rubinroten Augenbälle, »mach dir keine Sorgen!«

Er griff mit beiden Pranken zu und versuchte, das Gebiß Gmorks aufzubrechen. Doch die Zähne wichen um keinen Millimeter auseinander.

Fuchur keuchte und fauchte vor Anstrengung, aber es half nichts. Und sicher wäre ihm die Befreiung seines kleinen Freundes nicht gelungen, wenn ihm nicht das Glück zu Hilfe gekommen wäre. Aber Glücksdrachen haben eben Glück und mit ihnen auch die, denen sie gut sind.

Als Fuchur nämlich erschöpft innehielt und sich über Gmorks Kopf beugte, um in der Dunkelheit besser zu sehen, was man tun könne, geschah es, daß das Amulett der Kindlichen Kaiserin, das an der Kette um Fuchurs Hals hing, sich auf die Stirn des toten Werwolfs legte. Und im gleichen Augenblick öffnete sich das Gebiß und gab Atréjus Bein frei.

»He!« rief Fuchur, »hast du das gesehen?«

Atréju antwortete nicht.

»Was ist los?« fragte Fuchur, »wo bist du, Atréju?«

Er tastete in der Finsternis nach seinem Freund, aber der war nicht mehr da. Und während er versuchte, mit seinen rotglühenden Augen das nächtliche Dunkel zu durchdringen, begann er selbst zu fühlen, was Atréju von ihm fortgerissen hatte, kaum daß er frei war: Das immer näher kommende Nichts. Aber AURYN schützte ihn vor dem Sog.

Atréju wehrte sich vergeblich. Es war stärker als sein eigener kleiner Wille. Er schlug um sich, er kämpfte und strampelte, aber seine Glieder gehorchten nicht ihm, sondern jenem unwiderstehlichen Sog. Nur noch wenige Schritte trennten ihn von der endgültigen Vernichtung.

In diesem Augenblick fuhr Fuchur wie ein züngelnder, weißer Blitz über ihn hin und packte ihn an seinem langen, blauschwarzen Haarschopf, riß ihn in die Höhe und brauste mit ihm in den nachtschwarzen Himmel empor.

Die Turmuhr schlug neun.

Keiner der beiden, Fuchur nicht und nicht Atréju, konnte später sagen, wie lang dieser Flug durch die völlige Finsternis dauerte, ob es wirklich nur eine Nacht war. Vielleicht hatte auch alle Zeit für sie aufgehört, und sie hingen reglos in einer grenzenlosen Dunkelheit. Nicht nur für Atréju war es die längste Nacht, die er je erlebt hatte, sondern auch für Fuchur, der doch viel, viel älter war.

Aber auch die längste und dunkelste Nacht geht einmal vorüber. Und als der fahle Morgen dämmerte, erblickten die beiden fern am Horizont den Elfenbeinturm.

Hier ist es wohl unerläßlich, einen Augenblick innezuhalten, um eine Besonderheit der phantásischen Geographie zu erklären. Länder und Meere, Gebirge und Flußläufe liegen dort nicht in derselben Art fest wie in der Menschenwelt. Es wäre deshalb zum Beispiel ganz unmöglich, eine Landkarte von Phantásien zu zeichnen. Es ist dort niemals mit Sicherheit vorauszusehen, welches Land an welches andere angrenzt. Sogar die Himmelsrichtungen wechseln je nach der Gegend, in der man sich gerade befindet. Sommer und Winter, Tag und Nacht folgen in jeder Landschaft anderen Gesetzen. Man kann aus einer sonnendurchglühten Wüste kommen und gleich daneben in arktische Schneefelder geraten. In dieser Welt gibt es keine meßbare äußere Entfernung, und so haben die Worte »nah« oder »weit« eine andere Bedeutung. Alle diese Dinge hängen ab vom Seelenzustand und vom Willen dessen, der einen bestimmten Weg zurücklegt. Da Phantásien grenzenlos ist, kann sein Mittelpunkt überall sein – oder besser gesagt, er ist von überall her gleich nah oder fern. Es hängt ganz von demjenigen ab, der zum Mittelpunkt kommen will. Und dieses innerste Zentrum Phantásiens ist eben der Elfenbeinturm.

Atréju fand sich zu seiner Verwunderung auf dem Rükken des Glücksdrachen sitzend, ohne sich erinnern zu können, wie er dort hinaufgelangt war. Er wußte nur noch, daß Fuchur ihn am Haarschopf in die Höhe gerissen hatte. Als er seinen Mantel, der hinter ihm dreinflatterte, fröstelnd um sich zog, bemerkte er, daß dieser alle Farbe verloren hatte und grau geworden war. Ebenso war es mit seiner Haut und seinem Haar. Und nun sah er im zunehmenden Licht des Morgens, daß es sich auch mit Fuchur nicht anders verhielt. Der Drache glich nur noch einem grauen Nebelstreifen und war schon fast ebenso unwirklich. Sie beide waren dem Nichts zu nahe gekommen.

»Atréju, mein kleiner Herr«, hörte er den Drachen leise sagen, »schmerzt deine Wunde sehr?«

»Nein«, antwortete Atréju, »ich fühle nichts mehr.«

»Hast du Fieber?«

»Nein, Fuchur, ich glaube nicht. Warum fragst du?«

»Ich habe gespürt, daß du zitterst«, erwiderte der Drache, »was auf der Welt kann Atréju jetzt noch zittern machen?«

Atréju schwieg eine Weile, ehe er antwortete:

»Wir werden bald angelangt sein. Dann muß ich der Kindlichen Kaiserin sagen, daß es keine Rettung mehr gibt. Von allem, was ich tun mußte, ist dies das Schwerste.«

»Ja«, sagte Fuchur noch leiser, »das ist wahr.«

Schweigend flogen sie weiter, immer auf den Elfenbeinturm zu.

Nach einer Weile begann der Drache von neuem:

»Hast du sie je gesehen, Atréju?«

»Wen?«

»Die Kindliche Kaiserin – oder vielmehr die Goldäugige Gebieterin der Wünsche. Denn so mußt du sie anreden, wenn du vor ihr stehst.«

»Nein, ich habe sie nie gesehen.«

»Ich schon. Es ist sehr lange her. Dein Urgroßvater muß damals ein kleines Kind gewesen sein. Auch ich war noch ein junger Spring-in-die-Wolken, der nichts als Unsinn im Kopf hatte. Eines Nachts hatte ich versucht, mir den Mond vom Himmel zu holen, der groß und rund dort oben leuchtete. Wie gesagt, ich hatte noch von nichts eine Ahnung. Als ich mich schließlich enttäuscht zur Erde zurückfallen ließ, kam ich dem Elfenbeinturm ganz nahe. Der Magnolienpavillon hatte in dieser Nacht seine Blütenblätter weit geöffnet, und in deren Mitte sah ich die Kindliche Kaiserin sitzen. Sie warf mir einen Blick zu, nur einen einzigen kurzen Blick, aber – ich weiß nicht, wie ich es dir sagen soll – von dieser Nacht an bin ich ein anderer geworden.«

»Wie sieht sie aus?«

»Wie ein kleines Mädchen. Aber sie ist viel älter als die ältesten Wesen Phantásiens. Besser sollte ich sagen: Sie ist ohne Alter.«

»Aber sie ist sterbenskrank«, meinte Atréju, »soll ich sie behutsam auf das Ende aller Hoffnung vorbereiten?«

Fuchur schüttelte den Kopf.

»Nein, sie würde jeden Versuch der Beschwichtigung sofort durchschauen. Du mußt ihr die Wahrheit sagen.«

»Auch wenn sie daran stirbt?« fragte Atréju.

»Ich glaube nicht, daß es so kommt«, sagte Fuchur.

»Ich weiß«, antwortete Atréju, »du bist ein Glücksdrache.«

Und dann flogen sie wieder lange Zeit schweigend weiter.

Schließlich redeten sie noch ein drittes Mal miteinander. Diesmal war es Atréju, der die Stille unterbrach:

»Noch etwas möchte ich dich fragen, Fuchur.«

»Frage!«

»*Wer* ist sie?«

»Wie meinst du das?«

»AURYN hat Macht über alle Wesen Phantásiens, gleich ob sie Geschöpfe des Lichts oder der Finsternis sind. Es hat auch Macht über dich und mich. Und doch übt die Kindliche Kaiserin niemals Macht aus. Es ist, als wäre sie nicht da, und doch ist sie in allem. Ist sie wie wir?«

»Nein«, sagte Fuchur, »sie ist nicht, was wir sind. Sie ist kein Geschöpf Phantásiens. Wir alle sind da durch ihr Dasein. Aber sie ist von anderer Art.«

»Ist sie dann –«, Atréju zögerte, seine Frage auszusprechen, »ist sie so etwas wie ein Menschenkind?«

»Nein«, sagte Fuchur, »sie ist nicht, was die Menschenkinder sind.«

»Also«, wiederholte Atréju, »*wer* ist sie?«

Erst nach einer langen Stille antwortete Fuchur:

»Niemand in Phantásien weiß es, niemand kann es wissen. Es ist das tiefste Geheimnis unserer Welt. Ich habe einmal einen Weisen sagen hören, wer es ganz verstehen könne, der würde damit sein eigenes Dasein auslöschen. Ich weiß nicht, was er gemeint haben mag. Mehr kann ich dir nicht sagen.«

»Und nun«, sagte Atréju, »wird ihr und unser aller Dasein auslöschen, ohne daß wir ihr Geheimnis verstanden haben.«

Diesmal schwieg Fuchur, aber um sein löwenartiges Maul spielte ein Lächeln, als wollte er sagen: Das wird nicht geschehen.

Von da an sprachen sie nicht mehr.

Kurze Zeit später überflogen sie den äußeren Rand des »Labyrinths«, jener Ebene aus Blumenbeeten, Hecken und verschlungenen Wegen, die den Elfenbeinturm in einem weiten Kreis umgab. Zu ihrem Schrecken mußten sie feststellen, daß auch hier das Nichts schon am Werk war. Zwar waren es vorerst nur kleinere Stellen, die das »Labyrinth« durchsetzten, aber sie waren allenthalben. Die farbenprächtigen Blumenbeete und blühenden Gebüsche, die zwischen diesen Stellen lagen, waren grau und dürr geworden. Die kleinen zierlichen Bäume streckten kahle, verkrümmte Äste zu dem Drachen und seinem Reiter empor, als wollten sie sie um Hilfe anflehen. Die ehemals grünen und bunten Wiesen waren jetzt fahl, und ein leiser Geruch von Moder und Fäulnis schlug zu den Ankömmlingen empor. Die einzigen Farben, die es noch gab, waren die von aufgequollenen Riesenpilzen und von giftig aussehenden, entarteten und grellbunten Blumengebilden, die eher wie die Ausgeburten des Wahnsinns und der Verderbtheit wirkten. Das letzte innerste Leben Phantásiens wehrte sich noch, zuckend und kraftlos, gegen die endgültige Vernichtung, die es von allen Seiten belagerte und zerfraß.

Aber noch schimmerte in feenhaftem Weiß, makellos und unberührt, in der Mitte der Elfenbeinturm.

Fuchur landete mit Atréju nicht auf jener unteren Terrasse, die für ankommende Flug-Boten vorgesehen war. Er fühlte, daß weder er noch Atréju die Kraft aufbringen würden, von dort aus die lange, spiralförmige Hauptstraße, die zur Spitze des Turms emporführte, hinaufzusteigen. Auch schien ihm, daß die ganze Situation es durchaus erlaubte, sich über alle Vorschriften und Etikettefragen hinwegzusetzen. Er entschloß sich zu einer Notlandung. Er brauste über die elfenbeinernen Erker, Brücken und Balustraden, fand im letzten Augenblick noch das am höchsten gelegene Stück der Hauptstraße, dort, wo sie vor dem eigentlichen Palastbezirk endete, ließ sich fallen, rutschte die Straße aufwärts, wobei er sich einige Male um sich selbst drehte, und kam schließlich, mit dem Schweif voraus, zum Stehen.

Atréju, der sich mit beiden Armen an Fuchurs Hals festgehalten hatte, richtete sich auf und blickte sich nach allen Seiten um. Er hatte irgendeine Art von Empfang erwartet, oder wenigstens eine Schar von Palastwächtern, die ihn fragen würden, wer er sei und was er hier wolle – aber weit und breit war niemand zu sehen. Die strahlend weißen Gebäude ringsum schienen wie ausgestorben.

»Sie sind alle geflohen!« schoß es ihm durch den Kopf. »Sie haben die Kindliche Kaiserin allein gelassen. Oder ist sie schon ...«

»Atréju«, flüsterte Fuchur, »du mußt ihr das Kleinod zurückgeben.«

Er streifte sich die goldene Kette vom Hals. Sie glitt zu Boden.

Atréju sprang von Fuchurs Rücken – und stürzte hin. Er hatte nicht mehr an seine Wunde gedacht. Liegend griff er nach dem Pantakel und legte es sich um. Dann richtete er sich mit Mühe auf, wobei er sich auf den Drachen stützte.

»Fuchur«, sagte er, »wohin muß ich gehen?«

Aber der Glücksdrache antwortete nicht mehr. Er lag da wie tot.

Die Hauptstraße endete an einer hohen, weißen Ringmauer vor einem wunderbar geschnitzten großen Tor, dessen Flügel offenstanden.

Atréju humpelte darauf zu, stützte sich am Portal und fand hinter dem Tor eine breite, weißglänzende Freitreppe, die ihm bis in den Himmel zu reichen schien. Er begann die Stufen hinaufzusteigen. Manchmal hielt er inne, um neue Kräfte zu sammeln. Auf der weißen Treppe blieb eine Spur von Blutstropfen zurück.

Endlich war er oben angelangt und sah vor sich eine lange Galerie. Er taumelte weiter und hielt sich an den Säulen fest. Dann kam er durch einen Hof voller Springbrunnen und anderen Wasserspielen, aber er konnte kaum noch unterscheiden, was er sah. Wie im Traum kämpfte er sich voran. Er fand ein zweites, kleineres Tor, danach mußte er eine sehr hohe, diesmal aber schmale Treppe erklimmen, gelangte in einen Garten, in dem alles, Bäume, Blumen und Tiere, aus Elfenbein geschnitzt war, kroch auf allen vieren über mehrere bogenförmige Brücken ohne Geländer, die zu einem dritten Tor führten, dem kleinsten von allen. Auf dem Bauch liegend zog er sich weiter, dann hob er langsam den Blick und sah einen spiegelblanken, elfenbeinernen Bergkegel und auf dessen Spitze den blendend weißen Magnolienpavillon. Kein Weg führte hinauf, keine Treppe.

Atréju ließ den Kopf auf die Arme sinken.

Niemand, der je dort hinaufgelangt ist und noch hinaufgelangen wird, kann sagen, wie er dies letzte Stück Wegs zurückgelegt hat. Es muß einem geschenkt werden.

Atréju stand plötzlich vor der Pforte, die in den Pavillon führte. Er trat ein – und nun sah er sich von Angesicht zu Angesicht der Goldäugigen Gebieterin der Wünsche gegenüber.

Sie saß, von vielen Kissen gestützt, auf einem weichen, runden Polster in der Mitte der Blütenkuppel und blickte ihm entgegen. Sie wirkte unendlich zart und kostbar. Wie krank sie war, konnte Atréju an der Blässe ihres Gesichts sehen, das fast durchsichtig schien. Ihre mandelförmigen Augen hatten die Farbe von dunklem Gold. Sie verrieten keinerlei Besorgnis oder Unruhe. Sie lächelte. Ihre schmale, kleine Gestalt war in ein weites, seidenes Gewand gehüllt, das so weiß leuchtete, daß selbst die Magnolien-Blätter dagegen dunkel erschienen. Sie sah aus wie ein unbeschreiblich schönes kleines Mädchen von höchstens zehn Jahren, aber ihr langes Haar, das glatt gekämmt über ihre Schultern und ihren Rücken auf das Sitz-Polster herabfiel – war weiß wie Schnee.

Bastian erschrak.

In diesem Augenblick war ihm etwas geschehen, das er noch nie erlebt hatte.

Bis jetzt hatte er sich alles, was da in der Unendlichen Geschichte erzählt wurde, ganz deutlich vorstellen können. Einige seltsame Dinge waren ja allerdings beim Lesen dieses Buches vorgekommen, das war nicht zu leugnen, aber sicherlich konnte man sie irgendwie erklären. Er hatte sich Atréju, wie er auf dem Glücksdrachen ritt, und das Labyrinth und den Elfenbeinturm so deutlich wie möglich ausgemalt. Aber bis zu diesem Augenblick waren es eben doch bloß seine eigenen Vorstellungen gewesen.

Als er jedoch zu der Stelle kam, wo von der Kindlichen Kaiserin die Rede war, da hatte er für den Bruchteil einer Sekunde – nur so lang, wie das Zucken eines Blitzes dauert – ihr Gesicht vor sich gesehen. Und zwar nicht nur in seinen Gedanken, sondern mit seinen Augen! Es war keine Einbildung gewesen, dessen war Bastian ganz sicher. Er hatte sogar Einzelheiten wahrgenommen, die in der Beschreibung überhaupt nicht vorkamen, zum Beispiel ihre Augenbrauen, die sich als zwei feine, wie mit Tusche gemalte Bögen über ihren goldfarbenen Augen wölbten – oder daß sie seltsam langgezogene Ohrläppchen hatte – oder die besondere Neigung ihres Kopfes auf dem zarten Hals. Bastian wußte mit Sicherheit, daß er nie in seinem Leben etwas Schöneres gesehen hatte als dieses Gesicht. Und im gleichen Augenblick hatte er auch gewußt, wie sie hieß: Mondenkind. Es gab überhaupt nicht den geringsten Zweifel, daß dies ihr Name war.

Und Mondenkind hatte ihn angeblickt – ihn, Bastian Balthasar Bux!

Sie hatte ihn angeblickt mit einem Ausdruck, den er sich nicht zu deuten wußte. War auch sie überrascht gewesen? Hatte ihr Blick eine Bitte enthalten? Oder Sehnsucht? Oder – ja, was nur?

Er versuchte, sich Mondenkinds Augen in Erinnerung zu rufen, aber es gelang ihm nicht mehr.

Nur eines wußte er sicher: Dieser Blick hatte ihn durch seine eigenen Augen hindurch, den Hals hinunter mitten ins Herz getroffen. Er fühlte noch jetzt die glühende Spur, die er auf diesem Weg zurückgelassen hatte. Und er fühlte, daß dieser Blick nun in seinem Herzen lag und leuchtete wie ein geheimnisvoller Schatz. Und das tat auf eine seltsame und zugleich wunderbare Art weh.

Selbst wenn Bastian gewollt hätte, so hätte er sich nicht mehr gegen das wehren können, was da mit ihm geschehen war. Aber er wollte es nicht, o nein! Im Gegenteil, um nichts in der Welt hätte er diesen Schatz wieder hergegeben. Er wollte nur noch eines: weiterlesen, um wieder bei Mondenkind zu sein, um sie wiederzusehen.

Er ahnte nicht, daß er sich damit nun unwiderruflich auf das ungewöhnlichste und wohl auch gefährlichste Abenteuer einließ. Aber auch wenn er es geahnt hätte – es wäre ganz gewiß kein Grund für ihn gewesen, das Buch zuzuklappen und wegzulegen und nie wieder anzurühren.

Mit zitterndem Finger suchte er die Stelle, wo er aufgehört hatte, und fuhr fort zu lesen.

Die Turmuhr schlug zehn.

XI. Die Kindliche Kaiserin

eines Wortes mächtig stand Atréju da und blickte auf die Kindliche Kaiserin. Er wußte nicht, wie er beginnen, nicht, wie er sich verhalten sollte. Oft hatte er versucht, sich diesen Augenblick vorzustellen, hatte sich Worte zurechtgelegt, aber all das war plötzlich in seinem Kopf ausgelöscht.

Schließlich lächelte sie ihm zu und sagte mit einer Stimme, die so leise und zart klang wie die eines kleinen Vogels, der im Schlaf singt:

»Du bist zurückgekehrt von der Großen Suche, Atréju.«

»Ja«, brachte Atréju heraus und senkte den Kopf.

»Grau ist dein schöner Mantel geworden«, fuhr sie nach einer kleinen Stille fort, »grau dein Haar und deine Haut wie Stein. Aber alles soll nun wieder werden wie früher und noch schöner. Du wirst sehen.«

Atréjus Kehle war wie zugeschnürt. Er schüttelte nur kaum merklich den Kopf. Dann hörte er die zarte Stimme sagen:

»Du hast meinen Auftrag erfüllt...«

Atréju wußte nicht, ob diese Worte als Frage gemeint waren. Er wagte nicht aufzublicken, um es aus ihrer Miene zu lesen. Langsam griff er nach der Kette mit dem goldenen Amulett und nahm sie von seinem Hals. Mit ausgestreckter Hand hielt er sie der Kindlichen Kaiserin hin, den Blick immer noch zu Boden gesenkt. Er versuchte, sich auf ein Knie niederzulassen, so wie es die Boten in den Erzählungen und Liedern machten, die er in den Zeltlagern seiner Heimat gehört hatte, aber sein verwundetes Bein versagte, und er fiel der Kindlichen Kaiserin vor die Füße und blieb mit dem Gesicht auf dem Boden liegen.

Sie beugte sich vor, hob AURYN auf, und während sie die Kette durch ihre weißen Finger gleiten ließ, sagte sie:

»Du hast deine Sache gut gemacht. Ich bin sehr zufrieden mit dir.«

»Nein!« stieß Atréju fast wild hervor, »es war alles umsonst. Es gibt keine Rettung.«

Eine lange Stille trat ein. Atréju hatte das Gesicht in der Beuge seines Arms vergraben, und ein Zittern lief durch seinen Körper. Er fürchtete, einen Schrei der Verzweiflung von ihren Lippen zu hören, einen Wehlaut, vielleicht auch bitteren Tadel oder gar einen Zornesausbruch. Er wußte selbst nicht, was er erwartete – aber ganz gewiß war es nicht das, was er nun hörte: Sie lachte. Sie lachte leise und vergnügt. Atréjus Gedanken verwirrten sich, für einen Augenblick glaubte er, sie sei wahnsinnig geworden. Aber es war nicht das Lachen des Wahnsinns. Dann hörte er ihre Stimme sagen:

»Aber du hast ihn doch mitgebracht.«

Atréju hob den Kopf.

»Wen?«

»Unseren Retter.«

Er blickte ihr forschend in die Augen und konnte nichts darin finden als Klarheit und Heiterkeit. Sie lächelte wieder.

»Du hast deinen Auftrag erfüllt. Ich danke dir für alles, was du getan und gelitten hast.«

Er schüttelte den Kopf.

»Goldäugige Gebieterin der Wünsche«, stotterte er und benützte jetzt zum ersten Mal die offizielle Anrede, die Fuchur ihm empfohlen hatte, »ich ... nein wirklich, ich begreife nicht, was du meinst.«

»Das sieht man dir an«, sagte sie, »aber ob du es nun begreifst oder nicht, du hast es fertiggebracht. Und das ist doch die Hauptsache, nicht wahr?«

Atréju schwieg. Ihm fiel nicht einmal mehr eine Frage ein. Er starrte die Kindliche Kaiserin mit offenem Mund an.

»Ich habe ihn gesehen«, fuhr sie fort, »und auch er hat mich angeblickt.«

»Wann war das?« wollte Atréju wissen.

»Eben, als du eingetreten bist. Du hast ihn mitgebracht.«

Atréju schaute sich unwillkürlich um.

»Wo ist er denn? Ich sehe hier niemand als mich und dich.«

»Oh, es gibt noch manches, was für dich unsichtbar ist«, antwortete sie, »aber du kannst es mir glauben. Noch ist er nicht in unserer Welt. Aber unsere Welten sind einander schon so nah, daß wir uns sehen konnten, denn für die Dauer eines Blitzstrahls wurde die dünne Wand, die uns noch trennt, durchsichtig. Bald wird er ganz bei uns sein und mich bei meinem neuen Namen rufen, den nur er mir geben kann. Dann werde ich gesund werden und Phantásien mit mir.«

Während der Worte der Kindlichen Kaiserin hatte Atréju sich mühsam aufgesetzt. Er blickte zu ihr empor, die auf ihrem Polsterlager ein wenig höher saß, und seine Stimme klang belegt, als er nun fragte:

»Dann kennst du also längst die Botschaft, die ich dir bringen sollte. Was die Uralte Morla in den Sümpfen der Traurigkeit mir verraten hat, was die geheimnisvolle Stimme der Uyulála im Südlichen Orakel mir offenbaren konnte – alles das weißt du schon?«

»Ja«, sagte sie, »und ich wußte es, ehe ich dich auf die Große Suche schickte.«

Atréju schluckte ein paarmal.

»Warum«, brachte er schließlich heraus, »hast du mich dann losgeschickt? Was hast du von mir erwartet?«

»Nichts anderes«, antwortete sie, »als was du getan hast.«

»Was ich getan habe ...« wiederholte Atréju langsam. Zwischen seinen Augenbrauen bildete sich eine steile Zornesfalte. »Wenn es so ist, wie du sagst, dann war alles unnötig. Es war überflüssig, daß du mich auf die Große Suche geschickt hast. Ich habe sagen hören, daß deine Entscheidungen für unsereins oft unbegreiflich sind. Das mag sein. Doch fällt es mir schwer nach allem, was ich erlebt habe, geduldig hinzunehmen, daß du dir nur einen Spaß mit mir gemacht hast.«

Die Augen der Kindlichen Kaiserin wurden sehr ernst.

»Ich habe mir keinen Spaß mit dir erlaubt, Atréju«, sagte sie, »und ich weiß gut, was ich dir schulde. Alles, was du durchmachen mußtest, war notwendig. Ich habe dich auf die Große Suche geschickt – nicht wegen der Botschaft, die du mir nun bringen wolltest, sondern weil es das einzige Mittel war, unseren Retter zu rufen. Denn er hat an allem teilgenommen, was du erlebt hast, und er ist mit dir den weiten Weg gekommen. Du hast seinen Schreckensschrei am Tiefen Abgrund gehört, als du mit Ygramul redetest, und du hast seine Gestalt gesehen, als du vor dem Zauber Spiegel Tor standest. Du bist in sein Bild hineingegangen und hast es mit dir genommen, und darum ist er dir gefolgt, denn er hat sich selbst mit deinen Augen gesehen. Und auch jetzt vernimmt er jedes Wort, das wir miteinander sprechen. Und er weiß, daß wir von ihm reden und auf ihn warten und hoffen. Und nun versteht er vielleicht, daß all die große Mühsal, die du, Atréju, auf dich genommen hast, ihm galt, daß ganz Phantásien nach ihm ruft!«

Atréju blickte noch immer düster vor sich hin, aber nach und nach glättete sich die Zornesfalte auf seiner Stirn.

»Wie kannst du alles das wissen«, fragte er nach einer Weile, »den Schrei am Tiefen Abgrund und das Bild im Zauberspiegel, – oder war auch das alles vorherbestimmt von dir?«

Die Kindliche Kaiserin hob AURYN hoch, und während sie es sich um den Hals legte, antwortete sie:

»Hast du nicht immer den Glanz getragen? Hast du nicht gewußt, daß ich dadurch immer bei dir war?«

»Immer nicht«, erwiderte Atréju, »ich hatte es verloren.«

»Ja«, sagte sie, »da warst du wirklich allein. Erzähle mir, was in dieser Zeit geschah!«

Atréju berichtete, was er erlebt hatte.

»Nun weiß ich, warum du grau geworden bist«, sagte die Kindliche Kaiserin. »Du bist dem Nichts zu nah gekommen.«

»Aber ist es denn wahr«, wollte Atréju wissen, »was Gmork, der Werwolf, über die vernichteten Geschöpfe Phantásiens sagte, daß sie zu Lügen in der Welt der Menschenkinder werden?«

»Ja, es ist wahr«, erwiderte die Kindliche Kaiserin, und ihre goldenen Augen wurden dunkel, »alle Lügen waren einmal Geschöpfe Phantásiens. Sie sind aus dem gleichen

Stoff – aber sie sind unkenntlich geworden und haben ihr wahres Wesen verloren. Doch was Gmork dir sagte, war nur die halbe Wahrheit, wie es von einem Halbwesen nicht anders zu erwarten ist. Es gibt zwei Wege, die Grenze zwischen Phantásien und der Menschenwelt zu überschreiten, einen richtigen und einen falschen. Wenn die Wesen Phantásiens auf diese grausige Art hinübergezerrt werden, so ist es der falsche. Wenn aber Menschenkinder in unsere Welt kommen, so ist es der richtige. Alle, die bei uns waren, haben etwas erfahren, was sie nur hier erfahren konnten und was sie verändert zurückkehren ließ in ihre Welt. Sie waren sehend geworden, weil sie euch in eurer wahren Gestalt gesehen hatten. Darum konnten sie nun auch ihre eigene Welt und ihre Mitmenschen mit anderen Augen sehen. Wo sie vorher nur Alltäglichkeit gefunden hatten, entdeckten sie plötzlich Wunder und Geheimnisse. Deshalb kamen sie gern zu uns nach Phantásien. Und je reicher und blühender unsere Welt dadurch wurde, desto weniger Lügen gab es in der ihren und desto vollkommener war also auch sie. So wie unsere beiden Welten sich gegenseitig zerstören, so können sie sich auch gegenseitig gesund machen.«

Atréju dachte eine Weile nach, dann fragte er:

»Wie hat es denn angefangen?«

»Das Elend, das über beide Welten gekommen ist«, antwortete die Kindliche Kaiserin, »ist auch zweifachen Ursprungs. Nun ist alles in sein Gegenteil verkehrt: Was sehend machen kann, verblendet, was Neues erschaffen kann, wird zur Vernichtung. Die Rettung liegt bei den Menschenkindern. Eines, ein einziges muß kommen und mir einen neuen Namen geben. Und es wird kommen.«

Atréju schwieg.

»Verstehst du nun, Atréju«, fragte die Kindliche Kaiserin, »warum ich dir so viel auferlegen mußte? Nur durch eine lange Geschichte voller Abenteuer, Wunder und Gefahren konntest du unseren Retter zu mir führen. Und das war deine Geschichte.«

Atréju saß in tiefes Nachdenken versunken. Endlich nickte er.

»Ich verstehe nun, Goldäugige Gebieterin der Wünsche. Ich danke dir dafür, daß du mich erwählt hast. Verzeih mir meinen Zorn.«

»Du konntest das alles nicht wissen«, antwortete sie sanft, »und auch das war notwendig.«

Atréju nickte wieder. Nach einem kleinen Schweigen sagte er:

»Aber ich bin sehr müde.«

»Du hast genug getan, Atréju«, erwiderte sie, »möchtest du ausruhen?«

»Noch nicht. Erst möchte ich noch das gute Ende meiner Geschichte erleben. Wenn es so ist, wie du sagst, und wenn ich meinen Auftrag erfüllt habe – warum ist der Retter dann noch immer nicht hier? Worauf wartet er noch?«

»Ja«, meinte die Kindliche Kaiserin leise, »worauf wartet er noch?«

Bastian fühlte, wie seine Hände vor Aufregung feucht wurden.

»Ich kann doch nicht«, sagte er, »ich weiß ja gar nicht, was ich tun muß. Und vielleicht ist der Name, der mir eingefallen ist, auch gar nicht der richtige.«

»Darf ich dich noch etwas fragen?« nahm Atréju das Gespräch wieder auf.

Sie nickte lächelnd.

»Warum kannst du nur gesund werden, wenn du einen neuen Namen bekommst?«

»Nur der richtige Name gibt allen Wesen und Dingen ihre Wirklichkeit«, sagte sie. »Der falsche Name macht alles unwirklich. Das ist es, was die Lüge tut.«

»Vielleicht weiß der Retter den richtigen Namen noch nicht, den er dir geben soll.«

»Doch«, antwortete sie, »er weiß ihn.«

Wieder saßen beide schweigend.

»Ja«, sagte Bastian, »ich weiß ihn. Ich hab' ihn gleich gewußt, als ich dich gesehen habe. Aber ich weiß nicht, was ich tun muß.«

Atréju blickte auf.

»Vielleicht möchte er kommen und weiß nur nicht, wie er es anstellen soll.«

»Er braucht nichts zu tun«, antwortete die Kindliche Kaiserin, »als mich bei meinem neuen Namen zu rufen, den nur er weiß. Das würde schon genügen.«

Bastians Herz begann wild zu klopfen. Sollte er es einfach ausprobieren? Aber wenn es dann nicht gelang? Wenn er sich überhaupt täuschte? Wenn die beiden gar nicht von ihm redeten, sondern von einem ganz anderen Retter? Woher wollte er denn wissen, ob sie wirklich ihn meinten?

»Ich frage mich«, begann Atréju schließlich von neuem, »ob es möglich ist, daß er noch immer nicht versteht, daß er und kein anderer gemeint ist?«

»Nein«, sagte die Kindliche Kaiserin, »so töricht kann er nicht sein nach allen Zeichen, die er empfangen hat.«

»Ich probier's einfach aus!« sagte Bastian. Aber er brachte das Wort nicht über die Lippen.

Was, wenn es tatsächlich gelang? Dann würde er irgendwie nach Phantásien kommen. Aber wie? Vielleicht mußte er auch eine Verwandlung über sich ergehen lassen. Was würde dann aus ihm werden? Vielleicht tat es weh oder er würde ohnmächtig? Und wollte er denn überhaupt nach Phantásien? Er wollte zu Atréju und der Kindlichen Kaiserin, aber er wollte durchaus nicht zu all diesen Ungeheuern, von denen es da wimmelte.

»Vielleicht«, meinte Atréju, »mangelt es ihm an Mut?«

»Mut?« fragte die Kindliche Kaiserin, »kostet es denn Mut, meinen Namen auszusprechen?«

»Dann«, sagte Atréju, »weiß ich nur noch einen Grund, der ihn zurückhalten könnte.«

»Welchen?«

Atréju zögerte, ehe er ihn aussprach:

»Er will ganz einfach nicht. Es liegt ihm nichts an dir und an Phantásien. Wir sind ihm gleichgültig.«

Die Kindliche Kaiserin blickte Atréju groß an.

»Nein! Nein!« rief Bastian, »das dürft ihr nicht glauben! Das ist es bestimmt nicht! Ach bitte, bitte, denkt nicht so was von mir! Hört ihr mich nicht? So ist es nicht, Atréju!«

»Er hat mir versprochen, zu kommen«, sagte die Kindliche Kaiserin, »ich habe es in seinen Augen gelesen.«

»Ja, das ist wahr«, rief Bastian, »und ich komm' auch gleich, ich muß mir nur nochmal alles gründlich überlegen. Es ist nicht so einfach.«

Atréju senkte den Kopf, wieder warteten beide schweigend lange Zeit. Aber der Retter erschien nicht, und nicht das kleinste Anzeichen deutete darauf hin, daß er sich ihnen wenigstens bemerkbar zu machen versuchte.

Bastian stellte sich vor, wie es wäre, wenn er plötzlich vor ihnen stünde – in all seiner Dickheit, mit seinen X-Beinen und seinem käsigen Gesicht. Er konnte förmlich die Enttäuschung im Gesicht der Kindlichen Kaiserin sehen, wenn sie zu ihm sagen würde:

»Was willst *du* denn hier?«

Und Atréju würde vielleicht sogar lachen.

Bei dieser Vorstellung schoß Bastian die Schamröte ins Gesicht.

Natürlich, sie erwarteten irgendeinen Helden, einen Prinzen oder so was. Er durfte sich ihnen nicht zeigen. Das war ganz unmöglich. Lieber wollte er alles aushalten – nur das nicht!

Als die Kindliche Kaiserin endlich aufblickte, war der Ausdruck ihres Gesichtes verändert. Atréju erschrak fast vor der Größe und Strenge ihres Blickes. Und er wußte auch, wo er diesen Ausdruck schon einmal gesehen hatte: bei den Sphinxen!

»Mir bleibt noch ein Mittel«, sagte sie, »aber ich mache ungern von ihm Gebrauch. Ich wünschte, er würde mich nicht dazu zwingen.«

»Welches Mittel?« fragte Atréju flüsternd.

»Ob er es weiß oder nicht – er gehört schon zur Unendlichen Geschichte. Jetzt kann und darf er sich nicht mehr zurückziehen. Er hat mir ein Versprechen gegeben und muß es halten. Doch kann ich es nicht allein bewirken.«

»Wer in ganz Phantásien«, rief Atréju, »vermag etwas, das du nicht kannst?«

»Nur einer«, antwortete sie, »wenn er will. Der Alte vom Wandernden Berge.«

Atréju schaute die Kindliche Kaiserin in höchster Verwunderung an.

»Der Alte vom Wandernden Berge?« wiederholte er und betonte jedes Wort, »willst du damit sagen, daß es ihn gibt?«

»Zweifelst du daran?«

»Die alten Leute in unseren Zeltlagern erzählen den ganz kleinen Kindern von ihm, wenn sie unfolgsam oder schlecht sind. Sie sagen, daß er alles, was man tut oder unterläßt, ja sogar was man denkt und fühlt, in sein Buch schreibt und daß es dann dort für immer aufgezeichnet steht als schöne oder als häßliche Geschichte, je nachdem. Als ich selbst noch klein war, habe ich es auch geglaubt, aber später dachte ich, es sei nur ein Ammenmärchen, um die Kinder zu erschrecken.«

»Wer weiß«, sagte sie lächelnd, »was es mit den Ammenmärchen auf sich hat.«

»Du kennst ihn also«, forschte Atréju, »hast du ihn gesehen?«

Sie schüttelte den Kopf.

»Wenn ich ihn finde, dann wird es das erste Mal geschehen, daß wir uns begegnen.«

»Unsere alten Leute erzählen auch«, fuhr Atréju fort, »daß man niemals wissen kann, wo der Berg des Alten sich gerade befindet, daß er immer ganz unerwartet erscheint, einmal da, einmal dort, und daß man ihm nur durch Zufall begegnen kann oder durch Schicksalsfügung.«

»Ja«, antwortete die Kindliche Kaiserin, »den Alten vom Wandernden Berge kann man nicht suchen. Man kann ihn nur finden.«

»Auch du?« fragte Atréju.

»Auch ich«, sagte sie.

»Aber wenn du ihn nicht findest?«

»Wenn es ihn gibt, werde ich ihn finden«, versetzte sie mit rätselhaftem Lächeln, »und wenn ich ihn finde, wird es ihn geben.«

Atréju verstand die Antwort nicht. Zögernd fragte er:

»Ist er – wie du?«

»Er ist wie ich«, erwiderte sie, »denn er ist in allem mein Gegenteil.«

Atréju sah ein, daß er auf diese Weise nichts von ihr erfahren würde. Außerdem beunruhigte ihn ein anderer Gedanke:

»Du bist todkrank, Goldäugige Gebieterin der Wünsche«, sagte er beinahe streng, »und allein wirst du nicht weit kommen können. Soweit ich sehe, haben dich alle deine Diener und Getreuen verlassen. Fuchur und ich werden dich gern begleiten wohin auch immer, aber – ehrlich gesagt – ich weiß nicht, ob Fuchurs Kräfte noch ausreichen. Und mein Fuß – nun, du hast ja selbst gesehen, daß er mich nicht mehr trägt.«

»Danke, Atréju«, erwiderte sie, »danke für dein tapferes und treues Angebot. Aber ich gedenke nicht, euch mitzunehmen. Den Alten vom Wandernden Berg findet man nur allein. Und Fuchur ist auch schon nicht mehr dort, wo du ihn zurückgelassen hast. Er befindet sich jetzt an einem Ort, wo all seine Wunden heilen und all seine Kräfte erneuert werden. Und auch du, Atréju, wirst bald an jenem Ort sein.«

Ihre Finger spielten mit AURYN.

»Welcher Ort ist das?«

»Das brauchst du jetzt nicht zu wissen. Du wirst schlafend dort hingelangen. Der Tag wird kommen, an dem du erkennen sollst, wo du warst.«

»Aber wie kann ich schlafen«, rief Atréju, und vor Besorgtheit vergaß er jede rücksichtsvolle Ausdrucksweise, »wenn ich weiß, daß du jeden Augenblick sterben kannst!«

Die Kindliche Kaiserin lachte wieder leise.

»Ich bin nicht ganz so verlassen, wie du glaubst. Ich sagte dir schon, daß es manches gibt, was für dich unsichtbar ist. Ich habe meine sieben Mächte um mich, die zu mir gehören wie zu dir deine Erinnerung oder dein Mut oder deine Gedanken. Du kannst sie nicht sehen, noch hören, und doch sind sie alle bei mir in diesem Augenblick. Drei von ihnen will ich bei dir und Fuchur lassen, damit sie euch betreuen. Vier nehme ich mit mir und sie werden mich begleiten. Du aber, Atréju, kannst getrost schlafen.«

Bei diesen Worten der Kindlichen Kaiserin fiel plötzlich alle Müdigkeit, die während der Großen Suche in ihm entstanden war, über Atréju wie ein dunkler Schleier. Aber es war nicht die steinschwere Müdigkeit der Erschöpfung, sondern eine ruhevolle und friedliche Sehnsucht nach Schlaf. So vieles hatte er die Goldäugige Gebieterin der Wünsche noch fragen wollen, doch nun war ihm, als habe sie durch ihr Wort allen Wünschen in seinem Herzen Einhalt geboten und nur einen einzigen, übermächtigen übrig gelassen, den nach Schlaf. Die Augen fielen ihm zu und sitzend, ohne umzusinken, war er schon ins Dunkel hinübergeglitten.

Die Turmuhr schlug elf.

Wie aus weiter Ferne hörte Atréju noch, daß die Kindliche Kaiserin mit leiser, sanfter Stimme einen Befehl gab, dann fühlte er sich von mächtigen Armen behutsam emporgehoben und fortgetragen.

Lange war es dunkel und warm um ihn. Viel, viel später erwachte er einmal halb, als ein köstliches Naß seine trockenen, aufgesprungenen Lippen berührte und durch seine Kehle rann. Undeutlich sah er um sich etwas, wie eine große Höhle, deren Wände nur aus Gold zu bestehen schienen. Und er sah den weißen Glücksdrachen neben sich liegen. Und dann sah er oder ahnte es mehr, daß in der Mitte der Höhle eine Quelle sprudelte, und um diese Quelle lagen zwei Schlangen, die einander in den Schwanz bissen, eine helle und eine dunkle ...

Aber dann strich eine unsichtbare Hand über seine Augen, und das tat unsagbar gut, und Atréju versank wieder in tiefen traumlosen Schlaf.

Zur gleichen Zeit verließ die Kindliche Kaiserin den Elfenbeinturm. Sie lag auf weiche, seidene Kissen gebettet in einer Sänfte aus Glas, die von vieren ihrer unsichtbaren Diener getragen wurde, so daß es den Anschein hatte, als schwebte diese Sänfte langsam von selbst dahin.

Sie durchquerten das Gartenlabyrinth, oder vielmehr das, was davon noch übrig war, oft mußten sie Umwege machen, da viele der Pfade schon ins Nichts mündeten.

Als sie schließlich den äußersten Rand der Ebene erreichten und das Labyrinth verließen, hielten die unsichtbaren Träger inne. Sie schienen auf einen Befehl zu warten.

Die Kindliche Kaiserin richtete sich in ihren Kissen auf und warf einen Blick zurück auf den Elfenbeinturm.

Und während sie in ihre Kissen zurücksank, sagte sie:

»Geht weiter! Geht einfach weiter – irgendwohin!«

Ein Windstoß fuhr in ihr schneeweißes Haar. Es wehte lang und schwer wie eine Fahne hinter der gläsernen Sänfte her.

XII. Der Alte vom Wandernden Berge

awinen stürzten donnernd über zerklüftete Bergwände, Schneestürme tobten zwischen den Felsentürmen eisgepanzerter Gipfelgrate, verfingen sich heulend in Höhlen und Schluchten, und fegten von neuem über die weiten Flächen der Gletscher. Es war für diese Landschaft durchaus kein ungewöhnliches Wetter, denn das Schicksalsgebirge – so war sein Name – war das größte und höchste in ganz Phantásien und sein mächtigster Gipfel reichte buchstäblich bis in Himmelshöhen hinauf.

In diese Region des ewigen Eises wagten sich auch die kühnsten Bergsteiger nicht. Oder genauer gesagt: Es war schon so undenkbar lange Zeit her, daß einem der Aufstieg gelungen war, daß niemand mehr davon wußte. Denn dies war eines der unbegreiflichen Gesetze, von denen es im phantásischen Reich viele gab: Das Schicksalsgebirge konnte erst dann von einem Gipfelstürmer bezwungen werden, wenn der vorhergehende, der es vermocht hatte, ganz und gar vergessen war und auch keine steinerne oder eherne Inschrift mehr von ihm zeugte. So war jeder, der es vollbrachte, immer der erste.

Hier oben konnte kein lebendes Wesen existieren, außer einigen riesenhaften Eisbolden – falls man diese überhaupt zu den lebenden Wesen rechnen wollte, denn sie bewegten sich so unvorstellbar langsam, daß sie Jahre zu einem einzigen Schritt brauchten und Jahrhunderte zu einem kleinen Spaziergang. So war es klar, daß sie nur mit ihresgleichen verkehren konnten und vom Vorhandensein der übrigen phantásischen Welt nicht die geringste Ahnung hatten. Sie hielten sich für die einzigen Lebewesen des Universums.

Um so fassungsloser glotzten sie nun auf jenes winzige Pünktchen hinunter, das sich auf gewundenen Wegen, auf kaum betretbaren Felsvorsprüngen an eisglänzenden senkrechten Wänden, über messerscharfe Grate und durch tiefe Schluchten und Risse, immer mehr dem Gipfel näherte.

Es war die gläserne Sänfte, in der die Kindliche Kaiserin ruhte und die von vieren ihrer unsichtbaren Mächte getragen wurde. Sie hob sich kaum von der Umgebung ab, denn das Glas der Sänfte glich einem klaren Stück Eis, und das weiße Gewand und die Haare der Kindlichen Kaiserin waren vom Schnee ringsum fast nicht zu unterscheiden.

Lang war sie nun schon unterwegs, viele Tage und Nächte, durch Regen und Sonnenglut, durch Finsternisse und Mondlicht hatten die vier Mächte ihre Sänfte getragen, immer weiter, wie sie es befohlen hatte, immer weiter, irgendwohin. Sie machte keinen Unterschied zwischen dem, was für sie erträglich und dem, was für sie unerträglich sein mochte, so wie sie früher alles in ihrem Reich, das Finstere und das Lichte, das Schöne und das Häßliche hatte gleich gelten lassen. Sie war bereit, sich allem auszusetzen, denn der Alte vom Wandernden Berge konnte überall und nirgends sein.

Dennoch war die Wahl des Weges, den ihre vier unsichtbaren Mächte einschlugen, nicht ganz zufällig. Immer häufiger ließ das Nichts, das nun schon ganze Länder verschlungen hatte,, ihnen nur einen einzigen Pfad als Ausweg frei. Manchmal war es eine Brücke, eine Höhle oder ein Tor gewesen, durch das sie gerade noch hatten entschlüpfen können, manchmal waren es sogar die Wellen eines Sees oder eines Meeresarms, über die die Mächte die Sänfte mit der Todkranken hintrugen, denn für diese Träger gab es keinen Unterschied zwischen fest und flüssig.

Und so waren sie schließlich in die eisstarrende Gipfelwelt des Schicksalsgebirges emporgestiegen und stiegen weiter, unaufhaltsam und unermüdlich. Und ehe die Kindliche Kaiserin ihnen keinen anderslautenden Befehl gab, würden sie sie immer weiter emportragen. Aber sie lag in ihren Kissen, hatte die Augen geschlossen und regte sich nicht. So lag sie schon seit langem. Und das letzte Wort, das sie gesprochen hatte, war jenes »irgendwohin« gewesen, das sie beim Abschied vom Elfenbeinturm befohlen hatte.

Die Sänfte bewegte sich jetzt durch eine tiefe Klamm, einen Einschnitt zwischen zwei Felswänden, die kaum weiter auseinander standen, als die Sänfte breit war. Der Boden war mit lockerem Schnee bedeckt, der metertief sein mochte, aber die unsichtbaren Träger sanken nicht ein und hinterließen noch nicht einmal Fußstapfen. Es war sehr dunkel am Grunde dieser Felsenspalte, denn das Tageslicht war nur ein schmaler Streifen hoch droben. Der Weg führte sacht aufwärts, und je höher die Sänfte kam, desto näher rückte der Streifen Tageslicht. Dann, fast unerwartet, traten die Felswände plötzlich ganz beiseite und gaben den Blick auf eine weite, weißglitzernde Fläche frei. Dies war die höchste Stelle, denn das Schicksalsgebirge gipfelte nicht in einer Spitze, wie die meisten anderen Berge, sondern in dieser Hochebene, die so weit war wie ein Land.

Jetzt aber erhob sich mitten auf dieser Fläche überraschenderweise ein kleinerer Berg von eigentümlichem Aussehen. Er war ziemlich schmal und hoch, ähnlich wie der Elfenbeinturm, aber von leuchtendem Blau. Er bestand aus vielen bizarr geformten Zacken, die wie lauter riesenhafte umgekehrte Eiszapfen in den Himmel ragten. Etwa auf halber Höhe dieses Berges stand auf drei solcher Zackenspitzen ein Ei von der Größe eines Hauses.

Im Halbkreis um dieses Ei und dahinter ragten größere blaue Zapfen wie die Pfeifen einer gewaltigen Orgel in die Höhe und bildeten den eigentlichen Gipfel. Das große Ei hatte eine kreisrunde Öffnung, die wie eine Tür oder wie ein Fenster aussah. Und in dieser Öffnung erschien nun ein Gesicht, das der Sänfte entgegenblickte.

Als habe die Kindliche Kaiserin diesen Blick gespürt, schlug sie die Augen auf und erwiderte ihn.

»Halt!« sagte sie leise.

Die unsichtbaren Mächte blieben stehen.

Die Kindliche Kaiserin richtete sich auf.

»Er ist es«, fuhr sie fort. »Es muß sein, daß ich das letzte Stück des Weges allein zu ihm gehe. Wartet hier auf mich, was auch immer geschehen mag.«

Das Gesicht in der kreisrunden Öffnung des Eis war verschwunden.

Die Kindliche Kaiserin stieg aus der Sänfte und machte sich auf den Weg über die weite Schneefläche. Es war ein mühevoller Gang, denn sie war barfuß und der Schnee war harschig. Bei jedem Schritt brach sie durch die Eiskruste, und der glasharte Schneeharsch zerschnitt ihre zarten Füße. Der eisige Wind zerrte an ihrem weißen Haar und Gewand.

Endlich hatte sie den blauen Berg erreicht und stand vor den glasglatten Zapfen.

Aus der kreisrunden, dunklen Öffnung des großen Eis schob sich eine lange Leiter hervor, viel, viel länger, als sie überhaupt in dem Ei Platz gehabt haben konnte. Schließlich reichte sie bis zum Fuß des blauen Berges hinunter, und als die Kindliche Kaiserin sie ergriff, sah sie, daß sie sich ganz und gar aus aneinanderhängenden Buchstaben zusammensetzte, und jede Sprosse war eine Zeile. Die Kindliche Kaiserin machte sich an den Aufstieg, und während sie Sprosse um Sprosse erklomm, las sie zugleich die Worte:

KEHR UM! KEHR UM! GEH FORT! GEH FORT!
ZU KEINER ZEIT, AN KEINEM ORT
DARFST DU MICH TREFFEN! LASS ES SEIN!
GERADE DIR – UND DIR ALLEIN
MUSS ICH DEN WEG VERWEHREN.
KEHR UM! LASS DICH BELEHREN!
BEGEGNEST DU MIR ALTEM MANN,
GESCHIEHT, WAS NICHT GESCHEHEN KANN:
DER ANFANG SUCHT DAS ENDE AUF.
KEHR UM! KEHR UM! STEIG NICHT HINAUF!
SONST WIRST DU NUR ERREICHEN
VERWIRRUNG OHNEGLEICHEN!

Sie hielt inne, um neue Kräfte zu sammeln, und blickte nach oben. Es ging noch sehr hoch hinauf. Bis jetzt hatte sie noch nicht einmal die Hälfte hinter sich gebracht.

»Alter vom Wandernden Berge«, sagte sie laut, »wenn du nicht willst, daß wir uns begegnen, dann hättest du mir diese Leiter nicht zu schreiben brauchen. Dein Verbot zu kommen ist es, das mich zu dir bringt.«

Und sie stieg weiter.

Was Du erschaffst und was Du bist,
bewahre ich als der Chronist:
Buchstabe, tot, unwandelbar,
wird alles, was einst Leben war,
willst Du zu mir nun streben,
es wird ein Unheil geben!
Hier endet, was durch Dich beginnt.
Du wirst nie alt sein, Kaiserkind.
Ich Alter war nie jung wie Du.
Was Du erregst, bring ich zur Ruh.
Dem Leben ist verboten
sich selbst zu sehn im Toten.

Wieder mußte sie innehalten, um zu Atem zu kommen.

Sie war nun schon sehr hoch, und die Leiter schwankte im Schneesturm wie ein Zweig. Die Kindliche Kaiserin klammerte sich an den eisigen Buchstaben-Sprossen fest und stieg auch noch das letzte Stück der Leiter empor.

Und hörst Du auf die Warnung nicht,
die so beredt die Leiter spricht,
und bist Du doch zu tun bereit,
was nicht sein darf in Raum und Zeit,
so kann ich Dich nicht halten:
Willkommen denn beim Alten!

Als die Kindliche Kaiserin diese letzten Sprossen hinter sich gebracht hatte, stieß sie einen leisen Seufzer aus und sah an sich hinunter. Ihr weites, weißes Gewand war zerfetzt, es war an all den Querstrichen, Häkchen und Dornen der Buchstabenleiter hängen geblieben. Nun, es war nichts Neues für sie, daß Buchstaben ihr nicht wohlgesinnt waren. Das beruhte auf Gegenseitigkeit.

Vor sich sah sie das Ei und die kreisrunde Öffnung, in welcher die Leiter endete. Sie stieg hindurch. Die Öffnung schloß sich augenblicklich hinter ihr. Ohne sich zu regen stand sie im Finstern und wartete, was geschehen würde.

Doch zunächst geschah lange Zeit nichts.

»Hier bin ich«, sagte sie schließlich leise in die Dunkelheit hinein. Ihre Stimme hallte wider wie in einem großen leeren Saal – oder war es eine andere, viel tiefere Stimme gewesen, die ihr mit den gleichen Worten geantwortet hatte?

Nach und nach konnte sie in der Finsternis einen schwachen, rötlichen Lichtschein sehen. Er strahlte von einem Buch aus, das aufgeschlagen in der Mitte des eiförmigen Raumes in der Luft schwebte. Es stand schräg, so daß sie den Einband sehen konnte. Es war in kupferfarbene Seide gebunden, und wie auf dem Kleinod, das die Kindliche Kaiserin um den Hals trug, waren auch auf diesem Buch zwei Schlangen zu sehen, die einander in den Schwanz bissen und ein Oval bildeten. Und in diesem Oval stand der Titel:

Die unendliche Geschichte

Bastians Gedanken verwirrten sich. Das war doch genau das Buch, in dem er gerade las! Er schaute es noch einmal an. Ja, kein Zweifel, es war das Buch, das er in der Hand hatte, von dem da die Rede war. Aber wie konnte dieses Buch denn in sich selbst vorkommen?

Die Kindliche Kaiserin war nahe herangetreten und sah nun auf der anderen Seite des schwebenden Buches das Gesicht eines Mannes, das von unten her aus den aufgeschlagenen Seiten bläulich beleuchtet wurde. Dieser Schimmer ging von der Schrift im Buch aus, die blaugrün war.

Das Gesicht des Mannes sah aus wie die Rinde eines uralten Baumes, so durchpflügt war es von Furchen. Sein Bart war weiß und lang, und seine Augen lagen so tief in dunklen Höhlen, daß sie nicht zu sehen waren. Er trug eine blaue Mönchskutte mit einer Kapuze über dem Kopf und hielt in der Hand einen Schreibstift, mit dem er in dem Buch schrieb. Er blickte nicht auf.

Die Kindliche Kaiserin stand lange Zeit schweigend und sah ihm zu. Es war kein eigentliches Schreiben, was er tat, vielmehr glitt sein Stift langsam über die leere Seite hin, und die Buchstaben und Wörter bildeten sich wie von selbst, sie tauchten gleichsam aus der Leere auf.

Die Kindliche Kaiserin las, was da stand, und es war genau das, was in diesem Augenblick geschah, nämlich: »Die Kindliche Kaiserin las, was da stand ...«

»Alles, was geschieht«, sagte sie, »schreibst du auf.«

»Alles, was ich aufschreibe, geschieht«, war die Antwort. Und wieder war es diese tiefe, dunkle Stimme, die sie wie ein Echo ihrer eigenen Stimme vernommen hatte.

Das Eigenartige war, daß der Alte vom Wandernden Berge den Mund nicht geöffnet hatte. Er hatte ihre und seine Worte hingeschrieben, und sie hatte sie so gehört, als ob sie sich nur erinnere, daß er eben gesprochen habe. »Du und ich«, fragte sie, »und ganz Phantásien – alles ist in diesem Buch verzeichnet?«

Er schrieb und zugleich vernahm sie seine Antwort:

»Nicht so. Dieses Buch *ist* ganz Phantásien und du und ich.«

»Und wo ist dieses Buch?«

»Im Buch«, war die Antwort, die er schrieb.

»Dann ist es nur Schein und Widerschein?« fragte sie.

Und er schrieb und sie hörte ihn sagen:

»Was zeigt ein Spiegel, der sich in einem Spiegel spiegelt? Weißt du das, Goldäugige Gebieterin der Wünsche?«

Die Kindliche Kaiserin schwieg eine Weile, und der Alte schrieb zugleich auf, daß sie schwieg.

Dann sagte sie leise: »Ich brauche deine Hilfe.«

»Ich weiß«, antwortete und schrieb er.

»Ja«, meinte sie, »so muß es wohl sein. Du bist die Erinnerung Phantásiens und weißt alles, was geschehen ist bis zu diesem Augenblick. Aber kannst du nicht vorblättern in deinem Buch und sehen, was erst geschehen wird?«

»Leere Seiten!« war die Antwort. »Ich kann nur zurückschauen auf das, was geschehen ist. Ich konnte es lesen, während ich es schrieb. Und ich weiß es, weil ich es las.

Und ich schrieb es, weil es geschah. So schreibt sich die Unendliche Geschichte selbst durch meine Hand.«

»Du weißt also nicht, warum ich zu dir gekommen bin?«

»Nein«, hörte sie seine dunkle Stimme, während er schrieb, »und ich wollte, du hättest es nicht getan. Durch mich wird alles unveränderlich und endgültig – auch du, Goldäugige Gebieterin der Wünsche. Dieses Ei ist dein Grab und dein Sarg. Du bist in die Erinnerung Phantásiens eingegangen. Wie willst du diesen Ort je wieder verlassen?«

»Jedes Ei«, antwortete sie, »ist der Anfang neuen Lebens.«

»Wahr«, schrieb und sagte der Alte, »aber nur, wenn seine Schale aufspringt.«

»Du kannst sie öffnen«, rief die Kindliche Kaiserin, »du hast mich eingelassen.«

Der Alte schüttelte den Kopf und schrieb es auf.

»Es war deine Kraft, die es bewirkte. Aber da du nun hier bist, hast du sie nicht mehr. Wir sind eingeschlossen für immer. Wahrlich, du hättest nicht kommen dürfen! Dies ist das Ende der Unendlichen Geschichte.«

Die Kindliche Kaiserin lächelte und schien nicht im geringsten beunruhigt.

»Du und ich«, sagte sie, »vermögen es nicht mehr. Aber es gibt einen, der es kann.«

»Einen neuen Anfang schaffen«, schrieb der Alte, »kann nur ein Menschenkind.«

»Ja«, erwiderte sie, »ein Menschenkind.«

Langsam hob der Alte vom Wandernden Berge seinen Blick und sah die Kindliche Kaiserin zum ersten Mal an. Es war, als käme dieser Blick vom anderen Ende des Universums, aus solcher Ferne kam er und aus solcher Dunkelheit. Sie erwiderte ihn mit ihren goldenen Augen und hielt ihm stand. Es war wie ein schweigender und regloser Kampf. Schließlich beugte sich der Alte wieder über sein Buch und schrieb:

»Wahre die Grenze, die auch dir gesetzt ist!«

»Das will ich«, antwortete sie, »aber der, von dem ich

rede und auf den ich warte, hat sie längst überschritten. Er liest in diesem Buch, in dem du schreibst, und vernimmt jedes Wort, das wir sprechen. Er ist also bei uns.«

»Wahr«, hörte sie die Stimme des Alten, während er schrieb, »auch er gehört schon unwiderruflich zur Unendlichen Geschichte, denn es ist seine eigene Geschichte.«

»Erzähle sie mir!« befahl die Kindliche Kaiserin. »Du, der du die Erinnerung Phantásiens bist, erzähle sie mir – von Anfang an und Wort für Wort, so wie du sie geschrieben hast!«

Die schreibende Hand des Alten begann zu zittern.

»Wenn ich das tue, so muß ich auch alles von neuem schreiben. Und was ich schreibe, wird von neuem geschehen.«

»So soll es sein!« sagte die Kindliche Kaiserin.

Bastian wurde unbehaglich zumut.

Was mochte sie vorhaben? Irgend etwas hatte es mit ihm zu tun. Aber wenn selbst dem Alten vom Wandernden Berge die Hand zu zittern anfing . . .

Der Alte schrieb und sagte:

»Wenn die Unendliche Geschichte
sich selbst enthält,
dann geht die Welt
in diesem Buch zunichte!«

Und die Kindliche Kaiserin antwortete:

»Doch wenn der Held
sich uns gesellt,
kann neues Leben sprießen.
Er muß sich jetzt entschließen!«

»Wahrlich, du bist schrecklich«, sagte und schrieb der Alte, »das bedeutet das Ende ohne Ende. Wir werden eintreten in den Kreis der ewigen Wiederkehr. Daraus gibt es kein Entrinnen.«

»Für uns nicht«, antwortete sie und ihre Stimme war nicht mehr sanft, sondern hart und klar wie ein Diamant, »aber auch für ihn nicht – es sei denn, er rettet uns alle.«

»Willst du wirklich alles in die Hände eines Menschenkindes legen?«

»Das will ich.«

Und dann fügte sie leiser hinzu:

»Oder weißt du anderen Rat?«

Lang war es still, ehe die dunkle Stimme des Alten sagte:

»Nein.«

Er stand tief über das Buch gebeugt, in dem er schrieb. Sein Gesicht war von der Kapuze verdeckt und nicht mehr zu sehen.

»Dann tu, worum ich dich gebeten habe!«

Der Alte vom Wandernden Berge unterwarf sich dem Willen der Kindlichen Kaiserin und begann, ihr die Unendliche Geschichte von Anfang an zu erzählen.

In diesem Augenblick wechselte der Lichtschein, der aus den Seiten des Buches strahlte, die Farbe. Er wurde rötlich wie die Schriftzeichen, die sich jetzt unter dem Stift des Alten bildeten. Auch seine Mönchskutte und die Kapuze waren nun kupferfarben. Und während er schrieb, erklang zugleich seine tiefe Stimme.

Auch Bastian hörte sie ganz deutlich.

Dennoch waren ihm die ersten Worte, die der Alte sprach, unverständlich. Sie klangen etwa wie »Tairauqitna rednaerok darnok lrak rebahni«.

Merkwürdig, dachte Bastian, warum redete der Alte plötzlich in einer fremden Sprache? Oder war es vielleicht eine Zauberformel?

Die Stimme des Alten fuhr fort, und Bastian mußte ihr folgen.

»Diese Inschrift stand auf der Glastür eines kleinen Ladens, aber so sah sie natürlich nur aus, wenn man vom Inneren des dämmerigen Raumes durch die Scheibe auf die Straße hinausblickte.

Draußen war ein grauer, kalter Novembermorgen und es regnete in Strömen. Die Tropfen liefen am Glas herunter und über die geschnörkelten Buchstaben. Alles, was man durch die Scheibe sehen konnte, war eine graue, regenfleckige Mauer auf der anderen Straßenseite.«

Die Geschichte kenne ich gar nicht, dachte Bastian etwas enttäuscht, sie kommt überhaupt nicht in dem Buch vor, das ich bis jetzt gelesen habe. Na ja, jetzt zeigt es sich ja, daß ich mich eben doch die ganze Zeit geirrt habe. Ich hab' schon wirklich geglaubt, der Alte würde jetzt anfangen, die Unendliche Geschichte von vorn zu erzählen.

»Plötzlich wurde die Tür so heftig aufgerissen, daß eine kleine Traube von Messingglöckchen, die über ihr hing, aufgeregt zu bimmeln begann und sich eine ganze Weile nicht wieder beruhigen konnte.

Der Urheber dieses Tumults war ein kleiner, auffallend dicker Junge von vielleicht zehn oder elf Jahren. Das dunkelbraune Haar hing ihm naß ins Gesicht, sein Mantel war vom Regen durchweicht und tropfte, an einem Riemen über der Schulter trug er eine Schulmappe. Er war ein wenig blaß und außer Atem, aber ganz im Gegensatz zu der Eile, die er eben noch gehabt hatte, stand er nun wie angewurzelt in der offenen Tür . . .«

Während Bastian dies las und zugleich die tiefe Stimme des Alten vom Wandernden Berge hörte, begann es ihm in den Ohren zu brausen und vor den Augen zu flimmern.

Was da erzählt wurde, war seine eigene Geschichte! Und die war in der Unendlichen Geschichte. Er, Bastian, kam als Person in dem Buch vor, für dessen Leser er sich bis jetzt gehalten hatte! Und wer weiß, welcher andere Leser ihn jetzt gerade las, der auch wieder nur glaubte, ein Leser zu sein – und so immer weiter bis ins Unendliche!

Jetzt bekam Bastian es mit der Angst. Er hatte plötzlich das Gefühl, keine Luft mehr zu bekommen. Er fühlte sich wie in einem unsichtbaren Gefängnis eingeschlossen. Er wollte aufhören, wollte nicht mehr weiter lesen.

Aber die tiefe Stimme des Alten vom Wandernden Berge fuhr fort, zu erzählen,

und Bastian konnte nichts dagegen tun. Er hielt sich die Ohren zu, aber es nützte nichts, denn die Stimme klang in seinem Inneren. Obwohl er längst wußte, daß es nicht so war, klammerte er sich noch an den Gedanken, daß diese Übereinstimmung mit seiner eigenen Geschichte vielleicht doch nur ein verrückter Zufall war,

aber die tiefe Stimme sprach unerbittlich weiter,

und nun hörte er ganz deutlich, wie sie sagte:

»... Manieren hast du nicht für fünf Pfennig, sonst hättest du dich wenigstens erst mal vorgestellt.«

»Ich heiße Bastian«, sagte der Junge, »Bastian Balthasar Bux.«

In diesem Augenblick machte Bastian eine schwerwiegende Erfahrung: Man kann davon überzeugt sein, sich etwas zu wünschen – vielleicht jahrelang – solang man weiß, daß der Wunsch unerfüllbar ist. Steht man aber plötzlich vor der Möglichkeit, daß der Wunschtraum Wirklichkeit wird, dann wünscht man sich nur noch eins: Man hätte es sich nie gewünscht.

So jedenfalls erging es Bastian.

Jetzt, wo es unerbittlicher Ernst wurde, wäre er am liebsten davongelaufen. Nur, daß es in diesem Fall kein »davon« mehr gab. Und deshalb tat er, was ihm freilich ganz und gar nichts nützen konnte: Er stellte sich einfach tot wie ein Käfer, der auf dem Rücken liegt. Er wollte so tun, als gäbe es ihn nicht, er wollte sich still halten und so klein wie möglich machen.

Der Alte vom Wandernden Berge fuhr fort zu erzählen und zugleich von neuem aufzuschreiben, wie Bastian das Buch gestohlen hatte, wie er auf den Speicher des Schulhauses geflohen war und dort zu lesen anfing. Und nun begann Atréjus Suche noch einmal, er kam zur Uralten Morla und fand Fuchur in Ygramuls Netz am Tiefen Abgrund, wo er Bastians Schreckensruf hörte. Noch einmal wurde er von der alten Urgl geheilt und von Engywuck belehrt. Er schritt durch die drei Magischen Tore und ging in Bastians Bild hinein und redete mit der Uyulála. Und dann kamen die Windriesen und Spukstadt und Gmork und Atréjus Rettung und Rückkehr zum Elfenbeinturm. Und dazwischen geschah auch alles das, was Bastian erlebt hatte, das Anzünden der Kerzen und wie er die Kindliche Kaiserin gesehen hatte und sie vergeblich darauf wartete, daß er käme. Und noch einmal machte sie sich auf, um den Alten vom Wandernden Berge zu suchen, noch einmal stieg sie die Buchstabenleiter empor und trat in das Ei und noch einmal vollzog sich das ganze Gespräch, Wort für Wort, das die beiden miteinander geführt hatten und das damit endete, daß der Alte vom Wandernden Berge die Unendliche Geschichte zu schreiben und zu erzählen begann.

Und hier fing alles wieder von vorne an – unverändert und unabänderlich – und wiederum endete alles bei der Begegnung der Kindlichen Kaiserin mit dem Alten vom Wandernden Berge, der abermals die Unendliche Geschichte zu schreiben und zu erzählen begann ...

... und es würde in alle Ewigkeit so fortgehen, denn es war ja ganz unmöglich, daß etwas sich am Ablauf der Dinge ändern konnte. Nur er allein, Bastian, konnte eingreifen. Und er mußte es tun, wenn er nicht selbst in diesem Kreislauf eingeschlossen bleiben wollte. Ihm kam es so vor, als habe sich die Geschichte schon tausendmal wiederholt, nein, als gäbe es kein Vorher und kein Nachher, sondern als sei alles für immer gleichzeitig da. Jetzt begriff er, warum die Hand des Alten gezittert hatte. Der Kreis der ewigen Wiederkehr war das Ende ohne Ende!

Bastian fühlte nicht, daß ihm Tränen über das Gesicht liefen. Fast besinnungslos schrie er plötzlich:

»Mondenkind! Ich komme!«

Im selben Augenblick geschahen mehrere Dinge zugleich.

Die Schale des großen Eis wurde von einer ungeheuren Gewalt in Stücke gesprengt, wobei ein dunkles Donnergrollen zu hören war. Dann brauste ein Sturmwind von fern heran

und fuhr aus den Seiten des Buches heraus, das Bastian auf den Knien hielt, so daß sie wild zu flattern begannen. Bastian fühlte den Sturm in seinem Haar und Gesicht, er nahm ihm fast den Atem, die Kerzenflammen des siebenarmigen Leuchters tanzten und legten sich waagrecht, und dann fuhr ein zweiter, noch gewaltigerer Sturmwind in das Buch hinein und die Lichter erloschen.

Die Turmuhr schlug zwölf.

XIII. Perelin, der Nachtwald

ondenkind, ich komme!« sagte Bastian noch einmal leise in die Dunkelheit hinein. Er fühlte von diesem Namen eine unbeschreiblich süße, tröstliche Kraft ausgehen, die ihn ganz erfüllte. Darum sagte er ihn gleich noch ein paarmal vor sich hin:

»Mondenkind! Mondenkind! Ich komme, Mondenkind! Ich bin schon da.«

Aber wo war er?

Er konnte nicht den geringsten Lichtschein sehen, aber was ihn umgab, war nicht mehr die frostige Finsternis des Speichers, sondern ein samtenes, warmes Dunkel, in dem er sich geborgen und glücklich fühlte.

Alle Angst und Beklemmung war von ihm abgefallen. Er erinnerte sich nur noch daran, wie an etwas längst Vergangenes. Ihm war so heiter und leicht zumut, daß er sogar leise lachte.

»Mondenkind, wo bin ich?« fragte er.

Er fühlte die Schwere seines Körpers nicht mehr. Er tastete mit den Händen herum und wurde sich bewußt, daß er schwebte. Da waren keine Matten mehr und kein fester Boden.

Es war eine wunderbare, nie gekannte Empfindung, ein Gefühl von Losgelöstheit und grenzenloser Freiheit. Nichts, was ihn je belastet und beengt hatte, konnte ihn nun noch erreichen.

Schwebte er am Ende irgendwo im Weltall? Aber im Weltall gab es doch Sterne und er konnte nichts dergleichen sehen. Es gab nur noch das samtene Dunkel und ihm war so wohl, so wohl wie nie zuvor in seinem Leben. War er vielleicht gestorben?

»Mondenkind, wo bist du?«

Und nun hörte er eine vogelzarte Stimme, die ihm antwortete und vielleicht schon mehrmals geantwortet hatte, ohne daß er dessen innegeworden war. Er hörte sie ganz nah und hätte doch nicht sagen können, aus welcher Richtung sie kam:

»Hier bin ich, mein Bastian.«

»Mondenkind, bist du's?«

Sie lachte auf eine eigentümlich singende Art.

»Wer sollte ich wohl sonst sein. Du hast mir doch eben erst diesen schönen Namen gegeben. Ich danke dir dafür. Sei mir willkommen, mein Retter und mein Held.«

»Wo sind wir, Mondenkind?«

»Ich bin bei dir, und du bist bei mir.«

Es war wie ein Gespräch im Traum, und doch wußte Bastian ganz sicher, daß er wach war und nicht träumte.

»Mondenkind«, flüsterte er, »ist das nun das Ende?«

»Nein«, antwortete sie, »es ist der Anfang.«

»Wo ist Phantásien, Mondenkind? Wo sind die anderen alle? Wo ist Atréju und Fuchur? Ist denn alles verschwunden? Und der Alte vom Wandernden Berge und sein Buch? Gibt es sie nicht mehr?«

»Phantásien wird aus deinen Wünschen neu entstehen, mein Bastian. Durch mich werden sie Wirklichkeit.«

»Aus meinen Wünschen?« wiederholte Bastian staunend.

»Du weißt doch«, hörte er die süße Stimme, »daß man mich die Gebieterin der Wünsche nennt. Was wirst du dir wünschen?«

Bastian dachte nach, dann fragte er vorsichtig:

»Wieviele Wünsche habe ich denn frei?«

»Soviele du willst – je mehr, desto besser, mein Bastian. Um so reicher und vielgestaltiger wird Phantásien sein.«

Bastian war überrascht und überwältigt. Aber gerade weil er sich plötzlich einer Unendlichkeit von Möglichkeiten gegenüber sah, fiel ihm überhaupt kein Wunsch ein.

»Ich weiß nichts«, sagte er schließlich.

Es war eine Weile still, dann hörte er die vogelzarte Stimme:

»Das ist schlimm.«

»Warum?«

»Weil es dann kein Phantásien mehr geben wird.«

Bastian schwieg verwirrt. Es störte ein wenig sein Gefühl schrankenloser Freiheit, daß alles von ihm abhängen sollte.

»Warum ist es so dunkel, Mondenkind?« fragte er.

»Der Anfang ist immer dunkel, mein Bastian.«

»Ich möchte dich gern noch einmal sehen, Mondenkind, weißt du, wie in dem Augenblick, als du mich angeschaut hast.«

Er hörte wieder das leise, singende Lachen.

»Warum lachst du?«

»Weil ich froh bin.«

»Worüber denn?«

»Du hast eben deinen ersten Wunsch gesagt.«

»Und wirst du ihn erfüllen?«

»Ja, streck deine Hand aus!«

Er tat es und fühlte, daß sie etwas auf seine flache Hand legte. Es war winzig, wog aber seltsam schwer. Kälte ging davon aus und es fühlte sich hart und tot an.

»Was ist das, Mondenkind?«

»Ein Sandkorn«, antwortete sie. »Es ist alles, was von meinem grenzenlosen Reich übriggeblieben ist. Ich schenke es dir.«

»Danke«, sagte Bastian verwundert. Er wußte wahrhaftig nicht, was er mit dieser Gabe anfangen sollte. Wenn es wenigstens etwas Lebendiges gewesen wäre!

Während er noch überlegte, was Mondenkind wohl von ihm erwartete, fühlte er plötzlich ein zartes Kribbeln auf seiner Hand. Er sah genauer hin.

»Schau mal, Mondenkind!« flüsterte er, »es fängt ja an zu glimmen und zu glitzern! Und da – siehst du's – da züngelt eine winzige Flamme heraus. Nein, das ist ja ein Keim! Mondenkind, das ist ja gar kein Sandkorn! Das ist ein leuchtendes Samenkörnchen, das zu treiben anfängt!«

»Gut gemacht, mein Bastian!« hörte er sie sagen. »Siehst du, es ist ganz leicht für dich.«

Von dem Pünktchen auf Bastians Handfläche ging jetzt ein kaum wahrnehmbarer Schein aus, der rasch zunahm und aus dem samtenen Dunkel die beiden so verschiedenartigen Kindergesichter aufleuchten ließ, die über das Wunder geneigt waren.

Bastian zog langsam seine Hand zurück und der leuchtende Punkt blieb wie ein kleiner Stern zwischen ihnen schweben.

Der Keim wuchs sehr rasch, man konnte ihm dabei zusehen. Er entfaltete Blätter und Stengel, trieb Knospen hervor, die zu wunderbaren, vielfarbig glimmenden und phosphoreszierenden Blüten aufsprangen. Schon bildeten sich kleine Früchte, die, sobald sie reif waren, explodierten wie Miniaturraketen und einen bunten Funkenregen von neuen Samenkörnern um sich sprühten.

Aus den neuen Samenkörnern wuchsen wieder Pflanzen, doch hatten sie andere Formen, glichen Farnwedeln oder kleinen Palmen, Kakteenkugeln, Schachtelhalmen oder knorrigen Bäumchen. Jede glomm und leuchtete in einer anderen Farbe.

Bald war rund um Bastian und Mondenkind, über und unter ihnen und zu allen Seiten, das samtene Dunkel mit sprossenden und wuchernden Lichtpflanzen erfüllt. Ein farbenglühender Ball, eine neue, leuchtende Welt schwebte im Nirgendwo, wuchs und wuchs, und in ihrem innersten Inneren saßen Bastian und Mondenkind Hand in Hand und sahen mit staunenden Augen dem wunderbaren Schauspiel zu.

Die Pflanzen schienen unerschöpflich im Hervorbringen immer neuer Formen und Farben. Immer größere Blütenknospen taten sich auf, immer reichere Dolden sprühten hervor. Und dieses ganze Wachstum vollzog sich in völliger Stille.

Nach einer Weile hatten manche Pflanzen schon die Höhe von Sonnenblumen erreicht, ja, einige waren sogar schon groß wie Obstbäume. Da gab es Fächer oder Pinsel aus langen, smaragdgrünen Blättern, oder Blüten wie Pfauenschweife voller regenbogenfarbener Augen. Andere Gewächse glichen Pagoden aus übereinanderstehenden, aufgespannten Regenschirmen von violetter Seide. Einige dickere Stämme waren zopfartig verschlungen. Da sie durchscheinend waren, sahen sie aus wie aus rosa Glas, das von innen erleuchtet ist. Und Blütenbüschel waren da, die großen

Trauben blauer und gelber Lampions glichen. An manchen Stellen hingen Abertausende von kleinen Sternblumen hernieder wie silberglitzernde Wasserfälle, oder dunkelgoldene Vorhänge aus Glockenblumen mit langen, quastenartigen Staubgefäßen. Und immer noch üppiger und dichter wuchsen diese leuchtenden Nachtpflanzen und verwoben sich nach und nach untereinander zu einem herrlichen Geflecht aus mildem Licht.

»Du mußt ihm einen Namen geben!« flüsterte Mondenkind.

Bastian nickte.

»Perelín, der Nachtwald«, sagte er.

Er blickte der Kindlichen Kaiserin in die Augen – und nun geschah ihm noch einmal, was ihm bei ihrem ersten Blickwechsel geschehen war. Er saß da wie verzaubert und schaute sie an und konnte seine Augen nicht mehr von ihr abwenden. Bei jenem ersten Mal hatte er sie todkrank gesehen, aber jetzt war sie noch viel, viel schöner. Ihr zerrissenes Gewand war wieder wie neu und über das makellose Weiß der Seide und ihres langen Haars spielte der Widerschein des vielfarbigen, sanften Lichts. Sein Wunsch war in Erfüllung gegangen.

»Mondenkind«, stammelte Bastian benommen, »bist du jetzt wieder gesund?«

Sie lächelte.

»Kannst du das nicht sehen, mein Bastian?«

»Ich möchte, daß es ewig so bleibt wie jetzt«, sagte er.

»Ewig ist der Augenblick«, antwortete sie.

Bastian schwieg. Er verstand ihre Antwort nicht, aber ihm war jetzt nicht nach Grübeln zumut. Er wollte nichts, als vor ihr sitzen und sie anschauen.

Um die beiden herum hatte das wuchernde Dickicht der Lichtpflanzen nach und nach ein dichtes Gitterwerk gebildet, ein farbenglühendes Gewebe, das sie einschloß wie ein großes, rundes Zelt aus Zauberteppichen. So achtete Bastian nicht darauf, was außerhalb geschah. Er wußte nicht, daß Perelín weiter- und weiterwuchs und die einzelnen

Pflanzen immer größer wurden. Und noch immer regneten überall lichtfünkchenkleine Samenkörner herunter, aus denen neue Keime sproßten.

Er saß in Mondenkinds Anblick versunken.

Er hätte nicht sagen können, ob viel Zeit verstrichen war oder wenig, als Mondenkind ihm mit ihrer Hand die Augen verdeckte.

»Warum hast du mich so lang auf dich warten lassen?« hörte er sie fragen. »Warum hast du mich gezwungen, zum Alten vom Wandernden Berge zu gehen? Warum bist du nicht gekommen, als ich rief?«

Bastian schluckte.

»Es war, weil –«, brachte er verlegen heraus, »– ich dachte – es war alles mögliche, auch Angst – aber in Wirklichkeit hab' ich mich vor dir geschämt, Mondenkind.«

Sie zog ihre Hand zurück und sah ihn verwundert an.

»Geschämt? Aus welchem Grund denn?«

»Na ja«, druckste Bastian, »ich meine, du hast doch sicher jemand erwartet, der zu dir paßt.«

»Und du?« fragte sie, »paßt du nicht zu mir?«

»Das heißt«, stotterte Bastian und fühlte, daß er rot wurde, »ich wollte sagen, eben einen, der mutig ist und stark und schön – einen Prinzen oder so was – jedenfalls nicht so einen wie mich.«

Er hatte die Augen niedergeschlagen und hörte, daß sie wieder auf diese leise, singende Art lachte.

»Siehst du«, sagte er, »jetzt lachst du auch über mich.«

Es blieb lange still, und als Bastian es endlich über sich brachte, wieder aufzublicken, sah er, daß sie sich ganz nah zu ihm geneigt hatte. Ihr Gesicht war ernst.

»Ich will dir etwas zeigen, mein Bastian«, sagte sie, »schau mir in die Augen!«

Bastian tat es, obwohl ihm das Herz klopfte und ihm ein wenig schwindelig dabei wurde.

Und nun sah er im Goldspiegel ihrer Augen, erst noch klein und wie aus weiter Ferne, eine Gestalt, die nach und nach größer und immer deutlicher wurde. Es war ein Knabe, etwa in seinem Alter, doch war er schlank und von wunderbarer Schönheit. Seine Haltung war stolz und aufrecht, sein Gesicht edel, schmal und männlich. Er sah aus wie ein junger Prinz aus dem Morgenland. Sein Turban war aus blauer Seide, ebenso die silberbestickte Jacke, die er trug und die bis zu den Knien reichte. Seine Beine steckten in hohen, roten Stiefeln aus feinem, weichen Leder, deren Spitzen waren aufgebogen. Auf seinem Rücken hing von den Schultern bis zum Boden ein silberglitzernder Mantel nieder, der einen hoch aufgestellten Kragen hatte. Das schönste an diesem Jungen waren seine Hände, die feingliedrig und vornehm und doch zugleich ungewöhnlich kräftig wirkten.

Hingerissen und voll Bewunderung blickte Bastian dieses Bild an. Er konnte sich kaum satt sehen. Er wollte gerade fragen, wer dieser schöne junge Königssohn sei, als ihn wie ein Blitzstrahl die Erkenntnis durchzuckte, daß er es selber war.

Es war sein eigenes Spiegelbild in Mondenkinds Goldaugen!

Was in diesem Moment mit ihm geschah, ist mit Worten sehr schwer zu beschreiben. Es war ein Entzücken, das ihn aus sich selbst forttrug wie in einer Ohnmacht, weit fort, und als es ihn wieder absetzte und er ganz in sich zurückgekehrt war, fand er sich als jener schöne Junge wieder, dessen Bild er erblickt hatte.

Er sah an sich hinunter und alles war so wie in Mondenkinds Augen, die feinen weichen Stiefel aus rotem Leder, die blaue silberbestickte Jacke, der Turban, der lange glitzernde Mantel, seine Gestalt und – soweit er es fühlen konnte – auch sein Gesicht. Staunend blickte er auf seine Hände.

Er wandte sich nach Mondenkind um.

Sie war nicht mehr da!

Er war allein in dem runden Raum, den das glimmende Pflanzendickicht gebildet hatte.

»Mondenkind!« rief er nach allen Seiten, »Mondenkind!«

Aber er bekam keine Antwort.

Ratlos setzte er sich nieder. Was sollte er nun anfangen? Warum hatte sie ihn allein gelassen? Wo sollte er nun hin – falls er überhaupt irgendwohin konnte und nicht wie in einem Käfig gefangen war?

Während er so dasaß und zu verstehen versuchte, was Mondenkind veranlaßt haben mochte, ihn ohne Erklärung und ohne Abschiedswort zu verlassen, spielten seine Finger mit einem goldenen Amulett, das an einer Kette um seinen Hals hing.

Er betrachtete es und stieß einen Laut der Überraschung aus.

Es war AURYN, das Kleinod, der Glanz, das Zeichen der Kindlichen Kaiserin, das seinen Träger zu ihrem Stellvertreter machte! Mondenkind hatte ihm ihre Macht über alle Wesen und Dinge Phantásiens hinterlassen. Und solange er dieses Zeichen trug, würde es sein, als wäre sie bei ihm.

Bastian blickte lange die beiden Schlangen an, die helle und die dunkle, die einander in den Schwanz bissen und ein Oval bildeten. Dann drehte er das Medaillon um und fand zu seiner Verwunderung auf der Rückseite eine Inschrift. Es waren vier kurze Worte in eigenartig verschlungenen Buchstaben:

Tu
Was Du
Willst

Davon war bisher in der Unendlichen Geschichte nie die Rede gewesen. Hatte Atréju diese Inschrift nicht bemerkt?

Aber das war jetzt nicht wichtig. Wichtig war allein, daß die Worte die Erlaubnis, nein, geradezu die Aufforderung ausdrückten, alles zu tun, wozu er Lust hatte.

Bastian trat an die Wand aus farbenglühendem Pflanzendickicht heran, um zu sehen, ob und wo er durchschlüpfen konnte, doch stellte er mit Vergnügen fest, daß sie sich ohne Mühe wie ein Vorhang beiseite schieben ließ. Er trat hinaus.

Das sanfte und zugleich urgewaltige Wachstum der Nachtpflanzen war inzwischen unaufhörlich weitergegangen und Perelín war zu einem Wald geworden, wie ihn vor Bastian noch nie ein menschliches Auge erblickt hat.

Die größten Stämme hatten jetzt die Höhe und Dicke von Kirchtürmen – und dennoch wuchsen sie noch immer weiter und hörten nicht auf zu wachsen. An manchen Stellen standen diese milchig schimmernden Riesensäulen schon so eng beieinander, daß es unmöglich war, zwischen ihnen hindurchzuschlüpfen. Und noch immer fielen wie ein Funkenregen neue Samenkörner herunter.

Während Bastian durch den Lichtdom dieses Waldes spazierte, gab er sich Mühe, keinen der glimmenden Keime auf dem Boden zu zertreten, aber das erwies sich bald als unmöglich. Es war einfach kein Fußbreit Boden mehr da, wo nichts sproßte. So ging er schließlich unbesorgt weiter, wo die riesigen Stämme ihm den Weg frei ließen.

Bastian genoß es, schön zu sein. Daß niemand da war, um ihn zu bewundern, störte ihn durchaus nicht. Im Gegenteil, er war froh darüber, dieses Vergnügen ganz für sich allein zu haben. Ihm lag ganz und gar nichts an der Bewunderung derer, die ihn bisher verspottet hatten. Jetzt nicht mehr. Er dachte fast mit Mitleid an sie.

In diesem Wald, in dem es keine Jahreszeiten und auch nicht den Wechsel von Tag und Nacht gab, war auch das Erlebnis der Zeit etwas ganz anderes, als das, was Bastian bisher darunter verstanden hatte. Und so wußte er nicht, wie lang er schon so dahinspazierte. Doch nach und nach verwandelte sich seine Freude darüber, schön zu sein, in etwas anderes: Sie wurde ihm selbstverständlich. Nicht, daß er weniger glücklich darüber gewesen wäre, es kam ihm nur so vor, als habe er es nie anders gekannt.

Das hatte einen Grund, den Bastian erst sehr, sehr viel später erkennen sollte und von dem er jetzt noch nicht das geringste ahnte. Für die Schönheit, die ihm geschenkt worden war, vergaß er nämlich nach und nach, daß er einmal dick und x-beinig gewesen war.

Selbst wenn er etwas davon gemerkt hätte, so wäre ihm sicher nicht sonderlich viel an dieser Erinnerung gelegen. Doch das Vergessen ging völlig unmerklich vor sich. Und als die Erinnerung ganz verschwunden war, kam es ihm so vor, als sei er immer schon so gewesen wie jetzt. Und genau dadurch war sein Wunsch, schön zu sein, gestillt, denn einer, der es immer schon war, wünscht es sich nicht mehr.

Kaum war er an diesem Punkt angelangt, als er sogar schon ein gewisses Ungenügen empfand und ein neuer Wunsch in ihm wach wurde. Nur schön zu sein, das war eigentlich nichts Rechtes! Er wollte auch stark sein, stärker als alle. Der Stärkste, den es überhaupt gab!

Während er weiter durch den Nachtwald Perelín spazierte, begann er Hunger zu fühlen. Er pflückte da und dort einige der sonderbar geformten und leuchtenden Früchte ab und versuchte vorsichtig, ob sie eßbar waren. Nicht nur das! stellte er mit Befriedigung fest, sondern sie schmeckten auch ganz hervorragend, manche herb, manche süß, manche ein wenig bitter, aber alle höchst appetitlich. Er aß im Weitergehen eine nach der anderen und spürte dabei, wie eine wunderbare Kraft in seine Glieder strömte.

Inzwischen war das glimmende Unterholz des Waldes rund um ihn her so dicht geworden, daß es ihm den Ausblick nach allen Seiten versperrte. Und überdies begannen nun auch noch Lianen und Luftwurzeln von oben herunter zu wachsen und sich mit dem Dickicht zu einem undurchdringlichen Gestrüpp zu verweben. Bastian bahnte sich mit Handkantenschlägen einen Pfad, und das Dickicht ließ sich zerteilen, als habe er eine Machete, ein Buschmesser benützt. Gleich hinter ihm schloß sich die Bresche wieder, so vollkommen, als habe es sie nie gegeben.

Er ging weiter, aber eine Mauer von Baumriesen versperrte ihm den Weg, deren Stämme ohne Zwischenraum aneinandergepreßt standen.

Bastian griff mit beiden Händen zu – und bog zwei Stämme auseinander! Hinter ihm schloß sich wieder geräuschlos der Spalt.

Bastian stieß einen wilden Jubelschrei aus.

Er war der Herr des Urwalds!

Eine Zeitlang vergnügte er sich damit, sich Bahn durch den Dschungel zu brechen, wie ein Elefant, der den Großen Ruf gehört hat. Seine Kräfte ließen nicht nach, keinen Augenblick mußte er innehalten, um zu Atem zu kommen, es gab kein Seitenstechen und kein Herzhämmern, er schwitzte noch nicht einmal.

Aber schließlich hatte er sich satt getobt und es überkam ihn Lust, Perelín, sein Reich, einmal aus der Höhe zu überblicken, um zu sehen, wie weit es sich schon erstreckte.

Er blickte prüfend nach oben, spuckte in die Hände, ergriff eine Liane und begann, sich hinaufzuziehen, einfach so, Hand über Hand, und ohne dazu die Beine zu benützen, wie er es bei Zirkusartisten gesehen hatte. Als ein verblaßtes Erinnerungsbild aus längst vergangenen Tagen sah er sich für einen Augenblick während der Turnstunden, wo er zum glucksenden Vergnügen der ganzen Klasse wie ein Mehlsack am untersten Ende des Kletterseils gebaumelt hatte. Er mußte lächeln. Sicherlich hätten sie Mund und Nase aufgesperrt, wenn sie ihn jetzt hätten sehen können. Sie wären stolz darauf gewesen, ihn zu kennen. Aber er würde sie nicht einmal beachtet haben.

Ohne ein einziges Mal innezuhalten, erreichte er schließlich den Ast, von dem die Liane herunterhing. Er setzte sich rittlings darauf. Der Ast war dick wie eine Tonne und phosphoreszierte von innen heraus rötlich. Bastian stellte sich vorsichtig auf und balancierte auf den Stamm des Baumes zu. Auch hier versperrte dichtes Rankengestrüpp den Weg, aber er verschaffte sich ohne Mühe Durchgang.

Der Stamm war hier oben noch immer so dick, daß fünf Männer ihn nicht umspannen konnten. Ein anderer Seitenast, der etwas höher und in anderer Richtung aus dem Stamm hervorragte, war von Bastians Standort aus nicht zu erreichen. Also schwang er sich mit einem Sprung zu einer Luftwurzel hinüber und schaukelte so lange hin und her, bis er den höheren Ast, wiederum durch einen gewagten

Sprung, zu fassen bekam. Von dort aus konnte er sich zu einem noch höheren hinaufziehen. Er war nun schon sehr hoch im Gezweig, mindestens hundert Meter, aber das glimmende Blatt- und Astwerk ließ keine Sicht nach unten zu.

Erst als er etwa die doppelte Höhe erreicht hatte, gab es da und dort freie Stellen, die einen Rundblick gestatteten. Doch dann fing die Sache erst an, schwierig zu werden, gerade weil es immer weniger Zweige und Äste gab. Und schließlich, als er schon fast ganz oben war, mußte er innehalten, weil er nichts mehr fand, woran er sich hätte festhalten können, als den nackten, glatten Stamm, der immerhin noch die Dicke einer Telegraphenstange hatte.

Bastian blickte nach oben und sah, daß dieser Stamm oder Stengel ungefähr zwanzig Meter höher in einer riesengroßen, dunkelrot leuchtenden Blüte endete. Wie er dort von unten hineinkommen sollte, war ihm nicht klar. Aber er mußte hinauf, denn hier wo er war, wollte er nicht bleiben. Er umklammerte also den Stamm und kletterte die letzten zwanzig Meter wie ein Akrobat empor. Der Stamm schwankte hin und her und bog sich wie ein Grashalm im Wind.

Endlich hing er unmittelbar unter der Blüte, die sich wie eine Tulpe nach oben öffnete. Es gelang ihm, eine Hand zwischen die Blütenblätter zu schieben. So fand er Halt, drängte die Blätter weiter auseinander und zog sich hinauf.

Einen Augenblick lang blieb er liegen, denn nun war er doch ein wenig außer Atem. Aber gleich stand er auf und blickte über den Rand der rotglimmenden Riesenblüte wie aus einem Mastkorb nach allen Seiten.

Der Anblick war über alle Worte großartig!

Die Pflanze, in deren Blüte er stand, war eine der höchsten des ganzen Dschungels, und so reichte sein Blick sehr weit. Über ihm war noch immer das samtene Dunkel wie ein sternenloser Nachthimmel, aber unter ihm dehnte sich die Unendlichkeit der Wipfel von Perelín in einem Farbenspiel, daß ihm schier die Augen übergingen.

Und Bastian stand lange und trank das Bild in sich hinein. Das war sein Reich! Er hatte es erschaffen! Er war der Herr von Perelín.

Und noch einmal flog sein wilder Jubelschrei weit über den leuchtenden Dschungel hin.

Das Wachstum der Nachtpflanzen aber ging schweigend, sanft und unaufhaltsam weiter.

XIV. Goab, die Wüste der Farben

achdem Bastian in der rotglimmenden Riesenblüte tief und lang geschlafen hatte und die Augen aufschlug, sah er, daß sich noch immer der samtschwarze Nachthimmel über ihm wölbte. Er streckte sich und fühlte zufrieden die wunderbare Kraft in seinen Gliedern.

Und wiederum war, ohne daß er etwas davon bemerkte, eine Veränderung mit ihm vorgegangen. Der Wunsch, stark zu sein, hatte sich erfüllt.

Als er nun aufstand und über den Rand der Riesenblüte in die Runde spähte, stellte er fest, daß Perelín offenbar nach und nach zu wachsen aufgehört hatte. Der Nachtwald hatte sich nicht mehr sehr verändert. Bastian wußte nicht, daß auch das mit der Erfüllung seines Wunsches zusammenhing und daß zugleich die Erinnerung an seine Schwäche und Ungeschicklichkeit ausgelöscht war. Er war schön und stark, aber irgendwie genügte ihm das nicht. Es kam ihm jetzt sogar ein bißchen weichlich vor. Schön und stark sein war nur etwas wert, wenn man dazu auch abgehärtet war, zäh und spartanisch. So wie Atréju. Aber unter diesen leuchtenden Blumen, wo man nur die Hand nach den Früchten auszustrecken brauchte, war dazu keine Gelegenheit.

Im Osten begannen über dem Horizont von Perelín die ersten zarten Perlmuttertöne der Morgendämmerung zu spielen. Und je heller es wurde, desto mehr verblaßte das Phosphoreszieren der Nachtpflanzen.

»Gut«, sagte Bastian vor sich hin, »ich dachte schon, es würde hier überhaupt nie Tag werden.«

Er setzte sich auf den Boden der Blüte und überlegte, was er nun tun wollte. Wieder hinunterklettern und weiter herumspazieren? Gewiß, als der Herr von Perelín konnte er sich Wege bahnen, wo es ihm gefiel. Er konnte Tage, Monate, vielleicht Jahre darin herumlaufen. Der Dschungel war viel zu groß, als daß er je aus ihm hinausfinden würde. So schön die Nachtpflanzen auch waren, auf die Dauer war es nicht das Richtige für Bastian. Etwas anderes wäre es zum Beispiel, eine Wüste zu durchwandern – die größte Wüste

Phantásiens. Ja, das wäre etwas, worauf man wirklich stolz sein könnte!

Und in diesem Augenblick fühlte er eine heftige Erschütterung durch die ganze Riesenpflanze gehen. Der Stamm neigte sich und ein knisterndes und rieselndes Geräusch war zu hören. Bastian mußte sich festhalten, um nicht aus der Blüte hinauszurollen, die sich immer weiter senkte und nun schon waagrecht stand. Der Blick über Perelín, der sich ihm dadurch bot, war erschreckend.

Die Sonne war inzwischen aufgegangen und beleuchtete ein Bild der Zerstörung. Von den gewaltigen Nachtpflanzen war kaum noch etwas übrig. Viel schneller, als sie entstanden waren, zerfielen sie nun im grellen Licht der Sonne zu Staub und feinem, farbigem Sand. Nur noch da und dort ragten die Stümpfe einiger Baumriesen auf und zerbröckelten wie die Türme von Strandburgen, wenn sie austrocknen. Die letzte der Pflanzen, die noch standzuhalten schien, war die, in deren Blüte Bastian saß. Aber als er nun versuchte, sich an den Blütenblättern festzuhalten, zerstäubten sie unter seinem Griff und wehten als Sandwolke fort. Jetzt, wo nichts mehr die Sicht nach unten verdeckte, sah er auch, in welch schwindelnder Höhe er sich befand. Wenn er nicht Gefahr laufen wollte, abzustürzen, mußte er so rasch wie möglich hinunterzuklettern versuchen.

Vorsichtig, um keine unnötige Erschütterung zu verursachen, stieg er aus der Blüte, setzte sich rittlings auf den Stengel, der jetzt gebogen war wie eine Angelrute. Kaum hatte er das geschafft, da fiel auch schon die ganze Blüte hinter ihm ab und zerstiebte im Fallen zu einer Wolke von rotem Sand.

Mit größter Behutsamkeit ruckte Bastian weiter. Manch einer hätte den Blick in die fürchterliche Tiefe, über der er schwebte, wohl nicht ertragen und wäre von Panik erfaßt abgestürzt, aber Bastian war vollkommen schwindelfrei und behielt eiserne Nerven. Er wußte, daß eine einzige unbedachte Bewegung die Pflanze abbrechen lassen konnte. Er durfte sich von der Gefahr zu keiner Unbesonnenheit treiben lassen. Langsam schob er sich weiter und erreichte schließlich die Stelle, wo der Stamm wieder steiler und endlich senkrecht wurde. Er umklammerte ihn und ließ sich Zentimeter um Zentimeter hinunterrutschen. Mehrmals wurde er von oben mit großen Wolken farbigen Staubes überschüttet. Seitenäste gab es keine mehr, und wo doch noch ein Stumpf hervorragte, zerbröckelte dieser sofort, sobald Bastian versuchte, ihn als Stütze zu benützen. Nach unten zu wurde der Stamm immer dicker und war nicht mehr zu umklammern. Und noch immer befand Bastian sich turmhoch über dem Boden. Er hielt inne, um zu überlegen, wie er weiterkommen konnte.

Doch eine neue Erschütterung, die durch den riesigen Stumpf ging, enthob ihn jeder weiteren Überlegung. Das, was von dem Stamm noch übrig war, rutschte in sich zusammen und bildete einen spitzkegeligen Berg, von dem Bastian in einem wilden Wirbel herunterrollte, wobei er sich ein paarmal überschlug und schließlich am Fuß des Berges liegen blieb. Der nachrutschende Farbstaub begann ihn zu verschütten, doch er kämpfte sich ins Freie, schüttelte sich den Sand aus den Ohren und den Kleidern und spuckte ein paarmal kräftig aus. Dann blickte er sich um.

Das Schauspiel, das er sah, war unerhört: Der Sand war allenthalben in einer langsamen, fließenden Bewegung. In eigentümlichen Wirbeln und Strömungen zog er da hin und dort hin, sammelte sich zu Hügeln und Dünen ganz unterschiedlicher Höhe und Ausdehnung, aber immer von einer ganz bestimmten Farbe. Hellblauer Sand strömte zu einem hellblauen Haufen zusammen, grüner zu einem grünen und violetter zu einem violetten. Perelín löste sich auf und wurde zu einer Wüste, aber zu was für einer!

Bastian war auf eine Düne aus purpurrotem Sand geklettert und rings um sich her erblickte er nichts als Hügel hinter Hügel in allen nur erdenklichen Farben. Denn jeder Hügel zeigte eine Tönung, die bei keinem anderen wiederkehrte. Der nächstliegende war kobaltblau, ein anderer safrangelb, dahinter leuchtete einer in karmesinrot, in indigo, in apfelgrün, himmelblau, orange, pfirsichrosa, malvenfarben, türkisblau, fliederlila, moosgrün, rubinrot, umbrabraun, indischgelb, zinnoberrot und lapislazuliblau. Und so ging es immer weiter von einem Horizont zum anderen, bis das Auge es nicht mehr zu fassen vermochte. Goldene und silberne Bäche aus Sand zogen sich zwischen den Hügeln hin und trennten die Farben von einander.

»Das«, sagte Bastian laut, »ist Goab, die Wüste der Farben!«

Die Sonne stieg höher und höher und die Hitze wurde mörderisch. Die Luft begann über den bunten Sanddünen zu flimmern und Bastian wurde sich bewußt, daß seine Situation nun tatsächlich schwierig geworden war. In dieser Wüste konnte er nicht bleiben, das war gewiß. Wenn es ihm nicht gelang, aus ihr hinauszukommen, dann mußte er in kurzer Zeit verschmachten.

Unwillkürlich griff er nach dem Zeichen der Kindlichen Kaiserin auf seiner Brust in der Hoffnung, daß es ihn führen würde. Dann machte er sich beherzt auf den Weg.

Eine Düne nach der anderen erklomm er, eine nach der anderen watete er wieder hinab, Stunde um Stunde kämpfte er sich so vorwärts, ohne je etwas anderes zu erblicken, als Hügel hinter Hügel. Nur die Farben wechselten immerzu. Die fabelhaften Körperkräfte nützten ihm jetzt nichts mehr, denn die Weiten einer Wüste sind mit Kraft nicht zu bezwingen. Die Luft war ein wabernder Gluthauch der Hölle und kaum noch zu atmen. Die Zunge klebte ihm am Gaumen und sein Gesicht war schweißüberströmt.

Die Sonne war zu einem Feuerwirbel in der Himmelsmitte geworden. Dort stand sie schon seit langer Zeit und schien sich nicht mehr weiterzubewegen. Dieser Wüstentag währte ebenso lang wie die Nacht über Perelín.

Bastian ging weiter und immer weiter. Seine Augen brannten und seine Zunge fühlte sich an wie ein Stück Leder. Aber er gab nicht auf. Sein Körper war ausgedörrt und das Blut in seinen Adern wurde so dick, daß es kaum noch fließen wollte. Aber Bastian ging weiter, langsam, Schritt für Schritt, ohne zu eilen und ohne innezuhalten, wie es alle erfahrenen Wüstenwanderer tun. Er achtete nicht auf die Qualen des Durstes, die sein Körper litt. In ihm war ein Wille von so eiserner Härte erwacht, daß weder Müdigkeit noch Entbehrung ihn bezwingen konnte.

Er dachte daran, wie rasch er früher zu entmutigen gewesen war. Er hatte hundert Dinge angefangen und sie bei der kleinsten Schwierigkeit wieder aufgegeben. Er hatte sich dauernd um seine Ernährung gesorgt und lächerliche Angst davor gehabt, krank zu werden oder Schmerzen aushalten zu müssen. Das alles lag nun weit hinter ihm.

Diesen Weg durch die Farbenwüste Goab, den er jetzt zurücklegte, hatte noch nie zuvor ein anderer zu unternehmen gewagt, und nie würde nach ihm ein anderer es auf sich nehmen, ihn zu gehen.

Und wahrscheinlich würde niemand je davon erfahren.

Dieser letzte Gedanke erfüllte Bastian mit Bedauern. Aber er war nicht von der Hand zu weisen. Alles sprach dafür, daß Goab so unvorstellbar groß war, daß er den Rand der Wüste niemals erreichen würde. Die Vorstellung, früher oder später trotz aller Ausdauer verschmachten zu müssen, machte ihm keine Angst. Er würde den Tod ruhig und mit Würde ertragen, so wie es die Jäger aus Atréjus Volk zu tun pflegten. Aber da niemand sich in diese Wüste wagte, würde auch niemand je die Kunde von Bastians Ende verbreiten. Weder in Phantásien, noch zu Hause. Er würde einfach als verschollen gelten, und es würde sein, als sei er überhaupt nie nach Phantásien und in die Wüste Goab gekommen.

Während er, weitergehend, darüber nachdachte, kam ihm plötzlich eine Idee. Ganz Phantásien, so sagte er sich, war doch in jenem Buch enthalten, in dem der Alte vom Wandernden Berge geschrieben hatte. Und dieses Buch war die Unendliche Geschichte, in der er selbst auf dem Speicher gelesen hatte. Vielleicht stand auch jetzt alles, was er erlebte, in diesem Buch. Und es konnte doch sehr gut sein, daß ein anderer es eines Tages lesen würde – oder es sogar gerade jetzt, in diesem Augenblick las. Also mußte es auch möglich sein, diesem Jemand ein Zeichen zu geben.

Der Sandhügel, auf dem Bastian gerade stand, war ultramarinblau. Durch ein kleines Tal von diesem getrennt, lag eine feuerrote Düne. Bastian ging zu ihr hinüber, schöpfte mit beiden Händen von dem roten Sand und trug ihn zu dem blauen Hügel. Dann streute er auf den Seitenhang eine lange Linie. Er ging wieder zurück, holte neuen roten Sand und das tat er immer wieder. Nach einer Weile hatte er drei riesengroße rote Buchstaben auf den blauen Untergrund gestreut:

B B B

Zufrieden betrachtete er sein Werk. Dieses Zeichen konnte niemand übersehen, der die Unendliche Geschichte lesen würde. Was auch immer nun aus ihm werden mochte, man würde wissen, wo er geblieben war.

Er setzte sich auf den Gipfel des feuerroten Berges und ruhte sich ein wenig aus. Die drei Buchstaben leuchteten hell in der grellen Wüstensonne.

Wieder war ein Stück seiner Erinnerung an den Bastian aus der Menschenwelt ausgelöscht. Er wußte nichts mehr davon, daß er früher einmal empfindlich, manchmal vielleicht sogar wehleidig gewesen war. Seine Zähigkeit und Härte erfüllten ihn mit Stolz. Aber schon meldete sich ein neuer Wunsch.

»Ich hab' zwar keine Angst«, sagte er, wie es seine Gewohnheit war, vor sich hin, »aber das, was mir fehlt, ist der richtige Mut. Entbehrungen aushalten können und Strapazen durchstehen, ist eine großartige Sache. Aber Kühnheit und Mut, das ist doch noch was anderes! Ich wollte, mir würde ein richtiges Abenteuer begegnen, das tollen Mut erfordert. Hier in der Wüste kann man ja niemand begegnen. Aber es müßte fabelhaft sein, einem gefährlichen Wesen zu begegnen – es sollte nur nicht gerade so scheußlich sein wie Ygramul, aber noch viel gefährlicher. Es sollte schön sein und zugleich das gefährlichste Geschöpf Phantásiens. Und ich würde ihm entgegentreten und ...«

Weiter kam Bastian nicht mehr, denn im gleichen Augenblick fühlte er den Wüstenboden unter sich vibrieren. Es war wie ein Grollen von solcher Tiefe, daß man es mehr spürte als hörte.

Bastian wandte sich um und sah am fernen Wüstenhorizont eine Erscheinung, die er sich zunächst nicht erklären konnte. Dort raste etwas dahin wie ein Feuerball. Mit unglaublicher Geschwindigkeit beschrieb es einen weiten Kreis um die Stelle, wo Bastian saß, dann kam es plötzlich direkt auf ihn zu. In der hitzeflimmernden Luft, die alle Umrisse wie Flammen wabern ließ, sah das Wesen aus wie ein tanzender Dämon aus Feuer.

Die Angst packte Bastian, und ehe er noch recht überlegt hatte, war er schon in das Tal zwischen der roten und der blauen Düne hinuntergerannt, um sich vor dem heranrasenden Feuerwesen zu verstecken. Aber kaum stand er unten, schämte er sich schon dieser Angst und zwang sie in sich nieder.

Er griff nach AURYN auf seiner Brust und fühlte wie all der Mut, den er sich eben gewünscht hatte, in sein Herz strömte und es vollkommen ausfüllte.

Dann hörte er wieder dieses tiefe Grollen, von dem der Wüstenboden erzitterte, aber diesmal aus nächster Nähe. Er blickte empor.

Auf dem Gipfel der feuerroten Düne stand ein riesenhafter Löwe. Er stand genau vor der Sonne, so daß seine gewaltige Mähne das Löwengesicht wie ein Flammenkranz umloderte. Aber diese Mähne und auch das übrige Fell war nicht gelb, wie es sonst bei Löwen der Fall ist, sondern ebenso feuerrot wie der Sand, auf dem er stand.

Der Löwe schien den Knaben, der im Vergleich zu ihm winzig im Tal zwischen den beiden Dünen stand, nicht bemerkt zu haben, vielmehr schaute er auf die roten Buchstaben, die den gegenüberliegenden Hügelhang bedeckten. Und dann ließ er wieder diese gewaltige, grollende Stimme vernehmen:

»Wer hat das getan?«

»Ich«, sagte Bastian.

»Und was heißt das?«

»Es ist mein Name«, antwortete Bastian, »ich heiße Bastian Balthasar Bux.«

Nun erst wandte der Löwe ihm seinen Blick zu und Bastian hatte das Gefühl, als ob ihn ein Flammenmantel einhüllte, in dem er auf der Stelle zu Asche verbrennen würde. Doch diese Empfindung war sogleich vorüber, er hielt dem Blick des Löwen stand.

»Ich«, sagte das gewaltige Tier, »bin Graógramán, der Herr der Farbenwüste, den man auch den Bunten Tod nennt.«

Noch immer sahen sie sich gegenseitig an und Bastian fühlte die tödliche Gewalt, die von diesen Augen ausging. Es war wie ein unsichtbares Kräftemessen. Und schließlich senkte der Löwe den Blick. Mit langsamen, majestätischen Bewegungen kam er von der Düne herab. Als er auf den ultramarinblauen Sand trat, wechselte auch seine Farbe, so daß Fell und Mähne nun ebenfalls blau waren. Das riesenhafte Tier blieb einen Augenblick vor Bastian stehen, der zu ihm aufschauen mußte wie die Maus zu einer Katze, dann plötzlich legte Graógramán sich nieder und senkte das Haupt vor dem Knaben bis zum Boden.

»Herr«, sagte er, »ich bin dein Diener und harre deiner Befehle!«

»Ich möchte aus dieser Wüste hinaus«, erklärte Bastian, »kannst du mich hinausbringen?«

Graógramán schüttelte die Mähne.

»Das, Herr, ist für mich unmöglich.«

»Warum?«

»Weil ich die Wüste mit mir trage.«

Bastian konnte nicht verstehen, was der Löwe damit meinte.

»Gibt es kein anderes Geschöpf«, fragte er darum, »das mich von hier fortbringen könnte?«

»Wie sollte das möglich sein, Herr«, antwortete Graógramán, »dort wo ich bin, kann weit und breit kein lebendes Wesen sein. Mein Dasein allein genügt, selbst die gewaltigsten und furchtbarsten Wesen auf tausend Meilen im Umkreis zu einem Häuflein Asche verbrennen zu lassen. Darum nennt man mich den Bunten Tod und den König der Farbenwüste.«

»Du irrst dich«, sagte Bastian, »nicht jedes Wesen verbrennt in deinem Reich. Ich zum Beispiel halte dir stand wie du siehst.«

»Weil du den Glanz trägst, Herr. AURYN schützt dich – sogar vor dem Tödlichsten aller Wesen Phantásiens, vor mir.«

»Willst du damit sagen, wenn ich das Kleinod nicht hätte, müßte auch ich zu einem Häuflein Asche verbrennen?«

»So ist es, Herr, und es würde geschehen, auch wenn ich selbst es beklagen müßte. Denn du bist der erste und einzige, der je mit mir geredet hat.«

Bastian griff nach dem Zeichen. »Danke, Mondenkind!« sagte er leise.

Graógramán richtete sich wieder zu seiner vollen Höhe auf und blickte auf Bastian nieder.

»Ich glaube, Herr, wir haben uns manches zu sagen. Vielleicht kann ich dir Geheimnisse enthüllen, die du nicht kennst. Vielleicht kannst auch du mir das Rätsel meines Daseins erklären, das mir verborgen ist.«

Bastian nickte.

»Wenn es möglich ist, möchte ich nur bitte gern zuerst etwas trinken. Ich bin sehr durstig.«

»Dein Diener hört und gehorcht«, antwortete Graógramán, »willst du geruhen, Herr, dich auf meinen Rücken zu setzen? Ich werde dich in meinen Palast tragen, wo du alles finden wirst, dessen du bedarfst.«

Bastian schwang sich auf den Rücken des Löwen. Er hielt sich mit beiden Händen in der Mähne fest, deren einzelne Locken loderten wie Stichflammen. Graógramán wandte den Kopf nach ihm.

»Halte dich gut fest, Herr, denn ich bin ein schneller Läufer. Und noch eines will ich dich bitten, Herr: Solang du in meinem Reich bist oder gar mit mir zusammen – versprich mir, daß du aus keinem Grund und auch nicht für den kleinsten Augenblick das schützende Kleinod ablegst!«

»Ich verspreche es dir«, sagte Bastian.

Dann setzte der Löwe sich in Bewegung, erst noch langsam und würdevoll, dann immer schneller und schneller. Staunend beobachtete Bastian, wie bei jedem neuen Sandhügel Fell und Mähne des Löwen die Farbe wechselten, immer der Farbe der Düne entsprechend. Aber schließlich sprang Graógramán in mächtigen Sätzen von einem Gipfel zum nächsten, er raste dahin und seine gewaltigen Pranken berührten kaum noch den Boden. Der Wechsel der Farben in seinem Fell vollzog sich immer geschwinder, bis es Bastian vor den Augen zu flimmern begann und er alle Farben zugleich sah, so als wäre das ganze riesige Tier ein einziger irisierender Opal. Er mußte die Augen schließen. Der Wind, heiß wie die Hölle, pfiff ihm um die Ohren und zerrte an seinem Mantel, der hinter ihm dreinflatterte. Er fühlte die Bewegung der Muskeln im Körper des Löwen und roch das Mähnengestrüpp, das einen wilden, erregenden Duft ausströmte. Er stieß einen gellenden, triumphierenden Schrei aus, der wie der eines Raubvogels klang, und Graógramán antwortete ihm mit einem Brüllen, das die Wüste erbeben ließ. Für diesen Augenblick waren sie beide eins, wie groß auch sonst der Unterschied zwischen ihnen sein mochte. Bastian war wie in einem Rausch, aus dem er erst wieder zu sich kam, als er Graógramán sagen hörte:

»Wir sind angelangt, Herr. Willst du geruhen, abzusteigen?«

Mit einem Sprung landete Bastian auf dem Sandboden. Vor sich erblickte er einen zerklüfteten Berg aus schwarzem Felsgestein – oder war es die Ruine eines Bauwerks? Er hätte es nicht zu sagen vermocht, denn die Steine, die halb vom bunten Sand verweht umherlagen oder zerfallene Torbogen, Mauern, Säulen und Terrassen bildeten, waren von tiefen Sprüngen und Rissen durchzogen und auf eine Art ausgehöhlt, als habe seit Urzeiten der Sandsturm all ihre Kanten und Unebenheiten abgeschliffen.

»Dies, Herr«, hörte Bastian die Löwenstimme sagen, »ist mein Palast – und mein Grab. Tritt ein und sei willkommen als der erste und einzige Gast Graógramáns.«

Die Sonne hatte ihre sengende Kraft bereits verloren und stand groß und blaßgelb über dem Horizont. Offenbar hatte der Ritt viel länger gedauert, als er Bastian vorgekommen war. Die Säulenstümpfe oder Felsnadeln, was immer es nun sein mochte, warfen schon lange Schatten. Bald würde es Abend sein.

Als Bastian dem Löwen durch einen dunklen Torbogen folgte, der ins Innere von Graógramáns Palast führte, kam es ihm so vor, als ob dessen Schritte weniger kraftvoll als vorher, ja müde und schwerfällig seien.

Durch einen dunklen Gang, über verschiedene Treppen, die abwärts und wieder aufwärts führten, gelangten sie zu einer großen Tür, deren Flügel ebenfalls aus schwarzem Fels zu bestehen schienen. Als Graógramán auf sie zutrat, sprang sie von selbst auf, und als auch Bastian hindurchgegangen war, schloß sie sich wieder hinter ihm.

Sie standen nun in einem weitläufigen Saal, oder besser gesagt, einer Höhle, die durch Hunderte von Ampeln erleuchtet wurde. Das Feuer in ihnen glich dem bunten Flammenspiel in Graógramáns Fell. In der Mitte erhob sich der mit farbigen Fliesen bedeckte Boden stufenförmig zu einer runden Fläche, auf der ein schwarzer Felsblock ruhte. Graógramán wandte Bastian langsam seinen Blick zu, der nun wie erloschen wirkte.

»Meine Stunde ist nahe, Herr«, sagte er und seine Stimme klang wie ein Raunen, »uns wird keine Zeit mehr bleiben für unser Gespräch. Doch sei unbesorgt und warte auf den Tag. Was immer geschehen ist, wird auch diesmal geschehen. Und vielleicht wirst du mir sagen können, warum.«

Dann wandte er den Kopf nach einer kleinen Pforte am anderen Ende der Höhle.

»Tritt dort ein, Herr, du wirst alles für dich bereit finden. Dieses Gemach wartet auf dich seit undenklicher Zeit.«

Bastian ging auf die Pforte zu, doch ehe er sie öffnete, blickte er noch einmal zurück. Graógramán hatte sich auf dem schwarzen Steinblock niedergelassen und nun war er selbst schwarz wie der Fels. Mit einer Stimme, die fast nur noch ein Flüstern war, sagte er:

»Höre, Herr, es ist möglich, daß du Laute vernehmen wirst, die dich erschrecken. Aber sei ohne Sorge! Dir kann nichts geschehen, solang du das Zeichen trägst.«

Bastian nickte, dann trat er durch die Pforte.

Vor ihm lag ein Raum, der aufs herrlichste ausgeschmückt war. Der Boden war mit weichen, farbenprächtigen Teppichen ausgelegt. Die schmalen Säulen, welche ein vielfach geschwungenes Gewölbe trugen, waren mit Goldmosaik bedeckt, das das Licht der Ampeln, die auch hier in allen Farben leuchteten, in tausend Brechungen zurückwarf. In einer Ecke stand ein breiter Diwan mit weichen Decken und Kissen aller Art, über den sich ein Zelt aus azurblauer Seide spannte. In der anderen Ecke war der Felsenboden zu einem großen Schwimmbecken ausgehauen, in welchem eine goldfarbene leuchtende Flüssigkeit dampfte. Auf einem niedrigen Tischchen standen Schüsseln und Schalen mit Speisen, auch eine Karaffe mit einem rubinroten Getränk und ein goldener Becher.

Bastian setzte sich im Türkensitz an dem Tischchen nieder und griff zu. Das Getränk schmeckte herb und wild und löschte auf wunderbare Weise den Durst. Die Speisen waren ihm alle völlig unbekannt. Er hätte noch nicht einmal sagen können, ob es sich dabei um Pasteten handelte, oder große Schoten, oder Nüsse. Manches sah zwar aus wie Kürbisse und Melonen, aber der Geschmack war ganz und gar anders, scharf und würzig. Es schmeckte aufregend und köstlich. Bastian aß, bis er satt war.

Dann zog er sich aus – nur das Zeichen nahm er nicht ab – und stieg in das Bad. Eine Weile plätscherte er in der feurigen Flut herum, wusch sich, tauchte unter und prustete wie ein Walroß. Dann entdeckte er kurios aussehende Flaschen, die am Rande des Schwimmbeckens standen. Er hielt sie für Badeessenzen. Unbekümmert schüttete er von jeder Sorte etwas ins Wasser. Ein paarmal gab es grüne, rote und gelbe Flammen, die auf der Oberfläche hin- und herzischten, und ein wenig Rauch stieg auf. Es roch nach Harz und bitteren Kräutern.

Schließlich stieg er aus dem Bad, trocknete sich mit weichen Tüchern ab, die bereit lagen, und zog sich wieder an. Dabei kam es ihm so vor, als ob die Ampeln im Raum plötzlich düsterer brannten. Und dann drang ein Laut an sein Ohr, der ihm einen kalten Schauder über den Rücken jagte: ein Knirschen und Knacken, als ob ein großer Fels vom Eis zersprengt würde, und verklang in einem Ächzen, das immer leiser wurde.

Bastian lauschte mit klopfendem Herzen. Er dachte an Graógramáns Worte; daß er sich nicht beunruhigen solle.

Der Laut wiederholte sich nicht. Aber die Stille war fast noch schrecklicher. Er mußte wissen, was da geschehen war!

Er öffnete die Tür des Schlafgemaches und blickte in die große Höhle hinaus. Zunächst konnte er keine Veränderung entdecken, außer daß die Ampeln trüber brannten und ihr Licht wie ein immer langsamer werdender Herzschlag zu pulsieren begann. Der Löwe saß noch immer in derselben Haltung auf dem schwarzen Felsblock und schien Bastian anzublicken.

»Graógramán!« rief Bastian leise, »was geschieht hier? Was war das für ein Laut? Warst du es?«

Der Löwe antwortete nicht und regte sich nicht, aber als Bastian zu ihm trat, folgte er ihm mit den Augen.

Bastian streckte zögernd die Hand aus, um die Mähne zu streicheln, doch kaum hatte er sie berührt, fuhr er erschrokken zurück. Sie war hart und eiskalt wie der schwarze Fels. Ebenso fühlten sich Graógramáns Gesicht und Pranken an.

Bastian wußte nicht, was er tun sollte. Er sah, daß die schwarzen Steinflügel der großen Tür sich langsam öffneten. Erst als er schon in dem langen dunklen Gang war und die Treppen hinaufstieg, fragte er sich, was er dort draußen eigentlich sollte. Es konnte ja niemand in dieser Wüste sein, der Graógramán zu retten vermochte.

Aber da war keine Wüste mehr!

In der nächtlichen Dunkelheit begann es überall zu glimmen und zu glitzern. Millionen winziger Pflanzenkeime sproßten aus den Sandkörnern, die nun wieder Samenkörner waren. Perelín, der Nachtwald, hatte von neuem zu wachsen begonnen!

Bastian ahnte plötzlich, daß die Erstarrung Graógramáns damit auf irgendeine Weise zusammenhing.

Er ging wieder in die Höhle zurück. Das Licht in den Ampeln zuckte nur noch sehr schwach. Er erreichte den Löwen, schlang seine Arme um dessen mächtigen Hals und preßte sein Gesicht an das Antlitz des Tieres.

Nun waren auch die Augen des Löwen schwarz und tot wie der Fels. Graógramán war versteinert. Ein letztes Aufzucken der Lichter, dann wurde es dunkel wie in einem Grab.

Bastian weinte bitterlich und das steinerne Löwengesicht wurde naß von seinen Tränen. Zuletzt rollte er sich zwischen den gewaltigen Pranken zusammen und so schlief er ein.

XV. Graógramán, der Bunte Tod

Herr!« sagte die grollende Löwenstimme, »hast du so die ganze Nacht verbracht?«

Bastian richtete sich auf und rieb sich die Augen. Er saß zwischen den Löwenpranken, das große Tiergesicht schaute auf ihn nieder, Staunen lag in Graógramáns Blick. Sein Fell war noch immer schwarz wie der Felsblock, auf dem er saß, aber seine Augen funkelten. Die Ampeln in der Höhle brannten wieder.

»Ach«, stammelte Bastian, »ich – ich dachte, du wärst versteinert.«

»Das war ich auch«, antwortete der Löwe. »Ich sterbe täglich, wenn die Nacht hereinbricht, und jeden Morgen erwache ich wieder.«

»Ich dachte, es wäre für immer«, erklärte Bastian.

»Es *ist* jedesmal für immer«, versetzte Graógramán rätselhaft.

Er stand auf, reckte und streckte sich und lief dann nach Löwenart in der Höhle hin und her. Sein Flammenfell begann immer leuchtender in den Farben der bunten Fliesen zu glühen. Plötzlich hielt er im Laufen inne und blickte den Jungen an.

»Hast du gar um meinetwillen Tränen vergossen?«

Bastian nickte stumm.

»Dann«, sagte der Löwe, »bist du nicht nur der einzige, der zwischen den Pranken des Bunten Todes geschlafen hat, sondern auch der einzige, der je sein Sterben beweinte.«

Bastian sah dem Löwen zu, der wieder auf und ab trottete, und fragte schließlich leise:

»Bist du immer allein?«

Der Löwe hielt von neuem inne, aber diesmal blickte er Bastian nicht an. Er hielt seinen Kopf abgewendet und wiederholte mit grollender Stimme:

»Allein ...«

Das Wort hallte in der Höhle wider.

»Mein Reich ist die Wüste – und sie ist auch mein Werk. Wohin auch immer ich mich wende, alles um mich her muß zur Wüste werden. Ich trage sie mit mir. Ich bin aus tödlichem Feuer. Wie also könnte mir etwas anderes bestimmt sein als immerwährende Einsamkeit?«

Bastian schwieg bestürzt.

»Du, Herr«, fuhr der Löwe fort, indem er auf den Jungen zutrat und ihm mit glühenden Augen ins Gesicht sah, »der du das Zeichen der Kindlichen Kaiserin trägst, kannst du mir Antwort geben: Warum muß ich sterben, wenn die Nacht hereinbricht?«

»Damit in der Wüste der Farben Perelín, der Nachtwald, wachsen kann«, sagte Bastian.

»Perelín?« wiederholte der Löwe, »was ist das?«

Und nun erzählte Bastian von den Wundern des Dschungels, der aus lebendigem Licht bestand. Während Graógramán reglos und staunend zuhörte, schilderte er ihm die Vielfalt und Herrlichkeit der glimmenden und phosphoreszierenden Pflanzen, die sich aus sich selbst vermehrten, ihr unaufhaltsames lautloses Wachstum, ihre traumhafte Schönheit und Größe. Er redete sich in Begeisterung und Graógramáns Augen glühten immer heller.

»Und das alles«, schloß Bastian, »kann nur da sein, während du versteinert bist. Aber Perelín würde alles verschlingen und an sich selbst ersticken, wenn er nicht immer wieder sterben und zu Staub zerfallen müßte, sobald du aufwachst. Perelín und du, Graógramán, ihr gehört zusammen.«

Graógramán schwieg lange.

»Herr«, sagte er dann, »ich sehe nun, daß mein Sterben Leben gibt und mein Leben den Tod, und beides ist gut. Jetzt verstehe ich den Sinn meines Daseins. Ich danke dir.«

Er schritt langsam und feierlich in den dunkelsten Winkel der Höhle. Was er dort tat, konnte Bastian nicht sehen, aber er hörte ein metallenes Klirren. Als Graógramán zurückkehrte, trug er etwas im Maul, das er mit einer tiefen Verneigung seines Hauptes vor Bastians Füße legte.

Es war ein Schwert.

Allerdings sah es nicht gerade prächtig aus. Die eiserne Scheide, in der es steckte, war verrostet und der Griff sah fast aus wie der eines Kindersäbels aus irgendeinem alten Holzstück.

»Kannst du ihm einen Namen geben?« fragte Graógramán.

Bastian betrachtete es nachdenklich.

»Sikánda!« sagte er.

Im gleichen Augenblick zischte das Schwert aus seiner Scheide und flog ihm buchstäblich in die Hand. Jetzt sah er, daß das Blatt aus gleißendem Licht bestand, das man kaum anzuschauen vermochte. Es war zweischneidig und wog leicht wie eine Feder in der Hand.

»Dieses Schwert«, sagte Graógramán, »war von immer her für dich bestimmt. Denn nur der kann es ohne Gefahr berühren, der auf meinem Rücken geritten ist, der von meinem Feuer gegessen und getrunken und darin gebadet hat wie du. Aber nur, weil du ihm seinen rechten Namen geben konntest, gehört es dir.«

»Sikánda!« flüsterte Bastian und beobachtete hingerissen das funkelnde Licht, während er das Schwert langsam in der Luft kreisen ließ, »es ist ein Zauberschwert, nicht wahr?«

»Ob Stahl oder Fels«, antwortete Graógramán, »es gibt nichts in Phantásien, das ihm widersteht. Doch du darfst ihm nicht Gewalt antun. Nur wenn es von selbst in deine Hand springt wie jetzt eben, darfst du es gebrauchen – was auch immer dir drohen mag. Es wird deine Hand führen und aus eigener Kraft tun, was zu tun ist. Wenn du es aber je nach deinem Willen aus seiner Scheide ziehst, dann wirst du großes Unheil über dich und Phantásien bringen. Vergiß das niemals.«

»Ich werde es nicht vergessen«, versprach Bastian.

Das Schwert fuhr in seine Scheide zurück und sah nun wieder alt und wertlos aus. Bastian band sich den Lederriemen, an dem die Scheide hing, um die Hüfte.

»Und nun, Herr«, schlug Graógramán vor, »laß uns zusammen durch die Wüste jagen, wenn es dir gefällt. Steige auf meinen Rücken, denn jetzt muß ich hinaus!«

Bastian schwang sich hinauf und der Löwe trottete ins

Freie. Die Morgensonne stieg über dem Wüstenhorizont auf, der Nachtwald war längst schon wieder zu farbigem Sand zerstäubt. So fegten sie nun gemeinsam über die Dünen hin wie ein tanzender Feuerbrand, wie ein glühender Sturmwind. Bastian fühlte sich, als ritte er auf einem flammenden Kometen durch Licht und Farben. Und abermals kam es über ihn wie ein wilder Rausch.

Gegen Mittag hielt Graógramán plötzlich an.

»Dies ist die Stelle, Herr, wo wir uns gestern begegnet sind.«

Bastian war noch ein wenig betäubt von der wilden Jagd. Er blickte herum, konnte aber weder den ultramarinblauen, noch den feuerroten Sandhügel entdecken. Auch von den Buchstaben war nichts mehr zu sehen. Die Dünen waren jetzt olivgrün und rosa.

»Es ist alles ganz anders«, sagte er.

»Ja, Herr«, antwortete der Löwe, »so ist es jeden Tag – immer wieder anders. Ich wußte bisher nicht, warum es so ist. Aber nun, da du mir erzählt hast, daß Perelín aus dem Sand wächst, kann ich auch das verstehen.«

»Aber woran erkennst du, daß es die Stelle von gestern ist?«

»Ich fühle es, wie ich eine Stelle an meinem Leib fühle. Die Wüste ist ein Teil von mir.«

Bastian stieg von Graógramáns Rücken und setzte sich auf den olivgrünen Gipfel. Der Löwe lagerte sich neben ihn, er war nun ebenfalls olivgrün. Bastian stützte das Kinn in die Hand und schaute nachdenklich zum Horizont.

»Kann ich dich etwas fragen, Graógramán?« sagte er nach langem Schweigen.

»Dein Diener hört«, gab der Löwe zur Antwort.

»Bist du wirklich schon seit immer hier?«

»Seit immer«, bestätigte Graógramán.

»Und die Wüste Goab, hat es sie auch immer schon gegeben?«

»Ja, auch die Wüste. Warum fragst du?«

Bastian dachte eine Weile nach.

»Ich versteh's nicht«, gab er schließlich zu. »Ich hätte gewettet, daß sie erst seit gestern morgen da ist.«

»Wie meinst du das, Herr?«

Und nun erzählte ihm Bastian alles, was er erlebt hatte, seit er Mondenkind begegnet war.

»Es ist alles so sonderbar«, schloß er seinen Bericht, »mir kommt irgendein Wunsch und dann passiert immer gleich etwas, das dazu paßt und den Wunsch erfüllt. Ich denk' mir das nicht aus, weißt du? Das könnte ich gar nicht. Nie hätte ich all die verschiedenen Nachtpflanzen in Perelín erfinden können. Oder die Farben von Goab – oder dich! Alles ist viel großartiger und wirklicher, als ich mir's vorstellen könnte. Und trotzdem, alles ist immer erst da, wenn ich mir was gewünscht habe.«

»Das kommt, weil du AURYN, den Glanz, trägst«, sagte der Löwe.

»Was ich nicht verstehe, ist etwas anderes«, versuchte Bastian zu erklären. »Ist das alles erst da, wenn ich mir was gewünscht habe? Oder war es vorher schon da und ich hab's nur irgendwie erraten?«

»Beides«, sagte Graógramán.

»Aber wie kann denn das sein?« rief Bastian fast ungeduldig. »Du bist doch schon wer weiß wie lang hier in der Farbenwüste Goab. Das Zimmer in deinem Palast hat auf mich seit jeher gewartet. Das Schwert Sikánda war seit undenklichen Zeiten für mich bestimmt – das hast du doch selbst gesagt!«

»So ist es, Herr.«

»Aber ich, ich bin doch erst seit gestern nacht in Phantásien! Dann gibt es das alles doch nicht erst, seit ich hier bin!«

»Herr«, antwortete der Löwe ruhig, »weißt du nicht, daß Phantásien das Reich der Geschichten ist? Eine Geschichte kann neu sein und doch von uralten Zeiten erzählen. Die Vergangenheit entsteht mit ihr.«

»Dann müßte ja auch Perelín schon immer bestanden haben«, meinte Bastian ratlos.

»Von dem Augenblick an, da du ihm seinen Namen

gabst, Herr«, erwiderte Graógramán, »hat er seit jeher bestanden.«

»Willst du damit sagen, daß ich ihn geschaffen habe?«

Der Löwe schwieg eine Weile, ehe er antwortete: »Das kann dir nur die Kindliche Kaiserin sagen. Von ihr hast du alles empfangen.«

Er erhob sich.

»Es ist Zeit, Herr, daß wir zu meinem Palast zurückkehren. Die Sonne neigt sich schon und der Weg ist weit.«

An diesem Abend blieb Bastian bei Graógramán, der sich wieder auf dem schwarzen Felsblock niedergelassen hatte. Sie sprachen nicht mehr viel miteinander. Bastian holte sich die Speisen und das Getränk aus dem Schlafgemach, wo das niedrige Tischchen wieder wie von Geisterhand gedeckt stand. Er verzehrte die Mahlzeit auf den Stufen sitzend, die zu dem Felsblock emporführten.

Als das Licht der Ampeln düsterer wurde und wie ein immer langsamer werdender Herzschlag zu pulsieren begann, stand er auf und legte stumm seine Arme um den Hals des Löwen. Die Mähne war hart und sah aus wie erstarrte Lava. Und dann kam wieder dieser schreckliche Laut, aber Bastian kannte keine Furcht mehr. Was ihm abermals die Tränen in die Augen trieb, war Trauer über die Unabänderlichkeit der Leiden Graógramáns.

Später in der Nacht tastete Bastian sich wieder ins Freie hinaus und schaute lange Zeit dem lautlosen Wachstum der leuchtenden Nachtpflanzen zu. Dann kehrte er in die Höhle zurück und legte sich wieder zwischen den Pranken des versteinerten Löwen schlafen.

Viele Tage und Nächte blieb er beim Bunten Tod zu Gast und sie wurden Freunde. Manche Stunde in der Wüste verbrachten sie mit wilden Spielen. Bastian versteckte sich zwischen den Sanddünen, aber Graógramán fand ihn immer. Sie liefen um die Wette, aber der Löwe war tausendmal schneller. Sie kämpften sogar zum Spaß miteinander, sie rangen und balgten sich – und hier war Bastian ihm ebenbürtig.

Obwohl es natürlich nur Spiel war, mußte Graógramán alle seine Kräfte anstrengen, um sich dem Jungen gewachsen zu zeigen. Keiner von beiden konnte den anderen besiegen.

Einmal, nachdem sie so getobt hatten, setzte sich Bastian etwas außer Atem hin und fragte:

»Kann ich nicht für immer bei dir bleiben?«

Der Löwe schüttelte die Mähne.

»Nein, Herr.«

»Warum nicht?«

»Hier gibt es nur Leben und Tod, nur Perelín und Goab, aber keine Geschichte. Du mußt deine Geschichte erleben. Du darfst nicht hier bleiben.«

»Aber ich kann doch nicht fort«, meinte Bastian. »Die Wüste ist viel zu groß, als daß irgend jemand aus ihr hinaus könnte. Und du kannst mich nicht bringen, weil du die Wüste mit dir trägst.«

»Die Wege Phantásiens«, sagte Graógramán, »kannst du nur durch deine Wünsche finden. Und du kannst immer nur von einem Wunsch zum nächsten gehen. Was du nicht wünschst, ist für dich unerreichbar. Das bedeuten hier die Worte ›nah‹ und ›fern‹. Und es genügt auch nicht, nur von einem Ort fortgehen zu wollen. Du mußt zu einem anderen hinstreben. Du mußt dich von deinen Wünschen führen lassen.«

»Aber ich wünsche mich gar nicht fort«, antwortete Bastian.

»Du wirst deinen nächsten Wunsch finden müssen«, erwiderte Graógramán beinahe streng.

»Und wenn ich ihn finde«, fragte Bastian, »wie werde ich dann von hier fortgehen können?«

»Höre, Herr«, sprach Graógramán leise, »es gibt in Phantásien einen Ort, der überall hinführt und von überall her erreicht werden kann. Dieser Ort wird der Tausend Türen Tempel genannt. Niemand hat ihn je von außen gesehen, denn er hat kein Äußeres. Sein Inneres aber besteht aus einem Irrgarten von Türen. Wer ihn kennenlernen will, der muß sich hineinwagen.«

»Wie kann man das, wenn man sich ihm von außen gar nicht nähern kann?«

»Jede Tür«, fuhr der Löwe fort, »jede Tür in ganz Phantásien, sogar eine ganz gewöhnliche Stall- oder Küchentür, ja, sogar eine Schranktür kann in einem bestimmten Augenblick zur Eingangspforte in den Tausend Türen Tempel werden. Ist der Augenblick vorüber, so ist sie wieder, was sie vorher war. Darum kann niemand je zum zweiten Mal durch dieselbe Tür gehen. Und keine der tausend Türen führt dorthin zurück, wo man herkam. Es gibt keine Rückkehr.«

»Aber wenn man einmal drin ist«, fragte Bastian, »kann man denn irgendwo wieder hinaus?«

»Ja«, antwortete der Löwe, »doch ist es nicht ganz so einfach wie bei gewöhnlichen Gebäuden. Denn durch den Irrgarten der tausend Türen kann dich nur ein wirklicher Wunsch führen. Wer den nicht hat, der muß so lange darin herumirren, bis er weiß, was er sich wünscht. Und das dauert manchmal sehr lang.«

»Und wie kann man die Eingangspforte finden?«

»Man muß es sich wünschen.«

Bastian dachte lange nach, dann sagte er:

»Sonderbar, daß man nicht einfach wünschen kann, was man will. Wo kommen die Wünsche in uns eigentlich her? Und was ist das überhaupt, ein Wunsch?«

Graógramán blickte den Jungen groß an, antwortete aber nicht.

Wiederum einige Tage später hatten sie noch einmal ein sehr wichtiges Gespräch.

Bastian hatte dem Löwen die Inschrift auf der Rückseite des Kleinodes gezeigt. »Was mag das bedeuten?« fragte er. »TU WAS DU WILLST, das bedeutet doch, daß ich alles tun darf, wozu ich Lust habe, meinst du nicht?«

Graógramáns Gesicht sah plötzlich erschreckend ernst aus, und seine Augen begannen zu glühen.

»Nein«, sagte er mit jener tiefen, grollenden Stimme, »es

heißt, daß du deinen Wahren Willen tun sollst. Und nichts ist schwerer.«

»Meinen Wahren Willen?« wiederholte Bastian beeindruckt. »Was ist denn das?«

»Es ist dein eigenes tiefstes Geheimnis, das du nicht kennst.«

»Wie kann ich es denn herausfinden?«

»Indem du den Weg der Wünsche gehst, von einem zum andern und bis zum letzten. Der wird dich zu deinem Wahren Willen führen.«

»Das kommt mir eigentlich nicht so schwer vor«, meinte Bastian.

»Es ist von allen Wegen der gefährlichste«, sagte der Löwe.

»Warum?« fragte Bastian, »ich hab' keine Angst.«

»Darum geht es nicht«, grollte Graógramán, »er erfordert höchste Wahrhaftigkeit und Aufmerksamkeit, denn auf keinem anderen Weg ist es so leicht, sich endgültig zu verirren.«

»Meinst du, weil es vielleicht nicht immer gute Wünsche sind, die man hat?« forschte Bastian.

Der Löwe peitschte mit dem Schweif den Sand, in dem er lag. Er legte die Ohren an und zog die Nase kraus, seine Augen sprühten Feuer. Bastian duckte sich unwillkürlich, als Graógramán mit einer Stimme, die wiederum den Boden vibrieren ließ, sagte:

»Was weißt du, was Wünsche sind! Was weißt du, was gut ist!«

Bastian dachte viel in den darauffolgenden Tagen über all das nach, was der Bunte Tod ihm gesagt hatte. Doch manche Dinge kann man nicht durch Nachdenken ergründen, man muß sie erfahren. Und so kam es, daß er erst viel später, nachdem er vieles erlebt hatte, an Graógramáns Worte zurückdachte und sie zu verstehen begann.

In dieser Zeit war wiederum eine Veränderung mit Bastian vor sich gegangen. Zu all den Gaben, die er seit seiner Begegnung mit Mondenkind empfangen hatte, war nun auch noch der Mut gekommen. Und wie jedesmal, so war ihm auch diesmal etwas dafür genommen worden, nämlich jede Erinnerung an seine frühere Ängstlichkeit.

Und da es nun nichts mehr gab, wovor er sich fürchtete, begann unmerklich zunächst, dann immer deutlicher, ein neuer Wunsch in ihm Gestalt anzunehmen. Er wollte nicht mehr länger allein sein. Auch mit dem Bunten Tod war er ja doch in gewissem Sinne allein. Er wollte seine Fähigkeiten vor anderen zeigen, er wollte bewundert werden und Ruhm erwerben.

Und eines Nachts, als er wieder dem Wachstum von Perelín zusah, fühlte er plötzlich, daß dies das letzte Mal war, daß er von der Herrlichkeit des leuchtenden Nachtwaldes Abschied nehmen mußte. Eine innere Stimme rief ihn fort.

Er warf noch einen letzten Blick auf die glühende Farbenpracht, dann ging er hinunter in die Grabeshöhle Graógramáns und setzte sich in der Finsternis auf die Stufen. Er hätte nicht sagen können, worauf er wartete, doch er wußte, daß er sich in dieser Nacht nicht schlafen legen durfte.

Er war doch wohl im Sitzen ein wenig eingenickt, denn plötzlich fuhr er hoch, als habe jemand ihn beim Namen gerufen.

Die Tür, die zum Schlafgemach führte, war aufgesprungen. Aus dem Spalt fiel ein langer Streifen rötlichen Lichts durch die dunkle Höhle.

Bastian erhob sich. Hatte sich die Tür für diesen Augenblick in den Eingang zum Tausend Türen Tempel verwandelt? Unschlüssig trat er an den Spalt heran und versuchte hindurchzuspähen. Er konnte nichts erkennen. Dann begann der Spalt sich langsam wieder zu schließen. Gleich würde die einzige Gelegenheit fortzugehen vorüber sein!

Er drehte sich noch einmal nach Graógramán um, der reglos und mit toten Steinaugen auf seinem Sockel saß. Der Lichtstreifen aus der Tür fiel gerade auf ihn.

»Leb wohl, Graógramán, und danke für alles!« sagte er leise. »Ich werde wiederkommen, ganz bestimmt, ich komme zurück.«

Dann schlüpfte er durch den Türspalt, der sich sogleich hinter ihm schloß.

Bastian wußte nicht, daß er sein Versprechen nicht halten würde. Viel, viel später erst sollte einer in seinem Namen kommen und es für ihn einlösen.

Aber das ist eine andere Geschichte und soll ein andermal erzählt werden.

XVI. Die Silberstadt Amargánth

urpurnes Licht zog in langsamen Wellen über den Boden und die Wände des Raumes. Es war ein sechseckiges Zimmer, gleichsam eine große Bienenwabenzelle. In jeder zweiten Wand befand sich eine Tür, die übrigen drei Wände, die dazwischen lagen, waren mit sonderbaren Bildern bemalt. Es waren Traumlandschaften und Geschöpfe, die halb Pflanzen, halb Tiere sein mochten. Durch die eine Tür war Bastian hereingekommen, die beiden anderen lagen zur Rechten und zur Linken vor ihm. Ihre Form war völlig gleich, nur war die linke schwarz und die rechte weiß. Bastian entschied sich für die weiße.

Im nächsten Zimmer herrschte gelbliches Licht. Die Wände standen in derselben Anordnung. Die Bilder zeigten hier allerhand Geräte, aus denen Bastian nicht schlau werden konnte. Waren es Werkzeuge oder Waffen? Die beiden Türen, die nach links und rechts weiterführten, hatten die gleiche Farbe, sie waren gelb, aber die linke war hoch und schmal, die rechte dagegen niedrig und breit. Bastian ging durch die linke.

Das Zimmer, das er nun betrat, war wie die beiden vorhergehenden sechseckig, aber bläulich beleuchtet. Die Bilder an den Wänden zeigten verschlungene Ornamente oder Schriftzeichen eines fremdartigen Alphabets. Hier waren die beiden Türen von gleicher Form, aber aus verschiedenem Material, die eine aus Holz, die andere aus Metall. Bastian entschied sich für die hölzerne.

Es ist unmöglich, sämtliche Türen und Zimmer zu beschreiben, durch die Bastian bei seiner Wanderung durch den Tausend Türen Tempel kam. Es gab Pforten, die aussahen wie große Schlüssellöcher oder andere, die Höhleneingängen glichen, es gab goldene und verrostete Türen, gepolsterte und nägelbeschlagene, papierdünne und solche, die dick waren wie Tresortüren, es gab eine, die wie der Mund eines Riesen aussah, und eine andere, die wie eine Zugbrücke geöffnet werden mußte, eine, die einem großen Ohr glich, und eine andere, die aus einem Lebkuchen bestand, eine, die wie eine Ofenklappe geformt war, und eine, die aufgeknöpft werden mußte. Jeweils hatten die beiden Türen, die aus einem Zimmer hinausführten, irgend etwas miteinander gemein – die Form, das Material, die Größe, die Farbe – aber irgend etwas unterschied sie auch grundsätzlich voneinander.

Bastian war schon viele Male von einem sechseckigen Raum in einen anderen getreten. Jede Entscheidung, die er traf, führte ihn immer vor eine neue Entscheidung, die ihrerseits abermals eine Entscheidung nach sich zog. Aber alle diese Entscheidungen änderten nichts daran, daß er noch immer im Tausend Türen Tempel war – und es auch bleiben würde. Während er weiter- und immer weiterging, begann er darüber nachzudenken, woran das liegen mochte. Sein Wunsch hatte zwar ausgereicht, ihn in den Irrgarten hineinzuführen, aber er war offenbar nicht genau genug, um ihn auch den Weg hinausfinden zu lassen. Er hatte sich gewünscht, in Gesellschaft zu kommen. Aber jetzt wurde ihm bewußt, daß er sich darunter überhaupt nichts Genaues vorstellte. Und es half ihm nicht im geringsten zu entscheiden, ob er eine Tür aus Glas oder eine aus Korbgeflecht wählen sollte. Bis jetzt hatte er seine Wahl auch einfach so aus Lust und Laune getroffen, ohne viel dabei nachzudenken. Eigentlich hätte er jedesmal ebensogut die andere Tür nehmen können. Aber so würde er niemals hinausfinden.

Er stand gerade in einem Raum, dessen Licht grünlich war. Drei der sechs Wände waren mit Wolkenformen bemalt. Die Tür zur Linken war aus weißem Perlmutter, die zur rechten aus schwarzem Ebenholz. Und plötzlich wußte er, was er sich wünschte: Atréju!

Die perlmutterne Tür erinnerte Bastian an den Glücksdrachen Fuchur, dessen Schuppen wie weißes Perlmutter glitzerten, also entschied er sich für diese.

Im nächsten Raum gab es zwei Türen, deren eine aus Gras geflochten war, die andere bestand aus einem Eisengitter. Bastian wählte die aus Gras, weil er an das Gräserne Meer, Atréjus Heimat, dachte.

Im darauffolgenden Raum fand er sich vor zwei Türen,

die sich nur dadurch unterschieden, daß die eine aus Leder war, die andere aus Filz. Bastian ging natürlich durch die aus Leder.

Wieder stand er vor zwei Türen, und hier mußte er doch noch einmal überlegen. Die eine war purpurrot und die andere olivgrün. Atréju war eine Grünhaut, und er trug einen Mantel aus dem Fell der Purpurbüffel. Auf der olivgrünen Tür waren einige einfache Zeichen mit weißer Farbe gemalt, so wie Atréju sie auf Stirn und Wangen hatte, als der alte Caíron zu ihm gekommen war. Dieselben Zeichen waren aber auch auf der purpurroten Tür, und davon, daß auf Atréjus Mantel solche Zeichen gewesen wären, wußte Bastian nichts. Also mußte es sich da um einen Weg handeln, der zu einem anderen, aber nicht zu Atréju führte.

Bastian öffnete also die olivgrüne Tür – und stand im Freien!

Zu seiner Verwunderung war er aber nicht etwa im Gräsernen Meer gelandet, sondern in einem lichten Frühlingswald. Sonnenstrahlen drangen durch das junge Laubwerk und ihre Licht- und Schattenspiele flirrten auf dem moosigen Boden. Es duftete nach Erde und Pilzen, und die laue Luft war von Vogelgezwitscher erfüllt.

Bastian drehte sich um und sah, daß er soeben aus einer kleinen Waldkapelle herausgetreten war. Für diesen Augenblick also war die Pforte der Ausgang des Tausend Türen Tempels gewesen. Bastian öffnete sie noch einmal, aber er sah nur den engen, kleinen Kapellenraum vor sich. Das Dach bestand nur noch aus einigen morschen Balken, die in die Waldesluft ragten, und die Wände waren mit Moos überzogen.

Bastian machte sich auf den Weg, ohne zunächst zu wissen wohin. Er zweifelte nicht daran, früher oder später auf Atréju zu stoßen. Und er freute sich ganz unbändig auf das Zusammentreffen. Er pfiff den Vögeln zu, die ihm antworteten, und er sang laut und übermütig, was ihm gerade so in den Sinn kam.

Nach kurzer Wanderung erblickte er auf einer Lichtung

eine Gruppe von Gestalten, die dort lagerten. Beim Näherkommen erkannte er, daß es sich um mehrere Männer in prachtvollen Rüstungen handelte. Auch eine schöne Dame war bei ihnen. Sie saß im Gras und klimperte auf einer Laute. Im Hintergrund standen einige Pferde, die kostbar gesattelt und gezäumt waren. Vor den Männern, die im Grase lagen und plauderten, war ein weißes Tuch ausgebreitet, auf dem allerlei Speisen und Trinkbecher standen.

Bastian näherte sich der Gruppe, doch zuvor verbarg er das Amulett der Kindlichen Kaiserin unter seinem Hemd, denn er hatte Lust, erst einmal unerkannt und ohne Aufsehen zu erregen, die Gesellschaft kennenzulernen.

Als sie ihn kommen sahen, standen die Männer auf und begrüßten ihn höflich, indem sie sich verbeugten. Sie hielten ihn offensichtlich für einen morgenländischen Prinzen oder dergleichen. Auch die schöne Dame neigte lächelnd ihren Kopf vor ihm und zupfte weiter auf ihrem Instrument. Unter den Männern war einer besonders groß und besonders prunkvoll gekleidet. Er war noch jung und hatte blonde Haare, die ihm auf die Schultern herabfielen.

»Ich bin Held Hynreck«, sagte er, »diese Dame ist Prinzessin Oglamár, die Tochter des Königs von Lunn. Diese Männer sind meine Freunde Hýkrion, Hýsbald und Hýdorn. Und wie ist Euer Name, junger Freund?«

»Ich darf meinen Namen nicht nennen – noch nicht«, antwortete Bastian.

»Ein Gelübde?« fragte Prinzessin Oglamár ein wenig spöttisch, »so jung und schon ein Gelübde?«

»Ihr kommt gewiß von weither?« wollte Held Hynreck wissen.

»Ja, von sehr weit«, erwiderte Bastian.

»Seid Ihr ein Prinz?« erkundigte sich die Prinzessin und betrachtete ihn wohlgefällig.

»Das verrate ich nicht«, entgegnete Bastian.

»Nun, jedenfalls willkommen bei unserer Tafelrunde!« rief Held Hynreck, »wollt Ihr uns die Ehre erweisen, bei uns Platz zu nehmen und mit uns zu tafeln, junger Herr?«

Bastian nahm dankend an, setzte sich und griff zu.

Aus dem Gespräch, das die Dame und die vier Herren führten, erfuhr er, daß ganz in der Nähe die große und herrliche Silberstadt Amargánth lag. Dort sollte eine Art Wettkampf stattfinden. Von nah und fern kamen die wagemutigsten Helden, die besten Jäger, die tapfersten Krieger, aber auch allerlei Abenteurer und verwegene Kerle, um an der Veranstaltung teilzunehmen. Nur die drei Mutigsten und Besten, die alle anderen besiegt hatten, sollten der Ehre teilhaftig werden, an einer Art Suchexpedition teilzunehmen. Es sollte sich dabei um eine wahrscheinlich sehr lange und abenteuerliche Reise handeln, deren Ziel es war, eine bestimmte Persönlichkeit zu finden, die sich irgendwo in einem der zahllosen Länder Phantásiens aufhielt und die nur »der Retter« genannt wurde. Den Namen kannte noch niemand. Ihm jedenfalls verdanke das Phantásische Reich, daß es wieder, oder noch immer, existierte. Irgendwann vor Zeiten sei nämlich eine entsetzliche Katastrophe über Phantásien hereingebrochen, durch die es um ein Haar ganz und gar vernichtet worden wäre. Das habe der besagte »Retter« im letzten Augenblick abgewehrt, indem er gekommen sei und der Kindlichen Kaiserin den Namen Mondenkind gegeben habe, unter dem sie heute jedes Wesen in Phantásien kenne. Seither irre er aber unerkannt durch die Lande, und Aufgabe der Suchexpedition würde es sein, ihn ausfindig zu machen und ihn dann sozusagen als Leibwache zu begleiten, damit ihm nichts zustoße. Dazu aber waren nur die tüchtigsten und mutigsten Männer ausersehen, denn es konnte sein, daß es dabei unvorstellbare Abenteuer zu bestehen galt.

Der Wettkampf, bei dem diese Auswahl getroffen werden sollte, war zwar von Silbergreis Quérquobad veranstaltet worden – in der Stadt Amargánth regierte immer der älteste Mann oder die älteste Frau, und Quérquobad war hundertsieben Jahre alt –, aber nicht er würde die Auswahl unter den Wettkämpfern treffen, sondern ein junger Wilder namens Atréju, ein Knabe aus dem Volk der Grünhäute, der bei Silbergreis Quérquobad zu Gast war. Dieser Atréju sollte auch später die Expedition führen. Er war nämlich der einzige, der den »Retter« erkennen konnte, weil er ihn einmal in einem Zauberspiegel gesehen hatte.

Bastian schwieg und hörte nur zu. Das fiel ihm nicht leicht, denn er hatte sehr bald begriffen, daß es sich bei dem »Retter« um ihn selbst handelte. Und als dann sogar Atréjus Name fiel, da lachte ihm das Herz im Leib, und er hatte die größte Mühe, sich nicht zu verraten. Aber er war entschlossen, vorläufig noch sein Inkognito zu wahren.

Übrigens ging es Held Hynreck bei der ganzen Angelegenheit nicht so sehr um die Suchexpedition und ihre Ziele, als darum, das Herz der Prinzessin Oglamár zu gewinnen. Bastian hatte sofort bemerkt, daß Held Hynreck bis über beide Ohren in die junge Dame verliebt war. Er seufzte ab und zu an Stellen, wo es gar nichts zu seufzen gab, und blickte seine Angebetete immer wieder mit traurigen Augen an. Und sie tat, als ob sie es nicht bemerke. Wie sich herausstellte, hatte sie nämlich bei irgendeiner Gelegenheit das Gelübde abgelegt, nur den größten aller Helden zum Mann zu nehmen, den, der alle anderen besiegen konnte. Mit weniger wollte sie sich nicht zufrieden geben. Das war Held Hynrecks Problem, denn wie sollte er ihr beweisen, daß er der Größte war. Er konnte schließlich nicht einfach jemand totschlagen, der ihm nichts getan hatte. Und Kriege hatte es schon lange nicht mehr gegeben. Er hätte gern gegen Ungeheuer und Dämonen gekämpft, er hätte ihr, wenn es nach ihm gegangen wäre, jeden Morgen einen blutigen Drachenschwanz auf den Frühstückstisch gelegt, aber es gab weit und breit keine Ungeheuer und keine Drachen. Als der Bote von Silbergreis Quérquobad zu ihm gekommen war, um ihn zu dem Wettkampf einzuladen, hatte er natürlich sofort zugesagt. Prinzessin Oglamár aber hatte darauf bestanden, mitzukommen, denn sie wollte sich mit eigenen Augen davon überzeugen, was er konnte.

»Den Berichten von Helden«, sagte sie lächelnd zu Bastian, »kann man bekanntlich nicht trauen. Sie haben alle einen Hang zum Ausschmücken.«

»Mit oder ohne Ausschmückung«, warf Held Hynreck ein, »bin ich jedenfalls hundertmal mehr wert als der sagenhafte Retter.«

»Woher wollt Ihr das wissen?« fragte Bastian.

»Nun«, meinte Held Hynreck, »wenn der Bursche nur halb soviel Mark in den Knochen hätte wie ich, dann brauchte er keine Leibwache, die ihn behüten und betreuen muß wie ein Baby. Scheint mir ein ziemlich jämmerliches Kerlchen zu sein, dieser Retter.«

»Wie könnt Ihr so etwas sagen!« rief Oglamár entrüstet. »Schließlich hat er Phantásien vor dem Untergang bewahrt!«

»Und wenn schon!« erwiderte Held Hynreck geringschätzig. »Dazu wird wohl keine besondere Heldentat nötig gewesen sein.«

Bastian beschloß, ihm bei passender Gelegenheit einen kleinen Denkzettel zu verabfolgen.

Die drei anderen Herren waren erst unterwegs zufällig zu dem Paar gestoßen und hatten sich ihm angeschlossen. Hýkrion, der einen wilden schwarzen Schnurrbart trug, behauptete, der stärkste und gewaltigste Haudegen Phantásiens zu sein. Hýsbald, der rothaarig war und im Vergleich zu den anderen zart wirkte, behauptete, niemand ginge gewandter und flinker mit der Klinge um als er. Und Hýdorn schließlich war davon überzeugt, daß niemand ihm beim Kampf an Zähigkeit und Ausdauer gleichkäme. Seine Erscheinung gab dieser Behauptung recht, denn er war lang und mager und schien nur aus Sehnen und Knochen zu bestehen.

Nachdem die Mahlzeit beendet war, brach man auf. Geschirr, Tuch und Speisevorräte wurden in den Satteltaschen eines Saumtiers verstaut. Prinzessin Oglamár bestieg ihren weißen Zelter und trabte einfach fort, ohne sich nach den anderen umzusehen. Held Hynreck sprang auf seinen kohlschwarzen Hengst und galoppierte ihr nach. Die drei übrigen Herren schlugen Bastian vor, auf dem Saumtier zwischen den Vorratstaschen Platz zu nehmen. Er schwang sich hinauf, die Herren bestiegen ebenfalls ihre prächtig gezäumten Pferde, und dann ging es im Trab, Bastian als letzter, durch den Wald. Das Saumtier, eine ältere Mauleselin, blieb immer weiter zurück, und Bastian versuchte sie anzutreiben. Aber statt schneller zu laufen, blieb die Mauleselin stehen, wandte ihren Kopf zurück und sagte:

»Du brauchst mich nicht anzutreiben, ich bin absichtlich zurückgeblieben, Herr.«

»Warum?« fragte Bastian.

»Ich weiß, wer du bist, Herr.«

»Woher willst du das wissen?«

»Wenn man bloß ein halber Esel ist wie ich und kein ganzer, dann fühlt man so was. Sogar die Pferde haben etwas gemerkt. Du brauchst mir nichts zu sagen, Herr. Ich würde es gern meinen Kindern und Enkeln erzählen können, daß ich den Retter getragen und als erste begrüßt habe. Leider hat unsereins keine Kinder.«

»Wie heißt du?« fragte Bastian.

»Jicha, Herr.«

»Hör mal, Jicha, verdirb mir nicht den Spaß und behalte vorerst für dich, was du weißt. Willst du?«

»Gern, Herr.«

Und dann setzte die Mauleselin sich in Trab, um die anderen wieder einzuholen.

Die Gruppe wartete am Waldrand. Alle blickten bewundernd zu der Stadt Amargánth hinunter, die im Sonnenschein vor ihnen glänzte. Der Waldrand lag auf einer Anhöhe, und von hier aus hatte man einen weiten Ausblick über einen großen, fast veilchenblauen See, der zu allen Seiten von ähnlichen bewaldeten Hügeln umgeben war. Und mitten in diesem See lag die Silberstadt Amargánth. Alle Häuser standen auf Schiffen, die großen Paläste auf breiten Lastkähnen, die kleineren auf Barken und Booten. Und jedes Haus und jedes Schiff bestand aus Silber, aus feinziseliertem und kunstvoll verziertem Silber. Die Fenster und Türen der kleinen und großen Paläste, die Türmchen und Balkone, waren aus Silberfiligran so wundervoller Art, daß es in ganz

Phantásien nicht seinesgleichen gab. Allenthalben auf dem See waren Boote und Barken zu sehen, die Besucher von den Ufern in die Stadt brachten. So beeilte sich nun auch Held Hynreck und seine Begleitung, den Strand zu erreichen, wo eine Silberfähre mit herrlich geschwungenem Bug wartete. Die ganze Gesellschaft samt Pferden und Saumtier fand darauf Platz.

Unterwegs erfuhr Bastian von dem Fährmann, der übrigens ein Kleid aus Silbergewebe trug, daß die veilchenblauen Wasser des Sees so salzig und bitter waren, daß nichts auf die Dauer ihrer zersetzenden Wirkung widerstehen konnte – nichts, außer dem Silber. Der See hieß Murhu oder der Tränensee. In längst vergangenen Zeiten habe man die Stadt Amargánth mitten auf den See hinausgefahren, um sie gegen Überfälle zu sichern, denn wer auch immer auf Holzschiffen oder Eisenkähnen versucht habe, sie zu erreichen, sei untergegangen und verloren gewesen, weil das Wasser Schiff und Besatzung in kurzer Zeit aufgelöst habe. Aber jetzt habe man einen anderen Grund, Amargánth auf dem Wasser zu lassen. Die Bewohner liebten es nämlich, ihre Häuser ab und zu umzugruppieren und Straßen und Plätze neu zusammenzustellen. Wenn zum Beispiel zwei Familien, die an den entgegengesetzten Rändern der Stadt wohnten, sich befreundeten oder miteinander verwandt wurden, weil ihre jungen Leute heirateten, dann verließen sie ihren bisherigen Standort und legten ihre Silberschiffe einfach nebeneinander, wodurch sie Nachbarn wurden. Das Silber war, nebenbei bemerkt, besonderer Art und ebenso einmalig wie die unvergleichliche Schönheit seiner Bearbeitung.

Bastian hätte gern noch mehr darüber gehört, aber die Fähre war in der Stadt angekommen, und er mußte mit seinen Reisegenossen aussteigen.

Zunächst suchten sie nun eine Herberge, um Unterkunft für sich und ihre Tiere zu finden. Das war nicht ganz leicht, denn Amargánth war von Reisenden, die von nah und fern zu den Wettkämpfen gekommen waren, förmlich erobert. Aber schließlich fanden sie doch noch Platz in einem Gasthaus. Als Bastian die Mauleselin in den Stall führte, flüsterte er ihr noch ins Ohr:

»Vergiß nicht, was du versprochen hast, Jicha. Wir sehen uns bald wieder.«

Jicha nickte nur mit dem Kopf.

Danach erklärte Bastian seinen Reisegenossen, daß er ihnen nicht länger zur Last fallen wolle, sondern gern auf eigene Faust die Stadt besichtigen würde. Er bedankte sich bei ihnen für ihre Freundlichkeit und verabschiedete sich. In Wirklichkeit brannte er natürlich darauf, Atréju zu finden.

Die großen und kleinen Schiffe waren untereinander durch Stege verbunden, manche schmal und zierlich, so daß jeweils nur eine Person darüber gehen konnte, andere breit und prächtig wie Straßen, auf denen sich die Menge drängte. Es gab auch geschwungene Brücken mit Dächern darüber, und in den Kanälen zwischen den Palastschiffen fuhren Hunderte von kleinen Silbernachen hin und her. Doch wo man auch ging und stand, immerfort fühlte man unter den Sohlen ein leichtes Heben und Senken des Bodens, das einen daran erinnerte, daß die ganze Stadt auf dem Wasser schwamm.

Die Menge der Besucher, von der die Stadt schier überzukochen schien, war so bunt und vielgestaltig, daß ihre Beschreibung ein eigenes Buch füllen würde. Die Amargánther waren leicht zu erkennen, denn sie alle trugen die Kleidung aus Silbergewebe, das fast so schön war wie Bastians Mantel. Auch ihre Haare waren silbern, sie waren groß und wohlgestalt und hatten Augen, so veilchenblau wie Murhu, der Tränensee. Nicht ganz so schön war der größte Teil der Besucher. Da gab es muskelbepackte Riesen mit Köpfen, die zwischen ihren gewaltigen Schultern klein wie Äpfel aussahen. Da liefen finster und verwegen aussehende Nacht-Rabauken herum, einzelgängerische Kerle, denen man ansah, daß mit ihnen nicht gut Kirschen essen war. Da gab es Firlefanze mit flinken Augen und flinken Händen, und Berserker, die breitspurig daherkamen, und denen Rauch aus Mund und Nase stieg. Da wirbelten Spiegelfechter herum wie lebendige Kreisel, und Waldschratte trotteten auf knorrigen Beinen daher, dicke Keulen über den Schultern. Einmal sah Bastian sogar einen Felsenbeißer, dessen Zähne wie stählerne Meißel aus seinem Mund ragten. Der silberne Steg bog sich unter seinem Gewicht, als er seines Weges einherstampfte. Aber ehe Bastian ihn fragen konnte, ob er vielleicht Pjörnrachzarck hieß, war er im Gedränge verschwunden.

Schließlich erreichte Bastian das Zentrum der Stadt. Und hier war es, wo die Wettkämpfe stattfanden. Sie waren bereits in vollem Gang. Auf einem großen, runden Platz, der wie eine riesenhafte Zirkusarena aussah, maßen Hunderte von Wettkämpfern ihre Kräfte und zeigten, was sie konnten. Um das weite Rund drängte sich eine Menge von Zuschauern, welche die Wettkämpfer durch Zurufe anfeuerten, auch die Fenster und Balkone der umliegenden Schiffs-Paläste quollen fast über von Zuschauern, und manchen war es gar gelungen, auf die silberfiligrangeschmückten Dächer hinaufzuklettern.

Aber Bastian war zunächst nicht so sehr an dem Schauspiel interessiert, das die Wettkämpfer boten. Er wollte Atréju finden, der ja gewiß von irgendeinem Punkt aus den Spielen zusah. Und dann beobachtete er, daß die Menge immer wieder erwartungsvoll zu einem bestimmten Palast hinblickte – vor allem dann, wenn einem der Wettstreiter offenbar ein besonders eindrucksvolles Stückchen gelungen war. Aber Bastian mußte sich erst über eine der geschwungenen Brücken drängen und dann an einer Art Laternenpfahl emporklettern, ehe er einen Blick auf jenen Palast werfen konnte.

Auf einem breiten Balkon waren dort zwei hohe Stühle aus Silber aufgestellt. Auf dem einen saß ein sehr alter Mann, dessen silbernes Bart- und Haupthaar bis auf den Gürtel herabwallte. Das mußte Quérquobad, der Silbergreis, sein. Neben ihm saß ein Junge, etwa in Bastians Alter. Er trug lange Hosen aus weichem Leder, sein Oberkörper war nackt, so daß man seine olivgrüne Haut sehen konnte.

Der Ausdruck des schmalen Gesichtes war ernst, ja beinahe streng. Das lange, blauschwarze Haar trug er in einem Schopf, der mit Lederschnüren zusammengebunden war, auf dem Hinterkopf. Um seine Schultern lag ein purpurroter Mantel. Er blickte ruhig und doch eigentümlich angespannt auf den Kampfplatz hinunter. Nichts schien seinen dunklen Augen zu entgehen. Atréju!

In diesem Augenblick erschien in der offenen Balkontür hinter Atréju noch ein anderes, sehr großes Gesicht, das löwenähnlich aussah, nur daß es anstelle eines Fells weiße Perlmutterschuppen hatte und vom Maul lange weiße Barten herunterhingen. Die Augenbälle waren rubinrot und funkelten, und als sich der Kopf nun hoch über Atréju hob, sah man, daß er auf einem langen, geschmeidigen und ebenfalls mit Perlmutterschuppen bedeckten Hals saß, von dem eine Mähne wie weißes Feuer herunterfiel. Es war Fuchur, der Glücksdrache. Und er schien Atréju etwas ins Ohr zu sagen, denn dieser nickte.

Bastian ließ sich wieder von dem Laternenpfahl herabgleiten. Er hatte genug gesehen. Jetzt wandte er seine Aufmerksamkeit den Wettkämpfern zu.

Im Grunde genommen handelte es sich dabei nicht so sehr um wahre und wirkliche Kämpfe, als vielmehr um eine Art Zirkusvorstellung in großem Maßstab. Zwar gab es da gerade einen Ringkampf zwischen zwei Riesen, deren Leiber zu einem einzigen gewaltigen Knoten verschlungen waren, der hin und her rollte, zwar gab es da und dort Paare gleicher oder ganz verschiedener Art, die ihre Kunst im Schwertfechten oder im Handhaben der Keule oder der Lanze vorführten, aber natürlich gingen sie sich dabei nicht ernstlich an Leib und Leben. Es gehörte sogar auch zu den Spielregeln, zu zeigen, wie fair und anständig einer kämpfte und wie gut er sich in der Gewalt hatte. Ein Wettkämpfer, der sich aus Zorn oder Ehrgeiz hätte hinreißen lassen, seinen Kampfpartner ernstlich zu verletzen, wäre sowieso sofort für untauglich erklärt worden. Die meisten waren damit beschäftigt, ihre Fertigkeit im Bogenschießen zu beweisen oder ihre Kräfte zu zeigen, indem sie riesige Gewichte stemmten, andere führten ihre Talente vor, indem sie akrobatische Kunststücke machten oder allerlei Mutproben ablegten. So verschiedenartig die Bewerber waren, so vielfältig war, was sie zeigten.

Immer wieder mußten einige, die übertroffen worden waren, den Platz verlassen, und so wurden es nach und nach immer weniger. Dann sah Bastian, daß Hýkrion, der Starke, Hýsbald, der Flinke, und Hýdorn, der Zähe, das Rund betraten. Held Hynreck und seine Angebetete, Prinzessin Oglamár, waren nicht bei ihnen.

Zu diesem Zeitpunkt befanden sich noch etwa hundert Wettkämpfer auf dem Platz. Da es sich bei diesen um die Auslese der Besten handelte, fiel es Hýkrion, Hýsbald und Hýdorn nicht so leicht, wie sie vielleicht geglaubt hatten, sich gegen ihre Gegner zu behaupten. Es dauerte den ganzen Nachmittag, bis Hýkrion sich als der Mächtigste unter den Starken, Hýsbald als der Gewandteste unter den Flinken und Hýdorn als der Ausdauerndste unter den Zähen erwiesen hatte. Das Publikum jubelte und klatschte ihnen begeistert zu, und die drei verbeugten sich in Richtung des Balkons, wo der Silbergreis Quérquobad und Atréju saßen. Atréju erhob sich bereits, um etwas zu sagen, da trat plötzlich noch ein Wettkämpfer auf den Platz. Es war Hynreck. Gespannte Stille breitete sich aus, und Atréju setzte sich wieder. Da nur drei Männer ihn begleiten sollten, war nun dort unten einer zuviel. Einer von ihnen würde zurücktreten müssen.

»Meine Herren«, sagte Hynreck mit lauter Stimme, so daß jeder ihn hören konnte, »ich nehme nicht an, daß diese kleine Schaustellung eurer Fähigkeiten, die ihr bereits hinter euch habt, eure Kräfte angegriffen haben könnte. Gleichwohl wäre es meiner nicht würdig, euch unter diesen Umständen einzeln zum Zweikampf herauszufordern. Da ich bisher noch keinen mir angemessenen Gegner unter all diesen Wettkämpfern gesehen habe, habe ich nicht mitgemacht und bin deshalb noch frisch. Wenn einer von euch sich allzu erschöpft fühlen sollte, so möge er freiwillig ausscheiden. Andernfalls bin ich bereit, es mit euch allen dreien gleichzeitig aufzunehmen. Habt ihr dagegen einen Einwand?«

»Nein«, antworteten die drei wie aus einem Mund.

Und dann gab es ein Gefecht, daß die Funken sprangen. Hýkrions Schläge hatten nicht das Geringste von ihrer Gewalt eingebüßt, aber Held Hynreck war stärker. Hýsbald fuhr wie ein Blitz von allen Seiten auf ihn zu, aber Held Hynreck war schneller. Hýdorn versuchte ihn zu zermürben, aber Held Hynreck war ausdauernder. Das ganze Gefecht hatte kaum zehn Minuten gedauert, da waren alle drei Herren entwaffnet und beugten das Knie vor Held Hynreck. Er blickte stolz umher und suchte offenbar nach einem bewundernden Blick seiner Dame, die wohl irgendwo in der Menge stand. Jubel und Beifall der Zuschauer brauste wie ein Orkan über den Platz. Wahrscheinlich konnte man ihn noch an den entferntesten Ufern des Tränensees Murhu hören.

Als es still wurde, erhob sich Silbergreis Quérquobad und fragte laut:

»Gibt es noch jemand, der es wagen möchte, gegen Held Hynreck anzutreten?«

Und in das allgemeine Schweigen hinein hörte man eine Knabenstimme antworten:

»Ja, ich!«

Es war Bastian gewesen.

Alle Gesichter wandten sich ihm zu. Die Menge machte ihm eine Bahn frei, und er trat auf den Platz hinaus. Ausrufe des Staunens und der Sorge wurden hörbar. »Seht, wie schön er ist!« – »Schade um ihn!« – »Laßt es nicht zu!«

»Wer bist du?« fragte Silbergreis Quérquobad.

»Meinen Namen«, antwortete Bastian, »will ich erst nachher sagen.«

Er sah, daß Atréjus Augen schmal geworden waren und ihn forschend, aber noch voller Ungewißheit anblickten.

»Junger Freund«, sagte Held Hynreck, »wir haben zusammen gegessen und getrunken. Warum willst du nun, daß ich dich beschäme? Ich bitte dich, nimm dein Wort zurück und geh fort.«

»Nein«, antwortete Bastian, »was ich gesagt habe, gilt.«

Held Hynreck zögerte einen Augenblick. Dann schlug er vor:

»Es wäre nicht recht von mir, wenn ich mich im Kampfspiel mit dir messe. Wir wollen zuerst einmal sehen, wer von uns den Pfeil höher zu schießen vermag.«

»Einverstanden!« erwiderte Bastian.

Für jeden von ihnen wurde ein starker Bogen und ein Pfeil herbeigebracht. Hynreck spannte die Sehne und schoß den Pfeil in den Himmel hinauf, höher, als man ihm mit den Augen zu folgen vermochte. Fast im gleichen Moment spannte Bastian seinen Bogen und schickte seinen Pfeil hinterher.

Es dauerte eine kleine Weile, ehe beide Pfeile zurückkamen und zwischen den beiden Schützen zu Boden fielen. Und nun zeigte sich, daß Bastians Pfeil, mit roten Federn, den von Held Hynreck, mit blauen Federn, offenbar an der höchsten Stelle mit solcher Wucht getroffen haben mußte, daß er ihn von hinten aufgespalten hatte.

Held Hynreck starrte die ineinandersteckenden Pfeile an. Er war ein wenig blaß geworden, nur auf seinen Wangen zeigten sich rote Flecke.

»Das kann nur Zufall sein«, murmelte er. »Wir wollen sehen, wer mit dem Florett gewandter ist.«

Er verlangte zwei Degen und zwei Kartenspiele. Beides wurde ihm gebracht. Er mischte sorgfältig beide Spiele.

Nun warf er ein Kartenspiel hoch in die Luft, zückte blitzschnell die Klinge und stach zu. Als die übrigen Karten zu Boden gefallen waren, sah man, daß er das Herzas getroffen hatte, und zwar mitten in das einzige Herz, das die Karte zeigte. Wieder blickte er sich suchend nach seiner Dame um, während er das Florett mit der Karte herumzeigte.

Jetzt warf Bastian das andere Kartenspiel in die Höhe und ließ seine Klinge durch die Luft sausen. Keine Karte fiel zu Boden. Er hatte sämtliche zweiunddreißig Karten des Spiels aufgespießt, genau in der Mitte und obendrein noch in der richtigen Reihenfolge – obgleich Held Hynreck sie doch so gut gemischt hatte.

Held Hynreck besah sich die Sache. Er sagte nichts mehr, nur seine Lippen zitterten ein wenig.

»Aber an Kraft bist du mir nicht über«, brachte er schließlich ein wenig heiser hervor.

Er griff nach dem schwersten aller Gewichte, die noch auf dem Platz herumlagen, und stemmte es langsam in die Höhe. Doch ehe er es wieder absetzen konnte, hatte Bastian ihn schon ergriffen und samt dem Gewicht in die Höhe gehoben. Held Hynreck machte ein so fassungsloses Gesicht, daß einige Zuschauer sich das Lachen nicht verbeißen konnten.

»Bis jetzt«, sagte Bastian, »habt Ihr bestimmt, worin wir uns messen wollen. Seid Ihr einverstanden, daß ich nun etwas vorschlage?«

Held Hynreck nickte stumm.

»Es ist eine Mutprobe«, fuhr Bastian fort.

Held Hynreck raffte sich noch einmal zusammen.

»Es gibt nichts, wovor mein Mut zurückschreckte!«

»Dann«, erwiderte Bastian, »schlage ich vor, daß wir um die Wette durch den Tränensee schwimmen. Wer zuerst das Ufer erreicht, hat gewonnen.«

Atemlose Stille herrschte auf dem ganzen Platz.

Held Hynreck wurde abwechselnd rot und blaß.

»Das ist keine Mutprobe«, stieß er hervor, »das ist Wahnsinn.«

»Ich«, antwortete Bastian, »bin bereit dazu. Also kommt!«

Nun verlor Held Hynreck die Beherrschung.

»Nein!« schrie er und stampfte mit dem Fuß auf, »Ihr wißt so gut wie ich, daß die Wasser Murhus alles auflösen. Das hieße, in den sicheren Tod gehen.«

»Ich fürchte mich nicht«, versetzte Bastian ruhig, »ich habe die Wüste der Farben durchwandert und vom Feuer des Bunten Todes gegessen und getrunken und darin gebadet. Ich habe vor diesen Wassern keine Angst mehr.«

»Das lügt Ihr!« brüllte Held Hynreck puterrot vor Zorn. »Niemand in Phantásien kann den Bunten Tod überleben, das weiß doch jedes Kind!«

»Held Hynreck«, sagte Bastian langsam, »anstatt mich der Lüge zu bezichtigen, solltet Ihr lieber zugeben, daß Ihr ganz einfach Angst habt.«

Das war zuviel für Held Hynreck. Besinnungslos vor Zorn riß er sein großes Schwert aus der Scheide und ging auf Bastian los. Dieser wich zurück und wollte ein Wort der Warnung anbringen, aber dazu ließ Held Hynreck ihn nicht mehr kommen. Er schlug auf Bastian ein, und es war ihm blutiger Ernst. Im selben Augenblick fuhr das Schwert Sikánda wie ein Blitzstrahl aus seiner verrosteten Scheide in Bastians Hand und begann zu tanzen.

Was nun geschah, war so unerhört, daß keiner der Zuschauer es je in seinem Leben wieder vergaß. Zum Glück konnte Bastian den Schwertgriff in seiner Hand nicht loslassen, und so mußte er jeder Bewegung folgen, die Sikánda von sich aus vollführte. Zunächst zerschnitt das Schwert, Stück für Stück, Held Hynrecks prachtvolle Rüstung. Die Fetzen flogen nur so nach allen Seiten, doch seine Haut wurde nicht einmal geritzt. Held Hynreck wehrte sich verzweifelt und schlug um sich wie ein Verrückter, aber Sikándas Blitzen zuckte um ihn her wie ein Feuerwirbel und blendete ihn, so daß keiner seiner Streiche traf. Als er schließlich nur noch in der Unterwäsche dastand und immer noch nicht aufhörte, auf Bastian einzuschlagen, zerschnitt Sikánda sein Schwert buchstäblich in kleine Scheiben, und zwar mit solcher Geschwindigkeit, daß dessen Klinge noch für einen Moment als Ganzes in der Luft schwebte, ehe sie, klingelnd wie ein Haufen Münzen, zu Boden fiel. Held Hynreck starrte mit aufgerissenen Augen auf den nutzlosen Griff, der ihm in der Hand verblieben war. Er ließ ihn fallen und senkte den Kopf. Sikánda fuhr in seine rostige Scheide zurück, und Bastian konnte es loslassen.

Ein Aufschrei der Begeisterung und Bewunderung erhob sich tausendstimmig aus der Menge der Zuschauer. Sie stürmten den Platz, ergriffen Bastian, hoben ihn hoch und trugen ihn im Triumph herum. Der Jubel wollte kein Ende nehmen. Bastian schaute sich aus seiner Höhe nach Held Hynreck um. Er wollte ihm ein versöhnliches Wort zurufen, denn eigentlich tat der Arme ihm leid, und er hatte nicht vorgehabt, ihn derartig zu blamieren. Aber Held Hynreck war nirgends mehr zu sehen.

Dann wurde es plötzlich still. Die Menge wich zurück und machte Platz. Da stand Atréju und blickte lächelnd zu Bastian empor. Auch Bastian lächelte. Man ließ ihn von den Schultern herunter, und nun standen sich die beiden Jungen gegenüber und sahen sich lange schweigend an. Schließlich begann Atréju zu reden.

»Wenn ich noch einen Begleiter brauchte, um auf die Suche nach dem Retter Phantásiens zu gehen, so würde ich mich mit diesem einen begnügen, denn er zählt mehr als hundert andere zusammen. Aber ich brauche keinen Begleiter mehr, denn die Suchexpedition wird nicht mehr stattfinden.«

Ein Gemurmel der Verwunderung und Enttäuschung war zu hören.

»Der Retter Phantásiens bedarf unseres Schutzes nicht«, fuhr Atréju mit erhobener Stimme fort, »denn er vermag sich selbst besser zu schützen, als wir alle zusammen es könnten. Und wir brauchen ihn nicht mehr zu suchen, denn er hat uns schon gefunden. Ich habe ihn nicht gleich erkannt, denn als ich ihn im Zauber Spiegel Tor des Südlichen Orakels erblickte, sah er anders aus als jetzt – ganz anders. Aber den Blick seiner Augen habe ich nicht vergessen. Es ist derselbe, der mich jetzt trifft. Ich kann mich nicht irren.«

Bastian schüttelte lächelnd den Kopf und sagte:

»Du irrst dich nicht, Atréju. Du warst es, der mich zur Kindlichen Kaiserin gebracht hat, damit ich ihr einen neuen Namen gebe. Und ich danke dir dafür.«

Ein ehrfürchtiges Raunen flog wie ein Windstoß durch die Menge der Zuschauer.

»Du hast versprochen«, antwortete Atréju, »uns nun auch

deinen Namen zu nennen, den außer der Goldäugigen Gebieterin der Wünsche noch niemand in Phantásien kennt. Willst du es nun tun?«

»Ich heiße Bastian Balthasar Bux.«

Jetzt konnten die Zuschauer nicht mehr länger an sich halten. Ihr Jubel explodierte in Tausenden von Hochrufen. Viele fingen vor Begeisterung an zu tanzen, so daß die Stege und Brücken, ja der ganze Platz ins Schwanken geriet.

Atréju streckte Bastian lachend die Hand hin und Bastian schlug ein, und so – Hand in Hand – gingen sie in den Palast, auf dessen Eingangsstufen Silbergreis Quérquobad und Fuchur, der Glücksdrache, auf sie warteten.

An diesem Abend feierte die Stadt Amargánth das schönste Fest, das sie je gefeiert hat. Alles, was Beine hatte, ob kurze oder lange, krumme oder gerade, tanzte, und alles, was Stimme hatte, ob schöne oder häßliche, tiefe oder hohe, sang und lachte.

Als es dunkel wurde, entzündeten die Amargánther Tausende von bunten Lichtern an ihren silbernen Schiffen und Palästen. Und um Mitternacht wurde ein Feuerwerk abgebrannt, wie es selbst in Phantásien noch nie gesehen wurde. Bastian stand mit Atréju auf dem Balkon, links und rechts von ihnen standen Fuchur und Silbergreis Quérquobad und sahen zu, wie die bunten Feuergarben am Himmel und die tausend Lichter der Silberstadt sich in den dunklen Wassern des Tränensees Murhu spiegelten.

XVII. Ein Drache für Held Hynreck

uérquobad, der Silbergreis, war auf seinem Sessel in Schlaf gesunken, denn es war schon spät in der Nacht. So versäumte er das größte und schönste Erlebnis, das er in seinem hundertsiebenjährigen Dasein hätte haben können. Nicht anders erging es vielen anderen in Amargánth, Einheimischen und Gästen, die sich, erschöpft vom Fest, zur Ruhe begeben hatten. Nur wenige waren noch wach, und diese wenigen bekamen etwas zu hören, was an Schönheit alles übertraf, was sie je vernommen hatten und noch vernehmen sollten.

Fuchur, der weiße Glücksdrache, sang.

Hoch am nächtlichen Himmel zog er über der Silberstadt und dem Tränensee Kreise und ließ seine Glockenstimme ertönen. Es war ein Lied ohne Worte, die große, einfache Melodie des reinen Glücks. Und wer sie hörte, dem öffnete sich weit das Herz.

So erging es auch Bastian und Atréju, die nebeneinander auf dem breiten Balkon von Quérquobads Palast saßen. Für beide war es das erste Mal, daß sie einen Glücksdrachen singen hörten. Sie hatten sich, ohne es zu merken, bei der Hand gefaßt und lauschten in schweigendem Entzücken. Jeder wußte, daß der andere das gleiche empfand wie er selbst: Das Glück, einen Freund gefunden zu haben. Und sie hüteten sich, es durch Reden zu stören.

Die große Stunde ging vorüber, Fuchurs Gesang wurde nach und nach leiser und klang schließlich aus.

Als es ganz still war, erwachte Quérquobad, erhob sich und sagte entschuldigend:

»Silbergreise wie ich brauchen nun mal ihren Schlaf. Bei euch jungen Leuten ist das anders. Nehmt mir's nicht übel, aber ich muß jetzt ins Bett.«

Sie wünschten ihm gute Nacht und Quérquobad ging.

Wieder saßen die beiden Freunde lange Zeit schweigend und blickten zum Nachthimmel hinauf, wo der Glücksdrache noch immer mit langsamen, ruhigen Wellenbewegungen seine Kreise zog. Ab und zu schwebte er wie ein weißer Wolkenstreif vor der vollen Mondscheibe vorüber.

»Geht Fuchur nicht schlafen?« fragte Bastian schließlich.

»Er schläft schon«, sagte Atréju leise.

»Im Fliegen?«

»Ja. Er hält sich nicht gern in Häusern auf, sogar wenn sie so groß sind wie Quérquobads Palast. Er fühlt sich beengt und eingeschlossen und versucht, sich so vorsichtig wie möglich zu bewegen, um nichts herunterzuwerfen oder umzustoßen. Er ist einfach zu groß. Darum schläft er meistens hoch in der Luft.«

»Meinst du, er läßt mich auch mal auf sich reiten?«

»Bestimmt«, meinte Atréju, »allerdings ist es nicht ganz einfach. Man muß sich erst dran gewöhnen.«

»Ich bin auf Graógramán geritten«, gab Bastian zu bedenken.

Atréju nickte und blickte ihn voll Bewunderung an.

»Du hast es bei der Mutprobe zu Held Hynreck gesagt. Wie hast du den Bunten Tod bezwungen?«

»Ich habe AURYN«, sagte Bastian.

»Ach?« machte Atréju. Er sah sehr überrascht aus, aber er sagte nichts weiter.

Bastian holte das Zeichen der Kindlichen Kaiserin unter seinem Hemd hervor und zeigte es Atréju. Atréju betrachtete es eine Weile und murmelte dann:

»Also trägst *du* jetzt den Glanz.«

Sein Gesicht schien Bastian ein wenig abweisend, darum sagte er eifrig:

»Willst du es dir noch einmal umhängen?«

Er machte Anstalten, sich die Kette abzunehmen.

»Nein!«

Atréjus Stimme hatte fast scharf geklungen, und Bastian hielt verdutzt inne. Atréju lächelte entschuldigend und wiederholte sanft:

»Nein, Bastian, ich habe es lang genug getragen.«

»Wie du willst«, meinte Bastian. Dann drehte er das Zeichen um.

»Schau mal! Hast du die Inschrift gesehen?«

»Gesehen wohl«, antwortete Atréju, »aber ich weiß nicht, was da steht.«

»Wieso?«

»Wir Grünhäute können Spuren lesen, aber keine Buchstaben.«

Diesmal war es Bastian, der »ach?« machte.

»Was sagt die Inschrift?« wollte Atréju wissen.

»TU WAS DU WILLST«, las Bastian vor.

Atréju schaute das Zeichen unverwandt an.

»Also das heißt es?« murmelte er. Sein Gesicht verriet keine Gemütsbewegung, und Bastian konnte nicht erraten, was er dachte. Deshalb fragte er:

»Wenn du's gewußt hättest, wäre dann irgendwas für dich anders gewesen?«

»Nein«, sagte Atréju, »ich habe getan, was ich wollte.«

»Das stimmt«, meinte Bastian und nickte.

Wieder schwiegen beide eine Weile.

»Ich muß dich noch was fragen, Atréju«, nahm Bastian schließlich das Gespräch wieder auf. »Du hast gesagt, ich hätte anders ausgesehen, als du mich im Zauber Spiegel Tor gesehen hast.«

»Ja, ganz anders.«

»Wie denn?«

»Du warst sehr dick und blaß und hattest ganz andere Kleider an.«

»Dick und blaß?« fragte Bastian und lächelte ungläubig. »Bist du wirklich sicher, daß ich das war?«

»Warst du es denn nicht?«

Bastian überlegte.

»Du hast mich gesehen, das weiß ich. Aber ich war immer so wie jetzt.«

»Wirklich?«

»Ich müßte mich doch erinnern!« rief Bastian.

»Ja«, sagte Atréju und sah ihn nachdenklich an, »das müßtest du.«

»Vielleicht war es ein Zerrspiegel?«

Atréju schüttelte den Kopf.

»Das glaube ich nicht.«

»Wie erklärst du dir dann, daß du mich so gesehen hast?«

»Ich weiß es nicht«, gab Atréju zu. »Ich weiß nur, daß ich mich nicht getäuscht habe.«

Danach schwiegen sie wieder lange Zeit und gingen zuletzt schlafen.

Als Bastian in seinem Bett lag, dessen Kopf- und Fußende natürlich aus feinstem Silberfiligran bestand, ging ihm das Gespräch mit Atréju nicht aus dem Sinn. Irgendwie kam es ihm so vor, als ob sein Sieg über Held Hynreck und sogar sein Aufenthalt bei Graógramán auf Atréju weniger Eindruck machte, seit er wußte, daß Bastian den Glanz trug. Vielleicht dachte er, daß es unter diesen Umständen nichts Besonderes gewesen war. Aber Bastian wollte Atréjus uneingeschränkte Hochachtung gewinnen.

Er dachte lange nach. Es mußte etwas sein, was niemand in Phantásien konnte, auch nicht mit dem Zeichen. Etwas, das nur er, Bastian, vermochte.

Und endlich fiel es ihm ein: Geschichten erfinden!

Immer wieder hatte es doch geheißen, daß niemand in Phantásien Neues schaffen konnte. Sogar die Stimme der Uyulála hatte davon gesprochen. Und gerade das war es, worauf er sich ganz besonders verstand.

Atréju sollte sehen, daß er, Bastian, ein großer Dichter war!

Er wünschte sich, daß sich so bald wie möglich eine Gelegenheit bieten sollte, es dem Freund zu beweisen. Vielleicht schon morgen. Zum Beispiel könnte es ein Dichterfest in Amargánth geben, bei dem Bastian alle in den Schatten stellen würde mit seinen Einfällen!

Oder noch besser wäre es, wenn alles, was er erzählen wollte, Wirklichkeit würde! Hatte Graógramán nicht gesagt, daß Phantásien das Land der Geschichten sei und deshalb sogar längst Vergangenes neu entstehen könnte, wenn es in einer Geschichte vorkommt?

Atréju sollte Augen machen!

Und während Bastian sich Atréjus staunende Bewunderung ausmalte, schlief er ein.

Als sie am nächsten Morgen im Prunksaal des Palastes

bei einem üppigen Frühstück saßen, sagte Silbergreis Quérquobad:

»Wir haben beschlossen, für unseren Gast, den Retter Phantásiens, und seinen Freund, der ihn zu uns brachte, heute ein ganz besonderes Fest zu veranstalten. Vielleicht weißt du nicht, Bastian Balthasar Bux, daß wir Amargánther nach einer uralten Tradition die Liedersänger und Geschichtenerzähler in Phantásien sind. Schon unsere Kinder werden von früh an in dieser Kunst unterwiesen. Wenn sie größer werden, müssen sie viele Jahre durch alle Lande ziehen und diesen Beruf zu Nutz und Frommen aller ausüben. Darum werden wir überall mit Achtung und Freude empfangen. Doch haben wir einen Kummer: Unser Vorrat an Liedern und Geschichten ist – ehrlich gesagt – nicht sehr groß. Und viele von uns müssen sich dieses wenige teilen. Es geht aber die Sage – ich weiß nicht, ob zurecht – daß du in deiner Welt dafür bekannt bist, Geschichten erfinden zu können. Ist das wahr?«

»Ja«, sagte Bastian, »ich bin sogar dafür ausgelacht worden.«

Silbergreis Quérquobad zog erstaunt die Augenbrauen hoch.

»Ausgelacht dafür, daß du Geschichten erzählen kannst, die noch nie jemand gehört hat? Wie ist das möglich! Von uns ist keiner dazu in der Lage, und wir alle, ich und meine Mitbürger, wären dir unaussprechlich dankbar, wenn du uns einige neue Geschichten schenken wolltest. Wirst du uns mit deinem Genie helfen?«

»Mit Vergnügen!« antwortete Bastian.

Nach dem Frühstück gingen sie auf die Treppe von Quérquobads Palast hinaus, wo Fuchur sie schon erwartete.

Auf dem Platz hatte sich inzwischen eine große Menge versammelt, diesmal aber waren nur noch wenige der Gäste darunter, die zu den Kampfspielen in die Stadt gekommen waren. In der Hauptsache bestand sie aus Amargánthern, Männern, Frauen und Kindern, alle wohlgestalt und blauäugig und alle in der schmucken Silbertracht. Die meisten hatten silberne Saiteninstrumente bei sich, Harfen, Leiern, Gitarren oder Lauten, auf denen sie ihren Vortrag begleiten wollten, denn jeder von ihnen hoffte darauf, seine Kunst vor Bastian und Atréju produzieren zu dürfen.

Wieder waren Sessel aufgestellt worden, Bastian nahm in der Mitte zwischen Quérquobad und Atréju Platz. Fuchur postierte sich hinter ihnen.

Dann klatschte Quérquobad in die Hände und sagte in die Stille, die sich ausbreitete:

»Der große Dichter will unseren Wunsch erfüllen. Er wird uns neue Geschichten schenken. Darum gebt euer Bestes, Freunde, um ihn in Stimmung zu bringen!«

Alle Amargánther auf dem Platz verneigten sich tief und schweigend. Dann trat der erste vor und begann zu rezitieren. Nach ihm kamen andere und immer wieder andere. Alle hatten schöne, klangvolle Stimmen und machten ihre Sache sehr gut.

Die Geschichten, Gedichte und Lieder, die sie vortrugen, waren je nachdem spannend, heiter oder auch traurig, aber sie würden hier zu viel Raum beanspruchen. Sie sollen ein andermal erzählt werden. Insgesamt waren es nur etwa hundert verschiedene Stücke. Danach fingen sie an sich zu wiederholen. Die neu vortretenden Amargánther konnten nichts anderes vortragen, als was ihre Vorgänger schon zu Gehör gebracht hatten.

Trotzdem wurde Bastian immer aufgeregter, denn er wartete auf den Augenblick, wo er selbst drankommen würde. Sein Wunsch von gestern abend war haargenau in Erfüllung gegangen. Er konnte es kaum noch aushalten vor Erwartung, daß auch alles andere sich erfüllen würde. Er schaute Atréju von der Seite an, doch der saß mit unbeweglicher Miene da und hörte zu. Ihm war keine Gemütsbewegung anzumerken.

Schließlich gebot Silbergreis Quérquobad seinen Mitbürgern Einhalt. Er wandte sich seufzend zu Bastian und sprach:

»Ich habe dir gesagt, Bastian Balthasar Bux, daß unser

Vorrat leider sehr klein ist. Es ist nicht unsere Schuld, daß es nicht mehr Geschichten gibt. Wie du siehst, tun wir, was wir können. Wirst du uns nun eine der deinen schenken?«

»Ich werde euch alle Geschichten schenken, die ich erfunden habe«, sagte Bastian großzügig, »denn ich kann mir ja jede Menge neue ausdenken. Viele davon habe ich einem kleinen Mädchen namens Kris Ta erzählt, aber die meisten nur mir selbst. Es kennt sie also noch niemand sonst. Aber es würde Wochen und Monate dauern, jede einzeln zu erzählen, und so lang können wir nicht bei euch bleiben. Deshalb will ich euch eine Geschichte erzählen, in der alle anderen enthalten sind. Sie heißt ›Die Geschichte der Bibliothek von Amargánth‹ und ist ganz kurz.« Er überlegte ein wenig und begann aufs Geratewohl:

»In grauer Vorzeit lebte in Amargánth eine Silbergreisin mit Namen Quana, die über die Stadt herrschte. In jenen längst vergangenen Tagen gab es weder den Tränensee Murhu, noch war Amargánth aus dem besonderen Silber, das den Wassern widersteht. Es war noch eine ganz gewöhnliche Stadt mit Häusern aus Stein und Holz. Und sie lag in einem Tal zwischen bewaldeten Hügeln.

Quana hatte einen Sohn namens Quin, der ein großer Jäger war. Eines Tages erblickte Quin in den Wäldern ein Einhorn, das einen leuchtenden Stein auf der Spitze seines Horns trug. Er tötete das Tier und nahm den Stein mit nach Hause. Doch damit hatte er großes Unheil über die Stadt Amargánth gebracht. Die Einwohner bekamen immer weniger und weniger Kinder. Wenn sie keine Rettung fanden, dann waren sie zum Aussterben verurteilt. Aber das Einhorn war ja nicht wieder zum Leben zu erwecken, und niemand wußte Rat.

Da schickte die Silbergreisin Quana einen Boten zum Südlichen Orakel, das damals noch bestand, damit er von der Uyulála gesagt bekäme, was man tun solle. Aber das Südliche Orakel war sehr weit fort. Der Bote war als junger Mann aufgebrochen, und als er zurückkam, war er hochbetagt. Die Silbergreisin Quana war längst gestorben, und ihr Sohn Quin war inzwischen an ihre Stelle getreten. Auch er war natürlich schon uralt, ebenso alle anderen Amargánther. Es gab nur noch ein einziges Kinderpaar, einen Jungen und ein Mädchen. Er hieß Aquil und sie Muqua.

Nun verkündete der Bote, was die Stimme der Uyulála ihm offenbart hatte: Amargánth würde nur dann weiterbestehen können, wenn es zur schönsten Stadt Phantásiens gemacht würde. Nur auf diese Weise sei Quins Frevel wieder gutzumachen. Doch könnten die Amargánther das nur mit der Hilfe der Acharai bewirken, die die häßlichsten Wesen Phantásiens sind. Sie werden auch die ›Immer-Weinenden‹ genannt, weil sie vor Kummer über ihre eigene Häßlichkeit ununterbrochen Tränen vergießen. Gerade mit diesen Tränenströmen waschen sie aber jenes besondere Silber aus den Tiefen der Erde und verstehen es, daraus das wunderbarste Filigran zu machen.

Nun gingen also alle Amargánther auf die Suche nach den Acharai, doch gelang es keinem, sie zu finden, da diese tief unter der Erde leben. Schließlich waren nur noch Aquil und Muqua übrig. Alle anderen waren weggestorben, und die beiden waren inzwischen erwachsen. Und diesen beiden gemeinsam gelang es, die Acharai zu finden und dazu zu überreden, aus Amargánth die schönste Stadt Phantásiens zu machen.

So bauten die Acharai erst einen Silberkahn und darauf einen kleinen Filigranpalast und stellten ihn auf den Marktplatz der ausgestorbenen Stadt. Dann leiteten sie ihren Tränenstrom unterirdisch so, daß er als Quelle in dem Tal zwischen den bewaldeten Hügeln ans Tageslicht trat. Das Tal füllte sich mit den bitteren Wassern und wurde der Tränensee Murhu, auf dem der erste Silberpalast schwamm. Darin wohnten Aquil und Muqua.

Die Acharai hatten aber eine Bedingung an das junge Paar gestellt und die war, daß sie und alle ihre Nachkommen sich dem Liedersingen und dem Geschichtenerzählen widmen sollten. Und solange sie das täten, wollten die Acharai ihnen helfen, weil sie auf diese Weise auch daran beteiligt wären und ihre Häßlichkeit zu etwas Schönem beitrüge.

So gründeten Aquil und Muqua eine Bibliothek – eben die berühmte Bibliothek von Amargánth – in der sie alle meine Geschichten sammelten. Sie fingen mit dieser hier an, die ihr eben gehört habt, aber nach und nach kamen alle anderen dazu, die ich je erzählt habe, und so wurden es schließlich so viele, daß weder die beiden noch ihre zahlreichen Nachkommen, die heute die Silberstadt bevölkern, je damit zu Ende kommen werden.

Daß Amargánth, die schönste Stadt Phantásiens, auch heute noch besteht, kommt daher, daß die Acharai und die Amargánther gegenseitig ihr Versprechen gehalten haben – obwohl sie beide nichts mehr voneinander wissen. Nur der Name des Tränensees Murhu erinnert noch an jene Begebenheit aus grauer Vorzeit.«

Nachdem Bastian geendet hatte, erhob sich Silbergreis Quérquobad langsam von seinem Sessel. Sein Gesicht zeigte ein verklärtes Lächeln.

»Bastian Balthasar Bux«, sprach er, »du hast uns mehr geschenkt als eine Geschichte und mehr als alle Geschichten. Du hast uns unsere eigene Herkunft geschenkt. Nun wissen wir, woher Murhu kommt und unsere silbernen Schiffe und Paläste, die der See trägt. Nun wissen wir, warum wir seit alters her ein Volk von Liedersängern und Geschichtenerzählern sind. Und vor allem wissen wir nun, was jenes große, runde Bauwerk in unserer Stadt enthält, das noch niemals einer von uns betreten hat, weil es seit Urzeiten verschlossen ist. Es enthält unseren größten Schatz, und wir wußten es bisher nicht. Es enthält die Bibliothek von Amargánth!«

Bastian war selbst überwältigt davon, daß alles, was er eben erzählt hatte, Wirklichkeit geworden war (oder schon immer gewesen war? Graógramán hätte wahrscheinlich gesagt: beides!). Jedenfalls wollte er sich mit eigenen Augen davon überzeugen.

»Wo ist denn dieses Gebäude?« fragte er.

»Ich will es dir zeigen«, sagte Quérquobad und zu der Menge gewendet, rief er: »Kommt alle mit! Vielleicht werden uns heute noch mehr Wunder zuteil!«

Ein langer Zug, an dessen Spitze der Silbergreis neben Atréju und Bastian ging, bewegte sich über die Stege, die die Silberschiffe miteinander verbanden, und hielt schließlich vor einem sehr großen Bauwerk an, das auf einem kreisrunden Schiff stand und selbst die Form einer riesigen silbernen Büchse hatte. Die Außenwände waren glatt und schmucklos und hatten auch keine Fenster. Es gab nur eine einzige große Tür, doch die war verschlossen.

In der Mitte des glatten, silbernen Türflügels saß ein Stein in einer ringförmigen Fassung, der aussah wie ein Stück klares Glas. Darüber stand folgende Inschrift:

»Vom Horn des Einhorns genommen, bin ich erloschen.
Ich halte die Tür verschlossen, bis der mein Licht erweckt,
der mich bei meinem Namen nennt.
Ihm leuchte ich hundert Jahre lang
und will ihn führen in den dunklen Tiefen
von Yors Minroud.
Doch spricht er meinen Namen noch ein zweites Mal
vom Ende zum Anfang
verstrahl' ich hundert Jahre Leuchten
in einem Augenblick.«

»Niemand von uns«, sagte Quérquobad, »vermag diese Inschrift zu deuten. Niemand von uns weiß, was die Worte Yors Minroud bedeuten. Niemand hat bis jetzt den Namen des Steins gefunden, obgleich wir alle es wieder und wieder versucht haben. Aber wir alle können nur Namen anwenden, die es schon gibt in Phantásien. Und da es die Namen anderer Dinge sind, hat keiner den Stein zum Leuchten gebracht und dadurch die Tür geöffnet. Kannst du ihn finden, Bastian Balthasar Bux?«

Tiefe, erwartungsvolle Stille trat ein. Alle Amargánther und Nicht-Amargánther hielten den Atem an.

»Al' Tsahir!« rief Bastian.

Im gleichen Augenblick leuchtete der Stein hell auf, sprang aus seiner Fassung und Bastian geradewegs in die Hand. Die Tür öffnete sich.

Ein Ah! des Staunens kam aus tausend Kehlen.

Bastian, den leuchtenden Stein in der Hand, trat gefolgt von Atréju und Quérquobad durch die Tür. Hinter ihnen drängte die Menge nach.

Der große runde Raum war dunkel, und Bastian hob den Stein hoch. Sein Licht war zwar heller als das einer Kerze, reichte aber nicht aus, um den Raum völlig zu erleuchten. Man sah nur, daß an den Wänden entlang, mehrere Stockwerke hoch, Bücher und nochmals Bücher standen.

Lampen wurden herbeigeschafft, und bald war der ganze große Raum hell. Jetzt sah man, daß die Bücherwand ringsum in viele verschiedene Abteilungen gegliedert war, die Hinweisschilder trugen. »Lustige Geschichten« stand da zum Beispiel, oder »Spannende Geschichten« oder »Ernste Geschichten« oder »Kurze Geschichten« und so immer weiter.

In der Mitte des runden Saals war auf dem Boden eine große, nicht zu übersehende Inschrift eingelassen:

BIBLIOTHEK
DER GESAMMELTEN WERKE
VON BASTIAN BALTHASAR BUX

Atréju stand da und schaute sich mit großen Augen um. Er war so von Staunen und Bewunderung überwältigt, daß seine Gemütsbewegung mehr als deutlich zu sehen war. Und Bastian freute sich darüber.

»Das alles«, fragte Atréju und zeigte mit dem Finger rundum, »das alles sind Geschichten, die du erfunden hast?«

»Ja«, sagte Bastian und steckte Al' Tsahir in die Tasche.

Atréju schaute ihn fassungslos an.

»Das«, gab er zu, »geht über meinen Verstand.«

Die Amarganther hatten sich natürlich längst mit Feuereifer auf die Bücher gestürzt, blätterten darin, lasen sich gegenseitig vor, manche setzten sich einfach auf den Boden und fingen schon an, bestimmte Stellen auswendig zu lernen.

Die Kunde des großen Ereignisses hatte sich natürlich wie ein Lauffeuer in der ganzen Silberstadt verbreitet, unter den Einheimischen wie unter den Gästen.

Bastian und Atréju traten gerade aus der Bibliothek ins Freie, als ihnen die Herren Hýkrion, Hýsbald und Hýdorn entgegenkamen.

»Herr Bastian«, sagte der rothaarige Hýsbald, der offensichtlich nicht nur mit der Klinge, sondern auch mit der Zunge der Gewandteste war, »wir haben gehört, was für unvergleichliche Fähigkeiten Ihr an den Tag gelegt habt. Darum wollen wir Euch bitten, uns in Euren Dienst zu nehmen und uns auf Eurer weiteren Fahrt mit Euch ziehen zu lassen. Jeder von uns dreien sehnt sich danach, eine eigene Geschichte zu bekommen. Und wenn Ihr auch ganz gewißlich nicht unseres Schutzes bedürft, so könnte es Euch doch von Nutzen sein, drei tüchtige und fähige Ritter wie uns zu Euren Diensten zu haben. Wollt Ihr?«

»Gern«, antwortete Bastian, »auf solche Begleiter wäre jeder stolz.«

Nun wollten die drei Herren unbedingt und auf der Stelle ihren Treueeid auf Bastians Schwert ablegen, aber er hielt sie zurück.

»Sikánda«, erklärte er ihnen, »ist ein Zauberschwert. Niemand darf es ohne Gefahr für Leib und Leben berühren, der nicht vom Feuer des Bunten Todes gegessen und getrunken und darin gebadet hat.«

So mußten sie sich mit einem freundschaftlichen Handschlag zufriedengeben.

»Und was ist mit Held Hynreck?« erkundigte sich Bastian.

»Er ist vollkommen gebrochen«, sagte Hýkrion.

»Es ist wegen seiner Dame«, fügte Hýdorn hinzu.

»Ihr solltet mal nach ihm sehen«, schloß Hýsbald.

Also machten sie sich – jetzt zu fünft – auf den Weg zu

dem Gasthaus, in dem die Gesellschaft anfangs eingekehrt war und wo Bastian die alte Jicha im Stall untergebracht hatte.

Als sie in die Gaststube traten, saß dort nur ein einziger Mann. Er war über den Tisch gebeugt und hatte die Hände in den blonden Haaren vergraben. Es war Held Hynreck.

Offensichtlich hatte er eine Ersatzrüstung in seinem Reisegepäck mit sich geführt, denn er trug jetzt eine etwas einfachere Ausführung als die, die am Vortage beim Kampf mit Bastian in Stücke gegangen war.

Als Bastian ihm einen guten Tag wünschte, fuhr er in die Höhe und starrte die beiden Jungen an. Seine Augen waren gerötet.

Bastian fragte, ob sie sich zu ihm setzen dürften, er zuckte die Achseln, nickte und sank wieder auf seinen Platz. Vor ihm auf dem Tisch lag ein Blatt Papier, das aussah, als sei es oft zusammengeknüllt und wieder glattgestrichen worden.

»Ich möchte mich nach Eurem Befinden erkundigen«, begann Bastian. »Es tut mir leid, wenn ich Euch gekränkt haben sollte.«

Held Hynreck schüttelte den Kopf.

»Mit mir ist es aus«, brachte er mit rauher Stimme heraus. »Hier, lest selbst!«

Er schob Bastian den Zettel hin:

»Ich will nur den größten« – stand darauf – »und das seid ihr nicht, darum lebt wohl!«

»Von Prinzessin Oglamár?« fragte Bastian.

Held Hynreck nickte.

»Sie hat sich gleich nach unserem Kampf ans Ufer bringen lassen, mit ihrem Zelter. Wer weiß, wo sie jetzt ist? Ich werde sie nicht mehr wiedersehen. Was soll ich dann noch auf der Welt!«

»Könnt Ihr sie nicht einholen?«

»Wozu?«

»Um sie vielleicht noch umzustimmen.«

Held Hynreck stieß ein bitteres Lachen aus.

»Da kennt Ihr Prinzessin Oglamár nicht. Ich habe mehr

als zehn Jahre trainiert, um alles das zu können, was ich kann. Ich habe auf alles verzichtet, was meiner körperlichen Verfassung nicht gut getan hätte. Ich habe mit eiserner Disziplin bei den größten Fechtmeistern Fechten gelernt, bei den stärksten Ringern alle Arten von Ringkampf, bis ich sie alle besiegte. Ich kann schneller laufen als ein Pferd, höher springen als ein Hirsch, ich kann alles am besten, oder vielmehr – ich konnte es bis gestern. Vorher hat sie mich nie eines Blickes gewürdigt, aber dann, nach und nach, wuchs ihr Interesse an mir mit meinen Fähigkeiten. Ich durfte schon hoffen, von ihr erwählt zu werden – und nun ist alles für immer umsonst. Wie kann ich ohne Hoffnung leben?«

»Vielleicht«, meinte Bastian, »solltet Ihr Euch einfach nicht so viel aus Prinzessin Oglamár machen. Es gibt doch bestimmt noch andere, die Euch ebensogut gefallen würden.«

»Nein«, antwortete Held Hynreck, »mir gefällt Prinzessin Oglamár ja gerade deshalb, weil sie sich nur mit dem Größten zufriedengibt.«

»Ach so«, sagte Bastian ratlos, »das ist natürlich schwierig. Was kann man da machen? Und wenn Ihr's vielleicht auf andere Art bei ihr versucht? Als Sänger zum Beispiel oder als Dichter?«

»Ich bin nun mal ein Held«, erwiderte Hynreck ein wenig gereizt, »ich kann und will keinen anderen Beruf. Ich bin wie ich bin.«

»Ja«, sagte Bastian, »das sehe ich ein.«

Alle schwiegen. Die drei Herren warfen Held Hynreck mitfühlende Blicke zu. Sie konnten verstehen, was in ihm vorging. Schließlich räusperte sich Hýsbald und meinte leise, zu Bastian gewandt:

»Für Euch, Herr Bastian, wäre es eigentlich weiter keine große Sache, ihm zu helfen.«

Bastian schaute Atréju an, aber der machte wieder sein undurchdringliches Gesicht.

»Einer wie Held Hynreck«, setzte nun Hýdorn hinzu,

»ist tatsächlich schlecht dran, wenn es weit und breit keine Ungeheuer gibt. Versteht Ihr?«

Bastian verstand immer noch nicht.

»Ungeheuer«, meinte Hýkrion und strich sich seinen enormen schwarzen Schnurrbart, »sind nun einmal notwendig, damit ein Held ein Held sein kann.« Dabei zwinkerte er Bastian zu.

Jetzt hatte Bastian endlich begriffen.

»Hört zu, Held Hynreck«, sagte er, »ich habe mit dem Vorschlag, einer anderen Dame Euer Herz zu schenken, nur Eure Standhaftigkeit auf die Probe gestellt. In Wirklichkeit bedarf Prinzessin Oglamár nämlich schon jetzt Eurer Hilfe, und niemand außer Euch kann sie retten.«

Held Hynreck horchte auf.

»Sprecht Ihr im Ernst, Herr Bastian?«

»In vollem Ernst, Ihr werdet Euch gleich davon überzeugen können. Prinzessin Oglamár ist nämlich vor wenigen Minuten überfallen und entführt worden.«

»Von wem?«

»Von einem der schrecklichsten Ungeheuer, die je in Phantásien existiert haben. Es handelt sich um den Drachen Smärg. Sie ritt gerade über eine Waldlichtung, als das Scheusal sie erblickte, sich aus der Luft auf sie stürzte, vom Rücken ihres Zelters hob und mit sich fortriß.«

Hynreck sprang auf. Seine Augen begannen zu leuchten und seine Wangen zu glühen. Er klatschte vor Freude in die Hände. Doch dann erlosch der Glanz in seinen Augen wieder, und er setzte sich.

»Das kann leider nicht sein«, meinte er bekümmert, »es gibt weit und breit keine Drachen mehr.«

»Ihr vergeßt, Held Hynreck«, erklärte Bastian, »daß ich von sehr weit herkomme – von viel weiter, als Ihr je gewesen seid.«

»Das ist wahr«, bestätigte Atréju, der sich zum ersten Mal einmischte.

»Und sie ist wirklich von diesem Ungeheuer entführt worden?« rief Held Hynreck. Dann preßte er beide Hände auf sein Herz und seufzte: »O meine angebetete Oglamár, wie mußt du jetzt leiden. Aber fürchte dich nicht, dein Ritter naht, er ist schon unterwegs! Sagt mir, was muß ich tun? Wo muß ich hin? Worum handelt es sich?«

»Sehr weit von hier«, begann Bastian, »gibt es ein Land, das heißt Morgul oder das Land des Kalten Feuers, weil dort die Flammen kälter sind als Eis. Wie Ihr dieses Land finden könnt, kann ich Euch nicht sagen, Ihr müßt es selbst herausfinden. Mitten in diesem Land gibt es einen versteinerten Wald mit Namen Wodgabay. Und wiederum mitten in diesem versteinerten Wald steht die bleierne Burg Ragar. Sie ist von drei Burggräben umgeben. Im ersten fließt grünes Gift, im zweiten rauchende Salpetersäure, und im dritten wimmeln Skorpione, so große wie Eure Füße. Es gibt keine Brücken und Stege hinüber, denn der Herr, der in der bleiernen Burg Ragar herrscht, ist jenes geflügelte Ungeheuer namens Smärg. Seine Flügel sind aus schleimiger Haut und haben eine Spannweite von zweiunddreißig Metern. Wenn er nicht fliegt, steht er aufrecht wie ein riesiges Känguruh. Sein Leib gleicht dem einer räudigen Ratte, aber sein Schwanz ist der eines Skorpions. Selbst die leichteste Berührung mit dem Giftstachel ist absolut tödlich. Seine Hinterbeine sind die einer Riesenheuschrecke, aber seine Vorderbeine, die winzig und verkümmert aussehen, gleichen den Händen eines kleinen Kindes. Doch darf man sich dadurch nicht täuschen lassen, denn gerade in diesen Händchen liegt eine furchtbare Kraft. Seinen langen Hals kann er einziehen wie eine Schnecke ihre Fühler, und obendrauf sitzen drei Köpfe. Einer ist groß und gleicht dem Kopf eines Krokodils. Aus diesem Maul kann er eisiges Feuer speien. Aber dort, wo beim Krokodil die Augen sind, hat er zwei Auswüchse, die noch einmal Köpfe sind. Der rechte sieht aus wie der eines alten Mannes. Mit ihm kann er hören und sehen. Zum Sprechen aber hat er den linken, der wie das schrumpelige Gesicht eines alten Weibes aussieht.«

Bei dieser Beschreibung war Held Hynreck etwas blaß geworden.

»Wie war der Name?« fragte er.

»Smärg«, wiederholte Bastian. »Er treibt sein Unwesen schon seit tausend Jahren, denn das ist sein Alter. Immer wieder raubt er eine schöne Jungfrau, die ihm dann den Haushalt führen muß bis ans Ende ihrer Tage. Wenn sie gestorben ist, raubt er eine neue.«

»Wieso habe ich davon nie gehört?«

»Smärg kann unvorstellbar weit und schnell fliegen. Bisher hat er sich immer andere Länder Phantásiens für seine Raubzüge ausgesucht. Und dann kommt es ja auch nur in jedem halben Jahrhundert einmal vor.«

»Und niemand hat bisher je eine Gefangene befreit?«

»Nein, dazu bedarf es eines ganz einmaligen Helden.«

Bei diesen Worten röteten sich Held Hynrecks Wangen wieder.

»Hat Smärg eine verwundbare Stelle?« fragte er fachmännisch.

»Ah!« antwortete Bastian, »das Wichtigste hätte ich fast vergessen. Im tiefsten Keller der Burg Ragar liegt ein bleiernes Beil. Ihr könnt Euch wohl vorstellen, daß Smärg dieses Beil wie seinen Augapfel bewacht, wenn ich Euch sage, daß es die einzige Waffe ist, mit der man ihn töten kann. Man muß ihm damit die beiden kleineren Köpfe abhauen.«

»Woher wißt Ihr das alles?« fragte Held Hynreck.

Bastian brauchte nicht zu antworten, denn in diesem Augenblick erschollen Schreckensrufe auf der Straße:

»Ein Drache! – Ein Ungeheuer! – Da seht doch, da oben am Himmel! – Entsetzlich! Er kommt auf die Stadt zu! – Rette sich, wer kann! – Nein, nein, er hat schon ein Opfer!«

Held Hynreck stürzte auf die Straße hinaus, und alle anderen folgten ihm, zuletzt Atréju und Bastian.

Am Himmel flatterte etwas, das einer riesigen Fledermaus glich. Als es näher kam, war es, als ob sich für einen Augenblick ein kalter Schatten auf die ganze Silberstadt legte. Es war Smärg, und er sah genauso aus, wie Bastian ihn eben erfunden hatte. Und mit den beiden kümmerlichen, aber so gefährlichen Händchen hielt er eine junge Dame fest, die aus Leibeskräften schrie und strampelte.

»Hynreck!« hörte man aus immer weiterer Ferne, »Hilfe, Hynreck! Rette mich, mein Held!«

Dann war es vorüber.

Hynreck hatte bereits seinen schwarzen Hengst aus dem Stall geholt und stand in einer der Silberfähren, die zum Festland fuhren.

»Schneller!« hörte man ihn dem Fährmann zurufen. »Ich gebe dir, was du willst, aber mach schneller!«

Bastian blickte ihm nach und murmelte:

»Ich hoffe bloß, ich habe es ihm nicht zu schwer gemacht.«

Atréju sah ihn von der Seite an. Dann sagte er leise:

»Wir sollten besser vielleicht auch aufbrechen.«

»Wohin?«

»Durch mich bist du nach Phantásien gekommen«, meinte Atréju, »ich denke, ich sollte dir nun auch helfen, den Rückweg zu finden. Du willst doch sicher irgendwann wieder in deine Welt zurückkehren, nicht wahr?«

»Oh«, sagte Bastian, »daran habe ich bis jetzt noch gar nicht gedacht. Aber du hast recht, Atréju. Ja, natürlich, du hast ganz recht.«

»Du hast Phantásien gerettet«, fuhr Atréju fort, »und mir scheint, du hast viel dafür empfangen. Ich könnte mir denken, daß du jetzt zurückkehren möchtest, um damit deine Welt gesund zu machen. Oder gibt es noch etwas, das dich zurückhält?«

Und Bastian, der vergessen hatte, daß er nicht immer stark, schön, mutig und mächtig gewesen war, antwortete:

»Nein, ich wüßte nicht was.«

Atréju sah den Freund wieder nachdenklich an und fügte hinzu:

»Und vielleicht ist es ja ein langer und schwieriger Weg, wer weiß?«

»Ja, wer weiß?« stimmte Bastian zu. »Wenn du willst, dann laß uns gleich aufbrechen.«

Dann gab es noch einen kurzen, freundschaftlichen Streit unter den drei Herren, die sich nicht einigen konnten, wer von ihnen Bastian sein Pferd zur Verfügung stellen durfte. Aber Bastian kürzte die Sache ab, indem er sie bat, ihm Jicha, die Mauleselin, zu schenken. Sie meinten zwar, ein solches Reittier sei unter Herrn Bastiàns Würde, aber da er darauf bestand, gaben sie schließlich nach.

Während die Herren alles für den Aufbruch vorbereiteten, gingen Bastian und Atréju zum Palast Quérquobads zurück, um dem Silbergreis für seine Gastfreundschaft zu danken und Abschied zu nehmen. Fuchur, der Glücksdrache, wartete auf Atréju vor dem Palast. Er war sehr zufrieden, als er hörte, daß man aufbrechen wollte. Städte waren nicht das Richtige für ihn, auch wenn sie so schön waren wie Amargánth.

Silbergreis Quérquobad war in die Lektüre eines Buches vertieft, das er sich aus der Bastian Balthasar Bux Bibliothek mitgenommen hatte.

»Ich hätte euch gerne noch lange bei mir zu Gast gehabt«, sagte er etwas zerstreut, »einen so großen Dichter beherbergt man nicht alle Tage. Aber nun haben wir ja seine Werke zum Trost.«

Sie verabschiedeten sich und gingen hinaus.

Als Atréju sich auf Fuchurs Rücken setzte, fragte er Bastian:

»Wolltest du nicht auch auf Fuchur reiten?«

»Bald«, antwortete Bastian, »jetzt wartet Jicha auf mich, und ich hab's ihr versprochen.«

»Dann erwarten wir euch an Land«, rief Atréju. Der Glücksdrache erhob sich in die Luft und war schon im nächsten Augenblick außer Sichtweite.

Als Bastian zur Herberge zurückkam, warteten die drei Herren bereits reisefertig mit Pferden und Mauleselin in einer der Fähren. Sie hatten Jicha den Packsattel abgenommen und durch einen reichverzierten Reitsattel ersetzt. Warum, erfuhr sie aber erst, als Bastian zu ihr trat und ihr ins Ohr flüsterte:

»Du gehörst jetzt mir, Jicha.«

Und während die Barke ablegte und sich von der Silberstadt entfernte, klang noch lange über die bitteren Wasser des Tränensees Murhu das Freudengeschrei der alten Maulеselin.

Was übrigens Held Hynreck betrifft, so gelang es ihm tatsächlich, nach Morgul, dem Land des Kalten Feuers, zu kommen. Er drang auch in den versteinerten Wald Wodgabay ein und überwand die drei Gräben um die Burg Ragar. Er fand das bleierne Beil und besiegte Smärg, den Drachen. Dann brachte er Oglamár zu ihrem Vater zurück, obwohl sie jetzt gern bereit gewesen wäre, ihn zu heiraten. Aber jetzt wollte er nicht mehr. Doch das ist eine andere Geschichte und soll ein andermal erzählt werden.

XVIII. Die Acharai

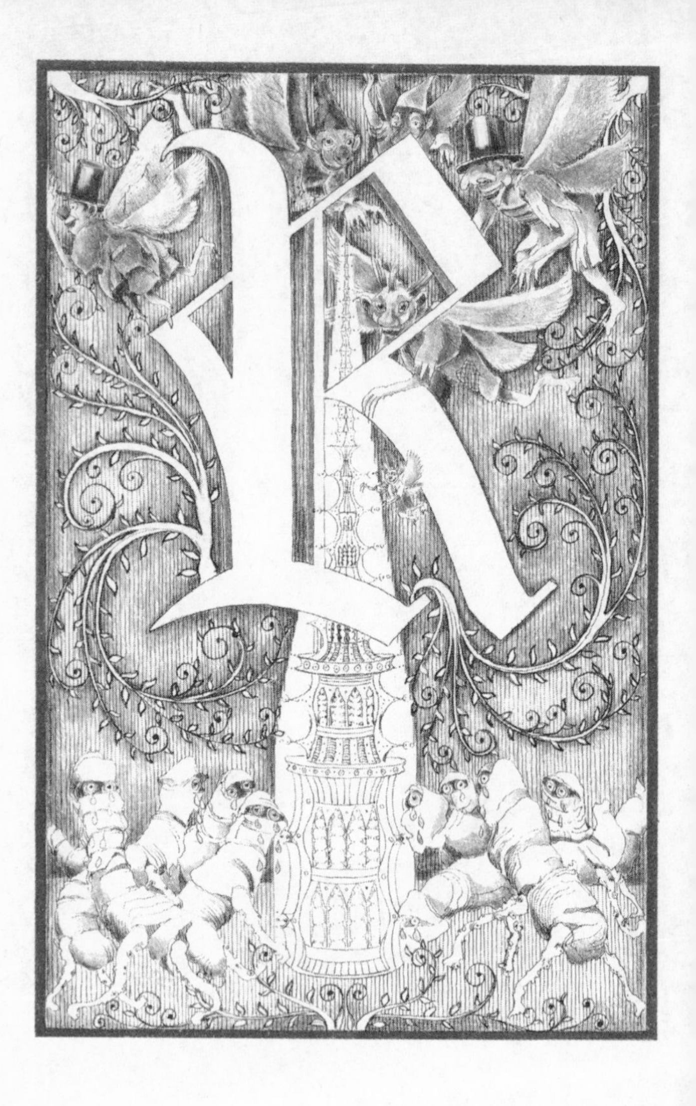

egen fiel dicht und schwer aus dunklen, fast über den Köpfen der Reiter dahinfegenden Wolken. Dann begann es in großen, klebrigen Flocken zu schneien, und schließlich schneite und regnete es in einem. Der Sturmwind war so stark, daß sogar die Pferde sich schräg gegen ihn anstemmen mußten. Die Mäntel der Reiter waren schwer vor Nässe und schlugen klatschend auf die Rücken der Tiere.

Viele Tage waren sie nun schon unterwegs und die drei letzten davon waren sie über diese Hochebene geritten. Das Wetter hatte sich von Tag zu Tag verschlechtert, und der Boden war zu einem Gemisch aus Schlamm und scharfkantigen Steinbrocken geworden, das das Vorankommen immer mühsamer machte. Da und dort standen Gruppen von Buschwerk oder auch kleine, schiefgeblasene Gehölze, sonst bot sich dem Auge keine Abwechslung.

Bastian, der auf der Mauleselin Jicha voranritt, war mit seinem glitzernden Silbermantel noch vergleichsweise gut dran. Es erwies sich, daß dieser, obgleich leicht und dünn, hervorragend wärmte, und das Wasser an ihm abperlte. Hýkrions, des Starken, untersetzte Gestalt verschwand fast in einem blauen, dicken Wollmantel. Der feingliedrige Hýsbald hatte sich die große Kapuze seiner braunen Lodenkotze über die roten Haare gezogen. Und Hýdorns grauer Segeltuchumhang klebte an seinen hageren Gliedern.

Dennoch waren die drei Herren auf ihre etwas rauhe Art guter Dinge. Sie hatten nicht erwartet, daß die Abenteuerreise mit Herrn Bastian eine Art Sonntagsspaziergang werden würde. Ab und zu sangen sie mehr herzhaft als schön mit lauten Stimmen gegen den Sturm an, mal einzeln, mal im Chor. Ihr Lieblingslied war offenbar eines, das mit den Worten begann:

»Als ich ein kleines Büblein war,
juppheißa bei Regen und Wind ...«

Wie sie erklärten, stammte es von einem Phantásienreisenden aus längst vergangenen Tagen, der *Schexpir* oder so ähnlich geheißen hatte.

Der einzige in der Gruppe, dem weder Nässe noch Kälte irgendwelchen Eindruck zu machen schien, war Atréju. Wie meistens seit Beginn der Reise, jagte er auf Fuchurs Rücken zwischen und über den Wolkenfetzen hin, eilte weit voraus, um das Land zu erkunden, und kehrte wieder zurück, um zu berichten.

Sie alle, sogar der Glücksdrache, waren der Meinung, sie befänden sich auf der Suche nach dem Weg, der Bastian in seine Welt zurückführen würde. Auch Bastian glaubte es. Er wußte selbst nicht, daß er Atréjus Vorschlag eigentlich nur aus Freundschaft und aus gutem Willen beigestimmt hatte, daß er es sich in Wirklichkeit aber überhaupt nicht wünschte. Aber Phantásiens Geographie wird durch die Wünsche bestimmt, ob sie einem nun bewußt sind oder nicht. Und da Bastian es war, der zu entscheiden hatte, in welcher Richtung sie weiterzogen, kam es, daß ihr Weg sie immer tiefer nach Phantásien hineinführte – und das hieß, auf jenen Mittelpunkt zu, den der Elfenbeinturm bildete. Was das für ihn bedeutete, sollte er erst später erfahren. Vorläufig ahnte weder er noch einer seiner Reisebegleiter etwas davon.

Bastians Gedanken waren mit etwas anderem beschäftigt.

Gleich am zweiten Tag nach ihrem Aufbruch aus Amargánth hatten sie in den Wäldern, die Murhu umgaben, eine deutliche Spur des Drachen Smärg gefunden. Ein Teil der Bäume, die hier standen, war versteinert. Offensichtlich hatte das Ungeheuer sich da niedergelassen und die Bäume mit dem eiskalten Feuer seines Rachens gestreift. Die Abdrücke seiner riesigen Heuschreckenfüße waren leicht zu erkennen gewesen. Atréju, der sich darauf verstand, hatte noch andere Spuren gefunden, nämlich die von Held Hynrecks Pferd. Also war Hynreck dem Drachen auf den Fersen.

»Ganz zufrieden bin ich damit nicht«, hatte Fuchur halb

im Scherz gesagt und seine rubinroten Augenbälle gerollt, »denn ob Smärg nun ein Scheusal ist oder nicht, er ist immerhin ein – wenn auch noch so entfernter – Verwandter von mir.«

Sie waren Held Hynrecks Spur nicht gefolgt, sondern hatten eine andere Richtung eingeschlagen, denn ihr Ziel war es ja, Bastians Heimweg zu suchen.

Seither hatte er darüber nachgedacht, was er da eigentlich gemacht hatte, als er einen Drachen für Held Hynreck erfand. Sicherlich, Held Hynreck brauchte etwas, woran er sich bewähren und wogegen er kämpfen konnte. Aber es war ja durchaus nicht gesagt, daß er siegen würde. Was, wenn Smärg ihn umbrachte? Und außerdem war nun auch Prinzessin Oglamár in einer schrecklichen Lage. Gewiß, sie war ziemlich hochmütig gewesen, aber hatte Bastian deswegen das Recht, sie derartig ins Unglück zu bringen? Und von alldem einmal abgesehen, wer weiß, was Smärg sonst noch in Phantásien anrichtete. Bastian hatte da, ohne sich viel dabei zu denken, eine unabsehbare Gefahr geschaffen, die nun ohne ihn weiterbestehen und vielleicht unsägliches Unheil über viele Unschuldige bringen würde. Mondenkind, das wußte er, machte in ihrem Reich keinen Unterschied zwischen Bösen und Guten, zwischen Schönem und Häßlichem. Für sie war jedes Geschöpf in Phantásien gleich wichtig und berechtigt. Aber er, Bastian – durfte er sich denn ebenso verhalten wie sie? Und vor allem, wollte er es denn überhaupt?

Nein, sagte sich Bastian, er wollte durchaus nicht als der Schöpfer von Ungeheuern und Scheusalen in die Geschichte Phantásiens eingehen. Viel schöner wäre es, wenn er für seine Güte und Selbstlosigkeit berühmt wäre, wenn er das leuchtende Vorbild für alle darstellte, wenn man ihn den »guten Menschen« nennen oder wenn er als der »große Wohltäter« verehrt werden würde. Ja, das war es, was er sich wünschte.

Das Land war inzwischen felsig geworden, und Atréju, der auf Fuchur von einem Erkundungsflug zurückkam, meldete, er habe wenige Meilen voraus einen kleinen Talkessel erspäht, der verhältnismäßig guten Schutz gegen den Wind böte. Wenn er recht gesehen habe, so gäbe es dort sogar mehrere Höhlen, in denen man vor dem Regen und Schnee Unterschlupf finden könne.

Es war schon später Nachmittag und höchste Zeit, einen geeigneten Lagerplatz für die Nacht zu suchen. So waren alle über Atréjus Nachricht erfreut und trieben ihre Reittiere an. Der Weg verlief auf dem Grunde eines von immer höheren Felsen eingeschlossenen Tales, eines ausgetrockneten Flußbetts vielleicht. Nach etwa zwei Stunden war der Kessel erreicht und tatsächlich fanden sich mehrere Höhlen in den Wänden ringsum. Sie wählten die geräumigste und machten es sich darin behaglich, so gut es ging. Die drei Herren suchten in der Umgebung dürres Reisig und vom Sturm abgeknickte Äste zusammen, und bald brannte ein prächtiges Feuer in der Höhle. Die nassen Mäntel wurden zum Trocknen ausgebreitet, die Pferde und die Mauleselin hereingeholt und abgesattelt und sogar Fuchur, der sonst das Übernachten im Freien vorzog, rollte sich im Hintergrund der Höhle zusammen. Im Grunde war der Platz gar nicht so ungemütlich.

Während Hýdorn, der Zähe, ein großes Stück Fleisch aus ihrem Proviant an seinem langen Schwert über dem Feuer zu braten versuchte und alle ihm dabei erwartungsvoll zusahen, wandte sich Atréju an Bastian und bat:

»Erzähle uns mehr von Kris Ta!«

»Von wem?« fragte Bastian verständnislos.

»Von deiner Freundin Kris Ta, dem kleinen Mädchen, dem du deine Geschichten erzählt hast.«

»Ich kenne kein kleines Mädchen, das so heißt«, antwortete Bastian, »und wie kommst du darauf, daß ich ihr Geschichten erzählt hätte?«

Atréju schaute ihn wieder mit diesem nachdenklichen Blick an.

»In deiner Welt«, meinte er langsam, »hast du doch viele Geschichten erzählt – ihr und auch dir selbst.«

»Woher willst du das wissen, Atréju?«

»Du hast es gesagt. In Amargánth. Und du hast auch gesagt, daß man dich dafür oft ausgelacht hätte.«

Bastian starrte ins Feuer.

»Das ist richtig«, murmelte er, »ich hab's gesagt. Aber ich weiß nicht warum. Ich kann mich nicht daran erinnern.«

Es kam ihm selbst merkwürdig vor.

Atréju wechselte einen Blick mit Fuchur und nickte ernst, so als hätten die beiden etwas besprochen, was sich jetzt bestätigte. Aber er sagte nichts weiter. Offenbar wollte er vor den drei Herren nicht darüber reden.

»Das Fleisch ist fertig«, verkündete Hýdorn.

Er schnitt jedem mit dem Messer ein Stück ab und alle aßen. Daß es fertig gewesen wäre, konnte man zwar beim besten Willen nicht behaupten – es war außen etwas verkohlt und innen noch roh –, aber unter den gegebenen Umständen wäre es unangebracht gewesen, heikel zu sein.

Eine Zeitlang kauten alle, dann bat Atréju noch einmal:

»Erzähle uns, wie du zu uns gekommen bist!«

»Das weißt du doch«, antwortete Bastian, »du hast mich doch zur Kindlichen Kaiserin gebracht.«

»Ich meine, vorher«, sagte Atréju, »in deiner Welt, wo warst du da, und wie ist alles gekommen?«

Und nun erzählte Bastian, wie er Herrn Koreander das Buch gestohlen hatte, wie er damit auf den Speicher des Schulhauses geflohen war und dort zu lesen begonnen hatte. Als er anfangen wollte, von Atréjus Großer Suche zu berichten, winkte dieser ab. Es schien ihn nicht zu interessieren, was Bastian über ihn gelesen hatte. Statt dessen interessierte ihn höchlichst, Genaueres über das Wie und Warum von Bastians Besuch bei Koreander und seiner Flucht auf den Speicher des Schulhauses zu erfahren.

Bastian dachte angestrengt nach, aber er fand nichts mehr davon in seinem Gedächtnis. Alles, was damit zusammenhing, daß er Angst gehabt hatte, daß er dick und schwach und empfindlich gewesen war, hatte er vergessen. Seine Erinnerung war bruchstückhaft, und diese Bruchstücke schienen ihm so fern und undeutlich, als habe es sich nicht um ihn selbst, sondern um einen anderen gehandelt.

Atréju fragte ihn nach anderen Erinnerungen, und Bastian erzählte von den Zeiten, als seine Mutter noch gelebt hatte, vom Vater, von seinem Zuhause, von der Schule und seiner Stadt – was er eben noch wußte.

Die drei Herren waren schon in Schlaf gesunken, und Bastian erzählte immer noch. Es wunderte ihn, daß Atréju so großes Interesse gerade fürs Alltäglichste hatte. Vielleicht lag es an der Art, wie Atréju ihm zuhörte, daß auch ihm selbst die gewöhnlichsten und alltäglichsten Dinge nach und nach gar nicht mehr so alltäglich vorkamen, sondern so, als enthielten sie alle ein Geheimnis, das er nur nie bemerkt hatte.

Schließlich wußte er nichts mehr, ihm fiel nichts mehr ein, was er noch hätte erzählen können. Es war schon spät in der Nacht, das Feuer war heruntergebrannt. Die drei Herren schnarchten leise. Atréju saß mit reglosem Gesicht und schien in Nachdenken versunken.

Bastian streckte sich aus, wickelte sich in seinen Silbermantel und war eben am Einschlafen, als Atréju leise sagte:

»Es liegt an AURYN.«

Bastian stützte den Kopf auf eine Hand und sah den Freund schlaftrunken an.

»Was meinst du damit?«

»Der Glanz«, fuhr Atréju fort, als spräche er zu sich selbst, »wirkt bei unsereinem anders als bei einem Menschenkind.«

»Wie kommst du darauf?«

»Das Zeichen gibt dir große Macht, es erfüllt dir alle deine Wünsche, aber zugleich nimmt es dir etwas: Die Erinnerung an deine Welt.«

Bastian dachte nach. Er empfand nicht, daß ihm etwas fehlte.

»Graógramán hat mir gesagt, ich muß den Weg der Wünsche gehen, wenn ich meinen Wahren Willen finden soll. Und das heißt die Inschrift auf AURYN. Aber dazu muß ich von einem Wunsch zum nächsten gehen. Ich kann keinen überspringen. Anders kann ich in Phantásien überhaupt nicht weiterkommen, hat er gesagt. Dazu brauche ich das Kleinod.«

»Ja«, sagte Atréju, »es gibt dir den Weg und nimmt dir gleichzeitig das Ziel.«

»Na«, meinte Bastian unbesorgt, »Mondenkind wird schon gewußt haben, was sie tat, als sie mir das Zeichen gab. Du machst dir unnötige Gedanken, Atréju. Ganz bestimmt ist AURYN keine Falle.«

»Nein«, murmelte Atréju, »das glaube ich auch nicht.«

Und nach einer Weile fügte er hinzu:

»Jedenfalls ist es gut, daß wir schon auf der Suche nach dem Weg in deine Welt sind. Das sind wir doch, nicht wahr?«

»Jaja«, antwortete Bastian schon halb im Schlaf.

Mitten in der Nacht erwachte er von einem eigentümlichen Geräusch. Er konnte sich nicht erklären, was es war. Das Feuer war erloschen, und völlige Dunkelheit umgab ihn. Dann fühlte er Atréjus Hand auf seiner Schulter und hörte ihn flüstern:

»Was ist das?«

»Ich weiß auch nicht«, flüsterte er zurück.

Sie krochen zum Eingang der Höhle, von wo das Geräusch kam, und horchten genauer hin.

Es klang wie ein unterdrücktes Schluchzen und Weinen aus unzähligen Kehlen. Doch es hatte nichts Menschliches und noch nicht einmal Ähnlichkeit mit tierischen Klagelauten. Es war wie ein allgemeines Rauschen, das manchmal zu einem Seufzen anschwoll wie eine aufschäumende Welle und dann wieder verebbte, um nach einiger Zeit von neuem anzuschwellen. Es war der jammervollste Ton, den Bastian je gehört hatte.

»Wenn man wenigstens etwas sehen könnte!« flüsterte Atréju.

»Warte!« antwortete Bastian, »ich habe doch Al' Tsahir.«

Er zog den leuchtenden Stein aus seiner Tasche und hielt

ihn hoch. Das Licht war mild wie das einer Kerze und erleuchtete den Talkessel nur schwach, doch genügte dieser Schimmer, um den beiden Freunden ein Bild zu zeigen, bei dem sich ihnen vor Abscheu die Haut kräuselte.

Der ganze Talkessel war von armlangen, unförmigen Würmern erfüllt, deren Haut aussah, als wären sie in schmutzige, zerfetzte Lumpen und Lappen gewickelt. Zwischen deren Falten konnten sie etwas wie schleimige Gliedmaßen hervorstrecken, die aussahen wie die Fangarme von Polypen. An einem Ende ihres Leibes blickten unter den Lappen jeweils zwei Augen hervor, Augen ohne Lider, aus denen beständig Tränen rannen. Sie selbst und der ganze Talkessel waren naß davon.

In dem Augenblick, als sie vom Licht Al' Tsahirs getroffen wurden, erstarrten sie, und so war zu sehen, womit sie gerade beschäftigt gewesen waren. In ihrer Mitte erhob sich ein Turm aus feinstem Silberfiligran – schöner und kostbarer, als alle Bauwerke, die Bastian in Amargánth gesehen hatte. Viele der wurmartigen Wesen waren offenbar gerade dabei gewesen, auf diesem Turm herumzuklettern und ihn aus einzelnen Teilen zusammenzusetzen. Jetzt aber waren alle reglos und starrten in das Licht von Al' Tsahir.

»Wehe! Wehe!« klang es wie ein entsetztes Flüstern durch den Talkessel, »jetzt ist unsere Häßlichkeit offenbar geworden! Wehe! Wehe! Wessen Auge hat uns erblickt? Wehe! Wehe, daß wir uns selbst sehen müssen! Wer du auch sein magst, grausamer Eindringling, sei gnädig und habe Erbarmen, und nimm dieses Licht wieder von uns!«

Bastian erhob sich.

»Ich bin Bastian Balthasar Bux«, sagte er, »und wer seid ihr?«

»Wir sind die Acharai«, scholl es ihm entgegen, »die Acharai, die Acharai! Die unglücklichsten Geschöpfe Phantásiens sind wir!«

Bastian schwieg und schaute bestürzt Atréju an, der nun ebenfalls aufstand und neben ihn trat.

»Dann seid ihr es«, fragte er, »die die schönste Stadt Phantásiens gebaut habt, Amargánth?«

»So ist es, ach«, riefen die Wesen, »aber nimm dieses Licht von uns und sieh uns nicht an. Sei barmherzig!«

»Und ihr habt den Tränensee Murhu geweint?«

»Herr«, ächzten die Acharai, »es ist, wie du sagst. Doch werden wir sterben vor Scham und Grausen über uns selbst, wenn du uns weiterhin zwingst, in deinem Licht zu stehen. Warum vermehrst du unsere Qual so grausam? Ach, wir haben dir nichts getan, und niemand ist je durch unseren Anblick beleidigt worden.«

Bastian steckte den Stein Al' Tsahir wieder in seine Tasche, und es wurde stockdunkel.

»Danke!« riefen die schluchzenden Stimmen, »danke für deine Gnade und dein Erbarmen, Herr!«

»Ich möchte mit euch reden«, sagte Bastian, »ich will euch helfen.«

Ihm war beinahe schlecht vor Abscheu und Mitleid mit diesen Kreaturen der Verzweiflung. Es war ihm klar, daß es jene Geschöpfe waren, von denen er in seiner Geschichte über die Entstehung von Amargánth gesprochen hatte, aber wie jedesmal, so war er sich auch diesmal nicht sicher, ob sie schon seit immer dagewesen oder erst durch ihn entstanden waren. In diesem letzteren Fall wäre er auf irgendeine Weise verantwortlich für all dieses Leid.

Aber wie auch immer es sich verhalten mochte, er war entschlossen, diese schreckliche Sache zu ändern.

»Ach«, wimmerten die klagenden Stimmen, »wer kann uns helfen?«

»Ich«, rief Bastian, »ich trage AURYN.«

Nun wurde es plötzlich still. Das Weinen verebbte ganz.

»Woher kommt ihr so plötzlich?« fragte Bastian ins Dunkel.

»Wir wohnen in den lichtlosen Tiefen der Erde«, raunte es zurück wie ein vielstimmiger Chor, »um unseren Anblick der Sonne zu verbergen. Dort weinen wir immerfort über unser Dasein und waschen mit unseren Tränen das unzerstörbare Silber aus dem Urgestein, aus dem wir dann jenes Filigran weben, das du gesehen hast. Nur in den finstersten Nächten wagen wir uns an die Oberfläche hinauf, und diese Höhlen sind unser Ausgang. Hier oben fügen wir dann zusammen, was wir unten vorbereitet haben. Und gerade diese Nacht war dunkel genug, um uns unseren eigenen Anblick zu ersparen. Darum sind wir hier. Durch unsere Arbeit versuchen wir unsere Häßlichkeit an der Welt wiedergutzumachen, und wir finden ein wenig Trost darin.«

»Aber ihr könnt doch nichts dafür, daß ihr so seid!« meinte Bastian.

»Ach, es gibt mancherlei Schuld«, antworteten die Acharai, »die der Tat, die des Gedankens – die unsere ist die unseres Daseins.«

»Wie kann ich euch helfen?« fragte Bastian, der fast vor Mitleid weinte.

»Ach, großer Wohltäter«, riefen die Acharai, »der du AURYN trägst und die Macht hast, uns zu erlösen – wir bitten dich nur um eins: Gib uns eine andere Gestalt!«

»Das will ich tun, seid nur ganz getrost, ihr armen Würmer!« sagte Bastian. »Ich wünsche mir, daß ihr jetzt einschlaft, und wenn ihr morgen früh aufwacht, dann kriecht ihr aus eurer Hülle heraus und seid Schmetterlinge geworden. Ihr sollt bunt und lustig sein und nur noch lachen und Spaß haben! Von morgen an heißt ihr nicht mehr Acharai, die Immer-Weinenden, sondern Schlamuffen, die Immer-Lachenden!«

Bastian lauschte in die Dunkelheit, aber es war nichts mehr zu hören.

»Sie sind schon in Schlaf gefallen«, flüsterte Atréju.

Die beiden Freunde kehrten in die Höhle zurück. Die Herren Hýsbald, Hýdorn und Hýkrion schnarchten noch immer leise und hatten von dem ganzen Ereignis nichts bemerkt.

Bastian legte sich nieder.

Er fühlte sich äußerst zufrieden mit sich.

Bald würde ganz Phantásien von dieser guten Tat erfahren, die er soeben vollbracht hatte. Und sie war ja wirklich selbstlos gewesen, denn niemand konnte behaupten, daß er irgend etwas dabei für sich gewünscht hatte. Der Ruhm seiner Güte würde in hellem Glanz erstrahlen.

»Was sagst du dazu, Atréju?« flüsterte er.

Atréju schwieg eine Weile, ehe er antwortete:

»Was mag es dich gekostet haben?«

Erst ein wenig später, als Atréju schon schlief, begriff Bastian, daß der Freund damit auf das Vergessen angespielt hatte, und nicht etwa auf Bastians Selbstverleugnung. Aber er dachte nicht weiter darüber nach und schlief im Vorgefühl der Freude ein.

Am nächsten Morgen erwachte er von lärmenden Verwunderungsrufen der drei Ritter:

»Seht euch das an! – Meiner Treu, da kichert sogar meine alte Mähre!«

Bastian sah, daß sie im Höhleneingang standen, und Atréju war bei ihnen. Er war der einzige, der nicht lachte.

Bastian erhob sich und trat zu ihnen.

Im ganzen Talkessel krabbelte und purzelte und flatterte es von den komischsten kleinen Gestalten, die er je gesehen hatte. Alle trugen bunte Mottenflügel auf dem Rücken und waren in allerhand karierten, gestreiften, geringelten oder gepunkteten Plunder gekleidet, doch schien jedes Kleidungsstück entweder zu eng oder zu weit, zu groß oder zu klein und sozusagen auf gut Glück zusammengenäht. Nichts stimmte, und überall, sogar auf den Flügeln, waren Flicken aufgesetzt. Keines der Wesen glich dem anderen, ihre Gesichter waren bunt wie die von Clowns, hatten runde, rote Nasen oder lächerliche Zinken und übertriebene Münder. Manche hatten Zylinderhüte in allen Farben auf, andere spitze Mützen, bei einigen standen nur drei knallrote Haarschöpfe in die Höhe, und ein paar hatten spiegelnde Glatzen. Der größte Teil von ihnen saß und hing an dem zierlichen Turm aus kostbarem Silberfiligran, turnte daran, hopste darauf herum und versuchte ihn kaputtzumachen.

Bastian rannte hinaus.

»He, ihr da!« schrie er hinauf, »hört sofort auf! Das könnt ihr doch nicht machen!«

Die Wesen hörten auf und blickten alle zu ihm hinunter.

Eines von ganz oben fragte: »Was hat er gesagt?«

Und ein anderes rief von unten hinauf:

»Der Dingsda sagt, wir können das nicht machen.«

»Warum sagt er, wir können das nicht machen?« fragte ein drittes.

»Weil ihr das eben nicht tun dürft!« schrie Bastian. »Ihr könnt doch nicht einfach alles kaputtmachen!«

»Der Dingsda sagt, wir können nicht alles kaputtmachen«, teilte die erste Clown-Motte den anderen mit.

»Doch, das können wir«, antwortete eine andere und riß ein großes Stück aus dem Turm.

Die erste rief wieder zu Bastian hinunter, wobei sie wie verrückt hopste: »Doch, das können wir!«

Der Turm schwankte und begann bedenklich zu knacken.

»Was macht ihr denn!« schrie Bastian. Er war zornig und erschrocken, aber er wußte nicht, wie er sich verhalten sollte, denn diese Wesen waren wirklich sehr komisch.

»Der Dingsda«, wandte sich die erste Motte wieder an ihre Genossen, »fragt, was wir machen.«

»Was machen wir eigentlich?« wollte eine andere wissen.

»Wir machen Spaß«, erklärte eine dritte.

Darauf brachen alle in der Umgebung in ein ungeheures Gekicher und Gepruste aus.

»Wir machen Spaß!« rief die erste Motte zu Bastian hinunter und verschluckte sich fast vor Lachen.

»Aber der Turm wird zusammenbrechen, wenn ihr nicht aufhört!« schrie Bastian.

»Der Dingsda«, teilte die erste Motte den anderen mit, »meint, der Turm wird zusammenbrechen.«

»Na und?« sagte eine andere.

Und die erste rief nach unten: »Na und?«

Bastian war sprachlos, und ehe er noch eine passende Antwort gefunden hatte, begannen alle Clown-Motten, die an dem Turm hingen, plötzlich eine Art Reigen in der Luft zu tanzen, wobei sie sich allerdings nicht an den Händen hielten, sondern teils an den Beinen, teils am Kragen, manche wirbelten im Kopfstand mit, und alle johlten und lachten.

Was die geflügelten Kerlchen da aufführten, sah derart komisch und vergnügt aus, daß Bastian gegen seinen Willen mitlachen mußte.

»Aber ihr dürft das nicht!« rief er. »Es ist das Werk der Acharai!«

»Der Dingsda«, wandte sich die erste Clown-Motte wieder an ihre Kumpane, »sagt, wir dürfen das nicht.«

»Wir dürfen alles«, schrie eine andere und schlug Kobolz in der Luft, »wir dürfen alles, was uns nicht verboten ist. Und wer verbietet uns was? Wir sind die Schlamuffen!«

»Wer verbietet uns was?« riefen alle Clown-Motten im Chor. »Wir sind die Schlamuffen!«

»Ich!« antwortete Bastian.

»Der Dingsda«, meinte die erste Motte zu den anderen, »sagt ›ich‹.«

»Wieso du?« fragten die anderen, »du hast uns gar nichts zu sagen.«

»Doch nicht ich!« erklärte die erste, »der Dingsda sagt ›er‹.«

»Warum sagt der Dingsda ›er‹?« wollten die anderen wissen, »und zu wem sagt er überhaupt ›er‹?«

»Zu wem sagst du ›er‹?« rief die erste Motte hinunter.

»Ich habe nicht ›er‹ gesagt«, schrie Bastian halb ärgerlich, halb lachend hinauf. »Ich sage, daß ich euch verbiete, den Turm zu demolieren.«

»Er verbietet uns«, erklärte die erste Motte den anderen, »den Turm zu demolieren.«

»Wer?« fragte eine neu Dazugekommene.

»Der Dingsda«, erwiderten die anderen.

Und die neu Angekommene sagte: »Ich kenne den Dingsda nicht. Wer ist das überhaupt?«

Die erste rief: »He, Dingsda, wer bist du überhaupt?«

»Ich bin kein Dingsda!« schrie Bastian nun doch ziemlich wütend, »ich bin Bastian Balthasar Bux und habe aus euch die Schlamuffen gemacht, damit ihr nicht mehr weint und jammert. Heute nacht wart ihr noch unglückliche Acharai. Ihr könntet eurem Wohltäter ruhig mit etwas mehr Respekt antworten!«

Alle Clown-Motten hatten gleichzeitig aufgehört, zu hopsen und zu tanzen und wendeten ihre Blicke zu Bastian hin. Plötzlich herrschte atemlose Stille.

»Was hat der Dingsda gesagt?« flüsterte eine Motte, die weiter entfernt saß, aber die neben ihr gab ihr einen Schlag auf den Hut, daß dieser ihr über Augen und Ohren rutschte. Alle anderen machten: »Pst!«

»Würdest du das bitte noch einmal ganz langsam und ausführlich sagen?« bat die erste Motte betont höflich.

»Ich bin euer Wohltäter!« rief Bastian.

Daraufhin brach eine geradezu lächerliche Aufregung unter den Clown-Motten aus, eine sagte es der anderen weiter, und schließlich krabbelten und flatterten all die unzähligen Gestalten, die bisher über den ganzen Talkessel verteilt gewesen waren, in einem Knäuel um Bastian herum, wobei sie sich gegenseitig in die Ohren schrien:

»Habt ihr das gehört? Habt ihr das begriffen? Er ist unser Tolwäter! Er heißt Nastiban Baltebux! Nein, er heißt Buxian Wähltoter! Quatsch, er heißt Saratät Buxiwohl! Nein, Baldrian Hix! Schlux! Babeltran Totwähler! Nix! Flax! Trix!«

Die ganze Gesellschaft schien außer sich vor Begeisterung. Sie schüttelten sich gegenseitig die Hände, lüpften die Hüte und schlugen sich auf Schultern und Bäuche, daß große Staubwolken aufstiegen.

»Was sind wir für Glückspilze!« riefen sie. »Hoch lebe unser Buxtäter Sansibar Bastelwohl!«

Und immerfort schreiend und lachend stob der ganze riesige Schwarm in die Höhe und wirbelte fort. Der Lärm verhallte in der Ferne.

Bastian stand da und wußte kaum noch, wie er richtig hieß.

Er war sich nicht mehr so sicher, ob er wirklich etwas Gutes getan hatte.

XIX. Die Weggenossen

S

onnenstrahlen fielen schräg durch die dunkle Wolkendecke, als sie an diesem Morgen aufbrachen. Regen und Wind hatten endlich nachgelassen, zwei- oder dreimal gerieten die Reiter im Lauf des Vormittags noch in kurze, heftige Güsse, doch dann besserte sich das Wetter zusehends. Es wurde merklich wärmer.

Die Stimmung der drei Ritter war geradezu ausgelassen, sie scherzten und lachten und trieben allerhand Schabernack miteinander. Aber Bastian ritt auf der Mauleselin still und in sich gekehrt vor ihnen her. Und die drei Herren hatten natürlich viel zuviel Respekt vor ihm, um ihn in seinen Gedanken zu stören.

Das Land, durch das sie zogen, war noch immer jene felsige Hochebene, die kein Ende zu nehmen schien. Nur der Baumbestand wurde nach und nach dichter und höher.

Atréju, der nach seiner Gewohnheit auf Fuchur weit vorausflog und die Gegend auch nach den anderen Seiten hin erkundete, hatte Bastians grüblerische Stimmung schon beim Aufbruch bemerkt. Er fragte den Glücksdrachen, was man tun könne, um den Freund aufzuheitern. Fuchur rollte seine rubinroten Augenbälle und sagte:

»Das ist ganz einfach – wollte er nicht immer schon mal auf mir reiten?«

Als die kleine Reisegesellschaft kurze Zeit später um eine Felsenecke bog, wurde sie dort von Atréju und dem Glücksdrachen erwartet. Die beiden hatten sich behaglich in die Sonne gelegt und blinzelten den Ankommenden entgegen.

Bastian hielt an und betrachtete sie.

»Seid ihr müde?« fragte er.

»Kein bißchen«, antwortete Atréju, »ich wollte dich nur fragen, ob du mich mal eine Zeitlang auf Jicha reiten läßt. Ich bin noch nie auf einem Maulesel geritten. Es muß ja ganz fabelhaft sein, da du es überhaupt nicht leid wirst. Du könntest mir dieses Vergnügen auch mal gönnen, Bastian. Ich leihe dir inzwischen meinen alten Fuchur.«

Bastians Wangen röteten sich vor Freude.

»Ist das wahr, Fuchur?« fragte er, »willst du mich tragen?«

»Mit Vergnügen, großmächtiger Sultan!« dröhnte der Glücksdrache und zwinkerte mit einem Auge. »Steig auf und halt dich fest!«

Bastian sprang von der Mauleselin und schwang sich mit einem Satz auf Fuchurs Rücken. Er hielt sich in der silberweißen Mähne fest, und der Drache stieg in die Lüfte.

Bastian erinnerte sich noch gut an den Ritt auf Graógramán durch die Farbenwüste. Aber auf einem weißen Glücksdrachen zu reiten war noch etwas anderes. Wenn das Dahinrasen auf dem gewaltigen Feuerlöwen wie ein Rausch und ein Schrei gewesen war, so glich dieses weiche Auf und Nieder des biegsamen Drachenleibes einem Lied, das bald sanft und zärtlich war, bald machtvoll und strahlend. Besonders wenn Fuchur seine blitzschnellen Schleifen zog, bei denen seine Mähne, die Barten an seinem Maul und die langen Fransen an seinen Gliedmaßen wie weiße Flammen züngelten, glich sein Flug dem Gesang der Himmelslüfte. Bastians Silbermantel wehte im Flugwind hinter ihm drein und glitzerte im Sonnenlicht wie eine Spur von tausend Funken.

Gegen Mittag landeten sie bei den anderen, die inzwischen auf einem sonnenbeschienenen Felsplateau, über das ein Bächlein rauschte, das Lager aufgeschlagen hatten. Über einem Feuer dampfte bereits ein Kessel mit Suppe, dazu gab es Fladenbrot. Die Pferde und die Mauleselin standen abseits auf einer Wiese und grasten.

Nach dem Essen beschlossen die drei Herren, auf die Jagd zu gehen. Die Reisevorräte gingen zur Neige, vor allem das Fleisch. Sie hatten unterwegs Fasane schreien hören im Gehölz. Und Hasen schien es auch zu geben. Sie fragten Atréju, ob er nicht mitkommen wolle, da er doch als Grünhaut ein leidenschaftlicher Jäger sein müsse. Aber Atréju lehnte die Einladung dankend ab. So ergriffen die drei Herren ihre starken Bogen, schnallten sich die Köcher mit Pfeilen auf den Rücken und gingen in das nahe Wäldchen.

Atréju, Fuchur und Bastian blieben allein zurück.

Nach kurzem Schweigen schlug Atréju vor: »Wie wär's, Bastian, wenn du uns wieder ein bißchen von deiner Welt erzählst?«

»Was würde euch denn interessieren?« fragte Bastian.

»Was meinst du, Fuchur?« wandte sich Atréju an den Glücksdrachen.

»Ich würde gerne etwas über die Kinder aus deiner Schule hören«, antwortete der.

»Welche Kinder?« Bastian war erstaunt.

»Die, die dich verspottet haben«, erklärte Fuchur.

»Kinder, die mich verspottet haben?« wiederholte Bastian noch erstaunter. »Ich weiß nichts von Kindern – und ganz bestimmt hätte keines gewagt, mich zu verspotten.«

»Aber daß du zur Schule gegangen bist«, warf jetzt Atréju ein, »das weißt du doch noch?«

»Ja«, sagte Bastian nachdenklich, »ich erinnere mich an eine Schule, das stimmt.«

Atréju und Fuchur wechselten einen Blick.

»Das habe ich befürchtet«, murmelte Atréju.

»Was denn?«

»Du hast schon wieder ein Teil deiner Erinnerung verloren«, antwortete Atréju ernst, »diesmal hängt es mit der Verwandlung der Acharai in die Schlamuffen zusammen. Du hättest es nicht tun sollen.«

»Bastian Balthasar Bux«, ließ sich jetzt der Glücksdrache vernehmen und es klang beinahe feierlich, wie er sprach, »wenn du auf meinen Rat Wert legst, dann mache von jetzt an keinen Gebrauch mehr von der Macht, die AURYN dir gibt. Sonst läufst du Gefahr, auch noch deine letzten Erinnerungen zu vergessen –, und wie soll es dir dann noch gelingen, dorthin zurückzukehren, woher du gekommen bist?«

»Eigentlich«, gestand Bastian nach einigem Überlegen, »wünsche ich mir gar nicht, dorthin zurückzukehren.«

»Aber das mußt du!« rief Atréju erschrocken. »Du mußt zurück und versuchen, deine Welt in Ordnung zu bringen, damit wieder Menschen zu uns nach Phantásien kommen.

Sonst geht Phantásien früher oder später von neuem zugrunde, und alles war umsonst!«

»Noch bin ich schließlich hier«, sagte Bastian ein wenig gekränkt, »ich habe Mondenkind vor kurzem erst den neuen Namen gegeben.«

Atréju schwieg.

»Jedenfalls«, mischte sich nun wieder Fuchur ins Gespräch, »ist jetzt klar, warum wir bisher nicht den kleinsten Hinweis gefunden haben, wie Bastian zurückkehren kann. Wenn er es sich gar nicht wünscht ...!«

»Bastian«, sagte Atréju fast bittend, »gibt es denn nichts, was dich zurückzieht? Gibt es nichts, was du dort liebst? Denkst du denn nicht an deinen Vater, der sicher auf dich wartet und sich Sorgen um dich macht?«

Bastian schüttelte den Kopf.

»Das glaub' ich nicht. Vielleicht ist er sogar froh, mich los zu sein.«

Atréju schaute den Freund bestürzt an.

»Wenn man euch so hört«, sagte Bastian bitter, »dann könnte man fast glauben, ihr wollt mich auch nur loswerden.«

»Wie meinst du das?« fragte Atréju mit belegter Stimme.

»Na ja«, antwortete Bastian, »ihr beide habt scheint's nur eine Sorge, nämlich wie ich möglichst bald wieder aus Phantásien verschwinde.«

Atréju sah Bastian an und schüttelte langsam den Kopf. Längere Zeit sagte keiner der drei ein Wort. Bastian begann schon zu bereuen, was er den beiden vorgeworfen hatte. Er wußte selbst, daß es nicht richtig war.

»Ich dachte«, sagte Atréju nach einer Weile leise, »wir sind Freunde.«

»Ja«, rief Bastian, »das sind wir auch, und wir werden es immer sein. Verzeiht mir, ich hab' Unsinn geredet.«

Atréju lächelte. »Du mußt uns auch verzeihen, wenn wir dich gekränkt haben. Es war nicht absichtlich.«

»Jedenfalls«, sagte Bastian versöhnlich, »werde ich euren Rat befolgen.«

Später kamen die drei Herren wieder. Sie hatten einige Rebhühner, einen Fasan und einen Hasen erlegt. Das Lager wurde abgebrochen und die Reise fortgesetzt. Bastian ritt jetzt wieder auf Jicha.

Nachmittags kamen sie in einen Wald, der nur aus graden, sehr hohen Stämmen bestand. Es waren Nadelbäume, die in großer Höhe ein so dichtes grünes Dach bildeten, daß kaum ein Lichtstrahl auf den Boden herunterfiel. Vielleicht gab es deshalb kein Unterholz.

Es war angenehm, auf diesem weichen, glatten Boden zu reiten. Fuchur hatte sich dazu bequemt, mit der Reisegesellschaft zu laufen, denn wenn er mit Atréju über die Baumspitzen geflogen wäre, so hätte er die anderen unweigerlich verloren.

Den ganzen Nachmittag über zogen sie im dunkelgrünen Dämmerlicht zwischen den hohen Stämmen hindurch. Gegen Abend fanden sie auf einem Hügel die Ruine einer Burg und entdeckten zwischen all den eingestürzten Türmen und Mauern, Brücken und Gemächern ein Gewölbe, das noch leidlich gut erhalten war. Hier richteten sie sich für die Nacht ein. Diesmal war der rothaarige Hýsbald als Koch an der Reihe, und es zeigte sich, daß er sich sehr viel besser darauf verstand. Der Fasan, den er über dem Feuer gebraten hatte, schmeckte ausgezeichnet.

Am nächsten Morgen zogen sie weiter. Den ganzen Tag ging es durch den Wald, der nach allen Seiten hin gleich aussah. Erst als es wieder Abend wurde, merkten sie, daß sie offenbar in einem großen Kreis geritten waren, denn sie stießen wieder auf die Burgruine, von der aus sie aufgebrochen waren. Nur hatten sie sich ihr diesmal von einer anderen Seite genähert.

»Das ist mir noch nie passiert!« sagte Hýkrion und zwirbelte seinen schwarzen Schnauzbart.

»Ich trau' meinen Augen nicht!« meinte Hýsbald und schüttelte seinen Rotkopf.

»Kann überhaupt nicht sein!« brummte Hýdorn und stakste auf seinen langen, dürren Beinen in die Burgruine hinein.

Aber es war so, die Reste der Mahlzeit vom Vortage bewiesen es.

Auch Atréju und Fuchur konnten sich nicht erklären, wie sie sich so hatten irren können. Aber sie schwiegen beide.

Beim Abendessen – diesmal war es Hasenbraten und von Hýkrion einigermaßen eßbar zubereitet – fragten die drei Ritter, ob Bastian nicht Lust hätte, ein wenig aus dem Schatz seiner Erinnerungen an die Welt, aus der er kam, zu erzählen. Aber Bastian entschuldigte sich damit, daß er Halsweh habe. Da er den ganzen Tag über schweigsam gewesen war, hielten die Ritter diese Ausrede für wahr. Sie gaben ihm ein paar gute Ratschläge, was er dagegen tun solle, und legten sich dann schlafen.

Nur Atréju und Fuchur ahnten, was in Bastian vorging.

Wieder brachen sie am frühen Morgen auf, zogen den ganzen Tag durch den Wald und gaben sorgfältig acht darauf, eine bestimmte Himmelsrichtung einzuhalten – und als der Abend kam, standen sie wieder vor der Burgruine.

»Da soll mich doch dieser und jener!« polterte Hýkrion los.

»Ich werd verrückt!« stöhnte Hýsbald.

»Freunde«, sagte Hýdorn trocken, »wir können unseren Beruf an den Nagel hängen. Wir taugen nicht zu fahrenden Rittern.«

Bastian hatte schon am ersten Abend eine besondere Nische für Jicha gefunden, weil sie es gern mochte, ab und zu ein wenig ganz für sich zu sein und ihren Gedanken nachzuhängen. Die Gesellschaft der Pferde, die unter sich von nichts anderem sprachen als von ihrer jeweiligen vornehmen Herkunft und ihren edlen Stammbäumen, störte sie dabei. Als Bastian die Mauleselin an diesem Abend an ihren Platz brachte, sagte sie:

»Herr, ich weiß, warum wir nicht mehr weiterkommen.«

»Woher willst du das wissen, Jicha?«

»Weil ich dich trage, Herr. Wenn man nur ein halber Esel ist, dann fühlt man dabei alles mögliche.«

»Und was ist der Grund, nach deiner Meinung?«

»Du wünschst dich nicht mehr weiter, Herr. Du hast aufgehört, dir etwas zu wünschen.«

Bastian schaute sie überrascht an.

»Du bist wirklich ein weises Tier, Jicha.«

Die Mauleselin wippte verlegen mit ihren langen Ohren.

»Weißt du eigentlich, in welcher Richtung wir uns bisher immer bewegt haben?«

»Nein«, sagte Bastian, »weißt du es?«

Jicha nickte.

»Bis jetzt sind wir immer auf die Mitte Phantásiens zugegangen. Das war unsere Richtung.«

»Auf den Elfenbeinturm zu?«

»Ja, Herr. Und wir sind gut vorangekommen, solang wir sie einhielten.«

»Das kann nicht sein«, meinte Bastian zweifelnd, »Atréju hätte es gemerkt und Fuchur erst recht. Aber beide wissen nichts davon.«

»Wir Maulesel«, sagte Jicha, »sind einfältige Geschöpfe und können uns ganz gewiß nicht mit Glücksdrachen vergleichen. Aber ein paar Dinge gibt es, Herr, die wir wissen. Und dazu gehört immer die Richtung. Das ist uns angeboren. Wir irren uns nie. Deshalb war ich sicher, daß du zur Kindlichen Kaiserin wolltest.«

»Zu Mondenkind ...«, murmelte Bastian, »ja, ich möchte sie wiedersehen. Sie wird mir sagen, was ich tun soll.«

Dann streichelte er die weiche Schnauze der Mauleselin und flüsterte:

»Danke, Jicha, danke!«

Am nächsten Morgen zog Atréju Bastian beiseite.

»Hör zu, Bastian, Fuchur und ich, wir müssen uns bei dir entschuldigen. Der Rat, den wir dir gegeben haben, war gut von uns gemeint – aber töricht. Seit du ihn befolgt hast, geht unsere Reise nicht mehr weiter. Wir haben heute nacht lange darüber gesprochen, Fuchur und ich. Du wirst von hier nicht mehr fortkommen, und wir mit dir, solange du dir nicht wieder etwas wünschst. Es ist unvermeidlich, daß du dadurch noch mehr vergißt, trotzdem bleibt nichts anderes übrig. Wir können nur hoffen, daß du doch noch rechtzeitig den Rückweg findest. Wenn wir hier bleiben, ist dir ja auch nicht geholfen. Du mußt von der Macht AURYNS Gebrauch machen und deinen nächsten Wunsch finden.«

»Ja«, sagte Bastian, »Jicha hat mir dasselbe gesagt. Und ich weiß ihn auch schon, meinen nächsten Wunsch. Komm mit, denn ich will, daß alle ihn hören sollen.«

Sie kehrten zu den anderen zurück.

»Freunde«, sagte Bastian laut, »bisher haben wir vergebens nach dem Weg gesucht, der mich in meine Welt zurückbringen kann. Ich fürchte, wenn wir so weitermachen, werden wir ihn nie finden. Deshalb habe ich beschlossen, die einzige Person aufzusuchen, die mir darüber Auskunft geben kann. Das ist die Kindliche Kaiserin. Ab heute ist das Ziel unserer Reise der Elfenbeinturm.«

»Hurra!« schrien die drei Herren wie aus einem Mund.

Aber Fuchurs bronzene Stimme dröhnte dazwischen:

»Laß davon ab, Bastian Balthasar Bux! Was du willst, ist unmöglich! Weißt du denn nicht, daß man der Goldäugigen Gebieterin der Wünsche nur ein einziges Mal begegnet? Du wirst sie nicht wiedersehen!«

Bastian richtete sich hoch auf.

»Mondenkind verdankt mir sehr viel!« sagte er gereizt, »ich kann mir nicht denken, daß sie sich weigern wird, mich zu empfangen.«

»Du wirst noch lernen«, gab Fuchur zurück, »daß ihre Entscheidungen bisweilen schwer zu begreifen sind.«

»Du und Atréju«, antwortete Bastian und fühlte, wie ihm der Zorn in die Stirn stieg, »wollt mir dauernd Ratschläge geben. Ihr seht ja selbst, wohin es uns geführt hat, daß ich eurem Rat gefolgt bin. Jetzt werde ich selber entscheiden. Ich habe schon entschieden, und dabei bleibt es jetzt.«

Er holte tief Luft und fuhr etwas gelassener fort:

»Außerdem geht ihr immer von euch aus. Aber ihr seid Geschöpfe Phantásiens, und ich bin ein Mensch. Woher wollt ihr wissen, daß für mich das gleiche gilt wie für euch? Als Atréju AURYN trug, war es anders für ihn, als es für mich ist. Und wer soll Mondenkind denn das Kleinod zurückgeben, wenn nicht ich? Man begegnet ihr kein zweites Mal, sagst du? Aber ich bin ihr ja schon zweimal begegnet. Das erste Mal haben wir uns für einen Augenblick gesehen, als Atréju bei ihr eintrat, und das zweite Mal, als das große Ei explodierte. Für mich ist alles anders als für euch. Und ich werde sie zum drittenmal sehen.«

Alle schwiegen still. Die Herren, weil sie nicht verstanden, worum die Auseinandersetzung eigentlich ging, und Atréju und Fuchur, weil sie tatsächlich unsicher geworden waren.

»Ja«, sagte Atréju schließlich leise, »vielleicht ist es so, wie du sagst, Bastian. Wir können nicht wissen, wie die Kindliche Kaiserin sich dir gegenüber verhalten wird.«

Danach brachen sie auf, und schon nach wenigen Stunden, noch ehe es Mittag war, hatten sie den Waldrand erreicht.

Vor ihnen lag eine weite, ein wenig hügelige Graslandschaft, durch die sich ein Fluß schlängelte. Als sie ihn erreicht hatten, folgten sie seinem Lauf.

Atréju flog wieder wie früher auf Fuchur der Reitergruppe voraus und umkreiste sie in weitem Bogen, um den Weg zu erkunden. Aber beide waren sorgenvoll, und ihr Flug war weniger leicht als früher.

Als sie einmal sehr hoch gestiegen und weit vorausgeflogen waren, sahen sie, daß das Land in der Ferne wie abgeschnitten schien. Ein Felsenabsturz führte zu einer tiefer gelegenen Ebene, die – so weit man sehen konnte – dicht bewaldet war. Der Fluß stürzte in einem gewaltigen Wasserfall dort hinunter. Aber diese Stelle war für die Reiter frühestens am nächsten Tag zu erreichen.

Sie kehrten um.

»Glaubst du, Fuchur«, fragte Atréju, »daß es der Kindlichen Kaiserin gleichgültig ist, was aus Bastian wird?«

»Wer weiß«, antwortete Fuchur, »sie macht keine Unterschiede.«

»Aber dann«, fuhr Atréju fort, »ist sie wahrlich eine ...«

»Sprich es nicht aus!« unterbrach ihn Fuchur. »Ich weiß, was du meinst, aber sprich es nicht aus.«

Atréju schwieg eine Weile, ehe er sagte:

»Er ist mein Freund, Fuchur. Wir müssen ihm helfen. Auch gegen den Willen der Kindlichen Kaiserin, wenn es sein muß. Aber wie?«

»Mit Glück«, antwortete der Drache, und zum ersten Mal klang es, als habe die Bronzeglocke seiner Stimme einen Sprung.

An diesem Abend wurde eine leerstehende Blockhütte, die am Flußufer stand, als Raststätte für die Nacht erwählt. Für Fuchur war sie natürlich zu eng, und er zog es vor, wie früher so oft, in luftigen Höhen zu schlafen. Auch die Pferde und Jicha mußten draußen bleiben.

Während des Abendessens erzählte Atréju von dem Wasserfall und der merkwürdigen Stufe in der Landschaft, die er gesichtet hatte. Dann sagte er wie beiläufig:

»Übrigens sind Verfolger auf unserer Spur.«

Die drei Herren sahen sich an.

»Holla!« rief Hýkrion und zwirbelte unternehmungslustig seinen schwarzen Schnauzbart, »wie viele?«

»Hinter uns habe ich sieben gezählt«, antwortete Atréju, »aber sie können nicht vor morgen früh hier sein, vorausgesetzt, daß sie die Nacht durchreiten.«

»Sind sie bewaffnet?« wollte Hýsbald wissen.

»Das konnte ich nicht feststellen«, sagte Atréju, »aber es kommen noch mehr aus anderen Richtungen. Sechs habe ich im Westen gesehen, neun im Osten und zwölf oder dreizehn kommen uns entgegen.«

»Wir werden abwarten, was sie wollen«, meinte Hýdorn. »Fünfunddreißig oder sechsunddreißig Leute sind nicht mal für uns drei gefährlich, wieviel weniger für Herrn Bastian und Atréju.«

In dieser Nacht band Bastian das Schwert Sikánda nicht ab, wie er es bisher meist getan hatte. Er schlief mit dem Griff in der Faust. Im Traum sah er Mondenkinds Gesicht vor sich. Sie lächelte ihm verheißungsvoll zu. Mehr wußte er beim Aufwachen nicht mehr, aber der Traum bestärkte ihn in seiner Hoffnung, sie wiederzusehen.

Als er einen Blick aus der Tür der Blockhütte warf, sah er draußen im Morgennebel, der aus dem Fluß aufgestiegen war, undeutlich sieben Gestalten stehen. Zwei von ihnen waren zu Fuß, die anderen saßen auf verschiedenartigen Reittieren. Bastian weckte leise seine Gefährten.

Die Herren gürteten sich ihre Schwerter um, dann traten sie alle gemeinsam aus der Hütte. Als die draußen wartenden Gestalten Bastians ansichtig wurden, stiegen die Reiter ab, und dann ließen sich alle sieben gleichzeitig auf das linke Knie nieder. Sie neigten ihre Köpfe und riefen:

»Heil und Gruß dem Retter Phantásiens, Bastian Balthasar Bux!«

Die Ankömmlinge sahen verwunderlich genug aus. Einer von den zweien, die unberitten waren, hatte einen ungewöhnlich langen Hals, auf dem ein Kopf mit vier Gesichtern saß, nach jeder Richtung eines. Das erste hatte einen heiteren Ausdruck, das zweite einen zornigen, das dritte einen traurigen und das vierte einen schläfrigen. Jedes der Gesichter war starr und unveränderlich, doch konnte er jeweils dasjenige Gesicht nach vorne drehen, das seinem augenblicklichen Gemütszustand entsprach. Es handelte sich bei ihm um einen Vier Viertel Troll, mancherorts auch Temperamentnik genannt.

Der andere Läufer war, was man in Phantásien einen Kephalopoden oder Kopffüßler nennt, ein Wesen nämlich, das nur einen Kopf besitzt, der von sehr langen und dünnen Beinen getragen wird, ohne Rumpf und Hände. Kopffüßler sind ständig auf Wanderschaft und haben keinen festen Wohnort. Meistens ziehen sie in Scharen zu vielen Hundert herum, selten trifft man einen Einzelgänger. Sie ernähren sich von Kräutern. Dieser hier, der nun vor Bastian kniete, sah jung und rotbackig aus. Drei andere Gestalten, die auf Pferden, kaum größer als Ziegen, saßen, waren ein Gnom, ein Schattenschelm und ein Wildweibchen. Der Gnom hatte einen goldenen Reif um die Stirn und war offensichtlich ein Fürst. Der Schattenschelm war schwer zu erkennen, denn er bestand eigentlich nur aus einem Schatten, den niemand warf. Das Wildweibchen hatte ein katzenhaftes Gesicht und lange goldblonde Locken, die es wie ein Mantel einhüllten. Sein ganzer Leib war mit einem ebenso goldblonden zotteligen Fell bedeckt. Es war nicht größer als ein fünfjähriges Kind.

Ein anderer Besucher, der auf einem Ochsen ritt, stammte aus dem Land der Sassafranier, die alt geboren werden und sterben, wenn sie Säuglinge geworden sind. Dieser hier hatte einen langen weißen Bart, eine Glatze und ein Gesicht voller Runzeln, er war also – nach sassafranischen Verhältnissen beurteilt – sehr jung, etwa in Bastians Alter.

Ein blauer Dschinn war auf einem Kamel gekommen. Er war lang und dünn und trug einen riesenhaften Turban. Seine Gestalt war menschlich, wenn auch sein nackter, muskelstrotzender Oberkörper aussah, als bestünde er aus einem glänzenden blauen Metall. Statt Nase und Mund hatte er einen mächtigen, gekrümmten Adlerschnabel im Gesicht.

»Wer seid ihr und was wollt ihr?« fragte Hýkrion ein wenig barsch. Er schien trotz der zeremoniellen Begrüßung nicht ganz von der Harmlosigkeit dieser Besucher überzeugt und hatte als einziger den Griff seines Schwertes noch nicht losgelassen.

Der Vier Viertel Troll, der bisher sein schläfriges Gesicht gezeigt hatte, drehte nun sein heiteres nach vorn, und sagte zu Bastian gewendet, wobei er Hýkrion überhaupt nicht beachtete:

»Herr, wir sind Fürsten aus sehr verschiedenen Ländern Phantásiens, jeder von uns hat sich aufgemacht, dich zu begrüßen und deine Hilfe zu erbitten. Die Nachricht von deiner Anwesenheit ist von Land zu Land geflogen, der Wind und die Wolken nennen deinen Namen, die Wellen der Meere verkünden deinen Ruhm mit ihrem Rauschen, und jedes Bächlein erzählt von deiner Macht.«

Bastian warf Atréju einen Blick zu, aber der sah ernst und fast streng den Troll an. Nicht das kleinste Lächeln spielte um seine Lippen.

»Wir wissen«, nahm nun der blaue Dschinn das Wort, und seine Stimme klang wie der scharfe Schrei eines Adlers, »daß du den Nachtwald Perelín geschaffen hast und die Farbenwüste Goab. Wir wissen, daß du vom Feuer des Bunten Todes gegessen und getrunken und darin gebadet hast, was niemand sonst in Phantásien lebend bestanden hätte. Wir wissen, daß du den Tempel der Tausend Türen durchwandert hast, und wir wissen, was in der Silberstadt Amargánth geschah. Wir wissen, Herr, daß du alles vermagst. Wenn du ein Wort sprichst, so ist da, was du willst. Darum laden wir dich ein, zu uns zu kommen und uns der Gnade einer eigenen Geschichte teilhaftig werden zu lassen. Denn wir alle haben noch keine.«

Bastian überlegte, dann schüttelte er den Kopf. »Was ihr von mir erwartet, kann ich jetzt noch nicht tun. Später werde ich euch allen helfen. Aber zuerst muß ich die Kindliche Kaiserin treffen. Darum helft mir, den Elfenbeinturm zu finden!«

Die Wesen schienen keineswegs enttäuscht. Nach kurzer Beratung untereinander erklärten sie sich alle höchst erfreut über Bastians Vorschlag, ihn zu begleiten. Und kurze Zeit später hatte sich der Zug, der nun schon einer kleinen Karawane glich, in Bewegung gesetzt.

Den ganzen Tag über stießen neue Ankömmlinge zu ihnen. Nicht nur die am Vortage von Atréju angekündigten Sendboten tauchten von allen Seiten auf, sondern noch viel mehr. Man sah bocksbeinige Faune und riesige Nachtalben, Elfen und Kobolde, Käferreiter und Dreibeiner, einen menschengroßen Hahn in Stulpenstiefeln und einen aufrechtgehenden Hirsch mit goldenem Geweih, der eine Art Frack trug. Überhaupt gab es unter den Neuankömmlingen eine Menge Wesen, die keine Ähnlichkeit mit menschlichen Gestalten hatten. Da waren zum Beispiel kupferne Ameisen mit Helmen, bizarr geformte Wanderfelsen, Flötentiere, die auf ihren langen Schnäbeln musizierten, und auch drei sogenannte Pfützler, die sich auf recht erstaunliche Art fortbewegten, indem sie – wenn man so sagen kann – bei jedem Schritt zu einer Pfütze zerflossen und ihre Gestalt ein Stück weiter wieder neu zusammenzogen. Das merkwürdigste der neuangekommenen Wesen war jedoch vielleicht ein Zwie, dessen Vorder- und Hinterteil unabhängig voneinander herumlaufen konnte. Er hatte entfernte Ähnlichkeit mit einem Nilpferd, nur daß er rot und weiß gestreift war.

Insgesamt waren es inzwischen schon an die hundert. Und alle waren gekommen, um Bastian, den Retter Phantásiens, zu begrüßen und ihn um eine eigene Geschichte zu bitten. Aber die ersten sieben hatten den neu Hinzugekommenen erklärt, daß die Reise zuerst zum Elfenbeinturm gehe, und alle waren bereit, mitzuziehen.

Hýkrion, Hýsbald und Hýdorn ritten mit Bastian an der Spitze des nunmehr schon ziemlich langen Zuges.

Gegen Abend erreichten sie den Wasserfall. Und bei Einbruch der Nacht hatte der Zug die höher gelegene Ebene verlassen, war einen geschlängelten Bergpfad abwärts gezogen und befand sich nun in einem Wald aus baumgroßen Orchideen. Es waren gefleckte und ein wenig beunruhigend aussehende Riesenblüten. Deshalb wurde beschlossen, für alle Fälle Wachen über Nacht aufzustellen, als man das Lager aufschlug.

Bastian und Atréju hatten Moos, das überall reichlich wuchs, zusammengetragen und sich daraus ein weiches Lager gemacht. Fuchur legte sich in einem Ring um die beiden Freunde herum, den Kopf nach innen, so daß sie für sich und geschützt waren wie in einer großen Strandburg. Die Luft war warm und von einem eigentümlichen Duft erfüllt, der den Orchideen entströmte und nicht sehr angenehm war. Es lag etwas in ihm, das Unheil verkündete.

XX. Die Sehende Hand

autropfen funkelten an den Blüten und Blättern der Orchideen in der ersten Morgensonne, als die Karawane sich erneut in Bewegung setzte. In der Nacht hatte es keine Zwischenfälle gegeben, außer daß abermals neue Abgesandte zu den bisherigen hinzugekommen waren, so daß die ganze Schar nun schon an die dreihundert ausmachte. Es war wahrhaftig ein sehenswertes Schauspiel, den Zug dieser so verschiedenartigen Wesen zu beobachten.

Je weiter sie in den Orchideenwald eindrangen, desto unglaublichere Formen und Farben nahmen die Blüten an. Und bald stellten die Herren Hýkrion, Hýsbald und Hýdorn fest, daß der beunruhigende Eindruck, der sie dazu veranlaßt hatte, Wachen aufzustellen, nicht ganz unbegründet gewesen war. Viele dieser Gewächse waren nämlich fleischfressende Pflanzen, groß genug, ein ganzes Kalb zu verschlingen. Zwar bewegten sie sich nicht von sich aus – insofern waren die Wachen unnötig gewesen –, aber wenn man sie berührte, schnappten sie zu wie Schlageisen. Und ein paarmal mußten die Herren von ihren Schwertern Gebrauch machen, um den Arm oder Fuß eines Reisegenossen oder seines Reittiers zu befreien, indem sie die ganze Blüte abhieben und in Stücke schnitten.

Bastian, der auf Jicha ritt, war ständig dicht umdrängt von allen möglichen phantásischen Wesen, die sich ihm bemerkbar zu machen versuchten oder wenigstens einen Blick auf ihn werfen wollten. Aber Bastian ritt schweigend und mit verschlossenem Gesicht. Ein neuer Wunsch war in ihm erwacht, und zum ersten Mal war es einer, der ihn unnahbar und sogar düster erscheinen ließ.

Was ihn an Atréjus und Fuchurs Verhalten am meisten verdroß, trotz der Versöhnung, war die unbezweifelbare Tatsache, daß sie ihn wie ein unselbständiges Kind behandelten, für das sie sich verantwortlich fühlten und das sie gängeln und anleiten mußten. Wenn er es sich recht überlegte, dann war es schon vom ersten Tag ihres Zusammenseins an so gewesen. Wie kamen sie eigentlich dazu? Offenbar fühlten sie sich ihm aus irgendeinem Grund überlegen –

auch wenn sie es dabei gut mit ihm meinten. Ohne Zweifel hielten Atréju und Fuchur ihn für einen harmlosen, schutzbedürftigen Jungen. Und das paßte ihm nicht, nein, das paßte ihm ganz und gar nicht! Er war nicht harmlos! Das sollten sie noch sehen! Er wollte gefährlich sein, gefährlich und gefürchtet! Einer, vor dem jeder sich in acht nehmen mußte – auch Fuchur und Atréju.

Der blaue Dschinn – er hieß übrigens Illuán – bahnte sich einen Weg durch das Gedränge rings um Bastian und verneigte sich mit auf der Brust überkreuzten Armen.

Bastian hielt an.

»Was gibt es, Illuán? Rede!«

»Herr«, sagte der Dschinn mit seiner Adlerstimme, »ich habe mich unter unseren neu hinzugekommenen Weggenossen etwas umgehört. Einige von ihnen behaupten, diese Gegend zu kennen und zu wissen, worauf wir uns zubewegen. Sie alle schlottern vor Angst, Herr.«

»Weshalb? Was ist es für eine Gegend?«

»Dieser Wald aus fleischfressenden Orchideen, Herr, heißt der Garten Oglais und gehört zum Zauberschloß Hórok, das auch die Sehende Hand genannt wird. Dort wohnt die mächtigste und schlimmste Magierin Phantásiens. Ihr Name ist Xayíde.«

»Es ist gut«, antwortete Bastian, »sage den Ängstlichen, daß sie sich beruhigen sollen. Ich bin bei ihnen.«

Illuán verneigte sich abermals und entfernte sich.

Ein wenig später, landeten Fuchur und Atréju, die weit vorausgeflogen waren, neben Bastian. Der Heerzug machte gerade Mittagsrast.

»Ich weiß nicht, was ich davon halten soll«, begann Atréju. »Drei bis vier Wegstunden voraus haben wir mitten im Orchideenwald ein Bauwerk gesehen, das wie eine große Hand aussieht, die aus dem Boden ragt. Es macht einen ziemlich unheimlichen Eindruck. Wenn wir die bisherige Richtung beibehalten, laufen wir genau darauf zu.«

Bastian berichtete, was er inzwischen durch Illuán wußte.

»In diesem Fall«, meinte Atréju, »wäre es vernünftiger, die Richtung zu ändern, meinst du nicht?«

»Nein«, sagte Bastian.

»Aber es gibt keinen Grund, der uns zwingt, mit Xayíde zusammenzutreffen. Es wäre besser, wir vermeiden die Begegnung.«

»Es gibt einen Grund«, sagte Bastian.

»Welchen?«

»Weil ich es möchte«, sagte Bastian.

Atréju schwieg und schaute ihn groß an. Da sich wieder von allen Seiten Phantásier herandrängten, um einen Blick von Bastian zu erhaschen, setzten sie das Gespräch nicht fort.

Aber nach dem Mittagsmahl kam Atréju zurück und schlug Bastian in scheinbar unbekümmertem Ton vor:

»Hättest du nicht Lust, mit mir zusammen auf Fuchur zu fliegen?«

Bastian verstand, daß Atréju etwas auf dem Herzen hatte. Sie schwangen sich auf den Rücken des Glücksdrachen, Atréju vorne, Bastian hinter ihm, und stiegen in die Luft empor. Es war das erste Mal, daß sie gemeinsam flogen.

Kaum waren sie außer Hörweite, als Atréju sagte:

»Es ist jetzt schwer, dich allein zu sprechen. Aber wir müssen unbedingt miteinander reden, Bastian.«

»Das hab' ich mir gedacht«, antwortete Bastian lächelnd. »Was gibt's denn?«

»Wohin wir da geraten sind«, begann Atréju zögernd, »und worauf wir uns da zubewegen – hängt das mit einem neuen Wunsch von dir zusammen?«

»Vermutlich«, erwiderte Bastian ein wenig kühl.

»Ja«, fuhr Atréju fort, »das haben wir uns schon gedacht, Fuchur und ich. Was für ein Wunsch mag das wohl sein?«

Bastian schwieg.

»Versteh mich nicht falsch«, fügte Atréju hinzu, »es handelt sich nicht darum, daß wir Angst vor irgend etwas oder irgendwem haben. Aber als deine Freunde machen wir uns Sorgen um dich.«

»Das ist unnötig«, gab Bastian noch kühler zurück.

Atréju schwieg längere Zeit. Schließlich wandte Fuchur den Kopf nach ihnen und sagte:

»Atréju hat einen sehr vernünftigen Vorschlag zu machen, den solltest du dir anhören, Bastian Balthasar Bux.«

»Habt ihr wieder einen guten Rat?« fragte Bastian mit spöttischem Lächeln.

»Nein, kein Rat, Bastian«, antwortete Atréju, »einen Vorschlag, der dir vielleicht im ersten Augenblick nicht gefallen wird. Aber du solltest erst darüber nachdenken, ehe du ihn ablehnst. Wir haben uns die ganze Zeit den Kopf zerbrochen, wie wir dir helfen können. Alles liegt an der Wirkung, die das Zeichen der Kindlichen Kaiserin auf dich hat. Ohne AURYNS Macht kannst du dich nicht weiterwünschen, aber mit AURYNS Macht verlierst du dich selbst und erinnerst dich immer weniger daran, wohin du überhaupt willst. Wenn wir nichts tun, kommt der Moment, wo du es gar nicht mehr weißt.«

»Darüber haben wir schon gesprochen«, sagte Bastian, »was weiter?«

»Als ich damals das Kleinod trug«, fuhr Atréju fort, »war alles anders. Mich hat es geführt, und es hat mir nichts genommen. Vielleicht weil ich kein Mensch bin und deshalb keine Erinnerung an die Menschenwelt zu verlieren habe. Ich will sagen, es hat mir nicht geschadet, ganz im Gegenteil. Und deshalb wollte ich dir vorschlagen, daß du mir AURYN gibst und dich meiner Führung einfach anvertraust. Ich werde deinen Weg für dich suchen. Was hältst du davon?«

»Abgelehnt!« sagte Bastian kalt.

Fuchur wandte wieder seinen Kopf zurück.

»Willst du nicht wenigstens einen Augenblick darüber nachdenken?«

»Nein«, antwortete Bastian, »wozu?«

Jetzt wurde Atréju zum ersten Mal zornig.

»Bastian, nimm Vernunft an! Du mußt einsehen, daß du so nicht weitermachen kannst! Merkst du denn nicht, daß du dich ganz verändert hast? Was hast du überhaupt noch mit dir selbst zu tun? Und was wird noch aus dir werden?«

»Danke schön«, sagte Bastian, »vielen Dank, daß ihr euch pausenlos um meine Angelegenheiten kümmert! Aber es wäre mir, ehrlich gesagt, sehr viel lieber, wenn ihr mich endlich damit verschonen würdet. Ich – falls ihr das vergessen habt – *ich* bin nämlich der, der Phantásien gerettet hat, ich bin der, dem Mondenkind ihre Macht anvertraut hat. Und irgendeinen Grund muß sie dafür wohl gehabt haben, sonst hätte sie AURYN ja dir lassen können, Atréju. Aber sie hat dir das Zeichen abgenommen und hat es mir gegeben! Ich hab' mich verändert, sagst du? Ja, mein lieber Atréju, da kannst du schon recht haben! Ich bin nicht mehr der harmlose und nichtsahnende Tropf, den ihr in mir seht! Soll ich dir sagen, warum du AURYN in Wahrheit von mir haben willst? Weil du ganz einfach eifersüchtig auf mich bist, nichts als eifersüchtig. Ihr kennt mich noch nicht, aber wenn ihr in dieser Art weitermacht – ich sage es euch noch einmal im Guten – dann werdet ihr mich kennenlernen!«

Atréju antwortete nicht. Fuchurs Flug hatte plötzlich alle Kraft verloren, er schleppte sich mühsam durch die Luft und sank tiefer und tiefer wie ein angeschossener Vogel.

»Bastian«, brachte Atréju schließlich mit Mühe heraus, »was du da eben gesagt hast, kannst du nicht ernstlich glauben. Wir wollen es vergessen. Es ist nie gesagt worden.«

»Na gut«, antwortete Bastian, »wie du willst. Ich habe nicht damit angefangen. Aber meinetwegen: Schwamm drüber.«

Eine Weile sagte keiner mehr ein Wort.

In der Ferne tauchte vor ihnen aus dem Orchideenwald Schloß Hórok auf. Es sah tatsächlich wie eine riesige Hand mit fünf gerade hochgestreckten Fingern aus.

»Aber eins möchte ich doch noch ein für allemal klarstellen«, sagte Bastian unvermittelt, »ich habe mich entschlossen, überhaupt nicht zurückzukehren. Ich werde in Phantásien für immer bleiben. Mir gefällt es sehr gut hier. Und auf meine Erinnerungen kann ich deshalb leicht verzichten.

Und was Phantásiens Zukunft betrifft: Ich kann der Kindlichen Kaiserin tausend neue Namen geben. Wir brauchen die Menschenwelt nicht mehr!«

Fuchur machte plötzlich eine scharfe Wendung und flog zurück.

»He!« rief Bastian, »was tust du? Flieg weiter! Ich will Hórok aus der Nähe sehen!«

»Ich kann nicht mehr«, antwortete Fuchur mit geborstener Stimme, »ich kann wirklich nicht mehr.«

Als sie später bei der Karawane landeten, fanden sie die Weggenossen in großer Aufregung. Es stellte sich heraus, daß der Zug überfallen worden war, und zwar von einer Bande von etwa fünfzig großmächtigen Kerlen, die in schwarzen insektenartigen Panzern oder Rüstungen steckten. Viele der Wegbegleiter waren geflohen und kehrten nun erst einzeln oder in Gruppen zurück, andere hatten sich tapfer zur Wehr gesetzt, ohne aber auch nur das mindeste ausrichten zu können. Diese gepanzerten Riesen hatten jede Gegenwehr zunichte gemacht, als handle es sich für sie um ein Kinderspiel. Die drei Herren Hýkrion, Hýsbald und Hýdorn hatten sich heldenhaft geschlagen, ohne jedoch auch nur einen einzigen der Gegner zu überwinden. Schließlich waren sie, von der Übermacht bezwungen, entwaffnet, in Ketten gelegt und fortgeschleift worden. Einer der schwarz Gepanzerten hatte mit einer eigentümlich blechernen Stimme folgendes gerufen:

»Dies ist die Botschaft von Xayíde, der Herrin auf Schloß Hórok, an Bastian Balthasar Bux. Sie fordert, daß der Retter sich ihr bedingungslos unterwirft und ihr mit allem, was er ist, was er hat und was er kann, als treuer Sklave zu dienen schwört. Ist er dazu aber nicht bereit und sollte er auf irgendeine List sinnen, um den Willen Xayídes zu vereiteln, so werden seine drei Freunde Hýkrion, Hýsbald und Hýdorn eines langsamen, schmählichen und grausamen Todes unter der Folter sterben. Er möge sich also rasch besinnen, denn die Frist läuft morgen mit Aufgang der Sonne ab. Dies ist die Botschaft von Xayíde, Herrin auf Schloß Hórok, an Bastian Balthasar Bux. Sie ist überbracht.«

Bastian biß sich auf die Lippen. Atréju und Fuchur blickten starr vor sich hin, aber Bastian wußte genau, was sie beide dachten. Und gerade, daß sie sich nichts anmerken ließen, brachte ihn innerlich noch mehr auf. Aber jetzt war nicht der richtige Zeitpunkt, sie deshalb zur Rede zu stellen. Später würde sich noch die passende Gelegenheit finden.

»Ich werde mich dieser Erpressung Xayídes auf keinen Fall beugen, das ist wohl klar«, sagte er laut zu den Umstehenden, »wir müssen sofort einen Plan entwerfen, wie wir die drei Gefangenen rasch befreien können.«

»Das wird nicht leicht sein«, meinte Illuán, der blaue Dschinn mit dem Adlerschnabel, »mit diesen schwarzen Burschen können wir alle nicht fertigwerden, das hat sich ja gezeigt. Und selbst wenn du, Herr, und Atréju und sein Glücksdrache an unserer Spitze kämpfen, wird es zu lange dauern, bis wir Schloß Hórok eingenommen haben. Das Leben der drei Herren liegt in Xayídes Hand, und sobald sie merkt, daß wir angreifen, wird sie sie töten. Das scheint mir sicher.«

»Dann darf sie es eben nicht merken«, erklärte Bastian, »wir müssen sie überraschen.«

»Wie können wir das?« fragte der Vier Viertel Troll, der jetzt sein zorniges Gesicht nach vorn gedreht hatte, was ziemlich erschreckend aussah, »Xayíde ist sehr schlau und wird auf jede Möglichkeit vorbereitet sein.«

»Das fürchte ich auch«, sagte der Gnomenfürst, »wir sind zu viele, als daß sie es nicht beobachten würde, wenn wir uns auf Schloß Hórok zubewegen. Ein solcher Heerzug läßt sich nicht verbergen, nicht einmal in der Nacht. Sie hat bestimmt Späher aufgestellt.«

»Dann«, überlegte Bastian, »könnten wir gerade das dazu benützen, sie zu täuschen.«

»Wie meinst du das, Herr?«

»Ihr müßt mit der ganzen Karawane in anderer Richtung weiterziehen, so daß es aussieht, als wärt ihr auf der Flucht, als hätten wir es aufgegeben, die drei Gefangenen zu befreien.«

»Und was wird aus den Gefangenen?«

»Ich werde das mit Atréju und Fuchur zusammen übernehmen.«

»Nur ihr drei?«

»Ja«, sagte Bastian, »natürlich nur, wenn Atréju und Fuchur zu mir stehen. Sonst mache ich es eben ganz allein.«

Bewundernde Blicke trafen ihn. Flüsternd teilten die Näherstehenden es den anderen mit, die es nicht hatten hören können.

»Das, Herr«, rief schließlich der blaue Dschinn, »wird in die Geschichte Phantásiens eingehen, gleich ob du siegen oder unterliegen wirst.«

»Kommt ihr mit?« wandte Bastian sich an Atréju und Fuchur, »oder habt ihr wieder einen eurer Vorschläge?«

»Nein«, sagte Atréju leise, »wir kommen mit dir.«

»Dann«, befahl Bastian, »soll der Zug sich jetzt in Bewegung setzen, solang es noch hell ist. Ihr müßt den Anschein erwecken, daß ihr auf der Flucht seid, also eilt euch! Wir werden hier die Dunkelheit abwarten. Morgen früh stoßen wir wieder zu euch – mit den drei Herren oder überhaupt nicht. Geht nun!«

Die Reisegenossen verneigten sich stumm vor Bastian, dann machten sie sich auf den Weg. Bastian, Atréju und Fuchur versteckten sich im Orchideengebüsch und warteten reglos und schweigend auf die Nacht.

Als die Dämmerung hereinbrach, hörten sie plötzlich ein leises Klirren und sahen fünf der riesenhaften schwarzen Kerle den verlassenen Lagerplatz betreten. Sie bewegten sich auf eine eigentümlich mechanische Art, alle ganz gleich. Alles an ihnen schien aus schwarzem Metall, sogar die Gesichter waren wie Masken aus Eisen. Sie blieben gleichzeitig stehen, drehten sich in die Richtung, in der die Karawane verschwunden war, und folgten, ohne ein Wort miteinander gesprochen zu haben, im Gleichschritt der Spur. Dann war es wieder still.

»Der Plan scheint zu funktionieren«, flüsterte Bastian.

»Es waren nur fünf«, erwiderte Atréju. »Wo sind die anderen?«

»Sicher werden die fünf sie auf irgendeine Weise rufen«, meinte Bastian.

Als es schließlich ganz dunkel geworden war, krochen sie vorsichtig aus ihrem Versteck, und Fuchur erhob sich mit seinen beiden Reitern lautlos in die Lüfte. Er flog möglichst niedrig über die Wipfel des Orchideenwaldes hin, um nicht entdeckt zu werden. Zunächst stand die Richtung ja fest, es war dieselbe, die er an diesem Nachmittag eingeschlagen hatte. Als sie etwa eine Viertelstunde rasch dahingeglitten waren, erhob sich die Frage, ob und wie sie nun das Schloß Hórok finden würden. Die Finsternis war undurchdringlich. Doch wenige Minuten später sahen sie das Schloß vor sich auftauchen. Seine tausend Fenster waren strahlend hell erleuchtet. Xayíde schien Wert darauf zu legen, daß man es sah. Das war allerdings leicht erklärlich, denn sie wartete ja auf Bastians Besuch, wenn auch in anderem Sinne.

Vorsichtshalber ließ Fuchur sich zwischen den Orchideen zu Boden gleiten, denn sein perlmutterweißes Schuppenkleid funkelte und warf das Licht zurück. Und vorerst durften sie noch nicht gesehen werden.

Im Schutz der Pflanzen näherten sie sich dem Schloß. Vor dem großen Eingangstor hielten zehn der Panzerriesen Wache. Und an jedem der hell erleuchteten Fenster stand einer von ihnen, schwarz und reglos wie ein drohender Schatten.

Schloß Hórok stand auf einer kleinen Anhöhe, die frei von Orchideendickicht war. Die Form des Gebäudes war tatsächlich die einer Riesenhand, die aus der Erde ragte. Jeder der Finger war ein Turm und der Daumen ein Erker, auf dem abermals ein Turm saß. Das Ganze war viele Stockwerke hoch, jedes Fingerglied bildete eines, und die Fenster hatten die Form von leuchtenden Augen, die nach allen Seiten ins Land spähten. Es hieß zurecht die Sehende Hand.

»Wir müssen herausfinden«, wisperte Bastian Atréju ins Ohr, »wo die Gefangenen stecken.«

Atréju nickte und bedeutete Bastian, still zu sein und bei Fuchur zu bleiben. Dann kroch er, ohne das geringste Geräusch zu machen, auf dem Bauch fort. Es dauerte lange, ehe er zurückkam.

»Ich bin um das ganze Schloß herum gepirscht«, raunte er, »es gibt nur diesen einen Eingang. Aber der ist zu gut bewacht. Nur ganz oben auf der Spitze des Mittelfingers habe ich eine Dachluke entdecken können, an der keiner von den Panzerriesen zu stehen scheint. Aber wenn wir mit Fuchur hinauffliegen, werden sie uns unbedingt sehen. Die Gefangenen sind wahrscheinlich im Keller, jedenfalls habe ich einmal wie aus großer Tiefe einen langen Schmerzensschrei gehört.«

Bastian dachte angestrengt nach. Dann flüsterte er:

»Ich werde versuchen, diese Dachluke zu erreichen. Du und Fuchur, ihr müßt inzwischen die Wächter ablenken. Tut irgend etwas, das sie glauben macht, wir würden das Eingangstor angreifen. Ihr müßt sie alle hierher locken. Aber nur locken, verstehst du? Laß dich auf keinen Kampf ein! Inzwischen werde ich versuchen, von hinten an der Hand hinaufzuklettern. Halte die Kerle auf, solang es geht. Aber geh kein Risiko ein! Laß mir ein paar Minuten Zeit, ehe du anfängst.«

Atréju nickte und drückte ihm die Hand. Dann legte Bastian den Silbermantel ab und schlüpfte durch die Dunkelheit davon. Er schlich in einem großen Halbkreis um das Gebäude herum. Kaum hatte er die Rückseite erreicht, da hörte er auch schon Atréju laut rufen:

»Heda! Kennt ihr Bastian Balthasar Bux, den Retter Phantásiens? Er ist gekommen, aber nicht um die Gnade Xayídes zu erbitten, sondern um ihr noch eine Chance zu geben, die Gefangenen gutwillig freizulassen. Unter dieser Bedingung soll sie ihr schmähliches Leben behalten!«

Bastian konnte gerade noch aus dem Dickicht um eine Ecke des Schlosses spähen. Atréju hatte sich den Silbermantel übergezogen und seine blauschwarzen Haare wie zu einem Turban aufgedreht. Für jemanden, der sie beide nicht gut kannte, mochte tatsächlich eine gewisse Ähnlichkeit zwischen ihnen bestehen.

Die schwarzen Panzerriesen schienen einen Augenblick lang unschlüssig. Aber nur einen Augenblick lang. Dann stürzten sie auf Atréju zu, man hörte ihre Schritte metallen stampfen. Auch die Schatten an den Fenstern kamen nun in Bewegung, sie verließen ihre Posten, um zu sehen, was es gab. Andere drängten in großer Menge aus der Eingangspforte. Als die ersten Atréju fast erreicht hatten, entwischte er ihnen wie ein Wiesel, und im nächsten Augenblick tauchte er, auf Fuchur sitzend, über ihren Köpfen auf. Die Panzerriesen fuchtelten mit ihren Schwertern in der Luft herum und sprangen hoch, doch konnten sie ihn nicht erreichen.

Bastian huschte blitzgeschwind zum Schloß und begann an der Fassade hinaufzuklettern. Stellenweise halfen ihm die Fenstersimse und Mauervorsprünge, aber häufiger noch konnte er sich nur mit den Fingerspitzen festhalten. Er kletterte höher und immer höher, einmal bröckelte ein Stückchen Mauer ab, auf dem sein Fuß Halt gefunden hatte, und sekundenlang hing er nur noch an einer Hand, doch er zog sich hinauf, konnte einen Griff für die andere Hand finden und klomm weiter. Als er schließlich die Türme erreichte, kam er schneller voran, denn der Abstand zwischen ihnen war so gering, daß er sich zwischen sie stemmen und so in die Höhe schieben konnte.

Schließlich hatte er die Dachluke erreicht und schlüpfte hinein. Tatsächlich war in diesem Turmzimmer keiner der Wächter, wer weiß warum? Er öffnete die Tür und sah eine eng gewundene Wendeltreppe vor sich. Geräuschlos machte er sich an den Abstieg. Als er ein Stockwerk tiefer kam, sah er zwei schwarze Wächter an einem Fenster stehen und schweigend beobachten, was dort unten geschah. Es gelang ihm, hinter ihnen vorbeizuhuschen, ohne daß sie etwas merkten.

Über andere Treppen, durch Gänge und Korridore, schlich er weiter. Eines war sicher, diese Panzerriesen mochten im Kampf unüberwindlich sein, als Wächter taugten sie nicht viel.

Endlich erreichte er das Kellergeschoß. Er spürte es sofort an dem dumpfen modrigen Geruch und der Kälte, die ihm entgegenschlug. Glücklicherweise waren hier die Wächter offenbar alle nach oben gelaufen, um den vermeintlichen Bastian Balthasar Bux zu fangen. Jedenfalls war keiner von ihnen zu sehen. Fackeln steckten in den Wänden und erleuchteten ihm den Weg. Tiefer und tiefer ging es hinunter. Es schien Bastian, als ob es ebenso viele Stockwerke unter der Erde gäbe wie über ihr. Schließlich hatte er das tiefste erreicht, und nun sah er auch schon den Kerker, in dem Hýkrion, Hýsbald und Hýdorn schmachteten. Und der Anblick war jammervoll.

Sie hingen, an ihren Handgelenken aufgehängt, an langen, eisernen Ketten in der Luft über einer Grube, die ein schwarzes, bodenloses Loch zu sein schien. Die Ketten liefen über Rollen an der Kerkerdecke zu einer Winde, doch diese war durch ein großes stählernes Vorhängeschloß abgesperrt und ließ sich nicht bewegen. Bastian stand ratlos.

Die drei Gefangenen hatten die Augen geschlossen, als wären sie ohnmächtig, aber nun öffnete Hýdorn, der Zähe, sein linkes, dann murmelte er mit trockenen Lippen:

»He, Freunde, seht mal, wer da gekommen ist!«

Die anderen beiden schlugen nun ebenfalls mühsam die Lider auf, und als sie Bastian sahen, huschte ein Lächeln um ihre Lippen.

»Wir wußten, daß Ihr uns nicht im Stich laßt, Herr«, krächzte Hýkrion.

»Wie kann ich Euch da runterholen?« fragte Bastian, »die Winde ist abgeschlossen.«

»Nehmt doch Euer Schwert«, brachte Hýsbald heraus, »und haut einfach die Ketten durch.«

»Damit wir in den Abgrund stürzen?« fragte Hýkrion, »das ist kein besonders guter Plan.«

»Ich kann es auch nicht ziehen«, sagte Bastian, »Sikánda muß mir von selbst in die Hand springen.«

»Hm«, knurrte Hýdorn, »das ist das dumme an Zauberschwertern. Wenn man sie braucht, sind sie eigensinnig.«

»He!« raunte Hýsbald plötzlich, »es gab doch einen Schlüssel für die Winde. Wo haben sie ihn bloß hingesteckt?«

»Da war irgendwo eine lose Steinplatte«, meinte Hýkrion. »Ich konnte es nicht so gut sehen, als sie mich hier hochgezogen haben.«

Bastian strengte seine Augen an. Das Licht war düster und flackernd, aber nach einigem Hin- und Hergehen entdeckte er eine Steinplatte auf dem Boden, die etwas vorstand. Er hob sie vorsichtig hoch, und da lag tatsächlich der Schlüssel.

Nun konnte er das große Schloß an der Winde öffnen und abnehmen. Langsam begann er sie zu drehen, sie knarrte und ächzte so laut, daß es bestimmt noch in den darüberliegenden Kellerstockwerken zu hören sein mußte. Wenn die Panzerriesen nicht ganz und gar taub waren, dann mußten sie jetzt alarmiert sein. Aber nun half es auch nichts mehr, innezuhalten. Bastian drehte weiter, bis die drei Herren auf der Höhe des Randes über dem Loch schwebten. Sie begannen hin und her zu schwingen und erreichten schließlich mit den Füßen festen Boden. Als das geschehen war, ließ Bastian sie ganz herab. Sie sanken erschöpft nieder und blieben liegen, wo sie waren. Und die dicken Ketten hingen noch immer an ihren Handgelenken.

Bastian blieb nicht mehr viel Zeit zum Überlegen, denn nun hörte man metallisch stampfende Schritte die steinernen Kellerstufen herunterkommen, erst einzelne, dann mehr und immer mehr. Die Wächter kamen. Ihre Rüstungen glänzten wie die Panzer riesiger Insekten im Fackellicht. Sie rissen ihre Schwerter heraus, alle mit der gleichen Bewegung, und gingen auf Bastian los, der hinter dem schmalen Eingang zum Kerker stehengeblieben war.

Und nun endlich sprang Sikánda aus seiner rostigen Scheide und legte sich ihm in die Hand. Wie ein Blitz fuhr das lichte Schwertblatt auf den ersten der Panzerriesen los, und ehe Bastian selbst noch recht begriffen hatte, was geschah, hatte es ihn in Stücke gehauen. Und nun zeigte sich, was es mit diesen Burschen auf sich hatte: Sie waren hohl, sie bestanden nur aus Panzern, die sich von selbst bewegten, in ihrem Inneren war nichts, nur Leere.

Bastians Position war gut, denn durch die enge Pforte des Kerkers konnte sich ihm immer nur einer nach dem anderen nähern, und einen nach dem anderen hackte Sikánda in Fetzen. Bald lagen sie zu Haufen auf dem Boden wie schwarze Eierschalen irgendeines gigantischen Vogels. Nachdem etwa zwanzig von ihnen zerstückelt worden waren, schienen die übrigen einen anderen Plan zu fassen. Sie zogen sich zurück, offensichtlich, um Bastian an einer für sie günstigeren Stelle zu erwarten.

Bastian benützte diese Gelegenheit, um rasch die Ketten um die Handgelenke der drei Herren mit Sikándas Schneide durchzutrennen. Hýkrion und Hýdorn erhoben sich schwerfällig und versuchten ihre eigenen Schwerter, die man ihnen seltsamerweise nicht abgenommen hatte, zu ziehen, um Bastian beizustehen, aber ihre Hände waren durch das lange Hängen gefühllos geworden und gehorchten ihnen nicht. Hýsbald, der zarteste der drei, war noch nicht einmal in der Lage, aus eigenen Kräften aufzustehen. Die beiden Gefährten mußten ihn stützen.

»Macht euch keine Sorgen«, sagte Bastian, »Sikánda braucht keine Unterstützung. Haltet euch hinter mir und macht mir keine zusätzlichen Schwierigkeiten, indem ihr mir beizustehen versucht.«

Sie verließen den Kerker, stiegen langsam die Treppe hinauf, gelangten in einen großen, saalartigen Raum – und hier erloschen plötzlich alle Fackeln. Aber Sikánda leuchtete hell.

Wieder hörten sie den metallisch stampfenden Schritt vieler Panzerriesen näherkommen.

»Rasch!« sagte Bastian, »zurück auf die Treppe. Ich verteidige mich hier!«

Er konnte nicht sehen, ob die drei seinem Befehl folgten, und es blieb ihm auch keine Zeit, sich davon zu überzeugen, denn schon begann das Schwert Sikánda in seiner Hand zu tanzen. Und das scharfe, weiße Licht, das von ihm ausging, erleuchtete die Halle taghell. Obgleich die Angreifer ihn von dem Eingang zur Treppe abdrängten, so daß sie von allen Seiten auf ihn eindringen konnten, wurde Bastian von keinem einzigen ihrer gewaltigen Hiebe gestreift. Sikánda wirbelte so schnell um ihn her, daß es aussah wie Hunderte von Schwertern, die man nicht mehr voneinander unterscheiden kann. Und schließlich stand er in einem Trümmerfeld aus zerschlagenen schwarzen Panzern. Nichts mehr rührte sich.

»Kommt!« rief Bastian den Gefährten zu.

Die drei Herren kamen aus dem Eingang zur Treppe und machten große Augen.

»So was«, sagte Hýkrion, und sein Schnurrbart bebte, »hab' ich noch nicht gesehen, meiner Treu!«

»Ich werde noch meinen Enkeln davon erzählen«, stammelte Hýsbald.

»Und die werden es uns leider nicht glauben«, fügte Hýdorn bedauernd hinzu.

Bastian stand unschlüssig mit dem Schwert in der Hand da, aber plötzlich fuhr es in seine Scheide zurück.

»Die Gefahr scheint vorüber«, sagte er.

»Jedenfalls die, die man mit dem Schwert überwinden kann«, meinte Hýdorn. »Was machen wir jetzt?«

»Jetzt«, antwortete Bastian, »möchte ich Xayíde persönlich kennenlernen. Ich habe ein Wörtchen mit ihr zu reden.«

Zu viert stiegen sie nun die Treppen der Kellerstockwerke hinauf, bis sie jenes erreichten, das zu ebener Erde lag. Hier, in einer Art Eingangshalle, erwartete sie Atréju mit Fuchur.

»Gut gemacht, ihr beiden!« sagte Bastian und klopfte Atréju auf die Schulter.

»Was war mit den Panzerriesen?« wollte Atréju wissen.

»Hohle Nüsse!« antwortete Bastian leichthin. »Wo ist Xayíde?«

»Oben in ihrem Zaubersaal«, gab Atréju zurück.

»Kommt mit!« sagte Bastian. Er nahm den Silbermantel wieder um, den Atréju ihm hinhielt. Dann stiegen sie alle zusammen die breite Steintreppe in die oberen Stockwerke hinauf. Selbst Fuchur ging mit.

Als Bastian, gefolgt von seinen Leuten, in den großen Zaubersaal trat, erhob sich Xayíde von einem Thron, der aus roten Korallen bestand. Sie war viel größer als Bastian und sehr schön. Sie trug ein langes Gewand aus violetter Seide, ihre Haare waren rot wie Feuer und zu einer höchst wunderlichen Frisur aus Flechten und Zöpfen aufgetürmt. Ihr Gesicht war marmorblaß, ebenso ihre langen schmalen Hände. Ihr Blick war merkwürdig und verwirrend, und Bastian brauchte eine Weile, ehe er herausfand, woher das kam: Sie hatte zwei verschiedene Augen, eines war grün und eines rot. Sie schien sich vor Bastian zu fürchten, denn sie zitterte. Bastian trotzte ihrem Blick, und sie schlug ihre langen Wimpern nieder.

Der Raum war angefüllt mit allerlei seltsamen Gegenständen, deren Zweck nicht zu erraten war, große Globen mit Bildern darauf, Sternenuhren und Pendel, die von der Dekke hingen. Dazwischen standen kostbare Räucherbecken, denen schwere Wolken in verschiedenen Farben entquollen, die wie Nebel auf dem Boden dahinkrochen.

Bastian hatte bis jetzt noch kein Wort gesagt. Und das schien Xayíde aus der Fassung zu bringen, denn plötzlich lief sie auf ihn zu und warf sich vor ihm auf den Boden. Dann nahm sie einen seiner Füße und setzte ihn sich selbst ins Genick.

»Mein Herr und mein Meister«, sagte sie mit einer Stimme, die tief und samten und auf unbestimmbare Art verschleiert klang, »dir kann niemand in Phantásien widerstehen. Du bist mächtiger als alle Mächtigen und gefährlicher als alle Dämonen. Wenn es dich danach gelüstet, dich an mir zu rächen, weil ich töricht genug war, deine Größe nicht zu kennen, dann magst du mich mit deinem Fuß zertreten. Ich habe deinen Zorn verdient. Wenn du aber jene Großmütigkeit, für die du berühmt bist, auch mir Unwürdiger gegenüber beweisen willst, so dulde es, daß ich mich dir als gehorsame Sklavin unterwerfe und dir mit allem, was ich bin, was ich habe und was ich kann, zu dienen schwöre. Lehre mich, zu tun, was du für wünschenswert hältst, und ich will deine demütige Schülerin sein und jedem Wink deiner Augen Folge leisten. Ich bereue, was ich dir tun wollte, und erflehe deine Gnade.«

»Steh auf, Xayíde!« sagte Bastian. Er war zornig auf sie gewesen, aber die Rede der Magierin hatte ihm gefallen. Wenn sie wirklich nur aus Unkenntnis über ihn gehandelt hatte, und wenn sie es tatsächlich so bitter bereute, dann wäre es unter seiner Würde gewesen, sie jetzt noch zu bestrafen. Und da sie ja sogar willens war, von ihm zu lernen, was er für wünschenswert hielt, gab es eigentlich überhaupt keinen Grund, ihre Bitte zurückzuweisen.

Xayíde hatte sich erhoben und stand gesenkten Hauptes vor ihm. »Willst du mir bedingungslos gehorchen«, fragte er, »auch wenn es dir noch so schwer fällt, was ich dir befehle – ohne Widerrede und ohne zu murren?«

»Ich will es, Herr und Meister«, antwortete Xayíde, »und du sollst sehen, daß wir alles bewirken können, wenn wir meine Künste mit deiner Macht vereinigen.«

»Gut«, erwiderte Bastian, »dann nehme ich dich in meinen Dienst. Du wirst dieses Schloß verlassen und mit mir zum Elfenbeinturm ziehen, wo ich mit Mondenkind zusammenzutreffen gedenke.«

Xayídes Augen glommen für den Bruchteil einer Sekunde rot und grün auf, doch sogleich senkte sie wieder ihre langen Wimpern darüber und sagte:

»Ich gehorche, Herr und Meister.«

Alle gingen hinunter und traten vor das Schloß hinaus.

»Wir müssen zuerst unsere anderen Weggenossen wiederfinden«, entschied Bastian, »wer weiß, wo sie jetzt sind.«

»Nicht sehr weit von hier«, sagte Xayíde, »ich habe sie ein wenig in die Irre geführt.«

»Zum letzten Mal«, erwiderte Bastian.

»Zum letzten Mal, Herr«, wiederholte sie, »aber wie wollen wir hinkommen? Soll ich zu Fuß gehen? Nachts und durch diesen Wald?«

»Fuchur wird uns tragen«, befahl Bastian, »er ist stark genug, mit uns allen zu fliegen.«

Fuchur hob das Haupt und sah Bastian an. Seine rubinroten Augenbälle funkelten.

»Stark genug bin ich, Bastian Balthasar Bux«, dröhnte seine Bronzestimme, »aber ich will dieses Weib nicht tragen.«

»Du wirst es dennoch tun«, sagte Bastian, »weil ich es dir befehle!«

Der Glücksdrache schaute Atréju an, und der nickte ihm unmerklich zu. Bastian hatte es dennoch gesehen.

Alle setzten sich auf Fuchurs Rücken, der sogleich in die Lüfte emporstieg.

»Wohin?« fragte er.

»Einfach geradeaus!« sagte Xayíde.

»Wohin?« fragte Fuchur noch einmal, als habe er es nicht gehört.

»Geradeaus!« rief ihm Bastian zu, »du hast es gut verstanden!«

»Tu's nur!« sagte Atréju leise, und Fuchur tat es.

Eine halbe Stunde später – der Morgen graute bereits – sahen sie unter sich viele Lagerfeuer, und der Glücksdrache landete. In der Zwischenzeit waren neue Phantásier dazugestoßen, und viele von ihnen hatten Zelte mitgebracht. Das Lager glich einer regelrechten Stadt aus Zelten, die sich da am Rande des Orchideenwaldes auf einer weiten, blumenbedeckten Wiese ausbreitete.

»Wie viele sind es denn jetzt schon?« wollte Bastian wissen, und Illuán, der blaue Dschinn, der inzwischen den Zug angeführt hatte, und nun zur Begrüßung erschienen war, erklärte ihm, genau habe man die Teilnehmer noch nicht zählen können, aber es seien gewiß schon an die tausend. Und übrigens gäbe es da noch etwas anderes, ziemlich Sonderbares: Kurz nachdem man das Lager aufgeschlagen habe, also noch vor Mitternacht, seien fünf von diesen Panzerriesen erschienen. Sie hätten sich jedoch friedlich verhalten und seien abseits geblieben. Niemand habe natürlich gewagt, sich ihnen zu nähern. Und sie hätten eine große Sänfte aus roten Korallen mit sich getragen, die jedoch leer sei.

»Es sind meine Träger«, sagte Xayíde in bittendem Ton zu Bastian, »ich habe sie gestern abend vorausgeschickt. Es ist die angenehmste Art, zu reisen. Wenn du es mir erlaubst, Herr.«

»Das gefällt mir nicht«, fiel ihr jetzt Atréju ins Wort.

»Warum nicht?« fragte Bastian, »was hast du dagegen?«

»Sie kann reisen, wie sie will«, antwortete Atréju scharf, »aber daß sie die Sänfte bereits gestern abend losschickte, bedeutet, daß sie von vornherein wußte, daß sie hier herkommen würde. Das alles war ihr Plan, Bastian. Dein Sieg ist in Wahrheit eine Niederlage. Sie hat dich absichtlich siegen lassen, um dich auf ihre Art für sich zu gewinnen.«

»Hör auf!« schrie Bastian zornrot, »ich habe dich nicht um deine Meinung gefragt! Deine ewigen Belehrungen machen mich noch krank! Jetzt willst du mir auch noch meinen Sieg abstreiten und meine Großmut lächerlich machen!«

Atréju wollte etwas erwidern, aber Bastian schrie ihn an:

»Halt den Mund und laß mich in Ruhe! Wenn es euch beiden nicht paßt, was ich tue und wie ich bin, dann geht doch eurer Wege! Ich halte euch nicht! Geht, wohin ihr wollt! Ich bin euch leid!«

Bastian verschränkte die Arme über der Brust und drehte Atréju den Rücken zu. Die Menge, die umherstand, hielt den Atem an. Atréju stand eine Weile hoch aufgerichtet und schweigend da. Bis zu diesem Augenblick hatte Bastian ihn noch nie vor anderen zurechtgewiesen. Die Kehle war ihm so eng, daß er nur mit Mühe Luft holen konnte. Er wartete eine Weile, doch da Bastian sich ihm nicht wieder zuwandte, drehte er sich langsam um und ging fort. Fuchur folgte ihm.

Xayíde lächelte. Es war kein gutes Lächeln.

In Bastian aber war in diesem Augenblick die Erinnerung erloschen, daß er in seiner Welt ein Kind gewesen war.

XXI. Das Sternenkloster

nunterbrochen stießen neue Abgesandte aus allen Ländern Phantásiens zur Menge derer, die Bastian auf seinem Zug zum Elfenbeinturm begleiteten. Zählungen erwiesen sich als vergeblich, denn kaum war man damit fertig, waren schon wieder neue eingetroffen. Ein vieltausendköpfiges Heer setzte sich allmorgendlich in Bewegung, und wenn gerastet wurde, war das Lager die allersonderbarste Zeltstadt, die sich nur denken läßt. Da die Weggenossen Bastians sich nicht nur an Gestalt, sondern auch an Körpergröße sehr voneinander unterschieden, gab es Zelte von den Ausmaßen einer Zirkusarena bis herab zu solchen, die nicht größer waren als ein Fingerhut. Auch die Wagen und Fahrzeuge, mit denen die Abgesandten reisten, waren vielgestaltiger, als es sich beschreiben läßt, angefangen von ganz gewöhnlichen Planwagen und Kutschen, bis zu höchst absonderlichen rollenden Tonnen, hüpfenden Kugeln oder selbständig krabbelnden Behältern mit Beinen.

Für Bastian hatte man inzwischen ebenfalls ein Zelt beschafft, und es war das prächtigste von allen. Es hatte die Gestalt eines kleinen Hauses, war aus glänzender, farbenprächtiger Seide und über und über mit goldenen und silbernen Bildern bestickt. Auf dem Dach wehte eine Fahne, die einen siebenarmigen Leuchter als Wappenzier zeigte. Das Innere war mit Decken und Kissen weich gepolstert. Wo auch immer das Heerlager aufgeschlagen wurde – dieses Zelt stand im Zentrum. Und der blaue Dschinn, der inzwischen so etwas wie Bastians Kammerdiener und Leibwächter geworden war, stand vor seinem Eingang Posten.

Atréju und Fuchur befanden sich noch unter der Schar von Bastians Begleitern, aber seit des öffentlichen Tadels hatte er kein Wort mehr mit ihnen geredet. Bastian wartete insgeheim darauf, daß Atréju nachgeben und um Verzeihung bitten würde. Aber Atréju tat nichts dergleichen. Auch Fuchur schien nicht bereit zu sein, Bastian zu respektieren. Und gerade das, sagte sich Bastian, mußten sie nun einmal lernen! Wenn es darauf ankam, wer es so länger aushalten konnte, dann würden die beiden schließlich einsehen müssen, daß sein Wille unbeugsam war. Aber wenn sie nachgeben würden, dann wollte er ihnen mit offenen Armen entgegenkommen. Wenn Atréju vor ihm niederkniete, so wollte er ihn aufheben und sagen: Du sollst nicht vor mir niederknien, Atréju, denn du bist und bleibst mein Freund ...

Aber vorerst zogen die beiden als letzte im Zuge mit. Fuchur schien das Fliegen verlernt zu haben und lief zu Fuß, und Atréju ging neben ihm her, meistens gesenkten Hauptes. Wenn sie früher als Vorhut dem Zug in den Lüften vorausgeeilt waren, um die Gegend zu erkunden, so marschierten sie jetzt als Nachhut hinterdrein. Bastian war darüber nicht froh, aber er konnte es nicht ändern.

Wenn der Heerzug unterwegs war, ritt Bastian meistens an der Spitze auf der Mauleselin Jicha. Immer öfter kam es allerdings vor, daß er dazu keine Lust hatte und statt dessen Xayíde in ihrer Sänfte besuchte. Sie empfing ihn stets mit großer Ehrerbietung, überließ ihm den bequemsten Platz und setzte sich zu seinen Füßen. Sie wußte immer ein interessantes Gesprächsthema und vermied es, ihn über seine Vergangenheit in der Menschenwelt zu befragen, nachdem sie bemerkt hatte, daß ihm das Reden darüber unangenehm war. Sie rauchte fast ununterbrochen aus einer orientalischen Wasserpfeife, die neben ihr stand. Der Schlauch daran sah aus wie eine smaragdgrüne Viper, und das Mundstück, das sie zwischen ihren langen, marmorweißen Fingern hielt, glich einem Schlangenkopf. Wenn sie daran sog, schien es, als ob sie ihn küßte. Die Rauchwölkchen, die sie genießerisch aus Mund und Nase quellen ließ, hatten bei jedem Zug eine andere Farbe, mal blau, mal gelb, rosarot, grün oder lila.

»Eines wollte ich dich schon längst fragen, Xayíde«, sagte Bastian bei einem solchen Besuch, wobei er nachdenklich auf die riesigen Kerle in den schwarzen Insektenpanzern blickte, welche im völligen Gleichschritt die Sänfte trugen.

»Deine Sklavin hört«, antwortete Xayíde.

»Als ich mit deinen Panzerriesen gekämpft habe«, fuhr

Bastian fort, »hat sich herausgestellt, daß sie nur aus Rüstungen bestehen und innen hohl sind. Wodurch bewegen sie sich eigentlich?«

»Durch meinen Willen«, erwiderte Xayíde lächelnd. »Gerade weil sie hohl sind, gehorchen sie meinem Willen. Alles, was leer ist, kann mein Wille lenken.«

Sie musterte Bastian mit ihren zweifarbigen Augen.

Bastian fühlte sich auf undeutliche Weise durch diesen Blick beunruhigt, aber schon hatte sie die Wimpern wieder niedergeschlagen.

»Könnte ich sie auch mit meinem Willen lenken?« fragte er.

»Gewiß, mein Herr und Meister«, gab sie zur Antwort, »und hundertmal besser als ich, die ich im Vergleich zu dir ein Nichts bin. Willst du es versuchen?«

»Jetzt nicht«, entgegnete Bastian, dem die Sache unbehaglich war, »vielleicht ein andermal.«

»Findest du es wirklich schöner«, fuhr Xayíde fort, »auf einer alten Mauleselin zu reiten, als von Gebilden getragen zu werden, die dein eigener Wille bewegt?«

»Jicha trägt mich gern«, sagte Bastian ein wenig mürrisch, »sie freut sich darüber, daß sie mich tragen darf.«

»Dann tust du es also um ihretwillen?«

»Warum nicht?« erwiderte Bastian. »Was ist schlecht daran?«

Xayíde ließ grünen Rauch aus ihrem Mund steigen.

»Oh, nichts, Herr. Wie könnte etwas schlecht sein, was du tust.«

»Worauf willst du hinaus, Xayíde?«

Sie neigte den Kopf mit dem feuerfarbenen Haar.

»Du denkst viel zuviel an andere, Herr und Meister«, flüsterte sie. »Aber niemand ist es wert, deine Aufmerksamkeit von deiner eigenen wichtigen Entwicklung abzuziehen. Wenn du mir nicht dafür zürnst, o Herr, so wage ich es, dir den Rat zu geben: Denke mehr an deine Vollkommenheit!«

»Was hat das mit der alten Jicha zu tun?«

»Nicht viel, Herr, fast gar nichts. Nur – sie ist kein würdiges Reittier für einen wie dich. Es kränkt mich, dich auf dem Rücken eines so – gewöhnlichen Tieres zu sehen. Alle deine Weggenossen wundern sich darüber. Nur du, Herr und Meister, weißt als einziger nicht, was du dir schuldig bist.«

Bastian sagte nichts, aber Xayídes Worte hatten ihm Eindruck gemacht.

Als das Heer mit Bastian und Jicha an der Spitze am nächsten Tag durch eine wunderschöne Auenlandschaft zog, die ab und zu durch kleine Wälder aus duftendem Flieder unterbrochen wurde, benutzte er die Mittagsrast, um Xayídes Vorschlag auszuführen.

»Hör zu, Jicha«, sagte er und streichelte den Hals der Mauleselin, »der Augenblick ist gekommen, wo wir uns trennen müssen.«

Jicha stieß einen Wehlaut aus.

»Warum, Herr?« klagte sie. »Habe ich meine Sache denn so schlecht gemacht?« Aus den Winkeln ihrer dunklen Tieraugen rannen Tränen.

»Aber nein«, beeilte Bastian sich, sie zu trösten, »im Gegenteil, du hast mich diesen ganzen langen Weg so sanft getragen und warst so geduldig und willig, daß ich dich nun zum Dank belohnen will.«

»Ich möchte keinen anderen Lohn«, erwiderte Jicha, »ich möchte dich weitertragen. Was kann ich mir denn Größeres wünschen?«

»Hast du nicht gesagt«, fuhr Bastian fort, »daß du traurig darüber bist, daß euereins keine Kinder bekommen kann?«

»Ja«, meinte Jicha bekümmert, »weil ich ihnen gern von diesen Tagen erzählen würde, wenn ich sehr alt bin.«

»Gut«, sagte Bastian, »dann will ich dir jetzt eine Geschichte erzählen, die wahr werden soll. Und ich will sie nur dir, dir ganz allein erzählen, denn sie gehört dir.«

Dann nahm er Jichas langes Ohr in die Hand und flüsterte hinein:

»Nicht weit von hier, in einem kleinen Wald aus Flieder,

wartet der Vater deines Sohnes auf dich. Es ist ein weißer Hengst mit Flügeln aus Schwanengefieder. Seine Mähne und sein Schweif sind so lang, daß sie bis zum Boden reichen. Er ist uns schon seit Tagen heimlich gefolgt, weil er unsterblich in dich verliebt ist.«

»In mich?« rief Jicha fast erschrocken, »aber ich bin doch bloß eine Mauleselin und jung bin ich auch nicht mehr!«

»Für ihn«, sagte Bastian leise, »bist du das schönste Geschöpf Phantásiens, gerade weil du so bist, wie du bist. Und vielleicht auch, weil du mich getragen hast. Aber er ist sehr scheu und wagt es nicht, sich dir zu nähern unter all diesen vielen Wesen hier. Du mußt zu ihm gehen, sonst wird er vor Sehnsucht nach dir sterben.«

»Ach du liebe Zeit«, meinte Jicha ratlos, »so arg ist es?«

»Ja«, flüsterte Bastian ihr ins Ohr, »und nun leb wohl, Jicha! Lauf nur zu, du wirst ihn finden.«

Jicha machte ein paar Schritte, drehte sich aber noch einmal nach Bastian um.

»Ehrlich gesagt«, erklärte sie, »ich fürchte mich ein bißchen.«

»Nur Mut!« sagte Bastian lächelnd, »und vergiß nicht, deinen Kindern und Enkeln von mir zu erzählen.«

»Danke, Herr!« erwiderte Jicha auf ihre einfache Art und ging.

Bastian blickte ihr lange nach, wie sie da davonzockelte, und fühlte sich nicht recht froh darüber, daß er sie fortgeschickt hatte. Er trat in sein Prachtzelt, legte sich auf die weichen Kissen und starrte zur Decke hinauf. Immer wieder sagte er sich, daß er Jichas größten Wunsch erfüllt hatte. Aber das vertrieb seine düstere Stimmung nicht. Es kommt eben sehr darauf an, wann und warum man jemand etwas zuliebe tut.

Aber das betraf nur Bastian, denn Jicha fand tatsächlich den schneeweißen, geflügelten Hengst und machte Hochzeit mit ihm. Und sie bekam später einen Sohn, der ein weißer, schwingentragender Maulesel war und Pataplán genannt wurde. Er machte noch viel von sich reden in Phantásien, doch das ist eine andere Geschichte und soll ein andermal erzählt werden.

Von nun an reiste Bastian in Xayídes Sänfte weiter. Sie hatte ihm sogar angeboten, auszusteigen und zu Fuß nebenher zu gehen, um ihm alle nur erdenkliche Bequemlichkeit zu verschaffen, aber das hatte Bastian nicht von ihr annehmen wollen. So saßen sie nun also zusammen in der geräumigen Korallensänfte, die sich an die Spitze des Heerzuges setzte.

Bastian war noch immer ein wenig verstimmt, auch Xayíde gegenüber, die ihm ja den Rat gegeben hatte, sich von der Mauleselin zu trennen. Und Xayíde hatte das sehr bald heraus. Seine einsilbigen Antworten ließen keine rechte Unterhaltung zustande kommen.

Um ihn aufzumuntern, sagte sie heiter:

»Ich möchte dir ein Geschenk machen, mein Herr und Meister, wenn du die Gnade haben willst, es von mir anzunehmen.«

Sie zog unter den Sitzpolstern ein äußerst kostbar verziertes Kästchen hervor. Bastian richtete sich erwartungsvoll auf. Sie öffnete es und holte einen schmalen Gürtel daraus hervor, der wie eine Art Kette aus beweglichen Gliedern bestand. Jedes Glied und auch die Schließe waren aus klarem Glas.

»Was ist das?« wollte Bastian wissen.

Der Gürtel klirrte leise in ihrer Hand.

»Es ist ein Gürtel, der unsichtbar macht. Doch du, Herr, mußt ihm seinen Namen geben, damit er dir gehört.«

Bastian betrachtete ihn. »Gürtel Gémmal«, sagte er dann.

Xayíde nickte lächelnd. »Nun gehört er dir.«

Bastian nahm den Gürtel entgegen und hielt ihn unschlüssig in der Hand.

»Willst du ihn nicht gleich einmal ausprobieren«, fragte sie, »um dich von seiner Wirkung zu überzeugen?«

Bastian legte sich den Gürtel um die Hüfte und fühlte, daß er wie angegossen paßte. Allerdings fühlte er es nur, denn er konnte sich selbst nicht mehr sehen, weder seinen Leib noch seine Füße, noch seine Hände. Es war ein höchst unangenehmes Gefühl, und er versuchte, die Schließe gleich wieder zu öffnen. Doch da er weder seine Hände noch den Gürtel mehr sehen konnte, gelang es ihm nicht.

»Hilfe!« stieß er mit erstickter Stimme hervor. Er hatte plötzlich Angst, nie wieder diesen Gürtel Gémmal abstreifen zu können und für immer unsichtbar bleiben zu müssen.

»Man muß es erst lernen, damit umzugehen«, sagte Xayíde, »das ging mir auch so, Herr und Gebieter. Erlaube, daß ich dir helfe!«

Sie griff in die leere Luft, und im Nu hatte sie den Gürtel Gémmal geöffnet, und Bastian sah sich selbst wieder. Er stieß einen erleichterten Seufzer aus. Dann lachte er, und auch Xayíde lächelte und sog Rauch aus dem Schlangenmundstück ihrer Wasserpfeife.

Jedenfalls hatte sie ihn auf andere Gedanken gebracht.

»Nun bist du besser gegen jeden Schaden geschützt«, meinte sie sanft, »und daran liegt mir mehr, als ich dir sagen kann, Herr.«

»Schaden?« erkundigte sich Bastian, noch immer ein wenig konfus, »was für ein Schaden denn?«

»Oh, niemand ist dir gewachsen«, flüsterte Xayíde, »nicht, wenn du weise bist. Die Gefahr liegt in dir selbst, und deshalb ist es schwer, dich vor ihr zu schützen.«

»Was meinst du damit – in mir selbst?« wollte Bastian wissen.

»Weise ist es, über den Dingen zu stehen, niemand zu hassen und niemand zu lieben. Aber dir, Herr, liegt noch immer an Freundschaft. Dein Herz ist nicht kühl und teilnahmslos wie ein schneeiger Berggipfel – und so kann einer dir Schaden zufügen.«

»Und wer sollte das sein?«

»Der, dem du trotz all seiner Anmaßung noch immer zugetan bist, Herr.«

»Drück dich deutlicher aus!«

»Der freche und ehrfurchtslose kleine Wilde aus dem Stamm der Grünhäute, Herr.«

»Atréju?«

»Ja, und mit ihm der unverschämte Fuchur.«

»Und die beiden sollten mir schaden wollen?« Bastian mußte fast lachen.

Xayíde saß mit gesenktem Kopf.

»Das glaube ich nie und nimmer«, fuhr Bastian fort, »ich will nichts mehr davon hören.«

Xayíde schwieg und senkte den Kopf noch tiefer.

Nach einer langen Stille fragte Bastian:

»Und was sollte das überhaupt sein, was Atréju gegen mich vorhat?«

»Herr«, flüsterte Xayíde, »ich wollte, ich hätte nichts gesagt!«

»Nun sag auch alles!« rief Bastian, »und mache nicht nur Andeutungen! Was weißt du?«

»Ich zittere vor deinem Zorn, Herr«, stammelte Xayíde und bebte wahrhaftig am ganzen Körper, »aber auch wenn es mein Ende ist, so will ich es dir doch sagen: Atréju sinnt darauf, dir das Zeichen der Kindlichen Kaiserin zu nehmen, heimlich oder mit Gewalt.«

Bastian verschlug es einen Augenblick die Luft.

»Kannst du das beweisen?« fragte er mit belegter Stimme.

Xayíde schüttelte den Kopf und murmelte:

»Meine Art von Wissen, Herr, gehört nicht zu der, die sich beweisen läßt.«

»Dann behalt es für dich!« sagte Bastian, und das Blut schoß ihm ins Gesicht, »und verleumde nicht den ehrlichsten und tapfersten Jungen, den es in ganz Phantásien gibt!«

Damit schwang er sich aus der Sänfte und ging fort.

Xayídes Finger spielten gedankenvoll mit dem Schlangenkopf, und ihre grün-roten Augen glommen. Nach einer Weile lächelte sie wieder, und während sie violetten Rauch aus ihrem Mund steigen ließ, flüsterte sie:

»Es wird sich zeigen, mein Herr und Meister. Der Gürtel Gémmal wird dir's beweisen.«

Als das Nachtlager aufgeschlagen wurde, ging Bastian in sein Zelt. Er befahl Illuán, dem blauen Dschinn, niemand vorzulassen, auf keinen Fall Xayíde. Er wollte allein sein und nachdenken.

Was ihm die Magierin über Atréju gesagt hatte, hielt er der Überlegung kaum für wert. Aber etwas anderes beschäftigte seine Gedanken: die wenigen Worte, die sie über das Weisesein eingestreut hatte.

So vieles hatte er nun erlebt, Ängste und Freuden, Traurigkeiten und Triumphe, er war von einer Wunscherfüllung zur nächsten geeilt und keinen Augenblick zur Ruhe gekommen. Nichts von allem hatte ihn ruhig und zufrieden gemacht. Aber Weisesein, das hieß, erhaben sein über Freude und Leid, über Angst und Mitleid, über Ehrgeiz und Kränkung. Weisesein bedeutete, über allen Dingen stehen, nichts und niemand hassen oder lieben, aber auch die Ablehnung oder die Zuneigung anderer vollkommen gleichmütig hinnehmen. Wer wahrhaft weise war, der machte sich aus nichts mehr was. Der war unerreichbar, und nichts konnte ihm mehr etwas anhaben. Ja, so zu sein, das war wirklich wünschenswert! Bastian war überzeugt, damit bei seinem letzten Wunsch angekommen zu sein, jenem letzten Wunsch, der ihn zu seinem Wahren Willen führen würde, wie Graógramán gesagt hatte. Jetzt glaubte er verstanden zu haben, was damit gemeint war. Er wünschte sich, ein großer Weiser zu sein, der weiseste Weise in ganz Phantásien!

Ein wenig später trat er aus seinem Zelt.

Der Mond beleuchtete eine Landschaft, der er zuvor kaum Beachtung geschenkt hatte. Die Zeltstadt breitete sich in einem Talkessel aus, der ringsum in einem weiten Bogen von bizarr geformten Bergen umgeben war. Die Stille war vollkommen. Im Tal gab es noch kleine Wälder und Gebüsche, weiter oben an den Berghängen wurde die Vegetation spärlicher, und noch weiter oben hörte sie ganz auf. Die Felsgruppen, die sich darüber erhoben, bildeten allerlei Figuren und wirkten fast wie absichtliche Formen von der Hand eines Riesenbildhauers. Es war windstill, und der

Himmel war wolkenlos. Alle Sterne glitzerten und schienen näher als sonst.

Ganz hoch droben auf einer der höchsten Bergspitzen entdeckte Bastian etwas, das wie ein Kuppelbau aussah. Offenbar war es bewohnt, denn ein schwacher Lichtschein ging davon aus.

»Ich habe es auch bemerkt, Herr«, sagte Illuán mit seiner schnarrenden Stimme. Er stand auf seinem Posten neben dem Zelteingang. »Was mag das sein?«

Er hatte noch kaum ausgeredet, als aus weiter Ferne ein merkwürdiger Ruf zu vernehmen war. Er klang wie das langgezogene »Uhuhuhu!« eines Eulenschreis, aber tiefer und mächtiger. Dann erscholl der Ruf ein zweites und drittes Mal, nun aber mehrstimmig.

Es waren tatsächlich Eulen, sechs an der Zahl, wie Bastian bald feststellen konnte. Sie kamen aus der Richtung des Berggipfels mit dem Kuppelbau auf der Spitze. Auf beinahe reglosen Schwingen segelten sie heran. Und je näher sie kamen, desto deutlicher war ihre erstaunliche Größe zu erkennen. Sie flogen mit unglaublicher Geschwindigkeit. Ihre Augen leuchteten hell, auf den Köpfen hatten sie aufgestellte Ohren mit Flaumbüscheln darauf. Ihr Flug war völlig geräuschlos. Als sie vor Bastians Zelt landeten, war kaum ein leichtes Sausen der Schwungfedern zu hören.

Da saßen sie nun auf dem Boden, jede größer als Bastian, und drehten die Köpfe mit den großen, runden Augen nach allen Richtungen. Bastian trat auf sie zu.

»Wer seid ihr, und wen sucht ihr?«

»Uns schickt Uschtu, die Mutter der Ahnung«, antwortete eine der sechs Eulen, »wir sind Flugboten vom Sternenkloster Gigam.«

»Was ist das für ein Kloster?« fragte Bastian.

»Es ist der Ort der Weisheit«, antwortete eine andere Eule, »wo die Mönche der Erkenntnis wohnen.«

»Und wer ist Uschtu?« forschte Bastian weiter.

»Eine der drei Tief Sinnenden, die das Kloster leiten

und die Mönche der Erkenntnis lehren«, erklärte eine dritte Eule. »Wir sind die Boten der Nacht und gehören zu ihr.«

»Wäre es Tag«, setzte eine vierte Eule hinzu, »so hätte Schirkrie, der Vater der Schau, seine Boten gesandt, die Adler sind. Und in der Stunde der Dämmerung zwischen Tag und Nacht schickt Jisipu, der Sohn der Klugheit, die seinen, und es sind Füchse.«

»Wer sind Schirkrie und Jisipu?«

»Die anderen zwei Tief Sinnenden, unsere Oberen.«

»Und was sucht ihr hier?«

»Wir suchen den Großen Wissenden«, sagte die sechste Eule. »Die drei Tief Sinnenden wissen, daß er in dieser Zeltstadt weilt und bitten ihn um Erleuchtung.«

»Der Große Wissende?« fragte Bastian. »Wer ist das?«

»Sein Name«, antworteten alle sechs Eulen zugleich, »ist Bastian Balthasar Bux.«

»Ihr habt ihn schon gefunden«, antwortete er, »ich bin es.«

Die Eulen verbeugten sich ruckartig tief, was trotz ihrer erschreckenden Größe beinahe possierlich aussah.

»Die drei Tief Sinnenden«, sagte die erste Eule, »bitten in Demut und Ehrfurcht um deinen Besuch, auf daß du ihnen die Frage lösest, die sie in ihrem langen Leben nicht lösen konnten.«

Bastian strich sich nachdenklich das Kinn.

»Gut«, antwortete er schließlich, »aber ich möchte meine beiden Schüler mitnehmen.«

»Wir sind sechs«, erwiderte die Eule, »je zwei von uns können einen von euch tragen.«

Bastian wandte sich zu dem blauen Dschinn.

»Illuán, hole Atréju und Xayíde!«

Der Dschinn entfernte sich rasch.

»Welche Frage ist es«, wollte Bastian wissen, »die ich beantworten soll?«

»Großer Wissender«, erklärte eine der Eulen, »wir sind nur arme unwissende Flugboten und gehören nicht einmal zum niedersten Rang der Mönche der Erkenntnis. Wie könnten wir dir die Frage mitteilen, die die drei Tief Sinnenden in ihrem langen Leben nicht lösen konnten.«

Nach wenigen Minuten kam Illuán mit Atréju und Xayíde zurück. Er hatte ihnen unterwegs rasch erklärt, worum es ging.

Als Atréju vor Bastian stand, fragte er leise:

»Warum ich?«

»Ja«, erkundigte sich auch Xayíde, »warum er?«

»Das werdet ihr erfahren«, entgegnete Bastian.

Es zeigte sich, daß die Eulen vorausschauenderweise drei Trapeze mitgebracht hatten. Je zwei von ihnen ergriffen nun mit ihren Krallen die Seile, an denen diese Trapeze hingen, Bastian, Atréju und Xayíde setzten sich auf die Stangen, und die großen Nachtvögel erhoben sich mit ihnen in die Luft.

Als sie das Sternenkloster Gigam erreichten, zeigte sich, daß die große Kuppel nur der oberste Teil eines sehr weitläufigen Gebäudes war, das sich aus vielen würfelartigen Trakten zusammensetzte. Es hatte zahllose kleine Fenster und stand mit der hohen Außenmauer direkt an einem Felsenabsturz. Für ungebetene Besucher war es schwer oder gar nicht zugänglich.

In den würfelartigen Trakten lagen die Zellen der Mönche der Erkenntnis, die Bibliotheken, die Wirtschaftsräume und die Unterkünfte für die Boten. Unter der großen Kuppel befand sich der Versammlungssaal, in dem die drei Tief Sinnenden ihre Lehrstunden abhielten.

Die Mönche der Erkenntnis waren Phantásier der verschiedensten Gestalt und Herkunft. Aber wenn sie in dieses Kloster eintreten wollten, so mußten sie jede Verbindung mit ihrem Land und ihrer Familie abbrechen. Das Leben dieser Mönche war hart und entsagungsvoll und einzig und allein der Weisheit und der Erkenntnis gewidmet. Bei weitem nicht jeder, der es wollte, wurde in die Gemeinschaft aufgenommen. Die Prüfungen waren streng und die drei Tief Sinnenden unerbittlich. So kam es, daß fast nie mehr als dreihundert Mönche hier lebten, doch bildeten diese dadurch die Auslese der Klügsten in ganz Phantásien. Es hatte schon Zeiten gegeben, wo die Bruder- und Schwesternschaft auf nur sieben Mitglieder zusammengeschrumpft war. Doch hatte das nichts an der Strenge der Prüfungen geändert. Zur Zeit war die Anzahl der Mönche und Mönchinnen etwas über zweihundert.

Als Bastian, gefolgt von Atréju und Xayíde, nun in den großen Lehrsaal geführt wurde, sah er eine buntgemischte Menge aller möglichen phantásischen Wesen vor sich, die sich nur dadurch von seiner eigenen Gefolgschaft unterschied, daß alle, gleich welcher Gestalt, in rauhe, schwarzbraune Kutten gekleidet waren. Man mag sich vorstellen, wie das zum Beispiel bei einem der schon früher erwähnten Wanderfelsen oder einem Winzling aussah.

Die drei Oberen aber, die Tief Sinnenden, hatten menschliche Gestalt. Nicht menschlich waren dagegen ihre Köpfe. Uschtu, die Mutter der Ahnung, hatte ein Eulengesicht. Schirkrie, der Vater der Schau, hatte einen Adlerkopf. Und Jisipu endlich, der Sohn der Klugheit, hatte den Kopf eines Fuchses. Sie saßen auf erhöhten Stühlen aus Stein und wirkten sehr groß. Atréju und sogar Xayíde schienen bei ihrem Anblick von Scheu befallen zu werden. Aber Bastian trat gelassen auf sie zu. Tiefe Stille herrschte in dem großen Saal.

Schirkrie, der offenbar der Älteste der drei war und in der Mitte saß, wies langsam mit der Hand auf einen leerstehenden Thronsessel, der den ihren gegenüberstand. Bastian nahm darauf Platz.

Nach einem längeren Schweigen begann Schirkrie zu reden. Er sprach leise, und seine Stimme klang überraschenderweise tief und voll.

»Seit Urzeiten sinnen wir nach über das Rätsel unserer Welt. Jisipu denkt anders darüber, als Uschtu erahnt, und Uschtus Ahnung lehrt anderes, als ich erschaue, und wiederum schaue ich anderes, als Jisipu denkt. So soll es nicht länger sein. Darum haben wir dich, den Großen Wissenden, gebeten, zu uns zu kommen und uns zu lehren. Willst du unsere Bitte erfüllen?«

»Ich will es«, sagte Bastian.

»So höre denn, Großer Wissender, unsere Frage: Was ist Phantásien?«

Bastian schwieg eine Weile, dann antwortete er:

»Phantásien ist die Unendliche Geschichte.«

»Gib uns Zeit, deine Antwort zu verstehen«, sagte Schirkrie. »Wir wollen uns morgen zur selben Stunde hier wieder treffen.«

Schweigend erhoben sich alle, die drei Tief Sinnenden und auch alle Mönche der Erkenntnis, und gingen hinaus.

Bastian, Atréju und Xayíde wurden in Gästezellen geführt, wo auf jeden ein schlichtes Mahl wartete. Die Lagerstätten waren einfache Holzpritschen mit rauhen Wolldekken. Bastian und Atréju machte das natürlich nichts aus, nur Xayíde hätte sich gern ein angenehmeres Bett gezaubert, aber sie mußte feststellen, daß ihre magischen Kräfte in diesem Kloster nicht wirkten.

In der nächsten Nacht zur festgesetzten Stunde versammelten sich wieder alle Mönche und die drei Tief Sinnenden in dem großen Kuppelsaal. Bastian setzte sich wieder auf den Thronsessel, Xayíde und Atréju standen links und rechts von ihm.

Diesmal war es Uschtu, die Mutter der Ahnung, die Bastian groß mit ihren Eulenaugen ansah und sprach:

»Wir haben über deine Lehre nachgedacht, Großer Wissender. Doch hat sich uns eine neue Frage ergeben. Wenn Phantásien die Unendliche Geschichte ist, wie du sagst, wo steht diese Unendliche Geschichte geschrieben?«

Wiederum schwieg Bastian eine Weile und antwortete dann:

»In einem Buch, das in kupferfarbene Seide gebunden ist.«

»Gib uns Zeit, deine Worte zu verstehen«, sagte Uschtu. »Wir wollen uns morgen zur selben Stunde hier wieder treffen.«

Alles geschah wie in der vorhergehenden Nacht. Und in der darauffolgenden, als sie sich alle wiederum im Lehrsaal versammelt hatten, nahm Jisipu, der Sohn der Klugheit, das Wort:

»Auch diesmal haben wir über deine Lehre nachgedacht, Großer Wissender. Und wiederum stehen wir ratlos vor einer neuen Frage. Wenn unsere Welt Phantásien eine Unendliche Geschichte ist, und wenn diese Unendliche Geschichte in einem kupferfarbenen Buch steht – wo befindet sich dann dieses Buch?«

Und nach kurzem Schweigen antwortete Bastian:

»Auf dem Speicher eines Schulhauses.«

»Großer Wissender«, versetzte Jisipu, der Fuchsköpfige, »wir zweifeln nicht an der Wahrheit dessen, was du uns sagst. Und doch wollen wir dich bitten, uns diese Wahrheit sehen zu lassen. Kannst du das?«

Bastian überlegte, dann sagte er:

»Ich glaube, ich kann es.«

Atréju blickte Bastian überrascht an. Auch Xayíde hatte einen fragenden Ausdruck in ihren verschiedenfarbigen Augen.

»Wir wollen uns morgen nacht um dieselbe Stunde wiedertreffen«, sagte Bastian, »aber nicht hier im Lehrsaal, sondern draußen auf den Dächern des Sternenklosters Gigam. Und ihr müßt aufmerksam und ohne Unterlaß den Himmel betrachten.«

In der darauffolgenden Nacht – sie war ebenso sternenklar wie die drei vorhergehenden – standen alle Mitglieder der Bruderschaft, einschließlich der drei Tief Sinnenden, zur festgesetzten Stunde auf den Dächern des Klosters und blickten mit zurückgebeugten Köpfen in den Nachthimmel empor. Auch Atréju und Xayíde, die beide nicht wußten, was Bastian vorhatte, befanden sich unter ihnen.

Bastian aber kletterte auf den höchsten Punkt der großen Kuppel hinauf. Als er oben stand, schaute er weit herum – und in diesem Augenblick sah er zum ersten Mal, fern, fern am Horizont und im Mondlicht feenhaft schimmernd, den Elfenbeinturm.

Er nahm den Stein Al' Tsahir aus seiner Tasche, der mild

leuchtete. Bastian rief sich die Worte der Inschrift ins Gedächtnis zurück, die an der Tür der Bibliothek von Amargánth gestanden hatten:

»... doch spricht er meinen Namen noch ein zweites Mal
vom Ende zum Anfang,
verstrahl' ich hundert Jahre Leuchten
in einem Augenblick«.

Er hielt den Stein hoch empor und rief:

»Rihast'la!«

Im gleichen Moment gab es einen Blitz von solcher Helligkeit, daß der Sternenhimmel verblaßte und der dunkle Weltraum dahinter erleuchtet wurde. Und dieser Raum war der Speicher des Schulhauses mit seinen altersschwarzen, mächtigen Balken. Dann war es vorüber. Das Licht von hundert Jahren war verstrahlt. Al' Tsahir war ohne Rest verschwunden.

Alle, auch Bastian, brauchten erst eine Weile, bis ihre Augen sich wieder an das schwache Leuchten des Mondes und der Sterne gewöhnt hatten.

Erschüttert von der Vision versammelten sich alle schweigend im großen Lehrsaal. Als letzter kam Bastian. Die Mönche der Erkenntnis und die drei Tief Sinnenden erhoben sich von ihren Plätzen und verneigten sich tief und lange vor ihm.

»Es gibt keine Worte«, sagte Schirkrie, »mit denen ich dir für den Blitz der Erleuchtung danken könnte, Großer Wissender. Denn ich habe auf jenem geheimnisvollen Speicher ein Wesen meiner Art erblickt, einen Adler.«

»Du irrst dich, Schirkrie«, widersprach ihm mit mildem Lächeln die eulengesichtige Uschtu, »ich habe genau gesehen, daß es eine Eule war.«

»Ihr beide täuscht euch«, fiel ihr Jisipu mit leuchtenden Augen ins Wort, »das Wesen dort ist mir verwandt. Es ist ein Fuchs.«

Schirkrie hob abwehrend die Hände.

»Da sind wir nun wieder, wo wir vorher waren«, sagte er. »Nur du kannst uns auch diese Frage beantworten, Großer Wissender. Wer von uns dreien hat recht?«

Bastian lächelte kühl und sagte:

»Alle drei.«

»Gib uns Zeit, deine Antwort zu verstehen«, bat Uschtu.

»Ja«, erwiderte Bastian, »so viel Zeit wie ihr wollt. Denn wir werden euch nun verlassen.«

Enttäuschung lag auf den Gesichtern der Mönche der Erkenntnis und auch ihrer drei Oberen, aber Bastian lehnte ihre inständige Bitte, lang oder besser noch für immer bei ihnen zu bleiben, gleichmütig ab.

So wurde er denn mit seinen beiden Schülern hinausbegleitet, und die Flugboten brachten sie in die Zeltstadt zurück.

In dieser Nacht begann übrigens im Sternenkloster Gigam eine erste grundsätzliche Meinungsverschiedenheit zwischen den drei Tief Sinnenden, die viele Jahre später dazu führte, daß die Bruderschaft aufgelöst wurde und Uschtu, die Mutter der Ahnung, Schirkrie, der Vater der Schau, und Jisipu, der Sohn der Klugheit, jeweils ein eigenes Kloster gründeten. Aber das ist eine andere Geschichte und soll ein andermal erzählt werden.

Bastian aber hatte von dieser Nacht an jede Erinnerung daran verloren, daß er je in eine Schule gegangen war. Auch der Speicher und sogar das gestohlene Buch mit dem kupferfarbenen Seideneinband waren aus seinem Gedächtnis verschwunden. Und er fragte sich nicht mehr, wie er überhaupt nach Phantásien gekommen war.

XXII. Die Schlacht um den Elfenbeinturm

orausgeschickte Späher kehrten ins Lager zurück und berichteten, daß man dem Elfenbeinturm nun schon sehr nahe sei. Mit zwei, höchstens drei beschleunigten Tagesmärschen könnte man ihn erreichen.

Aber Bastian schien unentschlossen. Er ließ öfter Rast machen als bisher, um dann plötzlich wieder überstürzt aufzubrechen. Keiner im Heerzug seiner Begleiter verstand den Grund, aber keiner wagte ihn natürlich danach zu fragen. Seit seiner großen Tat im Sternenkloster war er unnahbar geworden, sogar für Xayíde. Im Heerlager gingen allerlei Vermutungen um, aber die meisten Weggenossen fügten sich willig seinen widersprüchlichen Befehlen. Große Weise – so meinten sie – erschienen normalen Wesen oft unberechenbar. Auch Atréju und Fuchur konnten sich Bastians Verhalten nicht mehr erklären. Die Sache im Sternenkloster ging beiden über den Verstand. Aber das vermehrte nur ihre Sorge um ihn.

In Bastian lagen zwei Empfindungen im Kampf miteinander, und keine von beiden konnte er zum Schweigen bringen. Er sehnte sich danach, mit Mondenkind zusammenzutreffen. Er war jetzt in ganz Phantásien berühmt und bewundert und konnte ihr als Ebenbürtiger gegenübertreten. Aber zugleich erfüllte ihn die Sorge, daß sie AURYN von ihm zurückverlangen würde. Und was dann? Würde sie versuchen, ihn zurückzuschicken in die Welt, von der er nun kaum noch etwas wußte? Er wollte nicht zurück! Und er wollte das Kleinod behalten! – Dann wieder kam ihm der Gedanke, daß es ja durchaus nicht gesagt war, daß sie es zurückhaben wollte. Vielleicht ließ sie es ihm, solang er wollte. Vielleicht hatte sie es ihm ja überhaupt geschenkt, und es gehörte für immer ihm. In solchen Augenblicken konnte er es kaum erwarten, sie wiederzusehen. Er trieb den Heerzug an, um schneller bei ihr zu sein. Doch schon überkamen ihn wieder Zweifel, und er ließ anhalten und Rast machen, um sich klar zu werden, womit er zu rechnen hatte.

So, in abwechselnd hastigen und überstürzten Märschen

und stundenlangen Verzögerungen, hatte man schließlich den äußeren Rand des berühmten Labyrinths erreicht, jener weiten Ebene, die ein einziger Blumengarten voll verschlungener Pfade und Wege war. Am Horizont leuchtete in feenhaftem Weiß gegen den golden schimmernden Abendhimmel der Elfenbeinturm.

Die ganze phantásische Schar und auch Bastian standen in andächtigem Schweigen und genossen die unbeschreibliche Schönheit dieses Anblicks. Sogar auf Xayídes Gesicht lag ein Ausdruck von Staunen, den es noch nie zuvor gezeigt hatte und der freilich auch bald wieder verschwand. Atréju und Fuchur, die ganz im Hintergrund standen, erinnerten sich daran, wie anders das Labyrinth ausgesehen hatte, als sie das letztemal hiergewesen waren: zerfressen von der Todeskrankheit des Nichts. Jetzt schien es blühender und schöner und leuchtender als je zuvor.

Bastian beschloß, für diesen Tag nicht mehr weiterzuziehen, und so wurde das Nachtlager aufgeschlagen. Er schickte einige Boten aus, die Mondenkind seinen Gruß überbringen und ihr ankündigen sollten, daß er am folgenden Tag in den Elfenbeinturm einzuziehen gedächte. Dann legte er sich in seinem Zelt nieder und versuchte zu schlafen. Er wälzte sich auf seinen Kissen hin und her und seine Besorgnisse ließen ihn nicht zur Ruhe kommen. Er ahnte nicht, daß diese Nacht noch aus ganz anderen Gründen die schlimmste seines bisherigen Daseins in Phantásien werden sollte.

Gegen Mitternacht war er endlich in einen leichten, unruhigen Schlaf gefallen, als ihn ein aufgeregtes Raunen und Wispern vor dem Eingang seines Zeltes aufschrecken ließ. Er erhob sich und trat hinaus.

»Was gibt es?« fragte er streng.

»Dieser Bote hier«, antwortete Illuán, der blaue Dschinn, »behauptet, dir eine Nachricht überbringen zu müssen, die so wichtig sei, daß er nicht bis morgen warten dürfe.«

Der Bote, den Illuán am Kragen hochgehoben hatte, war ein kleiner Hurtling, ein Wesen, das gewisse Ähnlichkeit mit einem Kaninchen aufwies, nur daß es anstelle eines Fells ein knallbuntes Federkleid hatte. Hurtlinge gehören zu den schnellsten Läufern Phantásiens und können ungeheure Strecken in solcher Geschwindigkeit zurücklegen, daß man sie dabei praktisch nicht sehen, sondern ihr Vorüberzischen nur an einer Spur von aufgewirbelten Staubwölkchen bemerken kann. Eben wegen dieser Fähigkeit war der Hurtling hier zum Boten gemacht worden. Er hatte die ganze Strecke zum Elfenbeinturm und wieder zurück hinter sich und hechelte atemlos, als der Dschinn ihn vor Bastian hinstellte.

»Verzeih mir, Herr«, keuchte er und verbeugte sich ein paarmal tief, »verzeih mir, wenn ich es wage, deine Ruhe zu stören, aber du würdest mit Recht unzufrieden mit mir sein, wenn ich es nicht getan hätte. Die Kindliche Kaiserin ist nicht im Elfenbeinturm, schon seit undenklicher Zeit nicht mehr, und niemand weiß, wo sie weilt.«

Bastian fühlte sich plötzlich leer und kalt im Inneren. »Du mußt dich irren. Das kann nicht sein.«

»Die anderen Boten werden es dir bestätigen, wenn sie nachgekommen sind, Herr.«

Bastian schwieg eine Weile, dann sagte er tonlos:

»Danke, es ist gut.«

Er drehte sich um und ging in sein Zelt.

Er setzte sich auf sein Lager und stützte den Kopf in beide Hände. Es war ganz unmöglich, daß Mondenkind nicht erfahren haben sollte, seit wie langer Zeit er unterwegs zu ihr war. Wollte sie ihn nicht wiedersehen? Oder war ihr etwas zugestoßen? Nein, es war ganz undenkbar, daß ihr in ihrem eigenen Reich etwas zustoßen konnte, ihr, der Kindlichen Kaiserin.

Aber sie war nicht da, und das bedeutete, daß er ihr AURYN nicht zurückgeben mußte. Auf der anderen Seite fühlte er bitterliche Enttäuschung darüber, daß er sie nicht wiedersehen sollte. Was auch immer sie für einen Grund zu diesem Verhalten haben mochte, er fand es unbegreiflich, nein, es war kränkend!

Dann fiel ihm Atréjus und Fuchurs oft wiederholte Bemerkung ein, daß jeder der Kindlichen Kaiserin nur ein einziges Mal begegnet.

Die Trauer darüber machte, daß er plötzlich Sehnsucht nach Atréju und Fuchur verspürte. Er wollte sich mit jemand aussprechen, wollte mit einem Freund reden.

Ihm kam die Idee, den Gürtel Gémmal anzulegen und unsichtbar zu ihnen zu gehen. So konnte er bei ihnen sein und ihre tröstliche Gegenwart genießen, ohne sich etwas zu vergeben.

Rasch öffnete er das verzierte Kästchen, holte den Gürtel hervor und legte ihn sich um die Hüfte. Wieder überkam ihn das unangenehme Gefühl, wie beim ersten Mal, als er sich selbst nicht mehr sah. Er wartete eine Weile, bis er sich daran gewöhnt hatte, dann ging er hinaus und begann in der Zeltstadt umherzuwandern auf der Suche nach Atréju und Fuchur.

Überall war aufgeregtes Wispern und Raunen zu hören, schattenhafte Gestalten huschten zwischen den Zelten hin und her, da und dort hockten mehrere zusammen und berieten leise miteinander. Inzwischen waren auch die anderen Boten zurückgekehrt, und die Nachricht, daß Mondenkind nicht im Elfenbeinturm war, hatte sich wie ein Lauffeuer im Lager der Weggenossen verbreitet. Bastian ging zwischen den Zelten herum, aber er fand zunächst die beiden, die er suchte, nicht.

Atréju und Fuchur hatten sich ganz am Rande des Lagers unter einem blühenden Rosmarinbaum niedergelassen. Atréju saß mit untergeschlagenen Beinen, die Arme vor der Brust verschränkt, und blickte mit starrem Gesicht in die Richtung des Elfenbeinturms. Der Glücksdrache lag neben ihm, den mächtigen Kopf zu seinen Füßen auf der Erde.

»Es war meine letzte Hoffnung, daß sie mit ihm eine Ausnahme machen würde, um das Zeichen von ihm zurückzunehmen«, sagte Atréju, »aber nun ist alle Hoffnung verloren.«

»Sie wird wissen, was sie tut«, antwortete Fuchur.

In diesem Augenblick hatte Bastian die beiden gefunden und trat unsichtbar zu ihnen.

»Weiß sie es wirklich?« murmelte Atréju. »Er darf AURYN nicht länger behalten.«

»Was willst du tun?« fragte Fuchur. »Er wird es freiwillig nicht hergeben.«

»Ich muß es ihm nehmen«, antwortete Atréju.

Bastian fühlte bei diesen Worten den Boden unter seinen Füßen schwinden.

»Wie willst du das tun?« hörte er Fuchur sagen. »Ja, wenn du es erst einmal hättest, könnte er dich nicht mehr zwingen, es ihm zurückzugeben.«

»Oh, das weiß ich nicht«, meinte Atréju, »seine Stärke und sein Zauberschwert hätte er ja noch immer.«

»Aber das Zeichen würde dich schützen«, wandte Fuchur ein, »sogar vor ihm.«

»Nein«, sagte Atréju, »ich glaube nicht. Nicht vor ihm. Nicht so.«

»Und dabei«, fuhr Fuchur mit einem leisen, grimmigen Lachen fort, »hat er es dir selbst angeboten, an eurem ersten Abend in Amargánth. Und du hast es abgelehnt.«

Atréju nickte.

»Damals wußte ich noch nicht, wie es kommen würde.«

»Was bleibt dir dann noch übrig?« fragte Fuchur, »was kannst du tun, um ihm das Zeichen wegzunehmen?«

»Ich muß es ihm stehlen«, antwortete Atréju.

Fuchurs Kopf schnellte in die Höhe. Mit rubinrot-glühenden Augenbällen starrte er Atréju an, der seinen Blick zu Boden senkte und leise wiederholte:

»Ich muß es ihm stehlen. Es gibt keine andere Möglichkeit.«

Nach einer bangen Stille fragte Fuchur:

»Und wann?«

»Noch diese Nacht«, antwortete Atréju, »denn morgen kann es schon zu spät sein.«

Bastian wollte nichts mehr hören. Er ging langsam fort. Er fühlte nichts mehr als eine kalte, grenzenlose Leere.

Nun war ihm alles gleichgültig – wie Xayíde es gesagt hatte.

Er ging in sein Zelt zurück und nahm den Gürtel Gémmal ab. Dann schickte er Illuán, die drei Herren Hýsbald, Hýkrion und Hýdorn zu rufen. Während er wartend auf und ab ging, fiel ihm ein, daß Xayíde ihm alles vorausgesagt hatte. Er hatte es nicht glauben wollen, aber nun mußte er es. Xayíde meinte es ehrlich mit ihm, das sah er jetzt ein. Sie allein war ihm wahrhaft ergeben. Aber noch war nicht gesagt, daß Atréju seinen Plan auch tatsächlich ausführen würde. Vielleicht war es nur ein Einfall gewesen, dessen er sich schon schämte. In diesem Fall wollte Bastian kein Wort über die Sache verlieren – obwohl ihm an Freundschaft von nun an nichts mehr lag. Das war für immer vorbei.

Als die drei Herren kamen, erklärte er ihnen, er habe Gründe für die Annahme, daß noch diese Nacht ein Dieb in sein Zelt kommen würde. Er bäte die drei Herren deshalb, im Inneren des Zeltes Wache zu halten und den Dieb, wer es auch sein möge, sofort gefangenzunehmen. Hýsbald, Hýdorn und Hýkrion waren einverstanden und machten es sich bequem. Bastian ging fort.

Er begab sich zu Xayídes Korallensänfte. Sie lag in tiefem Schlaf, nur die fünf Riesen in ihren schwarzen Insektenpanzern standen aufrecht und reglos um sie herum. In der Dunkelheit sahen sie aus wie fünf Felsbrocken.

»Ich wünsche, daß ihr mir gehorcht«, sagte Bastian leise.

Sofort wandten alle fünf ihm ihre schwarzen Eisengesichter zu.

»Befiehl uns, Herr unserer Herrin«, antwortete einer mit blecherner Stimme.

»Glaubt ihr, ihr werdet mit dem Glücksdrachen Fuchur fertig?« wollte Bastian wissen.

»Das kommt auf den Willen an, der uns lenkt«, erwiderte die Blechstimme.

»Es ist mein Wille«, sagte Bastian.

»Dann werden wir mit allem fertig«, war die Antwort.

»Gut, dann marschiert jetzt in seine Nähe!« – er zeigte mit

der Hand die Richtung. »Sobald Atréju ihn verläßt, nehmt ihn gefangen! Aber bleibt mit ihm dort. Ich lasse euch rufen, wenn ihr ihn bringen sollt.«

»Das tun wir gern, Herr unserer Herrin«, gab die blecherne Stimme zur Antwort.

Die fünf Schwarzen setzten sich lautlos und im Gleichschritt in Bewegung. Xayíde lächelte im Schlaf.

Bastian ging zu seinem Zelt zurück, aber als er es vor sich sah, zögerte er. Falls Atréju tatsächlich den Diebstahl versuchen würde, so wollte er nicht dabei sein, wenn sie ihn gefangennahmen.

Das erste Morgengrauen stieg bereits am Himmel empor, und Bastian setzte sich, nicht weit von seinem Zelt, unter einen Baum und wartete, in seinen silbernen Mantel gewikkelt. Die Zeit verstrich unendlich langsam, ein fahler Morgen dämmerte herauf, es wurde heller, und Bastian schöpfte bereits Hoffnung, daß Atréju sein Vorhaben aufgegeben habe, als plötzlich Lärm und Stimmengewirr aus dem Inneren des Prachtzeltes drang. Es dauerte nur kurz, dann wurde Atréju mit auf den Rücken gefesselten Armen von Hýkrion aus dem Zelt geführt. Die beiden anderen Herren folgten.

Bastian erhob sich müde und lehnte sich gegen den Baum.

»Also doch!« murmelte er vor sich hin.

Dann ging er zu seinem Zelt. Er mochte Atréju nicht anschauen, und auch dieser hielt den Kopf gesenkt.

»Illuán!« sagte Bastian zu dem blauen Dschinn neben dem Zelteingang, »wecke das ganze Lager auf. Alle sollen sich hier versammeln. Und die schwarzen Panzerriesen sollen Fuchur bringen.«

Der Dschinn stieß einen scharfen Adlerschrei aus und eilte fort. Überall, wo er vorüberkam, begann es sich zu regen in den großen und kleinen Zelten und den anderen Lagerstellen.

»Er hat sich überhaupt nicht gewehrt«, knurrte Hýkrion und wies mit einer Kopfbewegung auf Atréju, der reglos und gesenkten Hauptes dastand. Bastian wandte sich ab und setzte sich auf einen Stein.

Als die fünf schwarzen Riesen Fuchur brachten, hatte sich

bereits eine große Menge rund um das Prachtzelt versammelt. Beim Näherkommen des stampfenden, metallischen Gleichschritts wichen die Zuschauer auseinander und gaben eine Straße frei. Fuchur war weder gefesselt, noch berührten die gepanzerten Riesen ihn, sie gingen nur links und rechts von ihm mit gezogenen Schwertern.

»Er hat sich überhaupt nicht gewehrt, Herr unserer Herrin«, sagte eine der blechernen Stimmen zu Bastian, als der Zug vor ihm anhielt.

Fuchur legte sich vor Atréju auf den Boden und schloß die Augen.

Eine lange Stille trat ein. Die letzten Nachzügler aus dem Heerlager eilten herzu und streckten die Hälse, um zu sehen, was es gab. Die einzige Person, die nicht zugegen war, war Xayíde. Das Flüstern und Raunen erstarb nach und nach. Alle Blicke wanderten zwischen Atréju und Bastian hin und her. Im grauen Zwielicht wirkten ihre reglosen Gestalten wie ein für immer erstarrtes Bild ohne Farben.

Endlich erhob sich Bastian.

»Atréju«, sagte er, »du wolltest mir das Zeichen der Kindlichen Kaiserin stehlen, um es dir selbst anzueignen. Und du, Fuchur, hast es gewußt und mit ihm geplant. Ihr beide habt damit nicht nur die Freundschaft besudelt, die einmal zwischen uns bestand, ihr habt euch auch des schlimmsten Verbrechens gegen den Willen Mondenkinds schuldig gemacht, die mir das Kleinod gegeben hat. Bekennt ihr euch schuldig?«

Atréju warf Bastian einen langen Blick zu, dann nickte er.

Bastian versagte die Stimme, und er mußte zweimal ansetzen, ehe er weitersprechen konnte.

»Ich denke daran, Atréju, daß du es warst, der mich zur Kindlichen Kaiserin gebracht hat. Und ich denke an Fuchurs Gesang in Amargánth. Darum will ich euch euer Leben schenken, das Leben eines Diebes und eines Diebsgesellen. Macht damit, was ihr wollt. Aber geht fort von mir, so weit ihr könnt, und wagt es nie wieder, mir vor die Augen zu treten. Ich verbanne euch für immer. Ich habe euch nie gekannt!«

Er machte Hýkrion mit dem Kopf ein Zeichen, Atréjus Fesseln zu lösen, dann wandte er sich ab und setzte sich wieder.

Atréju stand lange Zeit, ohne sich zu bewegen, dann warf er einen Blick auf Bastian. Er schien etwas sagen zu wollen, aber dann überlegte er es sich anders. Er beugte sich zu Fuchur nieder und flüsterte ihm etwas zu. Der Glücksdrache öffnete die Augen und richtete sich auf. Atréju sprang auf seinen Rücken, und Fuchur erhob sich in die Luft. Er flog geradewegs in den immer heller werdenden Morgenhimmel hinein, und obgleich seine Bewegungen schwer und mühsam waren, war er doch in wenigen Augenblicken in der Ferne verschwunden.

Bastian stand auf und ging in sein Zelt. Er warf sich auf sein Lager.

»Nun hast du wahrhafte Größe erreicht«, sagte leise eine sanfte, verschleierte Stimme, »nun liegt dir an nichts mehr, und nichts kann dich mehr erreichen.«

Bastian setzte sich auf. Es war Xayíde, die gesprochen hatte. Sie hockte in der dunkelsten Ecke des Zeltes.

»Du?« fragte Bastian, »wie bist du hereingekommen?«

Xayíde lächelte.

»Für mich, Herr und Meister, gibt es keine Wachen, die mich zurückhalten können. Das könnte nur dein Befehl. Schickst du mich fort?«

Bastian legte sich zurück und schloß die Augen wieder. Nach einer Weile murmelte er:

»Es ist mir gleich. Bleib oder geh!«

Sie beobachtete ihn lange Zeit unter halbgesenkten Lidern. Dann erkundigte sie sich:

»Woran denkst du, Herr und Meister?«

Bastian drehte sich von ihr fort und antwortete nicht.

Es war Xayíde klar, daß sie ihn jetzt auf keinen Fall sich selbst überlassen durfte. Er war nahe daran, ihr zu entgleiten. Sie mußte ihn trösten und aufmuntern – auf ihre Art. Sie mußte ihn dazu bringen, auf dem Weg weiterzugehen, den sie für ihn vorgesehen hatte – und für sich selbst. Und diesmal würde die Sache nicht mit einem Zaubergeschenk oder einem einfachen Trick zu machen sein. Sie mußte zu stärkeren Mitteln greifen. Zum stärksten, das ihr zur Verfügung stand, zu Bastians heimlichsten Wünschen. Sie setzte sich neben ihn und flüsterte ihm ins Ohr:

»Wann, mein Herr und Meister, willst du zum Elfenbeinturm ziehen?«

»Ich weiß es nicht«, sagte Bastian in seine Kissen hinein, »was soll ich dort noch, wenn Mondenkind nicht da ist? Ich weiß überhaupt nicht mehr, was ich jetzt noch soll.«

»Du könntest hinziehen, um die Kindliche Kaiserin dort zu erwarten.«

Bastian wandte sich Xayíde zu.

»Glaubst du, sie wird zurückkommen?«

Er mußte seine Frage noch einmal dringender wiederholen, ehe Xayíde zögernd antwortete:

»Ich glaube es nicht. Ich glaube, daß sie für immer Phantásien verlassen hat und daß du ihr Nachfolger bist, Herr und Meister.«

Bastian richtete sich langsam auf. Er blickte in Xayídes zweifarbige Augen, und es dauerte eine Weile, bis er ganz begriffen hatte, was sie ihm da sagte.

»Ich?« stieß er hervor. Auf seinen Wangen zeigten sich rote Flecken.

»Erschreckt dich dieser Gedanke so sehr?« flüsterte Xayíde. »Sie hat dir das Zeichen ihrer Vollmacht gegeben. Sie hat dir ihr Reich überlassen. Du wirst nun der Kindliche Kaiser sein, mein Herr und Meister. Und es ist dein gutes Recht. Du hast Phantásien nicht nur gerettet, indem du kamst, du hast es doch erst geschaffen! Wir alle – auch ich selbst – sind nur deine Geschöpfe! Du bist der Große Wissende, warum erschreckt es dich nun, auch die Allmacht zu ergreifen, die dir doch nach allem gebührt?«

Und während Bastians Augen mehr und mehr in einem

kalten Fieber zu glänzen begannen, erzählte ihm Xayíde von einem neuen Phantásien, von einer Welt, die bis in alle Einzelheiten nach Bastians Belieben zu gestalten war, in der er nach Willkür schaffen und vernichten konnte, in der es keine Schranken und Bedingungen mehr gab, wo jedes Geschöpf, ob gut oder böse, schön oder häßlich, töricht oder weise, einzig seinem Willen entsprungen war und er erhaben und rätselhaft über allem thronte und die Geschicke lenkte in ewigem Spiel.

»Erst dann«, schloß sie zuletzt, »bist du wahrhaftig frei, frei von allem, was dich beengt, und frei zu tun, was du willst. Und wolltest du nicht deinen Wahren Willen finden? Das ist er!«

Noch am gleichen Morgen wurde das Zeltlager abgebrochen, und der vieltausendköpfige Zug, angeführt von Bastian und Xayíde in der Korallensänfte, machte sich auf den Weg zum Elfenbeinturm. Eine schier endlose Kolonne zog über die verschlungenen Wege des Labyrinths. Und als deren Spitze gegen Abend den Elfenbeinturm erreichte, hatten die letzten Nachzügler gerade erst die äußere Grenze des Blumengartens überschritten.

Der Empfang, der Bastian bereitet wurde, war so festlich, wie er es sich nur wünschen konnte. Alles, was zum Hofstaat der Kindlichen Kaiserin gehörte, war auf den Beinen. Auf allen Zinnen und Dächern standen Elben-Wächter mit blitzenden Trompeten und schmetterten, was ihre Lungen hergaben. Die Gaukler zeigten ihre Kunststücke, die Sterndeuter verkündeten Bastians Glück und Größe, die Bäcker buken Torten so hoch wie Berge, die Minister und Würdenträger aber gingen neben der Korallensänfte her und geleiteten sie durch das Gewühl der Menge die Hauptstraße hinauf, die in einer immer enger werdenden Spirale um den kegelförmigen Elfenbeinturm lief, bis dorthin, wo das große Tor ins Innere des eigentlichen Palastteils führte. Bastian stieg, gefolgt von Xayíde und allen Würdenträgern, die schneeweißen Stufen der breiten Treppe empor, ging weiter durch alle Säle und Korridore, durch das zweite Tor, immer höher hinauf, durch den Garten, in dem Tiere, Blumen und Bäume aus Elfenbein waren, über die geschwungenen Brücken und durch das letzte Tor. Er wollte in jenen Pavillon, der die Spitze des riesigen Turmes bildete und der die Gestalt einer Magnolienblüte hatte. Doch zeigte es sich, daß die Blüte geschlossen war und daß das letzte Stück Wegs, das zu ihr emporführte, so glatt und steil war, daß niemand hinaufkommen konnte.

Bastian erinnerte sich, daß auch der schwerverwundete Atréju damals nicht hatte hinaufgelangen können, jedenfalls nicht aus eigener Kraft – denn niemand, der je dort hinaufgekommen ist, weiß, wie es ihm gelang. Es muß einem geschenkt werden.

Aber Bastian war nicht Atréju. Wenn einer von nun an dieses letzte Stück Wegs als Gnade zu verschenken hatte, so war er es. Und er war nicht gesonnen, sich jetzt noch auf seinem Weg aufhalten zu lassen.

»Ruft Handwerker herbei!« befahl er, »sie sollen mir Stufen in die glatte Oberfläche schlagen oder eine Leiter bauen oder sich irgend etwas anderes ausdenken. Denn ich wünsche, dort oben meinen Wohnsitz zu nehmen.«

»Herr«, wagte einer der ältesten Ratgeber einzuwenden, »dort oben wohnt unsere Goldäugige Gebieterin der Wünsche, wenn sie bei uns ist.«

»Tut, was ich euch befehle!« herrschte Bastian ihn an.

Die Würdenträger wurden bleich und wichen vor ihm zurück. Aber sie gehorchten. Handwerker wurden herbeigeholt, die mit schweren Hämmern und Meißeln ans Werk gingen. Aber so sehr sie sich auch abplagten, es gelang ihnen nicht, auch nur das kleinste Stück aus dem Berggipfel herauszuschlagen. Die Meißel sprangen ihnen aus den Händen, und nicht einmal ein Kratzer blieb in der glatten Oberfläche zurück.

»Erfindet irgend etwas anderes«, sagte Bastian und wandte sich unwillig ab, »denn ich will dort hinauf. Aber denkt daran, daß meine Geduld bald zu Ende sein könnte.«

Dann ging er zurück und ergriff vorerst einmal mit seinem Hofstaat, von dem vor allem Xayíde, die drei Herren Hýsbald, Hýkrion und Hýdorn sowie Illuán, der blaue Dschinn, gehörten, von den übrigen Räumen des Palastbezirkes Besitz.

Noch in der gleichen Nacht berief er alle Würdenträger, Minister und Ratgeber, die bisher Mondenkind gedient hatten, zu einer Versammlung ein, die in jenem großen Rundsaal stattfand, wo einst der Ärztekongreß getagt hatte. Er verkündete ihnen, daß die Goldäugige Gebieterin ihm, Bastian Balthasar Bux, alle Macht über das unendliche phantásische Reich hinterlassen habe und daß er von nun an ihre Stelle einnehme. Er forderte sie auf, vollständige Unterwerfung unter seinen Willen zu geloben.

»Auch und gerade dann«, fügte er hinzu, »wenn meine Entscheidungen für euch bisweilen unbegreiflich sein sollten. Denn ich bin nicht euresgleichen.«

Dann setzte er fest, daß er sich genau siebenundsiebzig Tage später selbst zum Kindlichen Kaiser von Phantásien krönen wolle. Es solle eine Feierlichkeit von solcher Pracht geben, wie sie selbst in Phantásien noch nie gewesen sei. Man solle auf der Stelle Boten in alle Lande aussenden, denn er wünsche, daß jedes Volk des phantásischen Reiches einen Vertreter zur Krönungsfestlichkeit entsende.

Damit zog Bastian sich zurück und ließ die ratlosen Ratgeber und Würdenträger allein.

Sie wußten nicht, wie sie sich verhalten sollten. Alles, was sie gehört hatten, klang in ihren Ohren so ungeheuerlich, daß sie zunächst lange Zeit schweigend dastanden und die Köpfe einzogen. Dann begannen sie leise, sich zu unterreden. Und nach stundenlanger Beratung kamen sie überein, daß sie Bastians Anweisungen Folge leisten mußten, denn er trug ja das Zeichen der Kindlichen Kaiserin, und das verpflichtete sie zum Gehorsam – ob sie nun glaubten, daß Mondenkind tatsächlich alle Macht an Bastian abgetreten hatte oder ob diese ganze Angelegenheit wiederum nur einer ihrer unbegreiflichen Ratschlüsse war. Die Boten wurden also ausgeschickt, und auch sonst wurde alles befolgt, was Bastian angeordnet hatte.

Er selbst kümmerte sich allerdings nicht mehr darum. Alle Einzelheiten für die Vorbereitung der Krönungsfeierlichkeit überließ er Xayíde. Und sie verstand es, den Hofstaat im Elfenbeinturm zu beschäftigen – so sehr, daß kaum noch irgend jemand dazu kam, nachzudenken.

Bastian selbst saß während der nächsten Tage und Wochen meist reglos in dem Gemach, das er sich erwählt hatte. Er starrte vor sich hin und tat nichts. Er hätte sich gern irgend etwas gewünscht oder eine Geschichte erfunden, die ihn unterhielt, aber es fiel ihm nichts mehr ein. Er fühlte sich leer und hohl.

So verfiel er schließlich auf die Idee, er könne Mondenkind herbeiwünschen. Und wenn er nun tatsächlich allmächtig war, wenn alle seine Wünsche Wirklichkeit wurden, so mußte auch sie ihm gehorchen. Halbe Nächte lang saß er und flüsterte vor sich hin: »Mondenkind, komm! Du mußt kommen. Ich befehle dir zu kommen.« Und er dachte an ihren Blick, der wie ein leuchtender Schatz in seinem Herzen gelegen hatte. Aber sie kam nicht. Und je öfter er es versuchte, sie herbeizuzwingen, desto mehr erlosch die Erinnerung an jenes Leuchten in seinem Herzen, bis es ganz dunkel in ihm war.

Er redete sich ein, daß er alles wiederfinden würde, wenn er erst in dem Magnolienblüten-Pavillon säße. Immer wieder lief er zu den Handwerkern und trieb sie an, teils mit Drohungen, teils mit Versprechungen, aber alles, was sie taten, erwies sich als unnütz. Die Leitern zerbrachen, die Stahlnägel verbogen sich, die Meißel zersprangen.

Die Herren Hýkrion, Hýsbald und Hýdorn, mit denen Bastian bisweilen gern geplaudert oder irgendwelche Spiele gespielt hätte, waren nur noch selten zu etwas zu gebrauchen. Sie hatten in den tiefsten Stockwerken des Elfenbeinturms einen Weinkeller entdeckt. Dort saßen sie nun bei Tag und Nacht, tranken, würfelten, grölten dumme Lieder oder stritten sich, wobei sie nicht selten sogar gegeneinander die Schwerter zogen. Manchmal durchstreiften sie auch torkelnd die Hauptstraße und belästigten die Feen, Elfen, Wildweibchen und andere weibliche Wesen im Turm.

»Was willst du, Herr«, sagten sie, wenn Bastian sie zur Rede stellte, »du mußt uns eben was zu tun geben.«

Aber Bastian fiel nichts ein, und er vertröstete sie bis nach seiner Krönung, obgleich er selbst nicht wußte, was sich durch sie ändern sollte.

Nach und nach wurde auch das Wetter immer trüber. Die Sonnenuntergänge, die wie fließendes Gold aussahen, gab es immer seltener. Der Himmel war meist grau und bedeckt, und die Luft wurde stickig. Kein Wind regte sich mehr.

So kam langsam der festgesetzte Tag der Krönung heran.

Die ausgesandten Boten kehrten zurück. Viele von ihnen brachten Abgeordnete aus den verschiedensten Ländern Phantásiens mit. Manche aber kamen auch unverrichteterdinge wieder und meldeten, die Einwohner, zu denen sie geschickt worden waren, hätten sich schlankweg geweigert, an der Zeremonie teilzunehmen. Überhaupt gäbe es mancherorts heimliche oder ganz offene Rebellion.

Bastian blickte reglos vor sich hin.

»Mit all dem«, meinte Xayíde, »wirst du gründlich aufräumen, wenn du Kaiser von Phantásien bist.«

»Ich will, daß sie wollen, was ich will«, sagte Bastian.

Aber Xayíde war schon fortgeeilt, um neue Anordnungen zu treffen.

Und dann kam der Tag der Krönung, die nicht stattfinden sollte, sondern als der Tag der blutigen Schlacht um den Elfenbeinturm in die Geschichte Phantásiens einging.

Schon am Morgen war der Himmel von einer dicken, bleigrauen Wolkendecke überzogen, die es nicht recht Tag werden ließ. Ein banges Zwielicht lag über allem, die Luft war vollkommen reglos und so schwer und drückend, daß man kaum atmen konnte.

Xayíde hatte zusammen mit den vierzehn Zeremonienmeistern des Elfenbeinturmes ein äußerst reichhaltiges Festprogramm vorbereitet, das an Pracht und Aufwand alles übertreffen sollte, was es je in Phantásien gegeben hatte.

Schon von den frühen Morgenstunden an wurde in allen Straßen und Plätzen Musik gemacht, doch war es eine Musik, wie man sie bis zu diesem Tag noch nie im Elfenbeinturm gehört hatte: wild, kreischend und doch monoton. Jeder, der sie hörte, begann mit den Füßen zu zucken und mußte, ob er wollte oder nicht, tanzen und hüpfen. Niemand kannte die Musikanten, die schwarze Masken trugen, und niemand wußte, wo Xayíde sie hergeholt hatte.

Alle Gebäude und Häuserfronten waren mit grellbunten Fahnen und Fähnchen geschmückt, die allerdings, da kein Wind ging, schlaff herunterhingen. Längs der Hauptstraße und rundum auf der hohen Mauer des Palastbezirks waren zahllose Bilder angebracht, kleine und riesengroße, die alle ein und dasselbe Gesicht zeigten, das Bastians, immer wieder und wieder.

Da der Magnolien-Pavillon noch immer unzugänglich war, hatte Xayíde einen anderen Platz für die Thronbesteigung vorbereitet. Dort, wo die spiralförmige Hauptstraße vor dem großen Tor in der Palastmauer endete, sollte auf den breiten Stufen aus Elfenbein der Thron aufgestellt werden. Tausende von goldenen Weihrauchbecken qualmten hier, und der Rauch, der betäubend und doch zugleich aufreizend roch, floß langsam über die Stufen, über den Platz, die Hauptstraße hinunter und drang in alle Seitengassen, Winkel und Räume.

Überall standen die schwarzen Riesen in ihren Insektenpanzern. Niemand außer Xayíde selbst wußte, wie sie es fertiggebracht hatte, die fünf, die ihr noch übriggeblieben waren, zu verhundertfachen. Aber nicht nur das: etwa fünfzig von ihnen saßen nun auf gewaltigen Pferden, die ebenfalls ganz aus schwarzem Metall bestanden und sich völlig gleich bewegten.

In einem Triumphzug geleiteten diese Reiter einen Thron die Hauptstraße herauf. Niemand wußte, wo er hergekommen war. Er war groß wie ein Kirchenportal und bestand ganz und gar aus Spiegeln jeder Form und Größe. Nur das Sitzpolster war aus kupferfarbener Seide. Merkwürdigerweise glitt dieses glitzernde Riesending von selbst langsam die Straßenspirale aufwärts, ohne daß es geschoben oder gezogen wurde, ganz so, als hätte es ein Eigenleben.

Als es vor dem großen Elfenbeintor zum Stehen kam, trat Bastian aus dem Palastbezirk hervor und nahm darauf Platz. Er sah winzig klein wie eine Puppe aus, als er nun inmitten all dieser glitzernden kalten Pracht dort saß. Die Menge der Zuschauer, die von einem Spalier der schwarzen Panzerriesen zurückgehalten wurde, brach in Jubel aus, aber er klang auf unerklärliche Art dünn und schrill.

Danach begann der langwierigste und ermüdendste Teil der Feierlichkeit. Alle Sendboten und Abgeordneten des phantásischen Reiches mußten sich in einer Reihe hintereinander aufstellen, und diese Reihe reichte vom Spiegelthron nicht nur die ganze spiralförmige Hauptstraße des Elfenbeinturms hinunter, sondern weit, weit in das Gartenlabyrinth hinein, und immer neue schlossen sich hinten an der Schlange an. Jeder einzelne mußte, wenn die Reihe an ihn kam, vor dem Thron niederfallen, mit der Stirn dreimal den Boden berühren, Bastians rechten Fuß küssen und sagen: »Im Namen meines Volkes und meiner Artgenossen bitte ich dich, dem wir alle unser Dasein verdanken, dich zum Kindlichen Kaiser Phantásiens zu krönen!«

Zwei oder drei Stunden waren schon auf diese Weise vergangen, als eine plötzliche Unruhe durch die Reihe der Wartenden ging. Ein junger Faun kam die Straße heraufgejagt, man sah, daß er mit letzten Kräften lief, denn er taumelte und stürzte ab und zu, raffte sich auf und rannte weiter, bis er sich vor Bastian niederwarf und nach Luft rang. Bastian beugte sich zu ihm nieder.

»Was gibt es, daß du es wagst, diese Zeremonie zu stören?«

»Krieg, o Herr!« stieß der Faun hervor. »Atréju hat viele Aufrührer gesammelt und ist mit drei Heeren unterwegs hierher. Sie verlangen, daß du AURYN ablegst, und wenn du es nicht freiwillig tust, so wollen sie dich mit Gewalt dazu zwingen.«

Plötzlich herrschte Totenstille. Die aufpeitschende Musik und das schrille Jubelgeschrei waren auf einen Schlag verstummt. Bastian blickte starr vor sich hin. Er war bleich geworden.

Nun kamen auch die drei Herren Hýsbald, Hýkrion und Hýdorn gelaufen. Sie schienen außerordentlich guter Laune.

»Endlich gibt's was für uns zu tun, Herr!« riefen sie durcheinander. »Überlaß uns das nur! Du laß dich in deiner Festlichkeit gar nicht stören! Wir suchen uns ein paar tüchtige Leute zusammen und ziehen den Rebellen entgegen. Wir werden ihnen eine Lehre erteilen, an die sie noch lange denken sollen.«

Unter den anwesenden vielen tausend Geschöpfen Phantásiens waren manche, die ganz und gar nicht zu kriegerischen Handlungen zu gebrauchen waren. Aber die Mehrzahl konnte durchaus mit irgendeiner Waffe umgehen, mit der Keule, dem Schwert, dem Bogen, der Lanze, der Schleuder oder auch einfach mit ihren Zähnen oder Klauen. Diese alle sammelten sich um die drei Herren, die das Heer anführten. Während sie abzogen, blieb Bastian mit der großen Schar der weniger Wehrhaften zurück, um die Zeremonie fortzusetzen. Aber von nun an war er nicht mehr sehr bei der Sache. Immer wieder schweiften seine Augen zum Horizont, den er von seinem Platz aus gut sehen konnte. Riesige Staubwolken, die sich dort erhoben, ließen ihn ahnen, mit welcher Heeresmacht Atréju dort anrückte.

»Sei ohne Sorge«, sagte Xayíde, die neben Bastian getreten war, »noch haben meine schwarzen Panzerriesen nicht eingegriffen. Sie werden deinen Elfenbeinturm verteidigen, und gegen sie kann niemand aufkommen – außer dir und deinem Schwert.«

Einige Stunden später trafen die ersten Schlachtberichte ein. Auf seiten Atréjus kämpfte fast das ganze Volk der Grünhäute, aber auch an die zweihundert Kentauren, achtundfünfzig Felsenbeißer, fünf Glücksdrachen, die von Fuchur angeführt wurden, griffen ständig aus der Luft ins Kampfgeschehen ein, darüber hinaus eine Schar von weißen Riesenadlern, die aus dem Schicksalsgebirge herbeigeflogen waren, und sehr viele andere Wesen. Sogar Einhörner seien gesichtet worden.

Zwar waren sie zahlenmäßig dem Heer, das die Herren Hýkrion, Hýsbald und Hýdorn anführten, weitaus unterlegen, doch kämpften sie mit solcher Entschlossenheit, daß sie das Heer, das für Bastian stritt, immer weiter zum Elfenbeinturm zurücktrieben.

Bastian wollte selbst hinaus, um die Führung seines Heers in die Hand zu nehmen, aber Xayíde riet ihm davon ab.

»Bedenke, Herr und Meister«, sagte sie, »daß es sich für deinen neuen Rang als Kaiser Phantásiens nicht schickt, einzugreifen. Überlasse das getrost deinen Getreuen.«

Die Schlacht dauerte den ganzen restlichen Tag. Jeder Fußbreit des Gartenlabyrinths wurde von Bastians Heer verbissen verteidigt und verwandelte sich in ein zerstampftes blutiges Schlachtfeld. Als es schon anfing dunkel zu werden, hatten die ersten Aufrührer den Fuß des Elfenbeinturmes erreicht.

Und nun schickte Xayíde ihre schwarzen Panzerriesen mit und ohne Rösser los, die furchtbar unter Atréjus Getreuen zu wüten begannen.

Ein genauer Bericht dieser Schlacht um den Elfenbeinturm ist unmöglich, und darum muß hier darauf verzichtet werden. Noch bis heute gibt es in Phantásien unzählige Lieder und Berichte, die von diesem Tag und dieser Nacht handeln, denn jeder, der daran teilgenommen hat, hat dabei etwas anderes erlebt. Das alles sind Geschichten, die vielleicht ein andermal erzählt werden sollen.

Einige Stimmen berichten, daß es auch auf Atréjus Seite einen oder sogar mehrere weiße Magier gegeben habe, die Xayídes Zauberkräften gewachsen waren. Mit Sicherheit weiß man darüber nichts. Vielleicht liegt darin die Erklärung, wie es Atréju und seinen Leuten gelingen konnte, trotz der schwarzen Panzerriesen den Elfenbeinturm zu erobern. Wahrscheinlicher ist jedoch ein anderer Grund: Atréju kämpfte nicht für sich, sondern für seinen Freund, den er besiegen wollte, um ihn zu retten.

Die Nacht war längst hereingebrochen, eine sternenlose Nacht voller Rauch und Flammen. Zu Boden gefallene Fakkeln, umgestürzte Räucherbecken oder zertrümmerte Lampen hatten an vielen Stellen den Turm in Brand gesteckt. Bastian rannte im flackernden Feuerschein zwischen den Kämpfenden umher, die gespenstische Schatten warfen. Waffenlärm und Kampfgebrüll war um ihn.

»Atréju!« schrie er mit heiserer Stimme, »Atréju, zeige dich mir! Stell dich mir zum Kampf! Wo bist du?«

Aber das Schwert Sikánda steckte in seiner Scheide und regte sich nicht.

Bastian jagte durch alle Räume des Palastbezirks, dann lief er auf die große Mauer hinaus, die hier so breit war wie eine Straße, und als er gerade über jenes große, äußere Tor laufen wollte, unter dem – nun in tausend Scherben zersplittert – der Spiegelthron stand, sah er, daß Atréju ihm von der anderen Seite her entgegenkam. Atréju hatte ein Schwert in der Hand.

Dann standen sie voreinander, Auge in Auge. Sikánda regte sich nicht.

Atréju setzte Bastian die Spitze seines Schwertes auf die Brust.

»Gib mir das Zeichen«, sagte er, »um deiner selbst willen.«

»Verräter!« schrie Bastian zurück. »Du bist mein Geschöpf! Alles habe ich ins Dasein gerufen! Auch dich! Willst du dich gegen mich wenden? Knie nieder und bitte mich um Verzeihung!«

»Du bist wahnsinnig«, antwortete Atréju, »du hast nichts geschaffen. Alles verdankst du der Kindlichen Kaiserin! Gib mir AURYN!«

»Hol es dir!« sagte Bastian, »wenn du kannst.«

Atréju zögerte.

»Bastian«, sagte er, »warum zwingst du mich, dich zu besiegen, um dich zu retten?«

Bastian riß an seinem Schwertgriff, und mit seiner riesigen

Kraft gelang es ihm tatsächlich, Sikánda aus seiner Scheide zu ziehen, ohne daß es ihm von selbst in die Hand sprang. Doch im gleichen Augenblick, als das geschah, war ein Laut zu hören, der so erschreckend klang, daß auch die Kämpfer unten auf der Straße vor dem Tor für einen Moment wie erstarrt stehenblieben und zu den beiden emporblickten. Und Bastian erkannte den Laut wieder. Es war das schreckliche Knirschen, das er gehört hatte, als Graógramán zu Stein wurde. Und das Leuchten Sikándas erlosch. Ihm schoß durch den Kopf, was der Löwe ihm angekündigt hatte, falls er diese Waffe je aus eigenem Willen ziehen würde. Aber nun konnte und wollte er es nicht mehr rückgängig machen.

Er schlug auf Atréju ein, der sich mit seinem Schwert zu decken versuchte. Doch Sikánda zerschnitt Atréjus Waffe und traf seine Brust. Eine tiefe Wunde klaffte auf, und Blut quoll hervor. Atréju taumelte rückwärts und stürzte von der Zinne des großen Tores hinunter. Da fuhr eine weiße Stichflamme aus den Rauchschwaden durch die Nacht daher, fing Atréju im Fallen auf und riß ihn mit sich fort. Es war Fuchur, der weiße Glücksdrache, gewesen.

Bastian wischte sich mit seinem Mantel den Schweiß von der Stirn. Und während er das tat, wurde er gewahr, daß der Mantel schwarz geworden war, schwarz wie die Nacht. Noch immer das Schwert Sikánda in der Faust, stieg er von der Palastmauer herunter und trat auf den freien Platz hinaus.

Mit dem Sieg über Atréju war das Schlachtenglück von einem Augenblick zum anderen umgeschlagen. Das Heer der Rebellen, dem eben noch der Sieg sicher zu sein schien, begann zu fliehen. Bastian war wie in einem schrecklichen Traum, aus dem er nicht erwachen konnte. Sein Sieg schmeckte ihm bitter wie Galle, und doch fühlte er zugleich einen wilden Triumph.

In seinen schwarzen Mantel gewickelt, das blutige Schwert in der Faust ging er langsam die Hauptstraße des Elfenbeinturms hinunter, der nun schon in der Feuersbrunst loderte wie eine Riesenfackel. Bastian aber ging weiter durch das Brausen und Heulen der Flammen, die er kaum fühlte, bis er den Fuß des Turmes erreicht hatte. Dort traf er auf die Reste seines Heeres, die inmitten des verwüsteten Gartenlabyrinths – jetzt ein endloses Schlachtfeld voller erschlagener Phantásier – auf ihn warteten. Auch Hýkrion, Hýsbald und Hýdorn waren da, die beiden letzteren schwer verwundet. Illuán, der blaue Dschinn, war gefallen. Xayíde stand bei seiner Leiche. Sie hielt den Gürtel Gémmal in der Hand.

»Dies, Herr und Meister«, sagte sie, »hat er für dich gerettet.«

Bastian nahm den Gürtel und preßte ihn in seiner Faust zusammen, dann steckte er ihn in seine Tasche.

Er blickte sich langsam im Kreise seiner Kampf- und Weggenossen um. Nur noch wenige hundert waren übriggeblieben. Sie sahen erschöpft und verwüstet aus. Das flakkernde Licht des Feuerscheins ließ sie wie eine Schar von Gespenstern erscheinen.

Alle hatten ihre Gesichter dem Elfenbeinturm zugewendet, der wie ein Scheiterhaufen mehr und mehr in sich zusammenstürzte. Der Magnolien-Pavillon auf seiner Spitze loderte auf, seine Blütenblätter öffneten sich weit, und man konnte sehen, daß er leer war. Dann verschlangen auch ihn die Flammen.

Bastian zeigte mit seinem Schwert auf den Haufen aus Glut und Trümmern und sagte mit rauher Stimme:

»Das ist Atréjus Werk. Und dafür will ich ihn nun verfolgen bis ans Ende der Welt!«

Er schwang sich auf eines der Riesenpferde aus schwarzem Metall und schrie: »Folgt mir!«

Das Roß bäumte sich auf, aber er zwang es mit seinem Willen und jagte in gestrecktem Galopp in die Nacht hinein.

XXIII. Die Alte Kaiser Stadt

A
B
C

ährend Bastian schon meilenfern durch die pechschwarze Nacht dahinjagte, machten die zurückgebliebenen Kampfgenossen sich erst an den Aufbruch. Viele von ihnen waren verwundet, alle waren zu Tode erschöpft, und keiner hatte auch nur annähernd Bastians unermeßliche Kraft und Ausdauer. Selbst die schwarzen Panzerriesen auf ihren metallenen Pferden setzten sich nur schwerfällig in Bewegung, und jene anderen, die zu Fuß gingen, konnten ihren üblichen Gleichschritt nicht finden. Auch Xayídes Wille – durch den sie ja gelenkt wurden – schien demnach an den Grenzen seiner Kraft zu sein. Ihre Korallensänfte war beim Brand des Elfenbeinturmes den Flammen zum Opfer gefallen. So war aus allerlei Wagenbrettern, zerbrochenen Waffen und verkohlten Resten des Turms eine neue Sänfte gebaut worden, die freilich mehr einer Elendshütte glich. Das übrige Heer schleppte sich humpelnd und schlurfend hinterdrein. Auch Hýkrion, Hýsbald und Hýdorn, die ihre Pferde verloren hatten, mußten sich gegenseitig stützen. Niemand sprach ein Wort, aber alle wußten, daß es ihnen unmöglich sein würde, Bastian jemals einzuholen.

Der donnerte weiter durch die Finsternis dahin, der schwarze Mantel flatterte wild um seine Schultern, die metallenen Glieder des Riesenpferdes knirschten und kreischten bei jeder Bewegung, während die gewaltigen Hufe auf das Erdreich hämmerten.

»Ho!« schrie Bastian, »hoi! hoi! hoi!«

Es ging ihm nicht schnell genug.

Er wollte Atréju und Fuchur einholen, um jeden Preis, und wenn er dafür dieses metallene Ungeheuer von einem Pferd zuschanden reiten mußte!

Er wollte Rache! Zu dieser Stunde wäre er längst am Ziel all seiner Wünsche gewesen, aber Atréju hatte es vereitelt. Bastian war nicht Kaiser von Phantásien geworden. Das sollte Atréju bitterlich büßen!

Bastian trieb sein metallenes Reittier noch rücksichtsloser an. Dessen Gelenke knarrten und quietschten immer lauter, aber es gehorchte dem Willen seines Reiters und beschleunigte den rasenden Galopp.

Viele Stunden währte diese wilde Jagd, ohne daß die Nacht sich lichtete. Und immerfort sah Bastian in Gedanken den brennenden Elfenbeinturm vor sich und durchlebte immer von neuem den Augenblick, da Atréju ihm das Schwert auf die Brust gesetzt hatte – bis ihm zum ersten Mal die Frage aufstieg: Warum hatte Atréju gezögert? Warum hatte er es nach allem nicht über sich gebracht, ihn zu verwunden, um ihm AURYN mit Gewalt zu nehmen? Und nun mußte Bastian plötzlich an die Wunde denken, die er Atréju geschlagen hatte, und an dessen letzten Blick, als er zurücktaumelte und abstürzte.

Bastian steckte Sikánda, das er bis jetzt noch immer in der Faust geschwungen hatte, in seine rostige Scheide zurück.

Der Morgen graute, und nach und nach konnte er sehen, wo er sich befand. Es war eine Heide, über die das Metallpferd jetzt hinfegte. Die dunklen Umrisse von Wacholdergruppen sahen aus wie reglose Versammlungen kapuzentragender Riesenmönche oder Zauberer mit spitzen Hüten. Felsblöcke lagen dazwischen verstreut.

Und dann geschah es, daß das Metallpferd mitten im gestreckten Galopp ganz plötzlich einfach in seine Teile zerfiel.

Bastian blieb von der Wucht des Sturzes betäubt liegen. Als er sich endlich wieder aufraffte und die geprellten Glieder rieb, fand er sich in einem niedrigen Wacholdergebüsch. Er kroch heraus. Draußen lagen über eine weite Fläche verteilt die schalenartigen Trümmer des Rosses, als sei ein Reiterdenkmal explodiert.

Bastian stand auf, warf sich seinen schwarzen Mantel über die Schulter und ging ohne Ziel dem heller werdenden Morgenhimmel entgegen.

In dem Wacholdergebüsch aber blieb ein glitzerndes Ding zurück, das er dort verloren hatte: der Gürtel Gémmal. Bastian merkte nichts von diesem Verlust und dachte auch später nie mehr daran. Illuán hatte den Gürtel ganz umsonst aus den Flammen gerettet.

Ein paar Tage später wurde Gémmal von einer Elster gefunden, die nicht ahnte, was es mit diesem Glitzerding auf sich hatte. Sie trug es in ihr Nest, doch damit begann eine andere Geschichte, die ein andermal erzählt werden soll.

Gegen Mittag kam Bastian an einen hohen Erdwall, der sich quer durch die Heidelandschaft zog. Er kletterte hinauf. Dahinter lag ein weiter Talkessel, der – nach innen zu immer tiefer abfallend – wie ein flacher Krater geformt war. Und dieses ganze Tal war angefüllt mit einer Stadt – jedenfalls legte die Menge von Bauwerken diese Bezeichnung nahe, obgleich es die verrückteste Stadt war, die Bastian je erblickt hatte. Plan- und sinnlos schienen alle Gebäude durcheinandergewürfelt, als habe man sie einfach aus einem Riesensack dort hingeschüttet. Es gab weder Straßen noch Plätze, noch irgendeine erkennbare Ordnung.

Aber auch die einzelnen Bauwerke sahen irrsinnig aus, hatten die Haustür im Dach, Treppen dort, wo man nicht hinkommen konnte, oder auch solche, die man nur kopfunter hätte betreten können und die in der leeren Luft endeten: Türmchen standen quer, und Balkone hingen senkrecht an den Wänden, Fenster anstelle von Türen und Fußböden anstelle von Mauern. Es gab Brücken, deren geschwungene Bogen plötzlich irgendwo aufhörten, so als habe ihr Erbauer mitten in der Arbeit vergessen, was das Ganze werden sollte. Es gab Türme, die wie Bananen gebogen waren, auf die Spitze gestellte Pyramiden. Kurz, diese ganze Stadt vermittelte den Eindruck des Wahnsinns.

Dann sah Bastian die Bewohner. Es waren Männer, Frauen und Kinder. Der Gestalt nach schienen sie gewöhnliche Menschen, doch ihre Kleidung sah aus, als seien sie allesamt närrisch geworden und könnten nicht mehr unterscheiden zwischen Dingen, die zum Anziehen, und Gegenständen, die zu anderem Zwecke dienten. Auf den Köpfen trugen sie Lampenschirme, Sandeimerchen, Suppenschüsseln, Papierkörbe, Tüten oder Schachteln. Und um ihre Leiber hingen Tischtücher, Teppiche, große Stücke Silberpapier oder sogar Tonnen.

Viele zogen oder schoben Handkarren und Wagen herum, auf denen alles mögliche Gerümpel aufgestapelt war, zerbrochene Lampen, Matratzen, Geschirr, Lumpen und Flitterkram. Andere wieder schleppten ähnlichen Plunder in riesigen Ballen auf dem Rücken herum.

Je tiefer Bastian in die Stadt hinunterging, desto dichter wurde das Gewimmel. Doch schien keiner der Leute recht zu wissen, wohin er wollte. Mehrmals beobachtete Bastian, daß einer seinen Karren, den er mühsam in die eine Richtung gezogen hatte, nach kurzer Zeit schon wieder in die entgegengesetzte Richtung zerrte, um wenig später abermals eine neue Richtung einzuschlagen. Aber alle waren fieberhaft tätig.

Bastian beschloß, einen von ihnen anzusprechen.

»Wie heißt diese Stadt?«

Der Angeredete ließ seinen Karren los, richtete sich auf, rieb sich eine Weile die Stirn, als ob er angestrengt nachdächte, dann ging er fort und ließ seinen Karren einfach stehen. Er schien ihn vergessen zu haben. Doch schon wenige Minuten später bemächtigte sich eine Frau des Fahrzeugs und zog es mühsam irgendwohin. Bastian fragte sie, ob der Plunder ihr gehöre. Die Frau stand eine Weile in tiefes Grübeln versunken, dann ging sie weg.

Bastian versuchte es noch ein paarmal, aber auf keine einzige Frage bekam er eine Antwort.

»Es ist zwecklos, sie zu fragen«, hörte er plötzlich eine kichernde Stimme, »sie können dir nichts mehr sagen. Man könnte sie die Nichtssagenden nennen.«

Bastian drehte sich nach der Stimme um und sah auf einem Mauervorsprung (der die Unterseite eines Erkers war, der verkehrt herum stand) einen kleinen grauen Affen sitzen. Das Tier hatte einen schwarzen Doktorhut auf, von dem eine Quaste baumelte, und schien angelegentlich damit beschäftigt, etwas an den Fingern seiner Füße abzuzählen. Dann grinste es Bastian an und sagte:

»Verzeihung, ich habe mir bloß schnell etwas ausgerechnet.«

»Wer bist du?« fragte Bastian.

»Argax, mein Name, sehr angenehm!« antwortete das Äffchen und lüpfte den Doktorhut, »und mit wem habe ich das Vergnügen?«

»Ich heiße Bastian Balthasar Bux.«

»Eben!« sagte das Äffchen befriedigt.

»Und wie heißt diese Stadt?« erkundigte sich Bastian.

»Sie hat eigentlich keinen Namen«, erklärte Argax, »aber man könnte sie – sagen wir mal – die Alte Kaiser Stadt nennen.«

»Die Alte Kaiser Stadt?« wiederholte Bastian beunruhigt. »Warum? Ich sehe hier niemand, der wie ein Alter Kaiser aussieht.«

»Nein?« – das Äffchen kicherte – »und doch waren alle, die du hier siehst, zu ihrer Zeit einmal Kaiser von Phantásien – oder sie wollten es wenigstens werden.«

Bastian erschrak.

»Woher weißt du das, Argax?«

Der Affe lüpfte wieder den Doktorhut und grinste.

»Ich bin – sagen wir mal – der Aufseher über die Stadt.«

Bastian blickte herum. Ganz in der Nähe hatte ein alter Mann eine Grube ausgehoben. Jetzt stellte er eine brennende Kerze hinein und schaufelte das Loch wieder zu.

Das Äffchen kicherte.

»Kleine Stadtbesichtigung gefällig, Herr? Sagen wir mal – erste Bekanntschaft machen mit deinem künftigen Wohnort?«

»Nein«, sagte Bastian, »was redest du da?«

Das Äffchen sprang auf seine Schulter.

»Komm nur!« wisperte es, »kostet nichts. Hast schon alles bezahlt, was dich zum Eintritt berechtigt.«

Bastian begann zu gehen, obwohl er eigentlich lieber fortgelaufen wäre. Ihm war unbehaglich, und dieses Gefühl wuchs mit jedem Schritt. Er beobachtete die Leute, und ihm fiel auf, daß sie auch untereinander nicht redeten. Sie kümmerten sich überhaupt nicht umeinander, ja, sie schienen sich nicht einmal wahrzunehmen.

»Was ist los mit ihnen?« erkundigte sich Bastian, »warum benehmen sie sich so sonderbar?«

»Nicht sonderbar«, kicherte Argax ihm ins Ohr, »sie sind deinesgleichen, könnte man sagen, oder besser, sie waren es zu ihrer Zeit.«

»Was meinst du damit?« Bastian blieb stehen. »Willst du sagen, daß es Menschen sind?«

Argax hüpfte vor Belustigung auf Bastians Rücken auf und nieder:

»So ist es! So ist es!«

Bastian sah mitten auf seinem Weg eine Frau sitzen, die mit einer Stopfnadel Erbsen von einem Teller zu piken versuchte.

»Wie kommen die hierher? Was machen sie hier?« fragte Bastian.

»Oh, es hat zu allen Zeiten Menschen gegeben, die nicht in ihre Welt zurückgefunden haben«, erklärte Argax. »Erst wollten sie nicht mehr, und jetzt – sagen wir mal – können sie nicht mehr.«

Bastian blickte einem kleinen Mädchen nach, das mit größter Anstrengung einen Puppenwagen schob, der viereckige Räder hatte.

»Warum können sie nicht mehr?« fragte er.

»Sie müßten es sich wünschen. Aber sie wünschen sich nichts mehr. Sie haben ihren letzten Wunsch zu irgendwas anderem verwendet.«

»Ihren letzten Wunsch?« fragte Bastian mit blassen Lippen. »Kann man denn nicht so lang weiterwünschen, wie man will?«

Argax kicherte wieder. Er versuchte jetzt, Bastians Turban abzunehmen, um ihn zu lausen.

»Laß das!« rief Bastian. Er versuchte den Affen abzuschütteln, aber der hielt sich fest und kreischte vor Vergnügen.

»Nicht doch! Nicht doch!« keckerte er, »wünschen kannst du nur, solang du dich an deine Welt erinnerst. Die hier haben alle ihre Erinnerungen ausgegeben. Wer keine

Vergangenheit mehr hat, der hat auch keine Zukunft. Darum werden sie auch nicht älter. Schau sie dir an! Würdest du glauben, daß manche von ihnen schon tausend Jahre und sogar noch länger hier sind? Aber sie bleiben so, wie sie sind. Für sie kann sich nichts mehr ändern, weil sie selbst sich nicht mehr ändern können.«

Bastian beobachtete einen Mann, der einen Spiegel einseifte und dann anfing, ihn zu rasieren. Was ihm erst noch komisch vorgekommen war, jagte ihm jetzt eine Gänsehaut über den Rücken.

Er ging rasch weiter und wurde sich erst jetzt bewußt, daß er immer tiefer in die Stadt hineinging. Er wollte umkehren, aber irgend etwas zog ihn an wie ein Magnet. Er begann zu laufen und versuchte, den lästigen grauen Affen loszuwerden, aber der saß fest wie eine Klette und spornte ihn sogar noch an:

»Schneller! Hopp! Hopp! Hopp!«

Bastian sah ein, daß es nichts nützte, was er tat, und hielt inne.

»Und alle hier«, fragte er atemlos, »waren einmal Kaiser von Phantásien oder wollten es werden?«

»Klar«, sagte Argax, »jeder, der nicht zurückfindet, will früher oder später Kaiser werden. Nicht jeder hat's geschafft, aber alle haben es gewollt. Darum gibt es zwei Sorten von Narren hier. Das Ergebnis allerdings – könnte man sagen – ist das gleiche.«

»Welche zwei Sorten? Erkläre es mir! Ich muß es wissen, Argax!«

»Nur ruhig! Nur ruhig!« kicherte der Affe und umschlang Bastians Hals fester. »Die einen haben ihre Erinnerungen so nach und nach ausgegeben. Und als sie die letzte verloren hatten, konnte ihnen AURYN auch keine Wünsche mehr erfüllen. Danach kamen sie – sagen wir mal – ganz von selbst hierher. Die anderen, die sich zum Kaiser gemacht haben, verloren dabei auf einen Schlag alle Erinnerungen. Deshalb konnte ihnen AURYN ebenfalls keine Wünsche mehr erfüllen, weil sie keine mehr hatten. Wie du siehst, kommt es auf das gleiche heraus. Auch sie sind hier und können nicht mehr fort.«

»Heißt das, daß sie alle einmal AURYN hatten?«

»Das versteht sich!« antwortete Argax. »Aber sie haben es längst vergessen. Es würde ihnen ja auch nichts mehr helfen, den armen Narren.«

»Ist es ihnen –«, Bastian zögerte, »ist es ihnen weggenommen worden?«

»Nein«, sagte Argax, »wenn einer sich zum Kaiser macht, dann verschwindet es durch seinen eigenen Wunsch. Ist doch ganz sonnenklar, könnte man sagen, weil man die Macht der Kindlichen Kaiserin schließlich nicht dazu verwenden kann, ihr genau diese Macht wegzunehmen.«

Bastian fühlte sich so elend, daß er sich gerne irgendwo hingesetzt hätte, aber der kleine graue Affe ließ es nicht zu.

»Nein, nein, die Stadtbesichtigung ist noch nicht zu Ende«, schrie er, »das Wichtigste kommt erst noch! Geh weiter! Geh weiter!«

Bastian sah einen Jungen, der mit einem schweren Hammer Nägel in Strümpfe schlug, die vor ihm auf dem Boden lagen. Ein dicker Mann versuchte Briefmarken auf Seifenblasen zu kleben, die natürlich immer zerplatzten. Aber er ließ nicht ab, neue zu blasen.

»Schau!« hörte Bastian die kichernde Stimme des Argax, und er fühlte, daß dieser ihm mit seinen Affenhändchen den Kopf in eine bestimmte Richtung drehte, »schau dorthin! Ist das nicht lustig?«

Da stand eine große Gruppe von Leuten, Männer und Frauen, Alte und Junge, alle in den wunderlichsten Kleidungen, aber sie redeten nicht. Jedes war ganz für sich. Auf dem Boden lag eine Unmenge großer Würfel, und auf den sechs Seiten jedes Würfels standen Buchstaben. Immer wieder von neuem mischten die Leute diese Würfel durcheinander und starrten dann lange darauf hin.

»Was tun sie da?« flüsterte Bastian, »was ist das für ein Spiel? Wie heißt es?«

»Das Beliebigkeitsspiel«, antwortete Argax. Er winkte den Spielern zu und rief: »Brav, meine Kinder! Nur weiter so! Nur nicht aufgeben!«

Dann wandte er sich wieder Bastian zu und raunte ihm ins Ohr:

»Sie können nichts mehr erzählen. Sie haben die Sprache verloren. Darum habe ich dieses Spiel für sie ausgedacht. Es beschäftigt sie, wie du siehst. Und es ist sehr einfach. Wenn du einmal nachdenkst, dann mußt du zugeben, daß alle Geschichten der Welt im Grunde nur aus sechsundzwanzig Buchstaben bestehen. Die Buchstaben sind immer die gleichen, bloß ihre Zusammensetzung wechselt. Aus den Buchstaben werden Wörter gebildet, aus den Wörtern Sätze, aus den Sätzen Kapitel und aus den Kapiteln Geschichten. Da schau, was steht dort?«

Bastian las:

HGIKLOPFMWEYVXQ
YXCVBNMASDFGHJKLÖÄ
QWERTZUIOPÜ
ASDFGHJKLÖÄ
MNBVCXYLKJHGFDSA
ÜPOIUZTREWQAS
QWERTZUIOPÜASDF
YXCVBNMLKJ
QWERTZUIOPÜ
ASDFGHJKLÖÄYXC
ÜPOIUZTREWQ
ÄÖLKJHGFDSAMNBV
GKHDSRZIP
QETUOÜSFHKÖ
YCBMWRZIP
ARCGUNIKYÖ
QWERTZUIOPÜASD
MNBVCXYASD
LKJUONGREFGHL

»Ja«, kicherte der Argax, »so ist es meistens. Aber wenn man es sehr lang spielt, jahrelang, dann ergeben sich manchmal durch Zufall Wörter. Keine besonders geistreichen Wörter, aber wenigstens Wörter. »Spinatkrampf« zum Beispiel, oder »Bürstenwürste« oder »Kragenlack«. Wenn man es aber hundert Jahre, tausend Jahre, hunderttausend Jahre immer weiterspielt, dann muß nach aller Wahrscheinlichkeit dabei durch Zufall auch einmal ein Gedicht herauskommen. Und wenn man es ewig spielt, dann müssen dabei alle Gedichte, alle Geschichten, die überhaupt möglich sind, entstehen, dazu auch alle Geschichten der Geschichten und sogar diese Geschichte, in der wir beide uns gerade unterhalten. Das ist logisch, nicht wahr?«

»Das ist entsetzlich«, sagte Bastian.

»Oh«, meinte Argax, »das kommt auf den Standpunkt an. Diese dort – könnte man sagen – sind eifrig bei der Sache. Und außerdem, was sollen wir in Phantásien mit ihnen machen?«

Bastian sah den Spielern lange schweigend zu, dann fragte er leise:

»Argax – du weißt, wer ich bin, nicht wahr?«

»Wie denn nicht? Wer kennt deinen Namen nicht in Phantásien?«

»Sag mir eins, Argax. Wenn ich gestern Kaiser geworden wäre, wäre ich dann auch schon hier?«

»Heute oder morgen«, antwortete der Affe, »oder in einer Woche. Du hättest jedenfalls bald hierhergefunden.«

»Dann hat Atréju mich gerettet.«

»Das weiß ich nicht«, gab der Affe zu.

»Und wenn es ihm gelungen wäre, mir das Kleinod wegzunehmen, was wäre dann geschehen?«

Der Affe kicherte wieder.

»Man könnte sagen – dann wärst du auch hier gelandet.«

»Warum?«

»Weil du AURYN brauchst, um den Rückweg zu finden. Aber ehrlich gesagt, ich glaube nicht, daß du es noch schaffst.«

Der Affe klatschte in die Händchen, lüpfte seinen Doktorhut und grinste.

»Sag mir, Argax, was muß ich tun?«

»Einen Wunsch finden, der dich zurückbringt in deine Welt.«

Bastian schwieg wieder lange und fragte dann:

»Argax, kannst du mir sagen, wie viele Wünsche ich überhaupt noch haben kann?«

»Nicht mehr viel. Nach meiner Ansicht höchstens noch drei oder vier. Und damit wirst du schwerlich auskommen. Du fängst ein bißchen spät an, und der Rückweg ist nicht leicht. Du mußt übers Nebelmeer. Schon das allein kostet dich einen. Was danach kommt, weiß ich nicht. Niemand in Phantásien weiß, wo für euereins der Weg in eure Welt ist. Vielleicht findest du ja Yors Minroud, die letzte Rettung für manche wie dich. Obwohl, ich fürchte, für dich ist es – sagen wir mal – zu weit. Aus der Alten Kaiser Stadt wirst du für diesmal noch hinausfinden.«

»Danke, Argax!« sagte Bastian.

Der kleine graue Affe grinste.

»Auf Wiedersehen, Bastian Balthasar Bux!«

Und mit einem Satz war er in einem der irrsinnigen Häuser verschwunden. Den Turban hatte er mitgenommen.

Bastian stand noch eine Weile da, ohne sich zu regen. Was er erfahren hatte, verwirrte und bestürzte ihn so, daß er keinen Entschluß fassen konnte. Alle seine bisherigen Ziele und Pläne waren mit einem Schlag zusammengebrochen. Ihm war, als sei in seinem Inneren alles auf den Kopf gestellt – wie jene Pyramide dort, das Oberste war zuunterst gekehrt und das Hinterste zuvorderst. Was er gehofft hatte, war sein Verderben, und was er gehaßt hatte, seine Rettung.

Zunächst war ihm nur eines klar: Er mußte aus diesem Tollhaus von Stadt hinaus! Und er wollte nie wieder hierher zurück!

Er machte sich auf den Weg durch das Gewirr der sinnlosen Gebäude, und bald zeigte sich, daß der Weg hinein sehr viel einfacher gewesen war als der Weg hinaus. Immer wieder mußte er feststellen, daß er die Richtung verfehlt hatte und schon wieder dem Zentrum der Stadt zueilte. Er brauchte den ganzen Nachmittag, ehe es ihm gelang, den Erdwall zu erreichen. Dann lief er in die Heide hinaus und hörte nicht auf zu laufen, bis die Nacht – ebenso finster wie die vorherige – ihn zum Anhalten zwang. Er fiel erschöpft unter einen Wacholderstrauch und sank in tiefen Schlaf. Und in diesem Schlaf erlosch die Erinnerung in ihm, daß er einst hatte Geschichten erfinden können.

Die ganze Nacht hindurch sah er ein einziges Traumbild vor sich, das nicht weichen wollte und sich auch nicht veränderte: Atréju mit der blutenden Wunde auf der Brust stand da und sah ihn an, reglos und ohne Wort.

Von einem Donnerschlag geweckt, fuhr Bastian in die Höhe. Tiefste Finsternis umgab ihn, doch all die Wolkenmassen, die sich seit Tagen angesammelt hatten, schienen in wilden Aufruhr geraten zu sein. Ununterbrochen zuckten Blitze, die Donner polterten und grollten, daß die Erde bebte, der Sturm heulte über die Heide hin und bog die Wacholderbäume zu Boden. Regengüsse wehten wie graue Vorhänge über die Landschaft.

Bastian erhob sich. In seinen schwarzen Mantel gewickelt stand er da, das Wasser lief ihm übers Gesicht.

Ein Blitzstrahl fuhr direkt vor ihm in einen Baum und spaltete den knorrigen Stamm, die Zweige gingen sofort in Flammen auf, der Wind fegte einen Funkenregen über die nächtliche Heide hin, den die Wassergüsse sofort erstickten.

Bastian war von dem fürchterlichen Krachen auf die Knie geworfen worden. Nun begann er mit beiden Händen die Erde aufzugraben. Als das Loch tief genug war, band er das Schwert Sikánda von seiner Hüfte und legte es hinein.

»Sikánda!« sagte er leise in das Sturmgeheul, »ich nehme für immer Abschied von dir. Nie wieder soll Unheil kommen durch einen, der dich gegen einen Freund zieht. Und niemand soll dich hier finden, ehe vergessen ist, was durch dich und mich geschah.«

Dann grub er das Loch wieder zu und legte zuletzt Moos

und Zweige über die Stelle, damit niemand sie entdecken sollte.

Und dort liegt Sikánda noch heute. Denn erst in einer fernen Zukunft wird einer kommen, der es ohne Gefahr berühren darf – doch das ist eine andere Geschichte und wird ein andermal erzählt werden.

Bastian ging durch die Dunkelheit fort.

Das Gewitter ließ gegen Morgen nach, der Wind legte sich, der Regen tropfte von den Bäumen, und es wurde still.

Mit dieser Nacht begann für Bastian eine lange, einsame Wanderung. Zurück zu den Weg- und Kampfgenossen, zurück zu Xayíde wollte er nicht mehr. Er wollte jetzt den Rückweg in die Menschenwelt suchen – aber er wußte nicht wie und wo. Gab es denn irgendwo ein Tor, eine Furt, eine Grenzscheide, die ihn hinüberführen konnte?

Er mußte es sich wünschen, das wußte er. Aber darüber hatte er keine Gewalt. Er fühlte sich wie ein Taucher, der auf dem Meeresgrund nach einem versunkenen Schiff sucht, der aber immer wieder nach oben getrieben wird, ehe er noch etwas finden konnte.

Er wußte auch, daß ihm nur noch wenige Wünsche blieben, deshalb achtete er sorgfältig darauf, keinen Gebrauch von AURYN zu machen. Die wenigen Erinnerungen, die ihm noch verblieben waren, durfte er nur opfern, wenn er dadurch seiner Welt näher kam, und nur dann, wenn es unbedingt nötig war.

Aber Wünsche kann man nach Belieben weder hervorrufen noch unterdrücken. Sie kommen aus tieferen Tiefen in uns als alle Absichten, mögen diese nun gut oder schlecht sein. Und sie entstehen unbemerkt.

Ohne daß Bastian dessen gewahr wurde, bildete sich in ihm ein neuer Wunsch und nahm nach und nach deutliche Gestalt an.

Die Einsamkeit, in der er schon seit vielen Tagen und Nächten dahinwanderte, bewirkte, daß er sich wünschte, zu irgendeiner Gemeinschaft zu gehören, aufgenommen zu sein in eine Gruppe, nicht als Herr oder Sieger oder überhaupt als ein Besonderer, sondern nur als einer unter anderen, vielleicht als der Kleinste oder am wenigsten Wichtige, aber als einer, der selbstverständlich dazugehört und an der Gemeinschaft teilhat.

Da geschah es eines Tages, daß er an einen Meeresstrand gelangte. Jedenfalls glaubte er das anfangs. Es war eine steile Felsenküste, auf der er stand, und vor seinen Augen dehnte sich ein Meer aus weißen, erstarrten Wogen. Erst später bemerkte er, daß diese Wogen nicht wirklich reglos waren, sondern sich sehr langsam bewegten, daß es Strömungen gab und Wirbel, die sich drehten, so unmerklich wie die Zeiger einer Uhr.

Es war das Nebelmeer!

Bastian wanderte an der Steilküste entlang. Die Luft war warm und ein wenig feucht, kein Windhauch regte sich. Es war noch früh am Vormittag, und die Sonne schien auf die schneeweiße Nebelfläche, die sich bis zum Horizont dehnte.

Bastian ging einige Stunden und gelangte gegen Mittag zu einer kleinen Stadt, die auf hohen Pfählen ein Stück vom Festland entfernt draußen im Nebelmeer stand. Eine lange, freischwebende Hängebrücke verband sie mit einem vorspringenden Teil der Felsenküste. Sie schwankte leise, als Bastian sie nun überschritt.

Die Häuser waren verhältnismäßig klein, die Türen, die Fenster, die Treppen, alles schien wie für Kinder gemacht. Und in der Tat, die Leute, die in den Straßen umhergingen, hatten alle die Größe von Kindern, obgleich es sich um ausgewachsene Männer mit Bärten und Frauen mit hochgesteckten Frisuren handelte. Auffallend war, daß man sie kaum unterscheiden konnte, so sehr ähnelten sie sich untereinander. Ihre Gesichter waren dunkelbraun wie nasse Erde und sahen sehr sanft und still aus. Wenn sie Bastian erblickten, nickten sie ihm zu, aber keiner redete ihn an. Überhaupt schienen sie sehr schweigsam zu sein, nur selten war ein Wort oder ein Zuruf auf den Straßen und Gassen zu vernehmen, trotz des regen Treibens, das dort herrschte. Auch sah man niemals einen allein, immer gingen sie in kleinen oder größeren Gruppen umher, untergehakt oder sich an den Händen haltend.

Als Bastian die Häuser genauer besah, stellte er fest, daß sie alle aus einer Art von Korbgeflecht bestanden, manche aus gröberem, andere aus feinerem, ja sogar der Boden der Straßen war von derselben Beschaffenheit. Und schließlich bemerkte er auch, daß sogar die Kleidung der Leute, Hosen, Röcke, Jacken und Hüte aus dem nämlichen Geflecht gemacht waren, in diesem Fall allerdings aus sehr feinem und kunstvoll gewobenem. Offenbar machte man hier schlechthin alles aus dem gleichen Material.

Da und dort konnte Bastian einen Blick in verschiedene Werkstätten von Handwerkern werfen, und alle waren mit dem Herstellen geflochtener Dinge beschäftigt, sie machten Schuhe, Krüge, Lampen, Tassen, Regenschirme – alles aus diesem Flechtwerk. Und niemals arbeitete einer allein, denn alle diese Dinge konnten nur durch die Zusammenarbeit mehrerer hergestellt werden. Es war ein Vergnügen, zuzusehen, wie geschickt sie einander in die Hände arbeiteten und einer immer die Tätigkeit des anderen ergänzte. Dabei sangen sie meist eine einfache Melodie ohne Worte.

Die Stadt war nicht sehr groß, und so hatte Bastian bald ihren Rand erreicht. Und der Anblick, der sich ihm hier bot, zeigte unverkennbar, daß es sich um eine Seefahrerstadt handelte, denn hier gab es Hunderte von Schiffen jeder Form und Größe. Doch war es eine ziemlich ungewöhnliche Seefahrerstadt, denn alle diese Schiffe waren an riesigen Angelruten aufgehängt und schwebten, leise schwankend, eines neben dem anderen, über der Tiefe, in der die weißen Nebelmassen hinzogen. Übrigens schienen auch diese Schiffe allesamt aus Korbgeflecht zu bestehen und hatten weder Segel noch Masten, noch Ruder oder Steuer.

Bastian hatte sich über ein Geländer gebeugt und blickte auf das Nebelmeer hinunter. Wie hoch die Pfähle waren, auf denen die Stadt ruhte, konnte er aus den Schatten sehen, die sie im Schein der Sonne auf die weiße Fläche dort unten warfen.

»Nachts«, hörte er eine Stimme neben sich sagen, »steigen die Nebel bis auf die Höhe der Stadt. Dann können wir in See stechen. Tags zehrt die Sonne die Nebel auf und der Meeresspiegel sinkt. Das wolltest du doch wissen, Fremder, nicht wahr?«

Neben Bastian standen drei Männer an das Geländer gelehnt, die ihn sanft und freundlich anblickten. Er kam mit ihnen ins Gespräch und erfuhr, daß diese Stadt den Namen Yskál trug oder auch Korbstadt genannt wurde. Ihre Einwohner hießen Yskálnari. Das Wort bedeutete etwa »die Gemeinsamen«. Von Beruf waren die drei Nebelschiffer. Bastian wollte seinen Namen nicht nennen, um nicht erkannt zu werden, und sagte, er hieße Einer. Die drei Seeleute erklärten ihm, daß sie überhaupt keine Namen für jeden einzelnen hätten und das auch gar nicht nötig fänden. Sie seien alle zusammen die Yskálnari, und das genüge ihnen.

Da es gerade Mittagsessenszeit war, luden sie Bastian ein, mit ihnen zu gehen, und er nahm dankbar an. In einem nahegelegenen Gasthaus setzten sie sich zu Tisch, und während der Mahlzeit erfuhr Bastian alles über die Stadt Yskál und ihre Bewohner.

Das Nebelmeer, das bei ihnen der Skaidan hieß, war ein riesiger Ozean aus weißem Dunst, der zwei Teile Phantásiens voneinander trennte. Wie tief der Skaidan war, hatte noch niemand erforscht, und auch nicht, woher diese ungeheure Nebelmasse stammte. Zwar konnte man unterhalb der Oberfläche durchaus atmen, und man konnte von der Küste aus, wo der Nebel noch verhältnismäßig flach war, ein Stück weit auf dem Grund in das Meer hineingehen, doch nur, wenn man an ein Seil festgebunden war, an dem man zurückgezogen werden konnte. Der Nebel hatte nämlich die Eigenschaft, einen binnen kurzem jeglicher Orientierungsfähigkeit zu berauben. Viele Wagemutige oder Leichtsinnige waren im Lauf der Zeiten schon bei dem Versuch umgekommen, allein und zu Fuß den Skaidan zu durchqueren. Nur wenige hatte man retten können. Die einzige Art, wie man auf die andere Seite des Nebelmeeres kommen konnte, war die der Yskálnari.

Das Korbgeflecht nämlich, aus dem die Häuser der Stadt Yskál, alle Gebrauchsgegenstände, die Kleider und auch die Schiffe bestanden, wurde aus einer Art von Binsen gemacht, die nahe dem Ufer unter der Oberfläche des Nebelmeeres wuchsen, und die – wie nach dem vorher Gesagten leicht einzusehen ist – nur unter Lebensgefahr geschnitten werden konnten. Diese Binsen, obgleich außerordentlich biegsam und in der normalen Luft sogar schlaff, standen im Nebel aufrecht, weil sie leichter waren als dieser und auf ihm schwammen. Somit schwammen natürlich auch die Schiffe, die aus ihnen gebaut waren. Die Kleidung, die die Yskálnari trugen, war also zugleich eine Art Schwimmweste, für den Fall, daß jemand in den Nebel hineingeriet.

Aber das war noch nicht das eigentliche Geheimnis der Yskálnari und erklärte noch nicht den Grund für die eigentümliche Gemeinsamkeit, die alle ihre Tätigkeiten bestimmte. Wie Bastian bald bemerkte, schienen sie das Wörtchen »ich« nicht zu kennen, jedenfalls benützten sie es niemals, sondern sprachen immer nur per »wir«. Woher das kam, fand er erst später heraus.

Als er den Reden der drei Nebelschiffer entnahm, daß sie noch diese Nacht in See stechen würden, fragte er sie, ob sie ihn nicht als Schiffsjungen anheuern könnten. Sie erklärten ihm, daß eine Fahrt auf dem Skaidan sich beträchtlich von jeder anderen Seefahrt unterschied, weil man niemals wissen könne, wie lang man unterwegs sei und wo man schließlich ankäme. Bastian meinte, das sei ihm ganz recht, und so willigten die Seeleute ein, ihn mit auf ihr Schiff zu nehmen.

Bei Einbruch der Nacht begannen die Nebel wie erwartet zu steigen und hatten gegen Mitternacht die Höhe der Korbstadt erreicht. Nun schwammen alle die Schiffe, die vorher in der Luft gehangen hatten, auf der weißen Oberfläche. Das Schiff, auf dem Bastian sich befand – es war ein etwa dreißig Meter langer, flacher Kahn – wurde von seinen

Tauen losgemacht und trieb langsam auf die Weite des nächtlichen Nebelmeeres hinaus.

Schon beim ersten Anblick hatte Bastian sich gefragt, mit welchem Antrieb diese Art von Schiff sich wohl fortbewegen mochte, da es weder Segel noch Ruder oder Schiffsschrauben gab. Segel, wie er erfuhr, hätten nichts genützt, da über dem Skaidan fast immer Windstille herrschte, und mit Rudern oder Schrauben konnte man erst recht nicht über den Nebel kommen. Die Kraft, mit der das Schiff fortbewegt wurde, war eine gänzlich andere.

Auf der Mitte des Decks befand sich eine kreisrunde, etwas erhöhte Fläche. Bastian hatte sie schon zu Beginn bemerkt und für eine Kommandobrücke oder dergleichen gehalten. Tatsächlich standen während der ganzen Fahrt mindestens zwei der Nebelschiffer dort oben, manchmal aber auch drei, vier oder noch mehr. (Die gesamte Besatzung zählte vierzehn Mann – ohne Bastian natürlich.) Die auf der runden Fläche hatten einander die Arme um die Schultern gelegt und blickten in Fahrtrichtung. Wenn man nicht sehr genau hinsah, konnte man glauben, sie stünden unbeweglich. Erst bei aufmerksamer Beobachtung war zu bemerken, daß sie sich sehr langsam und vollkommen übereinstimmend in einer Art Tanz wiegten. Dazu sangen sie eine immerfort wiederkehrende, einfache Melodie, die sehr schön und sanft war.

Bastian hatte dieses merkwürdige Verhalten zunächst für eine besondere Zeremonie oder Sitte gehalten, deren Sinn ihm verborgen war. Erst am dritten Tag der Reise fragte er einen seiner drei Freunde, der sich neben ihn gesetzt hatte. Der schien seinerseits verwundert über Bastians Staunen und erklärte ihm, daß die Männer das Schiff mit ihrer Vorstellungskraft antrieben.

Bastian konnte diese Erklärung zunächst nicht verstehen und fragte, ob sie irgendwelche verborgenen Räder in Bewegung setzten.

»Nein«, antwortete der Nebelschiffer, »wenn du deine Beine bewegen willst, genügt es dir doch auch, es dir vorzustellen – oder mußt du deine Beine durch Räderwerke betreiben?«

Der Unterschied zwischen dem eigenen Körper und einem Schiff bestand lediglich darin, daß mindestens zwei Yskálnari ihre Vorstellungskraft völlig zu einer werden lassen mußten. Denn erst durch diese Vereinigung entstand die Fortbewegungskraft. Und wollten sie schnellere Fahrt machen, so mußten mehrere von ihnen zusammenwirken. Normalerweise arbeiteten sie in Schichten zu je drei, die übrigen ruhten sich aus, denn es war, auch wenn es so leicht und anmutig aussah, eine schwere und anstrengende Arbeit, die große und ununterbrochene Konzentration erforderte. Aber es war die einzige Art, wie der Skaidan befahren werden konnte.

Und Bastian ging bei den Nebelschiffern in die Schule und erlernte das Geheimnis ihrer Gemeinsamkeit: den Tanz und das wortlose Lied.

Nach und nach während der langen Überfahrt wurde er einer der ihren. Es war eine ganz eigentümliche, unbeschreibliche Empfindung von Selbstvergessenheit und Harmonie, wenn er während des Tanzes fühlte, wie seine eigene Vorstellungskraft mit der der anderen zusammenschmolz und sich zu einem Ganzen vereinigte. Er fühlte sich wirklich aufgenommen in ihre Gemeinschaft und zu ihnen gehörig – und gleichzeitig schwand aus seinem Gedächtnis jede Erinnerung daran, daß es in der Welt, aus der er gekommen war, und in die er nun den Rückweg suchen wollte, Menschen gab, Menschen, die alle ihre eigenen Vorstellungen und Meinungen hatten. Das einzige, woran er sich noch dunkel erinnern konnte, war sein Zuhause und seine Eltern.

Doch tief auf dem Grunde seines Herzens lebte noch ein anderer Wunsch als der, nicht mehr allein zu sein. Und dieser andere Wunsch begann sich nun leise zu regen.

Das geschah an dem Tag, als er zum ersten Mal bemerkte, daß die Yskálnari ihre Gemeinsamkeit nicht dadurch erlangten, daß sie ganz verschieden geartete Vorstellungsweisen zusammenklingen ließen, sondern weil sie einander so völlig glichen, daß es sie keine Anstrengung kostete, sich als Gemeinschaft zu fühlen. Im Gegenteil, es gab für sie gar nicht die Möglichkeit, miteinander zu streiten oder uneins zu sein, denn keiner von ihnen fühlte sich als einzelner. Sie mußten keine Gegensätze überwinden, um Harmonie untereinander zu finden, und gerade diese Mühelosigkeit erschien Bastian nach und nach unbefriedigend. Ihre Sanftheit erschien ihm fade und die immer gleiche Melodie ihrer Lieder monoton. Er fühlte, daß ihm etwas an alledem fehlte, daß ihn nach etwas hungerte, doch konnte er noch nicht sagen, was es war.

Das wurde ihm erst klar, als einige Zeit später eine Riesen-Nebelkrähe am Himmel gesichtet wurde. Alle Yskálnari bekamen Angst und versteckten sich unter Deck, so rasch sie konnten. Aber einem gelang es nicht mehr rechtzeitig, der ungeheure Vogel stieß mit einem Schrei herab, packte den Unglücklichen und trug ihn im Schnabel fort.

Als die Gefahr vorüber war, kamen die Yskálnari wieder hervor und setzten die Reise mit Gesang und Tanz fort, als ob nichts geschehen wäre. Ihre Harmonie war nicht gestört, sie trauerten nicht und klagten nicht, sie verloren kein einziges Wort über den Vorfall.

»Nein«, sagte einer, als Bastian ihn deshalb befragte, »uns fehlt keiner. Worüber sollten wir klagen?«

Der einzelne zählte bei ihnen nichts. Und da sie sich nicht unterschieden, war keiner unersetzlich.

Aber Bastian wollte ein einzelner sein, ein Jemand, nicht bloß einer wie alle anderen. Er wollte gerade dafür geliebt werden, daß er so war, wie er war. In dieser Gemeinschaft der Yskálnari gab es Harmonie, aber keine Liebe.

Er wollte nicht mehr der Größte, der Stärkste oder der Klügste sein. Das alles hatte er hinter sich. Er sehnte sich danach, so geliebt zu werden, wie er war, gut oder schlecht, schön oder häßlich, klug oder dumm, mit all seinen Fehlern – oder sogar gerade wegen ihnen.

Aber wie war er denn?

Er wußte es nicht mehr. Er hatte so vieles in Phantásien

bekommen, und nun konnte er unter all den Gaben und Kräften sich selbst nicht wiederfinden.

Von da an beteiligte er sich nicht mehr am Tanz der Nebelschiffer. Er saß ganz vorn im Bug und blickte über den Skaidan, alle Tage und manchmal auch die Nächte hindurch.

Und endlich war das andere Ufer erreicht. Das Nebelschiff legte an, Bastian bedankte sich bei den Yskálnari und ging an Land.

Es war ein Land voller Rosen, Wälder von Rosen in allen Farben. Und mitten durch diesen unendlichen Rosenhag lief ein geschwungener Pfad.

Bastian folgte ihm.

XXIV. Dame Aiuóla

zum
Anderhaus

ayídes Ende ist rasch erzählt, doch schwer zu verstehen und voller Widersprüche wie so vieles in Phantásien. Bis zum heutigen Tag zerbrechen sich die Gelehrten und die Geschichtsschreiber den Kopf darüber, wie es möglich war, manche bezweifeln sogar die Tatsachen oder versuchen ihnen eine andere Deutung zu geben. Hier soll berichtet werden, was wirklich geschehen ist, und jeder mag versuchen, sich die Dinge zu erklären, so gut er es kann.

Zu derselben Zeit, als Bastian bereits in der Stadt Yskál bei den Nebelschiffern ankam, erreichte Xayíde mit ihren schwarzen Riesen die Stelle auf der Heide, wo das Metallpferd unter Bastian in Stücke zerfallen war. In diesem Augenblick ahnte sie bereits, daß sie ihn nicht mehr finden würde. Als sie wenig später den Erdwall erblickte, auf den Bastians Spuren hinaufführten, wurde diese Ahnung zur Gewißheit. Wenn er in der Alten Kaiser Stadt angekommen war, so war er für ihre Pläne verloren, ganz gleich, ob er für immer dort bleiben würde oder ob es ihm gelungen war, aus der Stadt zu entweichen. Im ersten Fall war er machtlos geworden wie alle dort und konnte nichts mehr wünschen – im anderen Fall waren alle Wünsche nach Macht und Größe in ihm erloschen. In beiden Fällen war das Spiel für sie, Xayíde, zu Ende.

Sie befahl ihren Panzerriesen stehenzubleiben, doch unbegreiflicherweise gehorchten sie ihrem Willen nicht, sondern marschierten weiter. Da wurde sie zornig, sprang aus ihrer Sänfte und stellte sich ihnen mit ausgebreiteten Armen entgegen. Die gepanzerten Riesen aber, Fußvolk wie Reiter, stampften weiter, als wäre sie nicht vorhanden, und traten sie unter ihre Füße und Hufe. Und erst als Xayíde ihr Leben ausgehaucht hatte, blieb der ganze lange Zug plötzlich stehen wie ein abgelaufenes Uhrwerk.

Als später Hýsbald, Hýdorn und Hýkrion mit den Resten des Heeres nachgekommen waren, sahen sie, was hier geschehen war, und konnten es nicht fassen, denn es war ja allein Xayídes Wille gewesen, der die leeren Riesen bewegte und also auch über sie hinwegstampfen hatte lassen. Doch war langes Nachdenken nicht die besondere Stärke der drei Herren, so zuckten sie schließlich die Achseln und ließen die Sache auf sich beruhen. Sie berieten, was nun zu tun sei, und kamen zu dem Ergebnis, daß der Feldzug offensichtlich sein Ende gefunden habe. Also entließen sie das restliche Heer und empfahlen jedem, nach Hause zu gehen. Sie selbst, die Bastian ja einen Treueeid geleistet hatten, den sie nicht brechen wollten, beschlossen, ihn in ganz Phantásien zu suchen. Doch konnten sie sich über die einzuschlagende Richtung nicht einig werden und entschieden deshalb, daß jeder auf eigene Faust weiterziehen sollte. Sie verabschiedeten sich voneinander, und jeder humpelte in einer anderen Richtung davon. Alle drei erlebten noch viele Abenteuer, und es gibt in Phantásien unzählige Berichte, die von ihrer Suche ohne Sinn handeln. Doch das sind andere Geschichten und sollen ein andermal erzählt werden.

Die schwarzen, leeren Metallriesen aber standen seit dieser Zeit unbeweglich an der Stelle in der Heide, nahe der Alten Kaiser Stadt. Regen und Schnee fiel auf sie, sie verrosteten und versanken nach und nach schief oder gerade im Erdboden. Aber noch heute sind etliche von ihnen zu sehen. Der Platz gilt als verrufen, und jeder Wanderer macht einen Bogen darum. Aber kehren wir nun zu Bastian zurück.

Während er auf seinem Weg durch den Rosenhag den sanften Biegungen des Pfades folgte, erblickte er etwas, das ihn in Erstaunen setzte, weil er auf seinem ganzen Weg durch Phantásien noch nie etwas Derartiges gesehen hatte, nämlich einen Wegweiser mit einer geschnitzten Hand, die in eine Richtung zeigte.

»Zum Änderhaus«, stand darauf.

Bastian folgte der angegebenen Richtung ohne Eile. Er atmete den Duft der unzähligen Rosen ein und fühlte sich zunehmend vergnügter, so als stände ihm eine frohe Überraschung bevor.

Schließlich gelangte er in eine schnurgerade Allee aus kugelrunden Bäumen, die voller rotbackiger Äpfel hingen.

Und ganz am Ende der Allee tauchte ein Haus auf. Beim Näherkommen stellte Bastian fest, daß es wohl das drolligste Haus war, das er je gesehen hatte. Ein hohes spitzes Dach saß wie eine Zipfelmütze auf einem Gebäude, das eher einem Riesenkürbis glich, denn es war kugelig, und die Wände hatten an vielen Stellen Beulen und Ausbuchtungen, sozusagen dicke Bäuche, was dem Haus ein behäbiges und gemütliches Aussehen verlieh. Es gab auch ein paar Fenster und eine Haustür, alles irgendwie schief und krumm, als wären diese Öffnungen ein wenig ungeschickt in den Kürbis hineingeschnitten.

Während Bastian auf das Haus zuging, beobachtete er, daß es in einer stetigen, langsamen Veränderung war. Etwa mit der Geruhsamkeit, mit der eine Schnecke ihre Fühler hervorschiebt, bildete sich auf der rechten Seite ein kleiner Auswuchs, der allmählich zu einem Erkertürmchen wurde. Zugleich schloß sich auf der linken Seite ein Fenster und verschwand nach und nach. Aus dem Dach wuchs ein Schornstein hervor, und über der Haustür bildete sich ein Balkönchen mit Gitterbalustrade.

Bastian war stehengeblieben und beobachtete die fortwährenden Veränderungen mit Staunen und Belustigung. Jetzt war ihm klar, warum dieses Haus den Namen »Änderhaus« trug.

Während er noch so stand, hörte er aus dem Inneren eine warme, schöne Frauenstimme singen:

»Hundert Jahre, lieber Gast,
warten wir auf dich.
Da du hergefunden hast,
bist du's sicherlich.
Daß du Durst und Hunger stillst,
alles steht bereit.
Alles, was du suchst und willst,
auch Geborgenheit,
Trost nach allem Leid.
Ob du gut warst oder schlecht,

wie du bist, so bist du recht,
denn dein Weg war weit.«

»Ach«, dachte Bastian, »was für eine schöne Stimme! Ich wollte, das Lied würde mir gelten!«

Die Stimme begann von neuem zu singen:

»Großer Herr, sei wieder klein!
Sei ein Kind und komm herein!
Steh nicht länger vor der Tür,
denn du bist willkommen hier!
Alles ist für dich bereit
schon seit langer Zeit.«

Die Stimme übte eine unwiderstehliche Anziehungskraft auf Bastian aus. Er war sicher, daß es eine sehr freundliche Person war, die da sang. Er klopfte also an die Tür, und die Stimme rief:

»Herein! Herein, mein schöner Bub!«

Er öffnete die Tür und sah eine gemütliche, nicht sehr große Stube, durch deren Fenster die Sonne hereinschien. In der Mitte stand ein runder Tisch, gedeckt mit allerlei Schalen und Körben voll bunter Früchte, die Bastian nicht kannte. Am Tisch saß eine Frau, die selbst ein wenig aussah wie ein Apfel, so rotbackig und rund, so gesund und appetitlich.

Im allerersten Augenblick war Bastian fast überwältigt von dem Wunsch, mit ausgebreiteten Armen auf sie zuzulaufen und »Mama! Mama!« zu rufen. Aber er beherrschte sich. Seine Mama war tot und ganz gewiß nicht hier in Phantásien. Diese Frau hatte zwar dasselbe liebe Lächeln und dieselbe vertrauenerweckende Art, einen anzusehen, aber die Ähnlichkeit war höchstens die einer Schwester. Seine Mutter war klein gewesen, und diese Frau hier war groß und irgendwie imposant. Sie trug einen breiten Hut, der über und über voller Blumen und Früchte war, und auch ihr Kleid war aus einem farbenprächtigen geblümten Stoff. Erst nachdem er es eine Weile betrachtet hatte, bemerkte er, daß es in Wirklichkeit ebenfalls aus Blättern, Blüten und Früchten war.

Während er so stand und sie ansah, überkam ihn ein Gefühl, wie er es schon lange, lange nicht mehr gekannt hatte. Er konnte sich nicht erinnern, wann und wo, er wußte nur, daß er sich manchmal so gefühlt hatte, als er noch klein war.

»Setz dich doch, mein schöner Bub!« sagte die Frau und wies mit einer einladenden Handbewegung auf einen Stuhl, »du wirst sicher hungrig sein, also iß erst einmal!«

»Entschuldigung«, antwortete Bastian, »du erwartest doch einen Gast. Aber ich bin nur ganz zufällig hier.«

»Tatsächlich?« fragte die Frau und schmunzelte, »na, das macht nichts. Deswegen kannst du doch trotzdem essen, nicht wahr? Ich werde dir inzwischen eine kleine Geschichte erzählen. Greif zu und laß dich nicht lang bitten!«

Bastian zog seinen schwarzen Mantel aus, legte ihn über den Stuhl, setzte sich und griff zögernd nach einer Frucht. Ehe er hineinbiß, erkundigte er sich:

»Und du? Ißt du nichts? Oder magst du kein Obst?«

Die Frau lachte laut und herzlich, Bastian wußte nicht worüber.

»Gut«, sagte sie, nachdem sie sich gefaßt hatte, »wenn du darauf bestehst, will ich dir Gesellschaft leisten und auch etwas zu mir nehmen, aber auf meine Art. Erschrick nicht!«

Damit griff sie nach einer Gießkanne, die neben ihr auf dem Boden stand, hielt sie sich über den Kopf und begoß sich selbst.

»Ah!« machte sie, »das erfrischt!«

Jetzt war es Bastian, der lachte. Dann biß er in die Frucht und stellte sogleich fest, daß er etwas so Gutes noch nie gegessen hatte. Danach aß er eine andere, und die war sogar noch besser.

»Schmeckt's?« fragte die Frau, die ihn aufmerksam beobachtete.

Bastian hatte den Mund voll und konnte nicht antworten, er kaute und nickte.

»Das freut mich«, meinte die Frau, »ich habe mir auch besondere Mühe damit gegeben. Iß nur weiter, soviel du magst!«

Bastian griff nach einer neuen Frucht, und die war nun erst vollends ein Fest. Er seufzte hingerissen.

»Und nun will ich dir erzählen«, fuhr die Frau fort, »laß dich nur nicht beim Essen stören.«

Bastian mußte sich Mühe geben, ihren Worten zuzuhören, denn jede neue Frucht verursachte ihm neues Entzükken.

»Vor langer, langer Zeit«, begann die geblümte Frau, »war unsere Kindliche Kaiserin todkrank, denn sie brauchte einen neuen Namen, und den konnte ihr nur ein Menschenkind geben. Aber Menschen kamen nicht mehr nach Phantásien, niemand wußte warum. Und wenn sie sterben mußte, dann wäre es auch das Ende von Phantásien gewesen. Da kam eines Tages oder, besser gesagt, eines Nachts doch wieder ein Mensch – es war ein kleiner Bub, und der gab der Kindlichen Kaiserin den Namen Mondenkind. Sie wurde wieder gesund, und zum Dank versprach sie dem Buben, daß alle seine Wünsche in ihrem Reich Wirklichkeit werden sollten – so lange, bis er seinen Wahren Willen gefunden hätte. Von da an machte der kleine Bub eine lange Reise, von einem Wunsch zum anderen, und jeder erfüllte sich. Und jede Erfüllung führte ihn zu einem neuen Wunsch. Und es waren nicht nur gute Wünsche, sondern auch schlimme, aber die Kindliche Kaiserin macht keinen Unterschied, für sie gilt alles gleich und alles ist gleich wichtig in ihrem Reich. Und auch als schließlich der Elfenbeinturm dabei zerstört wurde, tat sie nichts, um es zu verhindern. Aber mit jeder Wunscherfüllung vergaß der kleine Bub einen Teil seiner Erinnerung an die Welt, aus der er gekommen war. Das machte ihm nicht viel aus, denn er wollte sowieso nicht dorthin zurück. So wünschte er sich weiter und weiter, aber nun hatte er fast alle seine Erinnerungen ausgegeben, und ohne Erinnerungen kann man nichts mehr wünschen. Da war er schon beinahe kein Mensch mehr, sondern fast ein Phantásier geworden. Und seinen Wahren Willen kannte er noch immer nicht. Jetzt bestand die Gefahr, daß er auch noch seine letzten Erinnerungen aufbrauchen würde, ohne dahinter zu kommen. Und das würde bedeuten, daß er nie wieder in seine Welt zurückkehren könnte. Da führte ihn zuletzt sein Weg ins Änderhaus, damit er hier so lange bleiben sollte, bis er seinen Wahren Willen fände. Denn das Änderhaus heißt nicht nur so, weil es sich selbst verändert, sondern weil es auch den ändert, der in ihm wohnt. Und das war sehr wichtig für den kleinen Buben, denn bisher wollte er zwar immer ein anderer sein, als er war, aber er wollte sich nicht ändern.«

An dieser Stelle unterbrach sie sich, denn ihr Besucher hatte aufgehört zu kauen. Er hielt eine angebissene Frucht in der Hand und starrte die geblümte Frau mit offenem Mund an.

»Wenn sie dir nicht schmeckt«, meinte sie besorgt, »dann leg sie ruhig weg und nimm eine andere!«

»Wie?« stotterte Bastian, »o nein, sie ist sehr gut.«

»Dann ist ja alles in Ordnung«, sagte die Frau zufrieden. »Aber ich habe vergessen zu sagen, wie der kleine Bub hieß, der im Änderhaus so lange schon erwartet wurde. Viele in Phantásien nannten ihn einfach nur den ›Retter‹, andere den ›Ritter vom Siebenarmigen Leuchter‹ oder den ›Großen Wissenden‹ oder auch ›Herr und Gebieter‹, aber sein wirklicher Name war Bastian Balthasar Bux.«

Danach sah die Frau ihren Gast lange lächelnd an. Er schluckte ein paarmal und sagte dann leise:

»So heiße ich.«

»Na, siehst du!« meinte die Frau und schien kein bißchen überrascht.

Die Knospen auf ihrem Hut und an ihrem Kleid öffneten sich plötzlich alle gleichzeitig und blühten auf.

»Aber hundert Jahre«, wandte Bastian unsicher ein, »bin ich doch noch gar nicht in Phantásien.«

»Oh, in Wirklichkeit warten wir schon viel länger auf

dich«, antwortete die Dame, »schon meine Großmutter und die Großmutter meiner Großmutter haben auf dich gewartet. Siehst du, jetzt wird *dir* eine Geschichte erzählt, die neu ist und doch von uralter Vergangenheit berichtet.«

Bastian erinnerte sich an Graógramáns Worte, damals war er noch am Anfang seiner Reise gestanden. Jetzt schien es ihm wirklich, als wäre es hundert Jahre her.

»Übrigens habe ich dir bis jetzt noch nicht gesagt, wie ich heiße. Ich bin Dame Aiuóla.«

Bastian wiederholte den Namen und hatte ein bißchen Mühe, bis es ihm gelang, ihn richtig auszusprechen. Dann griff er nach einer neuen Frucht. Er biß hinein, und es kam ihm so vor, als ob immer die, die er gerade aß, von allen die köstlichste war. Ein wenig besorgt sah er, daß er schon die vorletzte aß.

»Möchtest du noch mehr?« fragte Dame Aiuóla, die seinen Blick bemerkt hatte. Bastian nickte. Da griff sie auf ihren Hut und ihr Kleid und pflückte Früchte ab, bis die Schale wieder gefüllt war.

»Wachsen die Früchte denn auf deinem Hut?« erkundigte sich Bastian verblüfft.

»Wieso Hut?« Dame Aiuóla blickte ihn verständnislos an. Dann brach sie in lautes, herzliches Lachen aus. »Ach, du meinst wohl, das ist mein Hut, was ich da auf dem Kopf habe? Aber nein, mein schöner Bub, das wächst doch alles aus mir heraus. So wie du Haare hast. Daran kannst du sehen, wie ich mich freue, daß du endlich da bist, darum blühe ich auf. Wenn ich traurig wäre, würde alles verwelken. Aber bitte, vergiß nicht zu essen!«

»Ich weiß nicht«, meinte Bastian verlegen, »man kann doch nicht etwas essen, was aus jemand herauskommt.«

»Warum nicht?« fragte Dame Aiuóla, »kleine Kinder bekommen doch auch die Milch von ihrer Mutter. Das ist doch wunderschön.«

»Schon«, wandte Bastian ein und errötete ein wenig, »aber doch nur, solange sie noch ganz klein sind.«

»Dann«, sagte Dame Aiuóla strahlend, »wirst du eben jetzt wieder ganz klein werden, mein schöner Bub.«

Bastian griff zu und biß in eine neue Frucht, und Dame Aiuóla freute sich darüber und blühte noch prächtiger auf.

Nach einer kleinen Stille meinte sie:

»Mir scheint, es möchte gern, daß wir ins Nebenzimmer umziehen. Wahrscheinlich hat es etwas für dich vorbereitet.«

»Wer?« fragte Bastian und schaute sich um.

»Das Änderhaus«, erklärte Dame Aiuóla mit Selbstverständlichkeit.

In der Tat war etwas Merkwürdiges geschehen. Die Stube hatte sich verwandelt, ohne daß Bastian etwas davon bemerkt hatte. Die Zimmerdecke war hoch hinaufgerutscht, während die Wände von drei Seiten ziemlich nahe an den Tisch herangerückt waren. Auf der vierten Seite war noch Platz, dort befand sich eine Tür, die jetzt offenstand.

Dame Aiuóla erhob sich – jetzt war zu sehen, wie groß sie war – und schlug vor:

»Gehen wir! Es hat seinen Dickkopf. Es nützt nichts, ihm zu widerstreben, wenn es sich eine Überraschung ausgedacht hat. Lassen wir ihm seinen Willen! Es meint's außerdem meistens gut.«

Sie ging durch die Tür nach nebenan. Bastian folgte ihr, nahm aber vorsorglich die Schale mit den Früchten mit.

Der Raum war groß wie ein Saal, und doch war es ein Speisezimmer, das Bastian irgendwie bekannt vorkam. Befremdlich war nur, daß alle Möbel, die hier standen, auch der Tisch und die Stühle, riesenhaft waren, viel zu groß, als daß Bastian hätte hinaufkommen können.

»Schau einer an!« sagte Dame Aiuóla belustigt, »dem Änderhaus fällt doch immer wieder was Neues ein. Jetzt hat es für dich ein Zimmer gemacht, wie es einem kleinen Kind erscheinen muß.«

»Wieso?« fragte Bastian, »war der Saal denn vorher nicht da?«

»Natürlich nicht«, antwortete sie, »weißt du, das Änderhaus ist sehr lebendig. Es beteiligt sich gern auf seine Art an unserer Unterhaltung. Ich glaube, es will dir damit etwas sagen.«

Dann setzte sie sich auf einen Stuhl an den Tisch, aber Bastian versuchte vergebens, auf den anderen Stuhl hinaufzukommen. Dame Aiuóla mußte ihm helfen und ihn hinaufheben, und auch dann noch reichte er gerade mit der Nase über die Tischplatte. Er war recht froh, daß er die Schale mit den Früchten mitgenommen hatte und behielt sie auf dem Schoß. Wenn sie auf dem Tisch gestanden hätte, wäre sie für ihn unerreichbar gewesen.

»Mußt du oft so umziehen?« fragte er.

»Oft nicht«, antwortete Dame Aiuóla, »höchstens drei- bis viermal pro Tag. Manchmal macht das Änderhaus auch einfach bloß Spaß mit einem, dann sind auf einmal alle Zimmer umgekehrt, der Boden oben und die Decke unten oder dergleichen. Aber das ist reiner Übermut, und es wird auch gleich wieder vernünftig, wenn ich ihm ins Gewissen rede. Im Grunde ist es ein sehr liebes Haus, und ich fühle mich wirklich behaglich darin. Wir haben viel miteinander zu lachen.«

»Aber ist das denn nicht gefährlich?« erkundigte sich Bastian, »ich meine, nachts zum Beispiel, wenn man schläft und das Zimmer wird immer kleiner?«

»Wo denkst du hin, schöner Bub?« rief Dame Aiuóla fast entrüstet, »es mag mich doch gern, und dich mag es auch. Es freut sich über dich.«

»Und wenn es jemand nicht mag?«

»Keine Ahnung«, antwortete sie, »was du aber auch für Fragen stellst! Bis jetzt war noch niemand hier außer mir und dir.«

»Ach so!« sagte Bastian, »dann bin ich der erste Gast?«

»Natürlich.«

Bastian blickte sich in dem riesigen Raum um.

»Man sollte gar nicht glauben, daß dieses Zimmer überhaupt in das Haus hineinpaßt. Von außen sah es nicht so groß aus.«

»Das Änderhaus«, erklärte Dame Aiuóla, »ist von innen größer als von außen.«

Inzwischen war die Abenddämmerung hereingebrochen, und es wurde nach und nach dunkler in dem Zimmer. Bastian lehnte sich in seinen großen Stuhl zurück und stützte den Kopf auf. Er fühlte sich auf eine wunderbare Art schläfrig.

»Warum«, fragte er, »hast du so lang auf mich gewartet, Dame Aiuóla?«

»Ich habe mir immer ein Kind gewünscht«, antwortete sie, »ein kleines Kind, das ich verwöhnen darf, das meine Zärtlichkeit braucht, für das ich sorgen kann – jemand wie du, mein schöner Bub.«

Bastian gähnte. Er fühlte sich durch ihre warme Stimme auf unwiderstehliche Weise eingelullt.

»Aber du hast doch gesagt«, antwortete er, »daß auch deine Mutter und deine Großmutter schon auf mich gewartet haben.«

Dame Aiuólas Gesicht lag jetzt im Dunkeln.

»Ja«, hörte er sie sagen, »auch meine Mutter und meine Großmutter haben sich ein Kind gewünscht. Aber nur ich habe jetzt eins.«

Bastian fielen die Augen zu. Mit Mühe fragte er:

»Wieso, deine Mutter hatte doch dich, als du klein warst. Und deine Großmutter hatte deine Mutter. Also hatten sie doch Kinder?«

»Nein, mein schöner Bub«, antwortete die Stimme leise, »bei uns ist das anders. Wir sterben nicht und werden nicht geboren. Wir sind immer dieselbe Dame Aiuóla, und doch sind wir es auch wieder nicht. Als meine Mutter alt wurde, da verdorrte sie, alle ihre Blätter fielen ab wie bei einem Baum im Winter, sie zog sich ganz in sich zurück. So blieb sie lange Zeit. Aber dann begann sie eines Tages von neuem junge Blättchen hervorzutreiben, Knospen und Blüten und zuletzt Früchte. Und so bin ich entstanden, denn diese neue Dame Aiuóla war ich. Und genauso war es bei meiner Großmutter, als sie meine Mutter zur Welt brachte. Wir

Damen Aiuóla können immer erst ein Kind haben, wenn wir vorher verwelken. Aber dann sind wir eben unser eigenes Kind und können nicht mehr Mutter sein. Darum bin ich so froh, daß du nun da bist, mein schöner Bub ...«

Bastian antwortete nicht mehr. Er war in einen süßen Halbschlaf hinübergeglitten, in dem er ihre Worte wie einen Singsang vernahm. Er hörte, wie sie aufstand und zu ihm trat und sich über ihn beugte. Sie streichelte ihn sanft übers Haar und gab ihm einen Kuß auf die Stirn. Dann fühlte er, wie sie ihn hochhob und auf dem Arm hinaustrug. Er lehnte seinen Kopf an ihre Schulter wie ein kleines Kind. Immer tiefer sank er in die warme Dunkelheit des Schlafes hinunter. Ihm war, als ob er ausgezogen und in ein weiches, duftendes Bett gelegt würde. Als letztes hörte er noch – schon aus weiter Ferne – wie die schöne Stimme leise ein Liedchen sang:

»Schlaf, mein Liebling! Gute Nacht!
Hast so vieles durchgemacht.
Großer Herr, sei wieder klein!
Schlaf, mein Liebling, schlafe ein!«

Als er am nächsten Morgen erwachte, fühlte er sich so wohl und so zufrieden wie nie zuvor. Er blickte sich um und sah, daß er in einem sehr gemütlichen kleinen Zimmer lag – und zwar in einem Kinderbettchen! Allerdings war es ein sehr großes Kinderbettchen oder vielmehr, es war so, wie es einem kleinen Kind erscheinen mußte. Einen Augenblick lang kam ihm das lächerlich vor, denn er war ja ganz gewiß kein kleines Kind mehr. Alles, was Phantásien ihm an Kräften und Gaben geschenkt hatte, besaß er ja noch immer. Auch das Zeichen der Kindlichen Kaiserin hing nach wie vor um seinen Hals. Aber schon im nächsten Moment war es ihm ganz gleichgültig, ob es nun lächerlich erscheinen mochte oder nicht, daß er hier lag. Außer ihm und Dame Aiuóla würde es niemals jemand erfahren, und sie beide wußten, daß alles gut und richtig war.

Er stand auf, wusch sich, zog sich an und ging hinaus. Er mußte eine Holztreppe hinuntersteigen und kam in das große Speisezimmer, das sich über Nacht allerdings in eine Küche verwandelt hatte. Dame Aiuóla wartete schon mit dem Frühstück auf ihn. Auch sie war äußerst guter Laune, alle ihre Blumen blühten, sie sang und lachte und tanzte sogar mit ihm um den Küchentisch herum. Nach der Mahlzeit schickte sie ihn hinaus, damit er an die frische Luft käme.

In dem weiten Rosenhag, der das Änderhaus umgab, schien ein ewiger Sommer zu herrschen. Bastian strolchte herum, beobachtete die Bienen, die emsig in den Blüten schmausten, hörte den Vögeln zu, die in allen Büschen sangen, spielte mit den Eidechsen, die so zutraulich waren, daß sie ihm auf die Hand krochen, und mit den Hasen, die sich von ihm streicheln ließen. Manchmal warf er sich unter einen Busch, roch den süßen Duft der Rosen, blinzelte in die Sonne und ließ die Zeit vorüberrauschen wie einen Bach, ohne irgend etwas Bestimmtes zu denken.

So vergingen Tage, und aus den Tagen wurden Wochen. Er achtete nicht darauf. Dame Aiuóla war fröhlich, und Bastian überließ sich ganz und gar ihrer mütterlichen Fürsorge und Zärtlichkeit. Ihm war, als habe er, ohne es zu wissen, lange nach etwas gehungert, das ihm nun in Fülle zuteil wurde. Und er konnte sich schier nicht daran ersättigen.

Eine Zeitlang durchstöberte er das Änderhaus vom Dachstuhl bis zum Keller. Das war eine Beschäftigung, die einem so bald nicht langweilig wurde, da sich alle Räume ja ständig veränderten und immer wieder Neues zu entdecken war. Das Haus gab sich offensichtlich alle Mühe, seinen Gast zu unterhalten. Es produzierte Spielzimmer, Eisenbahnen, Kasperletheater und Rutschbahnen, ja sogar ein großes Karussell.

Manchmal unternahm Bastian auch ganztägige Streifzüge in die Umgebung. Aber sehr weit entfernte er sich niemals vom Änderhaus, denn es geschah regelmäßig, daß ihn plötzlich ein wahrer Heißhunger nach den Früchten Aiuólas befiel. Von einem Augenblick zum anderen konnte er es kaum noch erwarten, zu ihr zurückzukehren und sich nach Herzenslust satt zu essen.

Abends hatten sie oft lange Gespräche miteinander. Er erzählte ihr von allem, was er in Phantásien erlebt hatte, von Perelín und Graógramán, von Xayíde und Atréju, den er so schwer verwundet oder sogar getötet hatte.

»Ich habe alles falsch gemacht«, sagte er, »ich habe alles mißverstanden. Mondenkind hat mir so viel geschenkt, und ich habe damit nur Unheil angerichtet, für mich und für Phantásien.«

Dame Aiuóla sah ihn lange an.

»Nein«, antwortete sie, »das glaube ich nicht. Du bist den Weg der Wünsche gegangen, und der ist nie gerade. Du hast einen großen Umweg gemacht, aber es war *dein* Weg. Und weißt du, warum? Du gehörst zu denen, die erst zurückkehren können, wenn sie die Quelle finden, wo das Wasser des Lebens entspringt. Und das ist der geheimste Ort Phantásiens. Dorthin gibt es keinen einfachen Weg.«

Und nach einer kleinen Stille fügte sie hinzu:

»Jeder Weg, der dorthin führt, war am Ende der richtige.«

Da mußte Bastian plötzlich weinen. Er wußte selbst nicht warum. Ihm war, als ob sich ein Knoten in seinem Herzen auflöse und in Tränen zerging. Er schluchzte und schluchzte und konnte nicht aufhören. Dame Aiuóla nahm ihn auf ihren Schoß und streichelte ihn sanft, und er vergrub sein Gesicht in den Blumen auf ihrer Brust und weinte, bis er ganz satt und müde war.

An diesem Abend redeten sie nicht mehr weiter.

Erst am nächsten Tag kam Bastian noch einmal auf seine Suche zu sprechen:

»Weißt du, wo ich das Wasser des Lebens finden kann?«

»An der Grenze Phantásiens«, sagte Dame Aiuóla.

»Aber Phantásien hat keine Grenzen«, antwortete er.

»Doch, aber sie liegen nicht außen, sondern innen. Dort,

von woher die Kindliche Kaiserin all ihre Macht empfängt, und wohin sie selbst doch nicht kommen kann.«

»Und da soll ich hinfinden?« fragte Bastian bekümmert, »ist es nicht schon zu spät?«

»Es gibt nur einen Wunsch, mit dem du dort hinfindest: Mit dem letzten.«

Bastian erschrak.

»Dame Aiuóla – für alle meine Wünsche, die sich durch AURYN erfüllt haben, habe ich etwas vergessen. Ist das hier auch so?«

Sie nickte langsam.

»Aber ich merke davon gar nichts!«

»Hast du es denn die anderen Male gemerkt? Was du vergessen hast, das kannst du nicht mehr wissen.«

»Und was vergesse ich denn jetzt?«

»Ich will es dir sagen, wenn der rechte Augenblick da ist. Sonst würdest du es festhalten.«

»Muß es denn so sein, daß ich alles verliere?«

»Nichts geht verloren«, sagte sie, »alles verwandelt sich.«

»Aber dann«, sagte Bastian beunruhigt, »müßte ich mich vielleicht beeilen. Ich dürfte nicht hier bleiben.«

Sie streichelte sein Haar.

»Mach dir keine Sorgen. Es dauert, solang es dauert. Wenn dein letzter Wunsch erwacht, dann wirst du es wissen – und ich auch.«

Von diesem Tage an begann sich tatsächlich etwas zu ändern, obgleich Bastian selbst noch nichts davon bemerkte. Die verwandelnde Kraft des Änderhauses tat ihre Wirkung. Doch wie alle wahren Veränderungen ging sie leise und langsam vor sich wie das Wachstum einer Pflanze.

Die Tage im Änderhaus verstrichen, und noch immer dauerte der Sommer an. Bastian genoß es auch weiterhin, sich wie ein Kind von Dame Aiuóla verwöhnen zu lassen. Auch ihre Früchte schmeckten ihm noch immer so köstlich wie zu Anfang, doch nach und nach war sein Heißhunger gestillt. Er aß weniger davon. Und sie bemerkte es, ohne jedoch ein Wort darüber zu verlieren. Auch von ihrer Fürsorge und Zärtlichkeit fühlte er sich gesättigt. Und in demselben Maß, wie sein Bedürfnis danach abnahm, erwachte in ihm eine Sehnsucht ganz anderer Art, ein Verlangen, wie er es bisher noch nie empfunden hatte und das sich in jeder Hinsicht von all seinen bisherigen Wünschen unterschied: Die Sehnsucht, selbst lieben zu können. Mit Verwunderung und Trauer wurde er inne, daß er es nicht konnte. Doch der Wunsch danach wurde stärker und stärker.

Und eines Abends, als sie wieder beisammensaßen, sprach er darüber mit Dame Aiuóla.

Nachdem sie ihm zugehört hatte, schwieg sie lange. Ihr Blick ruhte mit einem Ausdruck auf Bastian, den er nicht verstand.

»Jetzt hast du deinen letzten Wunsch gefunden«, sagte sie, »dein Wahrer Wille ist es, zu lieben.«

»Aber warum kann ich es nicht, Dame Aiuóla?«

»Das kannst du erst, wenn du vom Wasser des Lebens getrunken hast«, antwortete sie, »und du kannst nicht in deine Welt zurück, ohne anderen davon mitzubringen.«

Bastian schwieg verwirrt. »Aber du?« fragte er, »hast du denn nicht auch schon davon getrunken?«

»Nein«, sagte Dame Aiuóla, »bei mir ist das etwas anderes. Ich brauche nur jemand, dem ich meinen Überfluß schenken kann.«

»War das denn nicht Liebe?«

Dame Aiuóla überlegte eine Weile, dann erwiderte sie:

»Es war, was du dir gewünscht hast.«

»Können phantásische Wesen auch nicht lieben – wie ich?« fragte er bang.

»Es heißt«, entgegnete sie leise, »daß es einige wenige Geschöpfe Phantásiens gibt, die vom Wasser des Lebens trinken durften. Aber niemand weiß, wer sie sind. Und es gibt eine Verheißung, von der wir nur selten sprechen, daß einmal in ferner Zukunft eine Zeit kommen wird, wo die Menschen die Liebe auch nach Phantásien bringen werden.

Dann werden beide Welten nur noch eine sein. Doch was das bedeutet, weiß ich nicht.«

»Dame Aiuóla«, fragte Bastian ebenso leise, »du hast versprochen, wenn der rechte Augenblick gekommen ist, willst du mir sagen, was ich vergessen mußte, um meinen letzten Wunsch zu finden. Ist jetzt der rechte Augenblick gekommen?«

Sie nickte.

»Du mußtest Vater und Mutter vergessen. Jetzt hast du nichts mehr als deinen Namen.«

Bastian dachte nach.

»Vater und Mutter?« sagte er langsam. Aber die Worte bedeuteten ihm nichts mehr. Er konnte sich nicht erinnern.

»Was soll ich jetzt tun?« fragte er.

»Du mußt mich verlassen«, antwortete sie, »deine Zeit im Änderhaus ist vorüber.«

»Und wo soll ich hin?«

»Dein letzter Wunsch wird dich führen. Verliere ihn nicht!«

»Soll ich jetzt gleich gehen?«

»Nein, es ist spät. Morgen früh bei Tagesanbruch. Du hast noch eine Nacht im Änderhaus. Jetzt wollen wir schlafengehen.«

Bastian stand auf und trat zu ihr. Erst jetzt, als er ihr nah war, bemerkte er in der Dunkelheit, daß all ihre Blüten verwelkt waren.

»Kümmere dich nicht darum!« sagte sie, »auch morgen früh sollst du dich nicht um mich kümmern. Geh deinen Weg! Es ist alles gut und richtig so. Gute Nacht, mein schöner Bub.«

»Gute Nacht, Dame Aiuóla«, murmelte Bastian.

Dann ging er in sein Zimmer hinauf.

Als er am nächsten Tag herunterkam, sah er, daß Dame Aiuóla noch immer auf demselben Platz saß. Alle Blätter, Blüten und Früchte waren von ihr abgefallen. Sie hatte die Augen geschlossen und sah aus wie ein schwarzer, abgestorbener Baum. Lange stand Bastian vor ihr und schaute sie an. Dann sprang plötzlich eine Tür auf, die ins Freie führte.

Ehe er hinausging, wandte er sich noch einmal zurück und sagte, ohne zu wissen, ob er Dame Aiuóla oder das Haus meinte oder alle beide:

»Danke, danke für alles!«

Dann trat er durch die Tür hinaus. Draußen war es über Nacht Winter geworden. Der Schnee lag knietief, und von dem blühenden Rosenhag waren nur noch schwarze Dornenhecken übrig. Kein Wind regte sich. Es war bitterkalt und sehr still.

Bastian wollte zurück ins Haus, um seinen Mantel zu holen, aber Türen und Fenster waren verschwunden. Es hatte sich rundum geschlossen. Fröstelnd machte er sich auf den Weg.

XXV. Das Bergwerk der Bilder

or, der Blinde Bergmann, stand vor seiner Hütte und lauschte in die Weite der Schneefläche hinaus, die sich nach allen Seiten erstreckte. Die Stille war so vollkommen, daß sein feines Ohr eines Wanderers Schritte im Schnee knirschen hörte, der noch sehr weit entfernt war. Doch die Schritte kamen auf die Hütte zu.

Yor war ein großer, alter Mann, doch war sein Gesicht bartlos und ohne Furchen. Alles an ihm, sein Kleid, sein Gesicht, sein Haar war grau wie Stein. Wie er so reglos dastand, sah er aus, als sei er aus einem großen Stück Lava gemeißelt. Nur seine blinden Augen waren dunkel, und in ihrer Tiefe war ein Glimmen wie von einer kleinen Flamme.

Als Bastian – denn er war der Wanderer – herangekommen war, sagte er:

»Guten Tag. Ich habe mich verirrt. Ich suche nach der Quelle, wo das Wasser des Lebens entspringt. Kannst du mir helfen?«

Der Bergmann horchte auf die Stimme hin, die da sprach.

»Du hast dich nicht verirrt«, flüsterte er. »Aber sprich leise, sonst zerfallen meine Bilder.«

Er winkte Bastian, und der trat hinter ihm in die Hütte.

Sie bestand aus einem einzigen kleinen Raum, der schmucklos und äußerst karg eingerichtet war. Ein Holztisch, zwei Stühle, eine Pritsche zum Schlafen und ein Brettergestell, in dem allerhand Nahrungsmittel und Geschirr aufbewahrt wurden. Auf einem offenen Herd brannte ein kleines Feuer, darüber hing ein Kessel, in dem eine Suppe dampfte.

Yor schöpfte zwei Teller voll für sich und Bastian, stellte sie auf den Tisch und forderte den Gast mit einer Handbewegung zum Essen auf. Schweigend nahmen sie ihre Mahlzeit ein.

Dann lehnte sich der Bergmann zurück, seine Augen blickten durch Bastian hindurch in eine weite Ferne, flüsternd fragte er:

»Wer bist du?«

»Ich heiße Bastian Balthasar Bux.«

»Ah, deinen Namen weißt du also noch.«

»Ja. Und wer bist du?«

»Ich bin Yor, den man den Blinden Bergmann nennt. Aber ich bin nur im Licht blind. Unter Tag in meinem Bergwerk, wo vollkommene Finsternis herrscht, kann ich schauen.«

»Was ist das für ein Bergwerk?«

»Es heißt die Grube Minroud. Es ist das Bergwerk der Bilder.«

»Das Bergwerk der Bilder?« wiederholte Bastian verwundert, »so etwas habe ich noch nie gehört.«

Yor schien immerfort auf etwas zu lauschen.

»Und doch«, raunte er, »ist es gerade für solche wie dich da. Für Menschen, die den Weg zum Wasser des Lebens nicht finden können.«

»Was für Bilder sind es denn?« wollte Bastian wissen.

Yor schloß die Augen und schwieg eine Weile. Bastian wußte nicht, ob er seine Frage wiederholen sollte. Dann hörte er den Bergmann flüstern:

»Nichts geht verloren in der Welt. Hast du jemals etwas geträumt und beim Aufwachen nicht mehr gewußt, was es war?«

»Ja«, antwortete Bastian, »oft.«

Yor nickte gedankenvoll. Dann erhob er sich und machte Bastian ein Zeichen, ihm zu folgen. Ehe sie aus der Hütte traten, faßte er ihn mit hartem Griff an der Schulter und raunte ihm ins Ohr:

»Aber kein Wort, kein Laut, verstanden? Was du sehen wirst, ist meine Arbeit von vielen Jahren. Jedes Geräusch kann sie zerstören. Darum schweige und tritt leise auf!«

Bastian nickte, und sie verließen die Hütte. Hinter dieser war ein hölzerner Förderturm errichtet, unter dem ein Schacht senkrecht in die Erdentiefe hinunterführte. Sie gingen daran vorbei in die Weite der Schneefläche hinaus. Und nun sah Bastian die Bilder, die hier lagen wie in weiße Seide eingebettet, als wären es kostbare Juwelen.

Es waren hauchdünne Tafeln aus einer Art Marienglas,

durchsichtig und farbig und in allen Größen und Formen, rechteckige und runde, bruchstückartige und unversehrte, manche groß wie Kirchenfenster, andere klein wie Miniaturen auf einer Dose. Sie lagen, ungefähr nach Größe und Form geordnet, in Reihen, die sich bis zum Horizont der weißen Ebene erstreckten.

Was diese Bilder darstellten war rätselhaft. Da gab es vermummte Gestalten, die in einem großen Vogelnest dahinzuschweben schienen, oder Esel, die Richtertalare trugen, es gab Uhren, die wie weicher Käse zerflossen, oder Gliederpuppen, die auf grell beleuchteten, menschenleeren Plätzen standen. Da waren Gesichter und Köpfe, die ganz aus Tieren zusammengesetzt waren, und andere, die eine Landschaft bildeten. Aber es gab auch ganz gewöhnliche Bilder, Männer, die ein Kornfeld abmähten, und Frauen, die auf einem Balkon saßen. Es gab Gebirgsdörfer und Meereslandschaften, Kriegsszenen und Zirkusaufführungen, Straßen und Zimmer und immer wieder Gesichter, alte und junge, weise und einfältige, Narren und Könige, finstere und heitere. Da waren grausige Bilder, Hinrichtungen und Totentänze, und lustige Bilder von jungen Damen auf einem Walroß, oder von einer Nase, die herumspazierte und von allen Vorübergehenden gegrüßt wurde.

Je länger sie an den Bildern entlangwanderten, desto weniger konnte Bastian ergründen, was es mit ihnen auf sich hatte. Nur eines war ihm klar: Es gab einfach alles auf ihnen zu sehen, wenn auch meistens in eigentümlicher Zusammenstellung.

Nachdem er viele Stunden neben Yor an den Reihen der Tafeln vorübergegangen war, senkte sich die Dämmerung über die weite Schneefläche. Sie kehrten zur Hütte zurück. Als sie die Tür hinter sich geschlossen hatten, fragte Yor mit leiser Stimme:

»War eines dabei, das du erkannt hast?«

»Nein«, erwiderte Bastian.

Der Bergmann wiegte bedenkenvoll den Kopf.

»Warum?« wollte Bastian wissen, »was sind das für Bilder?«

»Es sind die vergessenen Träume aus der Menschenwelt«, erklärte Yor. »Ein Traum kann nicht zu nichts werden, wenn er einmal geträumt wurde. Aber wenn der Mensch, der ihn geträumt hat, ihn nicht behält – wo bleibt er dann? Hier bei uns in Phantásien, dort unten in der Tiefe unserer Erde. Dort lagern sich die vergessenen Träume ab in feinen, feinen Schichten, eine über der anderen. Je tiefer man hinuntergräbt, desto dichter liegen sie. Ganz Phantásien steht auf Grundfesten aus vergessenen Träumen.«

»Sind auch meine dabei?« fragte Bastian mit großen Augen.

Yor nickte nur.

»Und du meinst, ich muß sie finden?« forschte Bastian weiter.

»Wenigstens einen. Einer genügt«, antwortete Yor.

»Aber wozu?« wollte Bastian wissen.

Der Bergmann wandte ihm sein Gesicht zu, das jetzt nur noch vom Schein des kleinen Feuers auf dem Herd erleuchtet wurde. Seine blinden Augen blickten wieder durch Bastian hindurch wie in weite Ferne.

»Hör zu, Bastian Balthasar Bux«, sagte er, »ich rede nicht gern viel. Die Stille ist mir lieber. Aber dieses eine Mal sage ich es dir. Du suchst das Wasser des Lebens. Du möchtest lieben können, um zurückzufinden in deine Welt. Lieben – das sagt sich so! Das Wasser des Lebens wird dich fragen: Wen? Lieben kann man nämlich nicht einfach so irgendwie und allgemein. Aber du hast alles vergessen außer deinem Namen. Und wenn du nicht antworten kannst, wirst du nicht trinken dürfen. Drum kann dir nur noch ein vergessener Traum helfen, den du wiederfindest, ein Bild, das dich zur Quelle führt. Aber dafür wirst du das Letzte vergessen müssen, was du noch hast: Dich selbst. Und das bedeutet harte und geduldige Arbeit. Bewahre meine Worte gut, denn ich werde sie nie wieder aussprechen.«

Danach legte er sich auf seine Holzpritsche und schlief

ein. Bastian blieb nichts anderes übrig, als mit dem harten, kalten Boden als Lagerstätte vorlieb zu nehmen. Aber das machte ihm nichts aus.

Als er am nächsten Morgen mit klammen Gliedern erwachte, war Yor schon fortgegangen. Wahrscheinlich war er in die Grube Minroud eingefahren. Bastian nahm sich selber einen Teller der heißen Suppe, die ihn erwärmte, aber ihm nicht besonders mundete. In ihrer Salzigkeit erinnerte sie ein wenig an den Geschmack von Tränen und Schweiß.

Dann ging er hinaus und wanderte durch den Schnee der weiten Ebene an den unzähligen Bildern vorüber. Eines nach dem anderen betrachtete er aufmerksam, denn nun wußte er ja, was für ihn davon abhing, aber er konnte keines entdecken, das ihn in irgendeiner Weise besonders anrührte. Sie waren ihm alle ganz gleichgültig.

Gegen Abend sah er Yor in einem Förderkorb aus dem Schacht des Bergwerks aufsteigen. Auf dem Rücken trug er in einem Gestell einige verschieden große Tafeln des hauchdünnen Marienglases. Bastian begleitete ihn schweigend, während er noch einmal weit hinausging auf die Ebene und seine neuen Funde mit größter Behutsamkeit am Ende einer Reihe in den weichen Schnee bettete. Eines der Bilder stellte einen Mann dar, dessen Brust ein Vogelkäfig war, in dem zwei Tauben saßen. Ein anderes zeigte eine steinerne Frau, die auf einer großen Schildkröte ritt. Ein sehr kleines Bild ließ nur einen Schmetterling erkennen, dessen Flügel Flekken in der Form von Buchstaben aufwiesen. Es waren noch einige andere Bilder da, aber keines sagte Bastian irgend etwas.

Als er mit dem Bergmann wieder in der Hütte saß, fragte er:

»Was geschieht mit den Bildern, wenn der Schnee schmilzt?«

»Hier ist immer Winter«, entgegnete Yor.

Das war ihre ganze Unterhaltung an diesem Abend.

Während der folgenden Tage suchte Bastian weiter unter den Bildern nach einem, das er wiedererkannte oder das ihm wenigstens etwas Besonderes bedeutete – aber vergebens. Abends saß er mit dem Bergmann in der Hütte, und da dieser schwieg, gewöhnte Bastian sich daran, ebenfalls zu schweigen. Auch die behutsame Art sich zu bewegen, um kein Geräusch zu machen, das die Bilder zerfallen lassen könnte, übernahm er nach und nach von Yor.

»Jetzt habe ich alle Bilder gesehen«, sagte Bastian eines Abends, »für mich ist keines darunter.«

»Schlimm«, antwortete Yor.

»Was soll ich tun?« fragte Bastian, »soll ich auf die neuen Bilder warten, die du heraufbringst?«

Yor überlegte eine Weile, dann schüttelte er den Kopf.

»Ich an deiner Stelle«, flüsterte er, »würde selbst in die Grube Minroud einfahren und vor Ort graben.«

»Aber ich habe nicht deine Augen«, meinte Bastian, »ich kann in der Finsternis nicht sehen.«

»Hat man dir denn kein Licht gegeben auf deiner weiten Reise?« fragte Yor und blickte wieder durch Bastian hindurch, »keinen leuchtenden Stein, gar nichts, was dir jetzt helfen könnte?«

»Doch«, antwortete Bastian traurig, »aber ich habe Al' Tsahir zu etwas anderem gebraucht.«

»Schlimm«, wiederholte Yor mit steinernem Gesicht.

»Was rätst du mir?« wollte Bastian wissen.

Der Bergmann schwieg wieder lange, ehe er erwiderte:

»Dann mußt du eben im Dunkeln arbeiten.«

Bastian überlief ein Schauder. Zwar hatte er noch immer alle Kraft und Furchtlosigkeit, die ihm AURYN verliehen hatte, doch bei der Vorstellung, so tief, tief dort unten im Inneren der Erde in völliger Finsternis zu liegen, wurde das Mark seiner Knochen zu Eis. Er sagte nichts mehr, und beide legten sich schlafen.

Am nächsten Morgen rüttelte ihn der Bergmann an der Schulter.

Bastian richtete sich auf.

»Iß deine Suppe und komm!« befahl Yor kurz angebunden.

Bastian tat es.

Er folgte dem Bergmann zu dem Schacht, bestieg mit ihm zusammen den Förderkorb, und dann fuhr er in die Grube Minroud ein. Tiefer und tiefer ging es hinunter. Längst war der letzte spärliche Lichtschein, der durch die Öffnung des Schachtes drang, geschwunden, und noch immer sank der Korb in der Finsternis abwärts. Dann endlich zeigte ein Ruck, daß sie auf dem Grunde angelangt waren. Sie stiegen aus.

Hier unten war es sehr viel wärmer als oben auf der winterlichen Ebene, und schon nach kurzem begann Bastian der Schweiß am ganzen Körper auszubrechen, während er sich bemühte, den Bergmann, der rasch vor ihm herging, nicht im Dunkeln zu verlieren. Es war ein verschlungener Weg durch zahllose Stollen, Gänge und bisweilen auch Hallen, wie aus einem leisen Echo ihrer Schritte zu erraten war. Bastian stieß sich mehrmals sehr schmerzhaft an Vorsprüngen und Stützbalken, doch Yor nahm keine Notiz davon.

An diesem ersten Tag und auch noch an einigen folgenden unterwies der Bergmann ihn schweigend, nur indem er Bastians Hände führte, in der Kunst, die feinen, hauchzarten Marienglasschichten voneinander zu trennen und behutsam abzuheben. Es gab dazu Werkzeuge, die sich wie hölzerne oder hörnerne Spachtel anfühlten, zu Gesicht bekam er sie niemals, denn sie blieben an der Arbeitsstelle liegen, wenn das Tagewerk getan war.

Nach und nach erlernte er, sich dort unten in der völligen Dunkelheit zurechtzufinden. Er erkannte die Gänge und Stollen mit einem neuen Sinn, den er nicht hätte erklären können. Und eines Tages wies Yor ihn wortlos, nur durch Berührung mit seinen Händen an, von nun an allein in einem niedrigen Stollen zu arbeiten, in den man nur kriechend eindringen konnte. Bastian gehorchte. Es war sehr eng vor Ort, und über ihm lag die Bergeslast des Urgesteins.

Eingerollt wie ein ungeborenes Kind im Leib seiner Mutter lag er in den dunklen Tiefen der Grundfesten Phantásiens und schürfte geduldig nach einem vergessenen Traum, einem Bild, das ihn zum Wasser des Lebens führen konnte.

Da er nichts sehen konnte in der ewigen Nacht des Erdinneren, konnte er auch keine Auswahl und keine Entscheidung treffen. Er mußte darauf hoffen, daß der Zufall oder ein barmherziges Schicksal ihn irgendwann den rechten Fund machen lassen würde. Abend für Abend brachte er nach oben ans verlöschende Tageslicht, was er in den Tiefen der Grube Minroud abzulösen vermocht hatte. Und Abend für Abend war seine Arbeit umsonst gewesen. Doch Bastian klagte nicht und empörte sich nicht. Er hatte alles Mitleid mit sich selbst verloren. Er war geduldig und still geworden. Obwohl seine Kräfte unerschöpflich waren, fühlte er sich oft sehr müde.

Wie lange diese harte Zeit dauerte, läßt sich nicht sagen, denn solche Arbeit läßt sich nicht nach Tagen oder Monaten bemessen. Jedenfalls geschah es eines Abends, daß er ein Bild mitbrachte, das ihn auf der Stelle so sehr aufwühlte, daß er sich zurückhalten mußte, keinen Überraschungslaut auszustoßen und damit alles zu zerstören.

Auf der zarten Marienglastafel – sie war nicht sehr groß, hatte nur etwa das Format einer gewöhnlichen Buchseite – war sehr klar und deutlich ein Mann zu sehen, der einen weißen Kittel trug. In der einen Hand hielt er ein Gipsgebiß. Er stand da, und seine Haltung und der stille, bekümmerte Ausdruck in seinem Gesicht griffen Bastian ans Herz. Aber das, was ihn am meisten betroffen machte, war, daß der Mann in einen glasklaren Eisblock eingefroren war. Ganz und gar und von allen Seiten umgab ihn eine undurchdringliche, aber vollkommen durchsichtige Eisschicht.

Während Bastian das Bild betrachtete, das vor ihm im Schnee lag, erwachte in ihm Sehnsucht nach diesem Mann, den er nicht kannte. Es war ein Gefühl, das wie aus weiter Ferne herankam, wie eine Springflut im Meer, die man anfangs kaum wahrnimmt, bis sie näher und näher kommt und zuletzt zur gewaltigen, haushohen Woge wird, die alles mit sich reißt und hinwegschwemmt. Bastian ertrank fast darin und rang nach Luft. Das Herz tat ihm weh, es war nicht groß genug für eine so riesige Sehnsucht. In dieser Flutwelle ging alles unter, was er noch an Erinnerung an sich selbst besaß. Und er vergaß das Letzte, was er noch hatte: Seinen eigenen Namen.

Als er später zu Yor in die Hütte trat, schwieg er. Auch der Bergmann sagte nichts, aber er blickte lange nach ihm hin, wobei seine Augen wieder wie in weite Ferne zu schauen schienen, und dann ging zum ersten Mal in all dieser Zeit ein kurzes Lächeln über seine steingrauen Züge.

In dieser Nacht konnte der Junge, der nun keinen Namen mehr hatte, trotz aller Müdigkeit nicht einschlafen. Immerfort sah er das Bild vor sich. Ihm war, als ob der Mann ihm etwas sagen wollte, aber es nicht konnte, weil er in dem Eisblock eingeschlossen war. Der Junge ohne Namen wollte ihm helfen, wollte machen, daß dieses Eis taute. Wie in einem wachen Traum sah er sich selbst den Eisblock umarmen, um ihn mit der Wärme seines Körpers zum Schmelzen zu bringen. Aber alles war vergebens.

Doch dann hörte er plötzlich, was der Mann ihm sagen wollte, hörte es nicht mit den Ohren, sondern tief in seinem eigenen Herzen:

»Hilf mir bitte! Laß mich nicht im Stich! Allein komme ich aus diesem Eis nicht heraus. Hilf mir! Nur du kannst mich daraus befreien – nur du!«

Als sie sich am nächsten Morgen bei Tagesgrauen erhoben, sagte der Junge ohne Namen zu Yor:

»Ich fahre heute nicht mehr mit dir in die Grube Minroud ein.«

»Willst du mich verlassen?«

Der Junge nickte. »Ich will gehen und das Wasser des Lebens suchen.«

»Hast du das Bild gefunden, das dich führen wird?«

»Ja.«

»Willst du es mir zeigen?«

Der Junge nickte abermals. Beide gingen hinaus in den Schnee, wo das Bild lag. Der Junge sah es an, aber Yor richtete seine blinden Augen auf das Gesicht des Jungen, als blicke er durch ihn hindurch in eine weite Ferne. Er schien lange auf etwas hinzuhorchen. Endlich nickte er.

»Nimm es mit«, flüsterte er, »und verliere es nicht. Wenn du es verlierst oder wenn es zerstört wird, dann ist für dich alles zu Ende. Denn in Phantásien bleibt dir nun nichts mehr. Du weißt, was das heißt.«

Der Junge, der keinen Namen mehr hatte, stand mit gesenktem Kopf und schwieg eine Weile. Dann sagte er ebenso leise:

»Danke, Yor, für das, was du mich gelehrt hast.«

Sie gaben sich die Hände.

»Du warst ein guter Bergknappe«, raunte Yor, »und hast fleißig gearbeitet.«

Damit wandte er sich ab und ging auf den Schacht der Grube Minroud zu. Ohne sich noch einmal umzudrehen, stieg er in den Förderkorb und fuhr in die Tiefe.

Der Junge ohne Namen hob das Bild aus dem Schnee auf und stapfte in die Weite der weißen Ebene hinaus.

Viele Stunden war er schon so gewandert, längst war Yors Hütte am Horizont hinter ihm verschwunden, und nichts umgab ihn mehr als die weiße Fläche, die sich nach allen Seiten hin erstreckte. Aber er fühlte, wie das Bild, das er behutsam mit beiden Händen hielt, ihn in eine bestimmte Richtung zog.

Der Junge war entschlossen, dieser Kraft zu folgen, denn sie würde ihn an den richtigen Ort bringen, mochte der Weg nun lang sein oder kurz. Nichts mehr sollte ihn jetzt noch zurückhalten. Er wollte das Wasser des Lebens finden, und er war sicher, daß er es konnte.

Da hörte er plötzlich Lärm hoch in den Lüften. Es war wie fernes Geschrei und Gezwitscher aus vielen Kehlen. Als er zum Himmel hinaufschaute, sah er eine dunkle Wolke, die wie ein großer Vogelschwarm aussah. Erst als dieser

Schwarm näher herangekommen war, erkannte er, worum es sich in Wirklichkeit handelte, und vor Schreck blieb er wie angewurzelt stehen.

Es waren die Clowns-Motten, die Schlamuffen!

»Barmherziger Himmel!« dachte der Junge ohne Namen, »hoffentlich haben sie mich nicht gesehen! Sie werden mit ihrem Geschrei das Bild zerstören!«

Aber sie hatten ihn gesehen!

Mit ungeheurem Gelächter und Gejohle stürzte sich der Schwarm auf den einsamen Wanderer nieder und landete um ihn herum im Schnee.

»Hurra!« krähten sie und rissen ihre bunten Münder auf, »da haben wir ihn ja endlich wiedergefunden, unseren großen Wohltäter!«

Und sie wälzten sich im Schnee, bewarfen sich mit Schneebällen, machten Purzelbäume und Kopfstände.

»Leise! Seid bitte leise!« flüsterte der Junge ohne Namen verzweifelt. Der ganze Chor schrie begeistert:

»Was hat er gesagt?« – »Er hat gesagt, wir sind zu leise!« – »Das hat uns noch niemand gesagt!«

»Was wollt ihr von mir?« fragte der Junge, »warum laßt ihr mich nicht in Ruhe?«

Alle wirbelten um ihn herum und schnatterten:

»Großer Wohltäter! Großer Wohltäter! Weißt du noch, wie du uns erlöst hast, als wir noch die Acharai waren? Damals waren wir die unglücklichsten Wesen in ganz Phantásien, aber jetzt hängen wir uns selbst zum Hals heraus. Was du da aus uns gemacht hast, war anfangs ganz lustig, aber jetzt langweilen wir uns zu Tode. Wir flattern so herum und haben nichts, woran wir uns halten können. Wir können nicht einmal ein richtiges Spiel spielen, weil wir keine Regel haben. Lächerliche Hanswurste hast du aus uns gemacht mit deiner Erlösung! Du hast uns betrogen, großer Wohltäter!«

»Ich hab' es doch gut gemeint«, flüsterte der Junge entsetzt.

»Jawohl, mit dir selbst!« schrien die Schlamuffen im

Chor, »du bist dir ganz großartig vorgekommen. Aber wir haben die Zeche bezahlt für deine Güte, großer Wohltäter!«

»Was soll ich denn tun?« fragte der Junge. »Was wollt ihr von mir?«

»Wir haben dich gesucht«, kreischten die Schlamuffen mit verzerrten Clownsgesichtern, »wir wollten dich einholen, ehe du dich aus dem Staub machen kannst. Und jetzt haben wir dich eingeholt. Und wir werden dich nicht mehr in Ruhe lassen, ehe du nicht unser Häuptling geworden bist. Du mußt unser Ober-Schlamuffe werden, unser Haupt-Schlamuffe, unser General-Schlamuffe! Alles, was du willst!«

»Aber warum denn, warum?« flüsterte der Junge flehend.

Und der Chor der Clowns kreischte zurück:

»Wir wollen, daß du uns Befehle gibst, daß du uns herumkommandierst, daß du uns zu irgend etwas zwingst, daß du uns irgend etwas verbietest! Wir wollen, daß unser Dasein zu irgend etwas da ist!«

»Das kann ich nicht! Warum wählt ihr nicht einen von euch?«

»Nein, nein, dich wollen wir, großer Wohltäter! Du hast doch aus uns gemacht, was wir jetzt sind!«

»Nein!« keuchte der Junge, »ich muß fort von hier. Ich muß zurückkehren!«

»Nicht so schnell, großer Wohltäter!« schrien die Clownsmünder, »du entkommst uns nicht. Das könnte dir so passen – dich einfach aus Phantásien verdrücken!«

»Aber ich bin am Ende!« beteuerte der Junge.

»Und wir?« antwortete der Chor, »was sind wir?«

»Geht weg!« rief der Junge, »ich kann mich nicht mehr um euch kümmern!«

»Dann mußt du uns zurückverwandeln!« erwiderten die schrillen Stimmen, »dann wollen wir lieber wieder Acharai werden. Der Tränensee ist ausgetrocknet, und Amargánth sitzt auf dem Trockenen. Und niemand spinnt mehr das feine Silberfiligran. Wir wollen wieder Acharai sein.«

»Ich kann's nicht mehr!« antwortete der Junge. »Ich habe keine Macht mehr in Phantásien.«

»Dann«, brüllte der ganze Schwarm und wirbelte durcheinander, »nehmen wir dich mit uns!«

Hunderte von kleinen Händen packten ihn und versuchten ihn in die Höhe zu reißen. Der Junge wehrte sich aus Leibeskräften, und die Motten flogen nach allen Seiten. Aber hartnäckig wie gereizte Wespen kehrten sie immer wieder zurück.

Mitten in dieses Gezeter und Gekreische hinein ließ sich plötzlich von fernher ein leiser und doch mächtiger Klang vernehmen, der wie das Dröhnen einer großen Bronzeglokke tönte.

Und im Handumdrehen ergriffen die Schlamuffen die Flucht und verschwanden als dunkler Schwarm am Himmel.

Der Junge, der keinen Namen mehr hatte, kniete im Schnee. Vor ihm lag, zu Staub zerfallen, das Bild. Nun war alles verloren. Es gab nichts mehr, was ihn den Weg zum Wasser des Lebens führen konnte.

Als er aufblickte, sah er durch seine Tränen undeutlich in einiger Entfernung zwei Gestalten auf dem Schneefeld vor sich, eine große und eine kleine. Er wischte sich die Augen und sah noch einmal hin.

Es waren Fuchur, der weiße Glücksdrache, und Atréju.

XXVI. Die Wasser des Lebens

ögernd stand der Junge, der keinen Namen mehr hatte, auf und ging ein paar Schritte auf Atréju zu. Dann blieb er stehen. Atréju tat nichts, er blickte ihm nur aufmerksam und ruhig entgegen. Die Wunde auf seiner Brust blutete nicht mehr.

Lange standen sie sich gegenüber, und keiner von beiden sagte ein Wort. Es war so still, daß jeder die Atemzüge des anderen hörte.

Langsam griff der Junge ohne Namen nach der goldenen Kette, die um seinen Hals lag, und nahm AURYN ab. Er bückte sich nieder und legte das Kleinod sorgsam vor Atréju in den Schnee. Dabei betrachtete er noch einmal die beiden Schlangen, die helle und die dunkle, die einander in den Schwanz bissen und ein Oval bildeten. Dann ließ er es los.

Im gleichen Augenblick wurde der goldene Glanz AURYNS so über alle Maßen hell und strahlend, daß er geblendet die Augen schließen mußte, als hätte er in die Sonne geschaut. Als er sie wieder öffnete, sah er, daß er in einer Kuppelhalle stand, groß wie das Himmelsgewölbe. Die Quader dieses Bauwerks waren aus goldenem Licht. Mitten in diesem unermeßlichen Raum aber lagen, riesig wie eine Stadtmauer, die beiden Schlangen.

Atréju, Fuchur und der Junge ohne Namen standen nebeneinander auf der Seite des schwarzen Schlangenkopfes, der in seinem Rachen das Ende der weißen Schlange hielt. Das starre Auge mit der senkrechten Pupille war auf die drei gerichtet. Im Vergleich zu ihm waren sie winzig, sogar der Glücksdrache erschien klein wie ein weißes Räupchen.

Die reglosen Riesenleiber der Schlangen glänzten wie unbekanntes Metall, nachtschwarz die eine, silberweiß die andere. Und das Verderben, das sie hervorrufen konnten, war nur gebannt, weil sie sich gegenseitig gefangenhielten. Wenn sie sich je losließen, dann würde die Welt untergehen. Das war gewiß.

Aber indem sie sich gegenseitig fesselten, hüteten sie zugleich das Wasser des Lebens. Denn in der Mitte, um die sie lagen, rauschte ein mächtiger Springquell, dessen Strahl auf und nieder tanzte und im Fallen Tausende von Formen bildete und wieder auflöste, viel schneller, als das Auge zu folgen vermochte. Die schäumenden Wasser zerstiebten zu feinem Nebel, in dem das goldene Licht sich in allen Regenbogenfarben brach. Es war ein Brausen und Jubeln und Singen und Jauchzen und Lachen und Rufen mit tausend Stimmen der Freude.

Der Junge ohne Namen schaute wie ein Verdurstender nach diesem Wasser hin – aber wie sollte er zu ihm gelangen? Der Schlangenkopf regte sich nicht.

Plötzlich hob Fuchur den Kopf. Seine rubinroten Augenbälle begannen zu funkeln.

»Könnt ihr auch verstehen, was die Wasser sagen?« fragte er.

»Nein«, antwortete Atréju, »ich nicht.«

»Ich weiß nicht, wie es kommt«, raunte Fuchur, »aber ich verstehe es ganz deutlich. Vielleicht, weil ich ein Glücksdrache bin. Alle Sprachen der Freude sind miteinander verwandt.«

»Was sagen die Wasser?« fragte Atréju.

Fuchur horchte aufmerksam und sprach langsam und Wort für Wort mit, was er hörte:

»Wir, die Wasser des Lebens!
Quelle, die aus sich selbst entspringt
und um so reicher fließt,
je mehr ihr aus uns trinkt.«

Wieder lauschte er eine Weile und sagte:

»Sie rufen immerfort: Trink! Trink! Tu, was du willst!«

»Wie können wir denn hinkommen?« fragte Atréju.

»Sie fragen uns nach unseren Namen«, erklärte Fuchur.

»Ich bin Atréju!« rief Atréju.

»Ich bin Fuchur!« sagte Fuchur.

Der Junge ohne Namen blieb stumm.

Atréju sah ihn an, dann nahm er ihn bei der Hand und rief:

»Er ist Bastian Balthasar Bux.«

»Sie fragen«, übersetzte Fuchur, »warum er nicht selber spricht.«

»Er kann es nicht mehr«, sagte Atréju, »er hat alles vergessen.«

Fuchur horchte wieder eine Weile auf das Rauschen und Brausen.

»Ohne Erinnerung, sagen sie, kann er nicht eintreten. Die Schlangen lassen ihn nicht durch.«

»Ich habe alles für ihn bewahrt«, rief Atréju, »alles, was er mir von sich und seiner Welt erzählt hat. Ich stehe für ihn ein.«

Fuchur lauschte.

»Sie fragen – mit welchem Recht du das tust.«

»Ich bin sein Freund«, sagte Atréju.

Wieder verging eine Weile, während Fuchur aufmerksam lauschte.

»Es scheint nicht gewiß«, flüsterte er Atréju zu, »ob sie das gelten lassen. – Jetzt sprechen sie von deiner Wunde. Sie wollen wissen, wie es dazu kam.«

»Wir hatten beide recht«, sagte Atréju, »und haben uns beide geirrt. Aber jetzt hat Bastian AURYN freiwillig abgelegt.«

Fuchur horchte und nickte dann.

»Ja«, sagte er, »jetzt lassen sie es gelten. Dieser Ort ist AURYN. Wir sind willkommen, sagen sie.«

Atréju schaute zu der riesigen Goldkuppel auf.

»Jeder von uns«, flüsterte er, »hat es um den Hals getragen – sogar du, Fuchur, für eine kleine Weile.«

Der Glücksdrache machte ihm ein Zeichen, still zu sein, und horchte wieder auf den Gesang der Wasser.

Dann übersetzte er:

»AURYN ist die Tür, die Bastian suchte. Er hat sie von Anfang an mit sich getragen. Aber nichts aus Phantásien – sagen sie – wird von den Schlangen über die Schwelle gelassen. Darum muß Bastian alles hergeben, was ihm die Kindliche Kaiserin geschenkt hat. Sonst kann er nicht vom Wasser des Lebens trinken.«

»Aber wir sind doch in ihrem Zeichen«, rief Atréju, »ist sie selbst denn nicht hier?«

»Sie sagen, hier endet Mondenkinds Macht. Und sie als einzige kann diesen Ort niemals betreten. Sie kann nicht ins Innere des Glanzes, weil sie sich selbst nicht ablegen kann.«

Atréju schwieg verwirrt.

»Sie fragen jetzt«, fuhr Fuchur fort, »ob Bastian bereit ist?«

»Ja«, sagte Atréju laut, »er ist bereit.«

In diesem Augenblick begann der riesenhafte schwarze Schlangenkopf sich sehr langsam zu heben, ohne dabei das Ende der weißen Schlange, das er im Rachen hielt, loszulassen. Die gewaltigen Körper bogen sich auf, bis sie ein hohes Tor bildeten, dessen eine Hälfte schwarz und dessen andere weiß war.

Atréju führte Bastian an der Hand durch dieses schauerliche Tor auf den Springquell zu, der nun in seiner ganzen Größe und Herrlichkeit vor ihnen lag. Fuchur folgte den beiden. Und während sie darauf zugingen, fiel mit jedem Schritt von Bastian eine der wunderbaren phantásischen Gaben nach der anderen ab. Aus dem schönen, starken und furchtlosen Helden wurde wieder der kleine, dicke und schüchterne Junge. Sogar seine Kleidung, die in Yors Minroud fast schon zu Lumpen zerfallen war, verschwand und löste sich vollends in Nichts auf. So stand er zuletzt nackt und bloß vor dem großen Goldrund, in dessen Mitte die Wasser des Lebens aufsprangen, hoch wie ein kristallener Baum.

In diesem letzten Augenblick, da er keine der phantásischen Gaben mehr besaß, aber die Erinnerung an seine Welt und sich selbst noch nicht wiederbekommen hatte, durchlebte er einen Zustand völliger Unsicherheit, in dem er nicht mehr wußte, in welche Welt er gehörte und ob es ihn selbst in Wirklichkeit gab.

Aber dann sprang er einfach in das kristallklare Wasser

hinein, wälzte sich, prustete, spritzte und ließ sich den funkelnden Tropfenregen in den Mund laufen. Er trank und trank, bis sein Durst gestillt war. Und Freude erfüllte ihn von Kopf bis Fuß, Freude zu leben und Freude, er selbst zu sein. Denn jetzt wußte er wieder, wer er war und wohin er gehörte. Er war neu geboren. Und das schönste war, daß er jetzt genau der sein wollte, der er war. Wenn er sich unter allen Möglichkeiten eine hätte aussuchen dürfen, er hätte keine andere gewählt. Denn jetzt wußte er: Es gab in der Welt tausend und tausend Formen der Freude, aber im Grunde waren sie alle eine einzige, die Freude, lieben zu können. Beides war ein und dasselbe.

Auch späterhin, als Bastian längst wieder in seine Welt zurückgekehrt war, als er erwachsen und schließlich alt wurde, verließ ihn diese Freude nie mehr ganz. Auch in den schwersten Zeiten seines Lebens blieb ihm eine Herzensfrohheit, die ihn lächeln machte und die andere Menschen tröstete.

»Atréju!« schrie er dem Freund zu, der mit Fuchur am Rande des großen Goldrunds stand, »komm doch auch! Komm! Trink! Es ist wunderbar!«

Atréju schüttelte lachend den Kopf.

»Nein«, rief er zurück, »diesmal sind wir nur zu deiner Begleitung hier.«

»Diesmal?« fragte Bastian, »was meinst du damit?«

Atréju wechselte einen Blick mit Fuchur, dann sagte er:

»Wir beide waren schon einmal hier. Wir haben den Ort nicht gleich wiedererkannt, weil wir damals schlafend hergebracht wurden und schlafend wieder fort. Aber jetzt haben wir uns erinnert.«

Bastian stieg aus dem Wasser.

»Ich weiß jetzt wieder, wer ich bin«, sagte er strahlend.

»Ja«, meinte Atréju und nickte, »jetzt erkenne ich dich auch wieder. Jetzt siehst du so aus wie damals, als ich dich im Zauber Spiegel Tor gesehen habe.«

Bastian schaute zu dem schäumenden, funkelnden Wasser empor.

»Ich möchte es meinem Vater bringen«, rief er in das Tosen, »aber wie?«

»Ich glaube nicht, daß es möglich ist«, antwortete Atréju, »man kann doch aus Phantásien nichts über die Schwelle bringen.«

»Bastian schon!« ließ sich Fuchur vernehmen, dessen Stimme jetzt wieder ihren vollen Bronzeklang hatte, »er wird es können!«

»Du bist eben ein Glücksdrache!« sagte Bastian.

Fuchur machte ihm ein Zeichen, still zu sein und hörte dem tausendstimmigen Rauschen zu.

Dann erklärte er:

»Die Wasser sagen, du mußt dich jetzt auf den Weg machen und wir auch.«

»Wo ist denn mein Weg?« fragte Bastian.

»Zum anderen Tor hinaus«, übersetzte Fuchur, »dort wo der weiße Schlangenkopf liegt.«

»Gut«, sagte Bastian, »aber wie komm' ich hinaus? Der weiße Kopf regt sich nicht.«

In der Tat lag der Kopf der weißen Schlange bewegungslos. Sie hielt das Ende der schwarzen Schlange im Rachen, und ihr Riesenauge starrte Bastian an.

»Die Wasser fragen dich«, verkündete Fuchur, »ob du alle Geschichten, die du in Phantásien begonnen hast, auch zu Ende geführt hast.«

»Nein«, sagte Bastian, »eigentlich keine.«

Fuchur horchte eine Weile. Sein Gesicht nahm einen bestürzten Ausdruck an.

»Sie sagen, dann wird dich die weiße Schlange nicht durchlassen. Du mußt zurück nach Phantásien und alles zu Ende bringen.«

»Alle Geschichten?« stammelte Bastian, »dann kann ich nie mehr zurück. Dann war alles umsonst.«

Fuchur lauschte gespannt.

»Was sagen sie?« wollte Bastian wissen.

»Still!« sagte Fuchur.

Nach einer Weile seufzte er und erklärte:

»Sie sagen, es ist nicht zu ändern, es sei denn, es fände sich jemand, der diese Aufgabe für dich übernimmt.«

»Aber es sind unzählige Geschichten«, rief Bastian, »und aus jeder kommen immer neue. So eine Aufgabe kann niemand übernehmen.«

»Doch«, sagte Atréju, »ich.«

Bastian schaute ihn sprachlos an. Dann fiel er ihm um den Hals und stammelte:

»Atréju, Atréju! Das werd' ich dir nie vergessen!«

Atréju lächelte.

»Gut, Bastian, dann vergißt du auch Phantásien nicht.«

Er gab ihm einen brüderlichen Klaps auf die Backe, dann drehte er sich rasch um und ging auf das Tor des schwarzen Schlangenkopfes zu, das noch immer hochgewölbt war wie in dem Augenblick, als sie den Ort betreten hatten.

»Fuchur«, sagte Bastian, »wie wollt ihr das je zu Ende bringen, was ich euch da zurücklasse?«

Der weiße Drache zwinkerte mit einem seiner rubinroten Augenbälle und antwortete:

»Mit Glück, mein Junge! Mit Glück!«

Damit folgte er seinem Herrn und Freund.

Bastian blickte ihnen nach, wie sie durch das Tor hinausgingen, zurück nach Phantásien. Die beiden drehten sich noch einmal um und winkten ihm zu. Dann senkte sich der schwarze Schlangenkopf, bis er wieder auf dem Boden lag. Bastian konnte Atréju und Fuchur nicht mehr sehen.

Er war jetzt allein.

Er drehte sich nach dem anderen, dem weißen Schlangenkopf um und sah, daß dieser sich zur gleichen Zeit gehoben hatte und daß die Schlangenkörper auf dieselbe Art zu einem Tor gebogen waren, wie vorher auf der anderen Seite.

Rasch schöpfte er mit beiden Händen vom Wasser des Lebens und rannte auf dieses Tor zu. Dahinter war Dunkelheit.

Bastian warf sich in sie hinein – und stürzte ins Leere.

»Vater!« schrie er, »Vater! – Ich – bin – Bastian – Balthasar – Bux!«

»Vater! Vater! – Ich – bin – Bastian – Balthasar – Bux!«

Noch während er es schrie, fand er sich ohne Übergang auf dem Speicher des Schulhauses wieder, von wo aus er einst, vor langer Zeit, nach Phantásien gekommen war. Er erkannte den Ort nicht gleich und war wegen der wunderlichen Dinge, die er um sich erblickte, wegen der ausgestopften Tiere, des Gerippes und der Gemälde, sogar einen kurzen Augenblick unsicher, ob er sich nicht doch noch immer in Phantásien befand. Doch dann sah er seine Schulmappe und den verrosteten siebenarmigen Leuchter mit den erloschenen Kerzen, und nun wußte er, wo er war.

Wie lange mochte es her sein, daß er von hier aus seine große Reise durch die Unendliche Geschichte angetreten hatte? Wochen? Monate? Vielleicht Jahre? Er hatte einmal die Geschichte eines Mannes gelesen, der sich nur für eine Stunde in einer Zauberhöhle aufgehalten hatte, und als er zurückkehrte, waren hundert Jahre verstrichen, und von allen Menschen, die er gekannt hatte, lebte nur noch einer, der damals ein kleines Kind gewesen und jetzt uralt war.

Durch die Luke im Dach fiel graues Tageslicht herein, aber es war nicht auszumachen, ob es Vormittag oder Nachmittag war. Es herrschte bittere Kälte auf dem Speicher, genauso wie in der Nacht, als Bastian von hier fortgegangen war.

Er wickelte sich aus dem Haufen staubiger Militärdekken, unter dem er lag, zog seine Schuhe und seinen Mantel an und stellte überrascht fest, daß beide feucht waren wie an jenem Tag, als es so geregnet hatte.

Er hängte sich den Riemen über die Schulter und suchte nach dem Buch, das er damals gestohlen und mit dem alles angefangen hatte. Er war fest entschlossen, es dem unfreundlichen Herrn Koreander zurückzubringen. Mochte der ihn wegen des Diebstahls bestrafen oder anzeigen oder noch Schlimmeres tun, für einen, der solche Abenteuer hinter sich hatte wie Bastian, gab es nicht mehr leicht etwas, das ihm angst machte. Aber das Buch war nicht da.

Bastian suchte und suchte, er wühlte die Decken um und schaute in jeden Winkel. Es half nichts. Die Unendliche Geschichte war verschwunden.

»Nun gut«, sagte sich Bastian schließlich, »dann muß ich ihm eben sagen, daß es weg ist. Er wird mir sicherlich nicht glauben. Ich kann es nicht ändern. Mag daraus werden, was will. Aber wer weiß, ob er sich überhaupt noch erinnert nach so langer Zeit? Vielleicht gibt es den Buchladen gar nicht mehr?«

Das würde sich bald herausstellen, denn zunächst mußte er ja nun einmal durch die Schule gehen. Wenn die Lehrer und Kinder, denen er begegnen würde, ihm fremd wären, dann würde er wissen, womit er zu rechnen hatte.

Aber als er nun die Speichertür aufschloß und in die Gänge des Schulhauses hinunterstieg, empfing ihn dort völlige Stille. Keine Menschenseele schien sich im Gebäude zu befinden. Und doch schlug die Uhr auf dem Schulturm gerade neun. Es war also Vormittag, und der Unterricht hätte längst begonnen haben müssen.

Bastian blickte in einige Klassenzimmer, aber überall herrschte die gleiche Leere. Als er an eines der Fenster trat und auf die Straße hinunterblickte, sah er dort einige Menschen gehen und Autos fahren. Die Welt war also wenigstens nicht ausgestorben.

Er lief die Treppen hinunter zum großen Eingangstor und versuchte es zu öffnen, aber es war abgeschlossen. Er wandte sich zu der Tür, hinter der die Hausmeisterwohnung lag, klingelte und klopfte, aber niemand rührte sich.

Bastian überlegte. Er konnte unmöglich warten, ob vielleicht doch irgendwann einmal jemand kommen würde. Er wollte jetzt zu seinem Vater. Auch wenn er das Wasser des Lebens verschüttet hatte.

Sollte er ein Fenster öffnen und so lange rufen, bis jemand ihn hörte und dafür sorgte, daß die Tür aufgeschlossen würde? Nein, das schien ihm irgendwie beschämend. Ihm fiel ein, daß er ja aus dem Fenster klettern konnte. Sie waren von innen zu öffnen. Aber die Fenster im Erdgeschoß waren alle vergittert. Dann kam ihm in den Sinn, daß er bei seinem Blick aus dem ersten Stockwerk auf die Straße hinunter ein Baugerüst bemerkt hatte. Offenbar wurde an einer Außenmauer der Schule der Verputz erneuert.

Bastian stieg wieder in das erste Stockwerk hinauf und ging zu dem Fenster. Es ließ sich öffnen, und er stieg hinaus.

Das Gerüst bestand nur aus senkrechten Balken, zwischen denen in gewissen Abständen waagrechte Bretter lagen. Die Bretter schwangen unter Bastians Gewicht auf und ab. Einen Augenblick lang überfiel ihn ein Schwindelanfall, und Angst stieg in ihm auf, aber er zwang beides in sich nieder. Für einen, der Herr von Perelín gewesen war, gab es hier überhaupt kein Problem – auch wenn er nicht mehr über die fabelhaften Körperkräfte verfügte und das Gewicht seines dicken Körpers ihm doch ein wenig zu schaffen machte. Bedachtsam und ruhig suchte er Griff und Halt für Hand und Fuß und kletterte die senkrechten Balken abwärts. Einmal zog er sich einen Holzsplitter ein, aber solche Kleinigkeiten machten ihm nichts mehr aus. Etwas erhitzt und keuchend, aber wohlbehalten kam er unten auf der Straße an. Niemand hatte ihn beobachtet.

Bastian rannte nach Hause. Die Federmappe und die Bücher klapperten im Rhythmus seiner Schritte in der Schulmappe, er bekam Seitenstechen, aber er rannte weiter. Er wollte zu seinem Vater.

Als er endlich zu dem Haus kam, wo er wohnte, blieb er doch für einen Moment stehen und schaute zu dem Fenster hinauf, hinter dem Vaters Labor lag. Und jetzt plötzlich schnürte ihm Bangigkeit das Herz zusammen, weil ihm zum ersten Mal der Gedanke kam, daß der Vater nicht mehr da sein könnte.

Doch der Vater war da und mußte ihn wohl kommen gesehen haben, denn als Bastian jetzt die Treppen hinaufstürmte, kam er ihm entgegengelaufen. Er breitete die Arme aus, und Bastian warf sich hinein. Der Vater hob ihn hoch und trug ihn in die Wohnung.

»Bastian, mein Junge«, sagte er immer wieder, »mein lieber, lieber kleiner Kerl, wo bist du nur gewesen? Was ist dir passiert?«

Erst als sie am Küchentisch saßen und der Junge heiße Milch trank und Frühstückssemmeln aß, die der Vater ihm fürsorglich dick mit Butter und Honig strich, bemerkte Bastian, wie blaß und mager das Gesicht des Vaters war. Seine Augen waren gerötet und sein Kinn unrasiert. Aber sonst sah er noch genauso aus wie damals, als Bastian fortgegangen war. Und er sagte es ihm.

»Damals?« fragte der Vater verwundert, »was meinst du damit?«

»Wie lange war ich denn fort?«

»Seit gestern, Bastian. Seit du in die Schule gegangen bist. Aber als du nicht zurückkamst, habe ich die Lehrer angerufen und erfahren, daß du dort gar nicht warst. Ich habe den ganzen Tag und die ganze Nacht nach dir gesucht, mein Junge. Ich hab' die Polizei losgeschickt, weil ich schon das Schlimmste befürchtete. O Gott, Bastian, was war nur los? Ich bin fast verrückt geworden aus Sorge um dich. Wo warst du denn nur?«

Und nun begann Bastian zu erzählen, was er erlebt hatte. Er erzählte alles ganz ausführlich, und es dauerte viele Stunden.

Der Vater hörte ihm zu, wie er ihm noch nie zugehört hatte. Er verstand, was Bastian ihm erzählte.

Gegen Mittag unterbrach er einmal, aber nur, um die Polizei anzurufen und mitzuteilen, daß sein Sohn zurückgekehrt und alles in Ordnung sei. Dann machte er für sie beide Mittagessen, und Bastian fuhr fort, zu erzählen. Der Abend brach schon herein, als Bastian mit seinem Bericht bei den Wassern des Lebens angekommen war und erzählte, wie er davon dem Vater hatte mitbringen wollen und es dann doch verschüttet hatte.

Es war schon fast dunkel in der Küche. Der Vater saß reglos. Bastian stand auf und knipste das Licht an. Und nun sah er etwas, was er noch nie zuvor gesehen hatte.

Er sah Tränen in den Augen seines Vaters.

Und er begriff, daß er ihm das Wasser des Lebens doch hatte bringen können.

Der Vater zog ihn stumm auf seinen Schoß und drückte ihn an sich, und sie streichelten sich gegenseitig.

Nachdem sie lange so gesessen hatten, atmete der Vater tief auf, schaute Bastian ins Gesicht und begann zu lächeln. Es war das glücklichste Lächeln, das Bastian je bei ihm gesehen hatte.

»Von jetzt an«, sagte der Vater mit einer ganz veränderten Stimme, »von jetzt an wird alles anders werden mit uns, meinst du nicht?«

Und Bastian nickte. Sein Herz war zu voll, als daß er hätte sprechen können.

Am nächsten Morgen war der erste Schnee gefallen. Weich und rein lag er auf dem Fensterbrett vor Bastians Zimmer. Alle Geräusche der Straße klangen gedämpft herauf.

»Weißt du was, Bastian?« sagte der Vater vergnügt beim Frühstück, »ich finde, wir beide haben wahrhaftig allen Grund zum Feiern. So ein Tag wie heute kommt nur einmal im Leben vor – und bei manchen nie. Deshalb schlage ich vor, daß wir beide zusammen was ganz Großartiges unternehmen. Ich laß' heute die Arbeit Arbeit sein, und du brauchst nicht in die Schule. Ich schreib dir eine Entschuldigung. Was hältst du davon?«

»In die Schule?« fragte Bastian. »Gibt's die denn noch? Als ich gestern durch die Klassenzimmer gelaufen bin, war keine Menschenseele da. Nicht mal der Hausmeister.«

»Gestern?« antwortete der Vater, »aber gestern war doch der erste Advent, Bastian.«

Der Junge rührte gedankenvoll in seinem Frühstückskakao. Dann meinte er leise:

»Ich glaub', es dauert noch ein bißchen, bis ich mich wieder richtig eingewöhnt hab'.«

»Eben«, sagte der Vater und nickte, »und deshalb machen wir uns einen Festtag, wir beide. Was würdest du am liebsten unternehmen? Wir könnten irgendeinen Ausflug machen, oder wollen wir in den Tierpark fahren? Mittags leisten wir uns das großartigste Menü, das die Welt je gesehen hat. Nachmittags könnten wir einkaufen gehen, alles was du willst. Und abends – sollen wir abends ins Theater?«

Bastians Augen glänzten. Dann sagte er entschlossen:

»Aber erst muß ich noch etwas anderes tun. Ich muß zu Herrn Koreander gehen und ihm sagen, daß ich das Buch gestohlen und verloren habe.«

Der Vater griff nach Bastians Hand.

»Hör mal, Bastian, wenn du willst, dann erledige ich das für dich.«

Bastian schüttelte den Kopf.

»Nein«, entschied er, »das ist meine Angelegenheit. Ich will das selbst machen. Und am besten tu ich's gleich.«

Er stand auf und zog sich den Mantel an. Der Vater sagte nichts, aber der Blick, mit dem er seinen Sohn ansah, war überrascht und respektvoll. Nie zuvor hatte sein Junge sich so verhalten.

»Ich glaube«, meinte er schließlich, »auch bei mir wird es noch ein bißchen dauern, bis ich mich an die Veränderung gewöhnt habe.«

»Ich komm' bald zurück«, rief Bastian, schon auf dem Flur, »es wird bestimmt nicht lang dauern. Diesmal nicht.«

Als er vor Herrn Koreanders Buchhandlung stand, sank ihm doch noch einmal der Mut. Er blickte durch die Scheibe, auf der die geschnörkelten Buchstaben standen, ins Innere des Ladens. Herr Koreander hatte gerade einen Kunden, und Bastian wollte lieber warten, bis der gegangen war. Er begann vor dem Antiquariat auf und ab zu gehen. Es fing wieder zu schneien an.

Endlich verließ der Kunde den Laden.

»Jetzt!« befahl sich Bastian.

Er dachte daran, wie er Graógramán in der Farbenwüste Goab entgegengetreten war. Entschlossen drückte er auf die Klinke.

Hinter der Bücherwand, die den dämmerigen Raum am anderen Ende begrenzte, war ein Husten zu hören. Bastian näherte sich ihr, dann trat er, ein wenig blaß, aber ernst und gefaßt, vor Herrn Koreander hin, der wieder in seinem abgewetzten Ledersessel saß wie bei ihrer ersten Begegnung.

Bastian schwieg. Er hatte erwartet, daß Herr Koreander zornrot auf ihn losfahren würde, daß er ihn anschreien würde: »Dieb! Verbrecher!« oder irgend etwas Derartiges.

Statt dessen zündete sich der alte Mann umständlich seine gebogene Pfeife an, wobei er den Jungen durch seine lächerliche kleine Brille aus halb zugekniffenen Augen musterte. Als die Pfeife endlich brannte, paffte er eine Weile angelegentlich und knurrte dann:

»Na? Was gibt's? Was willst du denn schon wieder hier?«

»Ich –«, begann Bastian stockend, »ich habe Ihnen ein Buch gestohlen. Ich wollte es Ihnen zurückbringen, aber das geht nicht. Ich hab's verloren oder vielmehr – jedenfalls ist es nicht mehr da.«

Herr Koreander hörte zu paffen auf und nahm die Pfeife aus dem Mund.

»Was für ein Buch?« fragte er.

»Es war das, in dem Sie gerade gelesen haben, als ich das letzte Mal hier war. Ich habe es mitgenommen. Sie sind nach hinten zum Telefonieren gegangen, und es lag da auf dem Sessel, und ich hab's einfach mitgenommen.«

»Soso«, sagte Herr Koreander und räusperte sich. »Mir fehlt aber kein Buch. Was für ein Buch soll denn das gewesen sein?«

»Es heißt Die Unendliche Geschichte«, erklärte Bastian, »es ist von außen aus kupferfarbener Seide und schimmert so, wenn man es hin und her bewegt. Zwei Schlangen sind darauf, eine helle und eine dunkle, die sich gegenseitig in den Schwanz beißen. Innen ist es in zwei verschiedenen Farben gedruckt – mit ganz großen, schönen Anfangsbuchstaben.«

»Ziemlich sonderbare Sache!« meinte Herr Koreander. »So ein Buch hab' ich nie besessen. Also kannst du mir's auch nicht gestohlen haben. Vielleicht hast du's woanders geklaut.«

»Bestimmt nicht!« versicherte Bastian. »Sie müssen sich doch erinnern. Es ist –«, er zögerte, aber dann sprach er es doch aus, »es ist ein Zauberbuch. Ich bin in die Unendliche Geschichte hineingeraten beim Lesen, aber als ich dann wieder herauskam, war das Buch weg.«

Herr Koreander beobachtete Bastian über seine Brille hinweg.

»Du machst dich doch nicht etwa lustig über mich, wie?«

»Nein«, antwortete Bastian fast bestürzt, »ganz bestimmt nicht. Es ist wahr, was ich sage. Sie müssen es doch wissen!«

Herr Koreander überlegte eine Weile, dann schüttelte er den Kopf.

»Das mußt du mir alles genauer erklären. Setz dich doch, mein Junge. Bitte, nimm Platz!«

Er wies mit dem Stiel seiner Pfeife auf einen zweiten Sessel, der dem seinen gegenüber stand. Bastian setzte sich.

»Also«, sagte Herr Koreander, »und nun erzähl' mir mal, was das alles bedeuten soll. Aber langsam und der Reihe nach, wenn ich bitten darf.«

Und Bastian begann zu erzählen.

Er tat es nicht so ausführlich wie beim Vater, aber da Herr Koreander immer größeres Interesse bekundete und immer noch Genaueres erfahren wollte, dauerte es doch mehr als zwei Stunden, bis Bastian damit fertig war.

Wer weiß warum, aber merkwürdigerweise wurden sie während dieser ganzen Zeit durch keinen einzigen Kunden gestört.

Als Bastian seinen Bericht beendet hatte, paffte Herr Koreander lange Zeit vor sich hin. Er schien tief in Gedanken versunken. Schließlich räusperte er sich wieder, setzte seine kleine Brille zurecht, blickte Bastian eine Weile prüfend an und sagte dann:

»Eins steht fest: Du hast mir dieses Buch nicht gestohlen, denn es gehört weder mir noch dir, noch sonst irgendeinem anderen. Wenn ich mich nicht irre, dann stammte es selbst schon aus Phantásien. Wer weiß, vielleicht hat es in genau diesem Augenblick gerade jemand anders in der Hand und liest darin.«

»Dann glauben Sie mir also?« fragte Bastian.

»Selbstverständlich«, antwortete Herr Koreander, »jeder vernünftige Mensch würde das tun.«

»Ehrlich gesagt«, meinte Bastian, »damit habe ich nicht gerechnet.«

»Es gibt Menschen, die können nie nach Phantásien kommen«, sagte Herr Koreander, »und es gibt Menschen, die können es, aber sie bleiben für immer dort. Und dann gibt es noch einige, die gehen nach Phantásien und kehren wieder zurück. So wie du. Und die machen beide Welten gesund.«

»Ach«, sagte Bastian und wurde ein wenig rot, »ich kann eigentlich nichts dafür. Um ein Haar wäre ich nicht zurückgekommen. Wenn Atréju nicht gewesen wäre, säße ich jetzt bestimmt für immer in der Alten Kaiser Stadt.«

Herr Koreander nickte und paffte nachdenklich vor sich hin.

»Tja«, brummte er, »du hast Glück, daß du einen Freund in Phantásien hast. Das hat, weiß Gott, nicht jeder.«

»Herr Koreander«, fragte Bastian, »woher wissen Sie das alles? – Ich meine – waren Sie auch schon mal in Phantásien?«

»Selbstverständlich«, sagte Herr Koreander.

»Aber dann«, meinte Bastian, »dann müssen Sie doch auch Mondenkind kennen!«

»Ja, ich kenne die Kindliche Kaiserin«, sagte Herr Koreander, »allerdings nicht unter diesem Namen. Ich habe sie anders genannt. Aber das spielt keine Rolle.«

»Dann müssen Sie doch auch das Buch kennen!« rief Bastian, »dann haben Sie ja doch die Unendliche Geschichte gelesen!«

Herr Koreander schüttelte den Kopf.

»Jede wirkliche Geschichte ist eine Unendliche Geschichte.« Er ließ seinen Blick über die vielen Bücher schweifen, die bis unter die Decke hinauf an den Wänden standen, dann zeigte er mit dem Stiel seiner Pfeife darauf und fuhr fort:

»Es gibt eine Menge Türen nach Phantásien, mein Junge. Es gibt noch mehr solche Zauberbücher. Viele Leute merken nichts davon. Es kommt eben darauf an, wer ein solches Buch in die Hand bekommt.«

»Dann ist die Unendliche Geschichte also für jeden anders?«

»Das will ich meinen«, versetzte Herr Koreander, »außerdem gibt es nicht nur Bücher, es gibt noch andere Möglichkeiten, nach Phantásien und wieder zurück zu kommen. Das wirst du noch merken.«

»Meinen Sie?« fragte Bastian hoffnungsvoll, »aber dann müßte ich Mondenkind doch noch mal begegnen, und jeder begegnet ihr doch nur ein einziges Mal.«

Herr Koreander beugte sich vor und dämpfte seine Stimme.

»Laß dir etwas von einem alten, erfahrenen Phantásienreisenden sagen, mein Junge! Es ist ein Geheimnis, das in Phantásien niemand wissen kann. Wenn du nachdenkst, wirst du auch verstehen, warum das so ist. Zu Mondenkind kannst du kein zweites Mal kommen, das ist richtig – solang sie Mondenkind ist. Aber wenn du ihr einen neuen Namen geben kannst, wirst du sie wiedersehen. Und sooft dir das gelingt, wird es jedesmal wieder das erste und einzige Mal sein.«

Über Herrn Koreanders Bulldoggengesicht lag für einen Augenblick ein weicher Schimmer, der es jung und beinahe schön erscheinen ließ.

»Danke, Herr Koreander!« sagte Bastian.

»Ich muß mich bei dir bedanken, mein Junge«, antwortete Herr Koreander. »Ich fände es nett, wenn du dich ab und zu hier bei mir blicken lassen würdest, damit wir unsere Erfahrungen austauschen. Es gibt nicht so viele Leute, mit denen man über solche Dinge sprechen kann.«

Er streckte Bastian die Hand hin. »Abgemacht?«

»Gern«, sagte Bastian und schlug ein. »Ich muß jetzt gehen. Mein Vater wartet. Aber ich komm' bald wieder.«

Herr Koreander begleitete ihn bis zur Tür. Als sie darauf zugingen, sah Bastian durch die spiegelverkehrte Schrift der Glasscheibe, daß der Vater auf der anderen Straßenseite stand und ihn erwartete. Sein Gesicht war ein einziges Strahlen.

Bastian riß die Tür auf, daß die Traube der Messingglöckchen wild zu bimmeln begann, und rannte auf dieses Strahlen zu.

Herr Koreander schloß die Tür behutsam und blickte den beiden nach.

»Bastian Balthasar Bux«, brummte er, »wenn ich mich nicht irre, dann wirst du noch manch einem den Weg nach Phantásien zeigen, damit er uns das Wasser des Lebens bringt.«

Und Herr Koreander irrte sich nicht.

Aber das ist eine andere Geschichte und soll ein andermal erzählt werden.